비상 독해路

수능 국어 1등급

예비 고등~고등3

수능 개념을 바탕으로 실전 감각을 길러요

독서, 고난도 독서
기출 개념을 익히고 학습하는 수능 예상 문제집

독서 기본, 독서
기출로 실전 감각을 키우는 기출문제집

예비 중등~중등3

영역별 독해 전략을 바탕으로 독해력을 강화해요

비문학 1~3권
독해력을 단계별로 단련하는 중등 독해

어휘편 1~3권
중등 전 과목 교과서 필수 어휘 학습

문학편 1~3권
감상 스킬을 단련하는 필수 작품 독해

초등3~예비 중등

본격적으로 학습 독해 실력을 쌓아요

비문학 시작편 1~2권
초등에서 처음 만나는 수능 독해의 기본

비문학 1~2권
초등 독해의 넥스트레벨 고급 독해

문학 1~3권
시험에 꼭 나오는 작품 독해

중등수능독해 「문학편」 기획에 도움을 주신 선생님

김두환 국풍2000 국어학원
김석우 하제입시학원
김은영 혜윰국어논술학원
박미진 열정과 의지
서주홍 서주홍 국어 학원
임대규 세일학원
한동희 한동희 국어학원
김민영 압구정 정보학원
김여송 라미학원
김재현 갈무리 국어학원
박시현 정진학원
성부경 이룸국어영어전문학원
최재하 해오름 국어학원
홍경란 홍쌤 에프엠 국어학원
김선희 김선희 국어
김영숙 정명학원
김현 내일의창 국어학원
백지은 정음국어학원
신승지 뿌리깊은학원
최지은 류연우논리수학 LS논리속독국어학원
황지혜 갈무리 국어학원
김소희 한올국어학원
김윤범 효현스마트국어논술학원
문선희 쌤이룩학원
변다영 SNU학원
이진협 마루학원

※ 선생님들의 재직처는 발간 시점을 기준으로 하였습니다. 변동 사항은 선생님의 요청이 있을 경우 재쇄 시 반영하겠습니다.

중등 수능 독해

2 발전

문학편

중등 수능독해 문학편

단계별 전략

중등 수능독해 문학편은 작품의 수준과 지문의 구성 방식, 문제의 난이도 등을 학생들의 수준에 맞게 단계별로 제시하였습니다.

수능 독해를 처음 접하는 학생은 1권을, 수능 독해 실력을 한 단계 올리고 싶은 학생은 2권을, 수능 독해 실력을 완성하고 싶은 학생은 3권을 선택하여 학습합니다.

1권 기본 | 예비 중1 ~ 중1

작품 수준의 단계별 구성

① 수록 교과서 수준

중등 국어 교과서	고등 국어 교과서	고등 문학 교과서

중3 학업성취도 평가 기출 작품 35% 반영

② 고전 문학 작품 수

현대: 20작품	고전: 6작품 23%

기본 수준에 맞는 교과서 및 기출 작품 반영

지문 구성의 단계별 제시

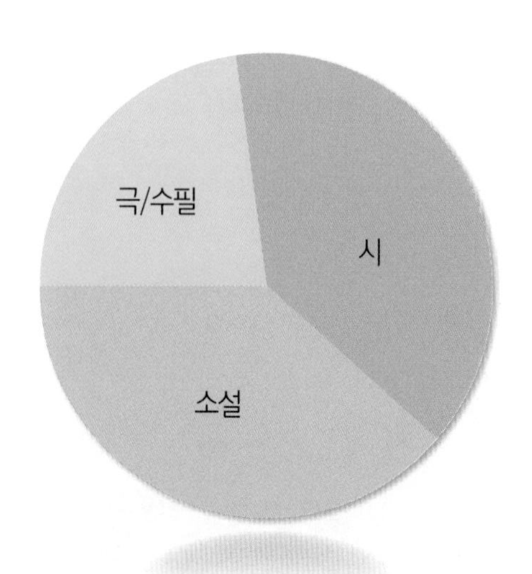

수능 문학에서 출제되는 4개 갈래를 **기본** 수준에 맞는 단일 지문 100%로 구성

"수능 독해 사고력 완성"

2권 발전 중1 ~ 중2

① 수록 교과서 수준

중등 국어 교과서	고등 국어 교과서	고등 문학 교과서

전국연합 학력평가 기출 작품 85% 반영

② 고전 문학 작품 수

현대: 17작품	고전: 9작품 34%

발전 수준에 맞는
교과서 및 기출 작품 반영

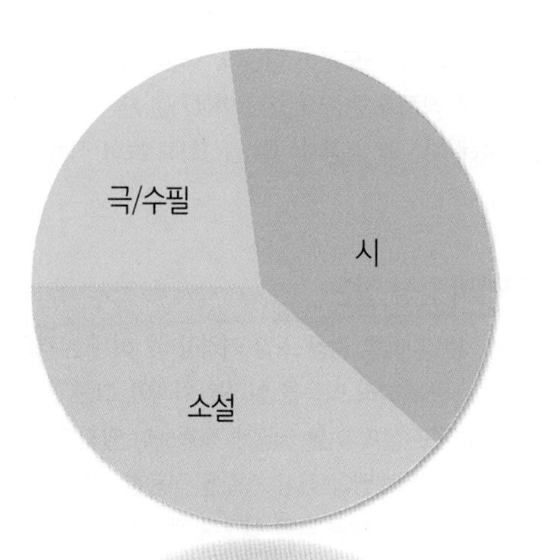

수능 문학에서 출제되는 4개 갈래를
발전 수준에 맞는 단일 지문 100%로 구성

3권 심화 중3 ~ 예비 고1

① 수록 교과서 수준

중등 국어 교과서	고등 국어 교과서	고등 문학 교과서

전국연합 학력평가 기출 작품 93%,
수능 및 평가원 모의평가 기출 작품 68% 반영

② 고전 문학 작품 수

현대: 19작품	고전: 12작품 39%

심화 수준에 맞는
교과서 및 기출 작품 반영

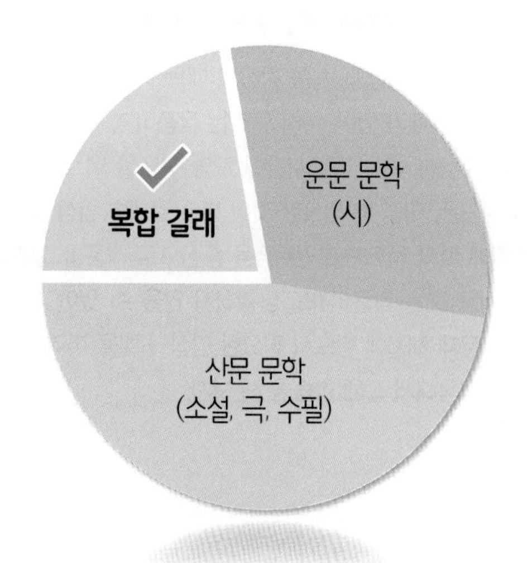

수능 문학에서 출제되는 4개 갈래의 단일 지문과
복합 갈래를 **심화** 수준에 맞게 구성

이 책의 구성과 사용법

1 감상 스킬 이해

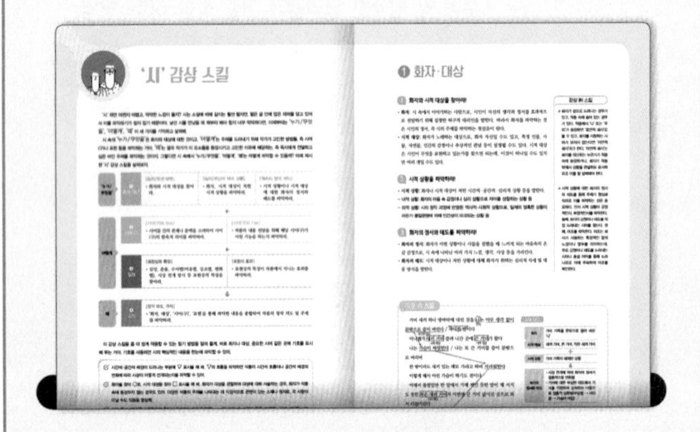

감상 스킬을 아는 것이 수능 독해의 시작!

우리가 낯선 작품을 처음 감상할 때는 어떻게 이해해야 할지 막막할 때가 있어. 특히 모르는 작품이 출제될 가능성이 있는 수능에서는 짧은 시간에 해당 작품을 빠르게 이해해야 하거든. 이럴 때 필요한 것이 바로 갈래별 감상 스킬! 이 스킬에 따라 중요한 포인트들을 중심으로 작품을 살펴본다면 처음 보는 작품이라도 당황하지 않을 수 있어. 작품 감상과 문제 해결에 반드시 필요한 감상 스킬을 미리 익히고, 이를 적용해서 독해 학습을 해 보자.

2 단계별 문제로 키우는 실전력

감상 스킬에 따라 작품을 감상하고, 문제도 풀어 보자.

수능형 문제를 경험하고 수능에 대한 자신감을 키워 봐!

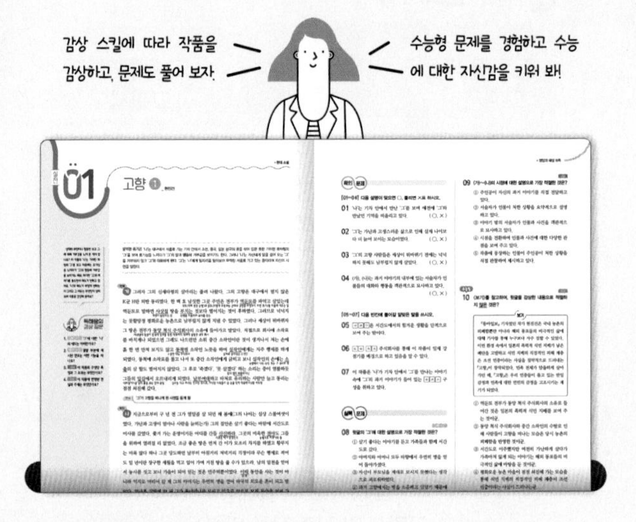

작품 열기

어떤 글을 읽고 이해하는 데 바탕이 되는 경험과 지식을 '배경지식'이라고 하는데, 이 배경지식을 활성화하면 작품을 감상할 때 매우 도움이 된단다. '작품 열기'는 작품을 감상하기 전, 작품과 관련이 있는 이야기를 제시하는 코너야. 이를 통해 자신의 배경지식을 활성화해 보며 작품 감상을 준비해 보자.

독해쌤의 감상 질문

앞에서 익힌 갈래별 감상 스킬 기억하지? 이제 본격적으로 이 감상 스킬에 따라 작품을 살펴볼 차례야. 그런데 감상 스킬을 익혔어도 실제 이를 어떻게 적용해야 할지 막막할 수 있어. 그래서 독해쌤이 감상 스킬을 적용한 질문을 준비해 놓았어. 이 질문에 대한 답을 찾으며 작품을 감상한다면, 자연스럽게 감상 스킬을 적용해 볼 수 있을 거야.

"감상 스킬 학습과 빈출 작품 집중 공략으로 실전력을 강화하는

"중등 수능독해 문학편"

3 똑똑한 감상 마무리

감상 스킬에 따라 작품의 내용을 정리해 보니 작품 전체가 한눈에 보이는구나!

어휘력이 부족하면 글을 제대로 이해할 수 없어. 다양한 어휘 학습을 통해 어휘력을 쌓아 봐!

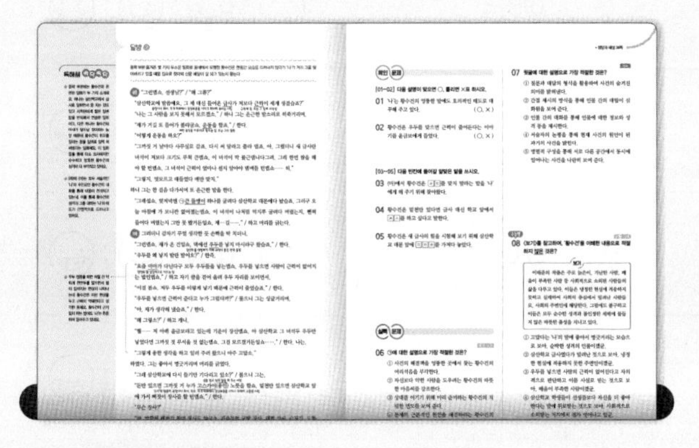

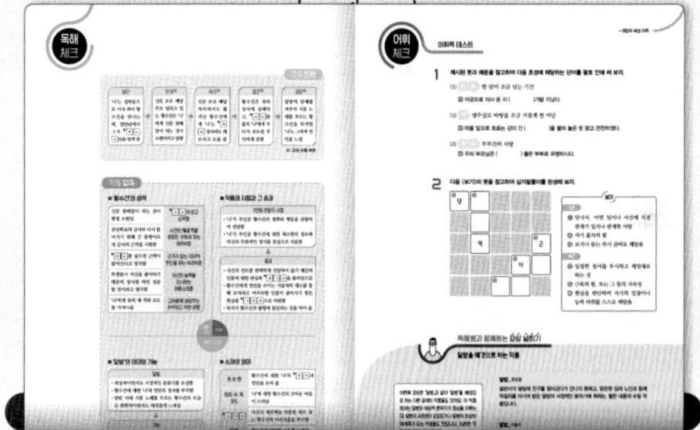

독해쌤의 속닥속닥

작품을 감상하는 중간중간에는 '독해쌤의 속닥속닥'이 제시되어 있어. 작품에서 중요한 내용을 선생님이 직접 설명해 주시는 것처럼 친절하게 알려 주고 있으니까 작품의 깊이 있는 감상에 도움이 될 거야.

수능의 사고력에 맞춰 단계별로 출제한 문제

1단계 확인 문제

OX형, 빈칸 넣기형 문제로 간단히 구성된 확인 문제를 통해 작품에 대한 이해도를 확인해 보자.

2단계 실력 문제

실력 문제에서는 각 문제가 어떤 감상 스킬을 반영하고 있는지 표시해 두었어. 작품 감상은 물론 문제 풀이까지 이어지는 감상 스킬을 확인해 보렴. 또한 실제 학교 시험에서 자주 출제되는 내신형 문제를 풀어 보면서, 실전 감각을 익혀 보자.

3단계 수능형 문제

실력 문제 안에는 실전 수능에 가까운 수능형 문제도 준비해 두었어. 다소 어렵더라도 수능형 문제를 정복하면서 수능에 대한 자신감을 키워 보자.

독해 체크

[작품 전체] 작품 전체의 구성과 내용을 한 번에 확인하고 정리할 수 있어.

[작품 압축] 작품 감상 시작 부분에 제시되어 있는 '독해쌤의 감상 질문'에 대한 답을 한눈에 파악할 수 있도록 정리해 두었어.

어휘 체크

지문에 나온 어휘와 문제 선택지에 제시된 어휘를 활용해 다양한 어휘 학습 장치를 마련해 두었어. 독해에 기본이 되는 어휘력 향상도 놓치지 말자고!

독해쌤과 함께하는 감상 넓히기

지금까지 감상한 작품과 주제나 표현 등에서 관련이 있는 다른 작품들을 제시해 두었어. 해당 작품을 추가로 읽어 보고, 작품들의 공통점이나 차이점 등을 비교하며 감상해 본다면 작품에 대한 이해가 더욱 넓어질 거야.

차례와 학습 계획

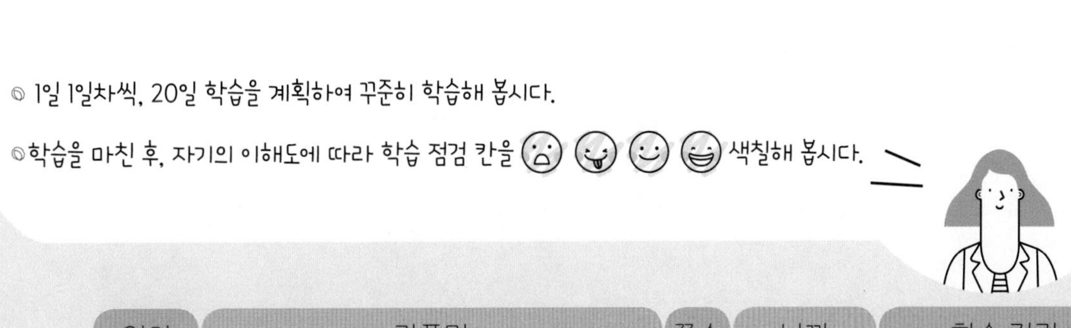
1일 1일차씩, 20일 학습을 계획하여 꾸준히 학습해 봅시다.
학습을 마친 후, 자기의 이해도에 따라 학습 점검 칸을 색칠해 봅시다.

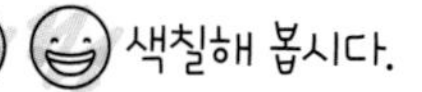

3
극/수필

1

시

작품명	전국 연합	수능, 모평	중등 교과서	고등 교과서
[실전 01] 접동새	○	○		○
[실전 02] 향수		○		○
[실전 03] 수라	○		○	○
[실전 04] 광야	○		○	○
[실전 05] 꽃	○		○	○
[실전 06] 농무	○	○		○
[실전 07] 첫사랑	○		○	○
[실전 08] 청산별곡	○	○	○	○
[실전 09] 님이 오마 하거늘~	○	○		○
[실전 09] 동짓달 기나긴 밤을~	○		○	○
[실전 10] 속미인곡	○	○		○

‘시’ 감상 스킬

‘시’ 하면 어쩐지 어렵고, 막막한 느낌이 들지? 시는 소설에 비해 길이는 훨씬 짧지만, 짧은 글 안에 많은 의미를 담고 있어서 이를 파악하기가 쉽지 않기 때문이야. 낯선 시를 만났을 때 뭐부터 봐야 할지 너무 막막하다면, 이제부터는 **‘누가/무엇을’**, **‘어떻게’**, **‘왜’** 이 세 가지를 기억하고 살펴봐.

시 속의 **‘누가/무엇을’**은 화자와 대상에 대한 것이고, **‘어떻게’**는 주제를 드러내기 위해 작가가 고민한 방법들, 즉 시어(구)나 표현 등을 파악하는 거야. **‘왜’**는 결국 작가가 이 요소들을 등장시키고 고민한 이유에 해당하는, 즉 독자에게 전달하고 싶은 바인 주제를 파악하는 것이지. 그렇다면 시 속에서 ‘누가/무엇을’, ‘어떻게’, ‘왜’는 어떻게 파악할 수 있을까? 아래 제시된 ‘시’ 감상 스킬을 살펴보자.

구분	단계	내용		
‘누가/무엇을’	❶ 화자·대상	[화자(대상) 파악] • 화자와 시적 대상을 찾아라.	[화자(대상)의 처지, 상황] • 화자, 시적 대상이 처한 시적 상황을 파악하라.	[화자의 정서, 태도] • 시적 상황이나 시적 대상에 대한 화자의 정서와 태도를 파악하라.
		+		
어떻게	❷ 시어(구)	[시어(구)의 의미] • 시어들 간의 관계나 문맥을 고려하여 시어(구)의 함축적 의미를 파악하라.	[시어(구)의 기능] • 작품의 내용 전달을 위해 해당 시어(구)가 어떤 기능을 하는지 파악하라.	
		+		
어떻게	❸ 표현	**[표현상의 특징]** • 심상, 운율, 수사법(비유법, 강조법, 변화법), 시상 전개 방식 등 표현상의 특징을 찾아라.	**[표현의 효과]** • 표현상의 특징이 작품에서 지니는 효과를 파악하라.	
		⇓		
왜	❹ 주제	[창작 의도, 주제] • ‘화자, 대상’, ‘시어(구)’, ‘표현’을 통해 파악한 내용을 종합하여 작품의 창작 의도 및 주제를 파악하라.		

이 감상 스킬을 좀 더 쉽게 적용할 수 있는 필기 방법을 알려 줄게. 바로 화자나 대상, 중요한 시어 같은 곳에 기호를 표시해 두는 거야. 기호를 사용하면 시의 핵심적인 내용을 한눈에 파악할 수 있어.

- ✓ 시간적·공간적 배경이 드러나는 부분에 ▽ 표시를 해 봐. ▽의 흐름을 파악하면 작품이 시간적 흐름이나 공간적 배경의 변화에 따라 시상이 어떻게 전개되는지를 파악할 수 있어.
- ✓ 화자를 찾아 ○로, 시적 대상을 찾아 □ 표시를 해 봐. 화자가 대상을 관찰하여 대상에 대해 서술하는 경우, 화자가 작품 속에 등장하지 않는 경우도 있어. 대상은 작품의 주제를 나타내는 데 직접적으로 관련이 있는 소재나 청자로, 꼭 사람이 아닐 수도 있음을 명심해.
- ✓ 시의 핵심 시어(구)나 표현상의 특징이 두드러진 부분에 밑줄(____)을 그어 봐. 그리고 밑줄 아래에는 내가 파악한 시어(구)의 함축적 의미나 표현의 효과 등을 간단히 함께 적어 두면 좋지.

❶ 화자·대상

1 화자와 시적 대상을 찾아라!

- **화자**: 시 속에서 이야기하는 사람으로, 시인이 자신의 생각과 정서를 효과적으로 전달하기 위해 설정한 허구적 대리인을 말한다. 따라서 화자를 파악하는 것은 시인의 정서, 즉 시의 주제를 파악하는 첫걸음이 된다.
- **시적 대상**: 화자가 노래하는 대상으로, 화자 자신일 수도 있고, 특정 인물, 사물, 자연물, 인간의 감정이나 추상적인 관념 등이 설정될 수도 있다. 시적 대상은 시인이 무엇을 표현하고 있는가를 찾으면 되는데, 이것이 하나일 수도 있지만 여러 개일 수도 있다.

2 시적 상황을 파악하라!

- **시적 상황**: 화자나 시적 대상이 처한 시간적·공간적·심리적 상황 등을 말한다.
- 내적 상황: 화자의 마음 속 감정이나 심리 상황으로 자아를 성찰하는 상황 등
- 외적 상황: 시의 창작 과정에 반영된 역사적·사회적 상황으로, 일제의 엄혹한 상황이라든가 물질문명에 의해 인간성이 파괴되는 상황 등

3 화자의 정서와 태도를 파악하라!

- **화자의 정서**: 화자가 어떤 상황이나 사물을 접했을 때 느끼게 되는 마음속의 온갖 감정으로, 시 속에 나타난 여러 가지 느낌, 생각, 사상 등을 가리킨다.
- **화자의 태도**: 시적 대상이나 처한 상황에 대해 화자가 취하는 심리적 자세 및 대응 방식을 말한다.

감상 IN 스킬

◆ 화자가 겉으로 드러나는 경우가 있고, 작품 속에 숨어 있는 경우가 있다. 작품에서 '나' 또는 '우리'가 등장하면 '표면적 화자'로 볼 수 있고, 화자를 지칭하는 시어가 보이지 않는다면 '이면적 화자'라고 한다. '이면적 화자'는 화자를 대신하는 누군가가 작품 속에 등장하거나, 화자가 작품 밖에서 상황을 관찰하듯 묘사하므로 이를 잘 살펴봐야 한다.

◆ 시적 상황에 대한 화자의 정서와 태도를 통해 주제가 형상화되므로 이를 파악하는 것은 중요하다. 먼저 시적 상황이 긍정적인지, 부정적인지를 파악한다. 둘째, 화자의 감정이나 태도를 직접 드러내는 시어를 찾는다. 셋째, 어조를 파악한다. 어조는 화자가 사용하는 특징적인 말의 느낌이나 말투를 의미하는데, 주로 감정이나 태도를 드러내는 시어나 종결 어미를 통해 드러나므로 이에 주목하여 어조를 확인한다.

작품 속 스킬

거미 새끼 하나 방바닥에 내린 것을 나(화자)는 아무 생각 없이 문밖으로 쓸어 버린다(무심한 태도) / 차디찬 밤이다
어니젠가 새끼 거미(시적 대상) 쓸려 나간 곳에 큰 거미(시적 대상)가 왔다
나는 가슴이 짜릿한다 / 나는 또 큰 거미를 쓸어 문밖으로 버리며
찬 밖이라도 새끼 있는 데로 가라고 하며 서러워한다
이렇게 해서 아린 가슴이 싹기도 전이다
어데서 좁쌀알만 한 알에서 가제 깨인 듯한 발이 채 서지도 못한 작은 새끼 거미(시적 대상)가 이번엔 큰 거미 없어진 곳으로 와서 아물거린다
나는 가슴이 메이는 듯하다

– 백석, 「수라」

화자·대상

화자	거미 가족을 문밖으로 쓸어 버린 '나'
시적 대상	새끼 거미, 큰 거미, 작은 새끼 거미

\+

시적 상황	거미 가족이 해체된 상황

⇓

화자의 정서와 태도	• 시상 전개에 따라 화자의 정서가 점층적으로 변화함 • 거미에 대한 무심한 태도에서 거미를 걱정하여 슬퍼하는 마음으로 점층적 심화됨(무심함 → 서러움 → 가슴이 메임)

② 시어(구)

1 시어(구)의 의미를 파악하라!

- **시어(구)의 의미**: 시인은 자신의 생각을 가장 잘 전달할 수 있도록 일상어에 특별한 의미를 부여하여 시어로 사용함으로써 새로운 의미를 획득한다. 따라서 시어는 일상어의 사전적·지시적 의미 외에도 시의 문맥 속에서 여러 가지로 형성된 의미인 함축적 의미를 띠게 된다. '함축'이란 문맥을 통하여 여러 가지 뜻을 암시하거나 내포한다는 것이며, 이는 비유나 상징 등의 표현에 의해 이루어진다.
- **비유**: 사물이나 관념을 직접 설명하지 않고 그와 유사하거나 관련성이 있는 다른 대상에 빗대어 표현하는 방법을 말한다.

– 직유법: 원관념과 보조 관념을 직접적으로 연결하는 표현 방법
– 은유법: 원관념과 보조 관념을 'A는 B이다.' 식으로 연결하여 표현하는 방법
– 의인법: 인간이 아닌 다른 대상에 인간의 생명력과 속성을 부여하는 표현 방법

- **상징**: 인간의 감정, 사상 등의 추상적인 내용을 구체적인 다른 사물로 대신 표현하는 방법으로, 보조 관념만 제시되어 함축적 의미와 암시적 기능을 가지게 된다.

– 관습적 상징: 동일한 공동체의 사람들이 오랜 시간동안 사회적 관습에 의해 사용한 것으로, 그 의미가 관례적이고 보편성을 띰
– 개인적 상징: 작가가 독창적으로 만든 개성적이고 창조적인 문학적 상징으로 그 의미의 폭이 넓고 암시적인 것이 많음

2 시어(구)의 기능을 이해하라!

- **시어(구)의 기능**: 시어가 작품 안에서 하는 여러 가지 구실이나 작용을 말한다. 작품 속에서 시어는 음악적 효과를 이루고, 이미지와 분위기를 형성한다. 또한 화자의 정서 및 태도, 화자가 처한 상황을 드러내며 화자와 대상 간의 매개체 역할을 한다.

– 매개체: 둘 사이에 끼어서, 화자와 대상 간 또는 대상과 대상 간을 이어 줌
– 장애물: 화자가 하고자 하는 어떤 행동이나 생각을 못하게 방해함

감상 IN 스킬

◈ 작품 속에서 반복해서 쓰이는 시어가 있는지, 특정 시어와 유사한 의미를 지닌 시어가 반복되는지를 통해 핵심 시어를 찾아내면 그 작품의 주제에 반은 접근했다고 볼 수 있다.

◈ 시험에서는 비유법을 직접적으로 묻기보다는 함축적 의미가 유사한 시어를 찾는 문제로 출제되는 경우가 많으므로 비유적으로 표현하는 시어를 찾아 그 의미가 무엇인지 파악하는 연습을 해 두어야 한다.

◈ 일반적으로 고전 시가에서는 집단적 체험을 바탕으로 한 관습적 상징어들이 많이 쓰이고, 현대시에서는 주로 개인적인 체험을 바탕으로 한 비유나 상징적인 시어가 많이 쓰인다.

◈ 시어의 기능을 이야기할 때는 매개체, 장애물, 환기, 투영, 감정 이입, 객관적 상관물과 같은 개념어들이 자주 등장한다. 문학 작품 해설이나 선지에 자주 등장하는 개념어들은 따로 정리하여 완벽하게 이해해 둬야 한다.

작품 속 스킬

까마득한 날에 / 하늘이 처음 열리고 (까마득한 날: 태초, 과거)
어데 닭 우는 소리 들렸으랴. //

모든 산맥들이 / 바다를 연모해 휘달릴 때도 (산맥의 형성 과정, 의인법)
차마 [이곳]을 범하던 못하였으리라. //

끊임없는 광음을 / 부지런한 계절이 피어선 지고 (세월의 흐름)
큰 강물이 비로소 길을 열었다. // (큰 강물: 인류의 역사와 문명)

지금 눈 내리고 / 매화 향기 홀로 아득하니 (눈 내리고: 암울한 현실 상황 / 매화 향기: 민족정신, 조국의 광복)
(내) 여기 가난한 노래의 씨를 뿌려라. (가난한 노래의 씨: 자기희생의 의지)

– 이육사, 「광야」

시어(구)

강물	인류의 역사와 문명
눈	일제의 탄압에 의한 고난과 시련
매화 향기	강인한 민족정신, 현실 극복 의지
가난한 노래의 씨	절망적인 현실 극복을 위한 자기희생의 의지
이곳(광야)	민족의 삶의 터전, 우리 역사의 현장

❸ 표현

1 심상(이미지)을 파악하라!

심상(이미지)은 시에 쓰인 시어에 의해 마음속에 떠오른 감각적 영상을 말한다. 대상의 특징을 인간의 감각 기관(오감)으로 파악할 수 있도록 구체화한 것으로, 시각적 심상, 청각적 심상, 후각적 심상, 미각적 심상, 촉각적 심상이 있으며, 하나의 대상을 감각의 전이를 이용하여 표현한 공감각적 심상이 있다.

2 운율을 파악하라!

운율은 시를 읽을 때 느껴지는 말의 가락으로, 시 속에 내재된 음악적 요소까지 포함한다. 운율은 소리의 규칙적인 질서를 통해 언어의 아름다움과 쾌감을 느끼게 하고, 시의 분위기와 어조를 형성하여 주제를 부각하는 기능을 한다.

3 표현 방법을 찾아라!

- **강조하기**: 특정 부분을 강조하여 자신의 생각이나 감정을 더욱 인상적으로 표현하는 방법으로, 설의법, 연쇄법, 영탄법, 과장법, 반복법, 열거법 등이 있다.
- **변화주기**: 문장에 변화를 주어 단조로움을 없애고, 의미를 강조하는 표현법으로 도치법, 대구법, 점층법, 반어법, 역설법, 문답법, 인용법, 생략법 등이 있다.

4 전개 방식을 파악하라!

시인이 시를 통해 전달하고자 하는 생각과 정서인 시상을 효과적으로 전달하기 위해 일정한 질서나 규칙에 의해 배열한 것을 시상 전개 방식이라고 한다.

- **시간의 흐름**: 시간의 흐름에 따라 내용을 전개하는 방법이다.
- **공간의 이동**: 장소의 이동이나 시선의 이동에 따라 시상을 전개하는 방법이다.
- **수미상관**: 시의 처음과 끝에 동일하거나 유사한 시구를 배치하는 방법이다.
- **선경후정**: 앞부분에서는 경치를, 뒷부분에서는 정서를 나타내는 전개 방법이다.

감상 IN 스킬

- 시험에서는 공감각적 심상이 출제되는 경우가 가장 많다. 공감각적 심상은 청각의 시각화, 시각의 청각화, 시각의 촉각화 등 하나의 감각이 동시에 다른 영역의 감각을 불러일으키는 것을 말한다.
- 운율을 형성하는 방법은 여러 가지가 있는데 보통 동일한 음운과 단어 반복, 음절 수 및 음보의 반복, 음성 상징어 사용, 동일한 문장 구조의 반복 등을 통해 형성된다.
- 시간의 흐름은 시간과 관련되는 시어를 우선적으로 찾아보는 것이 중요하다. 그리고 공간의 이동에서 장소의 이동은 화자나 시적 대상이 위치하는 공간이 달라지는 것이고, 시선의 이동은 화자가 그대로 있는 채 바라보는 대상이 바뀌는 것임을 기억해야 한다.

작품 속 스킬

넓은 벌 동쪽 끝으로 / 옛이야기 지줄대는 실개천(청각적 심상)이 휘돌아 나가고,

얼룩빼기 황소(시각적 심상)가 / 해설피 금빛 게으른 울음(공감각적 심상)을 우는 곳,

// ─ 그곳이 차마 꿈엔들 잊힐리야.(설의법, 후렴구의 반복)

질화로에 재가 식어지면 / 비인 밭에 밤바람 소리 말을 달리고,(공감각적 심상)

엷은 졸음에 겨운 늙으신 아버지가 / 짚베개를 돋아 고이시는 곳, // ─ 그곳이 차마 꿈엔들 잊힐리야.

─ 정지용, 「향수」

표현

- 후렴구의 반복을 통한 운율 형성

그곳이 차마 꿈엔들 잊힐리야.

⇓

각 연의 끝에 후렴구를 반복하여 제시함으로써, 시상을 매듭짓고 운율을 형성함

- 감각적 이미지 사용

구분	내용
시각적 심상	얼룩빼기 황소
청각적 심상	옛이야기 지줄대는 실개천
공감각적 심상	금빛 게으른 울음, 밤바람 소리 말을 달리고

접동새 _ 김소월

보통 새의 소리를 '지저귄다'고 표현하지요. 그런데 접동새는 '운다'라고 표현하는 경우가 많아요. 그 이유는 새어머니에게 학대를 받다 죽은 소녀가 동생들이 그리워 접동새가 되어 밤에만 찾아온다는 슬픈 설화가 있기 때문인데요. 이 작품은 그 설화를 바탕으로 창작된 작품이에요. 접동새라는 소재가 이 작품에서 어떤 역할을 하고 있는지 감상해 볼까요?

독해쌤의 강상 질문

1. 화자·대상 화자는 어떤 상황에 처해 있고, 어떤 감정을 느끼고 있나요?
2. 시어(구) '접동새'의 상징적 의미는 무엇인가요?
3. 표현 • 1연의 '접동 / 접동 / 아우래비 접동'이 주는 효과는 무엇인가요?
   • 이 작품에 나타난 표현상의 특징과 효과는 무엇인가요?

접동

접동

아우래비 접동
(아우래비: 아홉 오라비(남동생) 또는 접동새 울음소리)

진두강 가람 가에 살던 누나는
(가람: 강)

진두강 앞마을에

와서 웁니다.

옛날, 우리나라

먼 뒤쪽의

진두강 가람 가에 살던 누나는

의붓어미 시샘에 죽었습니다

누나라고 불러 보랴

오오 불설워
(불설워: 몹시 서러워)

시새움에 몸이 죽은 우리 누나는

죽어서 ㉠ 접동새가 되었습니다

아홉이나 남아 되던 오랩동생을
(오랩동생: 남동생)

죽어서도 못 잊어 차마 못 잊어

야삼경(夜三更) 남 다 자는 밤이 깊으면
(야삼경: 밤 11시부터 새벽 1시, 즉 깊은 밤)

이 산 저 산 옮아 가며 슬피 웁니다.

확인 문제

[01~04] 다음 설명이 맞으면 ○, 틀리면 ×표 하시오.

01 이 작품의 화자는 아홉 명의 '오랩동생' 중의 하나이다. (○, ×)

02 이 작품에서 '접동새'는 죽은 누나에 대한 동생들의 그리움을 상징한다. (○, ×)

03 이 작품에서는 3음보의 민요적 율격을 사용함으로써 운율감을 형성하고 있다. (○, ×)

04 이 작품에는 접동새가 나는 모습을 표현한 의태어가 반복적으로 사용되어 있다. (○, ×)

[05~07] 다음 빈칸에 들어갈 알맞은 말을 쓰시오.

05 이 작품은 접동새와 관련된 ㅅㅎ를 바탕으로 시상을 전개하고 있다.

06 이 작품에서 접동새의 울음소리는 누나의 ㅎ을 효과적으로 드러내는 역할을 한다.

07 이 작품에서 죽은 누나에 대한 화자의 정서가 'ㅇㅇ ㅂㅅㅇ'라는 시구를 통해 직접적으로 제시되고 있다.

실력 문제

표현

08 윗글에 대한 설명으로 적절하지 않은 것은?

① 애상적 어조를 통해 비극적 분위기를 드러내고 있다.
② 구체적 지명을 사용하여 향토적 정서를 불러일으키고 있다.
③ 동일한 시구를 반복하여 두 연을 유기적으로 연결하고 있다.
④ 음성 상징어를 반복적으로 배치하여 음악적 효과를 얻고 있다.
⑤ 화자와 시적 대상 간의 대화를 통해 주제 의식을 부각하고 있다.

시어(구)

09 ㉠의 의미로 가장 적절한 것은?

① 누나의 복수심
② 의붓어미의 시샘
③ 갈 곳을 잃은 누나의 방황
④ 억울하게 죽은 누나의 한(恨)
⑤ 가난한 현실에 대한 누나의 서러움

수능형 화자·대상 + 시어(구)

10 〈보기〉를 참고하여 윗글을 이해한 것으로 적절하지 않은 것은?

> 보기
>
> 이 작품은 계모에게 박대받던 처녀가 죽어서 접동새가 되었고, 밤이면 오라비들을 찾아와 울었다는 '접동새 설화'를 수용하여 현대시의 형식으로 변용하고 재창조한 것이다. 억울한 죽음의 사연을 담고 있는 설화를 통해 당시 나라를 잃고 슬픔에 빠진 우리 민족의 한을 전통적 율격으로 노래하고 있다고 볼 수 있다.

① '접동 / 접동 / 아우래비 접동'은 설화와 관련된 접동새 울음소리를 리듬감이 느껴지도록 변용한 것이군.
② 접동새 설화의 '누나'를 '우리 누나'로 변주하여 우리 민족이 지닌 한의 정서를 바탕으로 공감을 이끌어 내고 있군.
③ '우리 누나는 / 죽어서 접동새가 되었습니다'는 '누나'가 접동새로 환생한 설화를 수용한 것으로, 당시 나라를 잃고 슬픔에 빠진 우리 민족에게 희망을 주고자 한 것이로군.
④ '죽어서도 못 잊어 차마 못 잊어'는 설화의 내용을 전통적 율격으로 제시한 것으로, 우리 민족의 한(恨)의 정서가 바탕에 깔려 있군.
⑤ '이 산 저 산 옮아 가며 슬피 웁니다.'는 죽어서도 계모의 눈을 피해 다녀야 하는 누나의 처지가 나타난 것으로, 나라를 잃은 우리 민족의 슬픔과 연결 지을 수 있군.

작품 전체

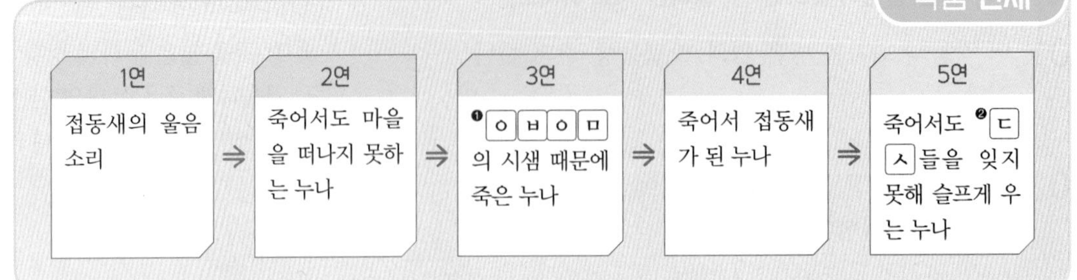

작품 압축

■ 화자의 상황과 정서

'우리 누나'라는 시구를 통해 이 작품의 화자가 아홉 오랩동생 중의 하나임을 알 수 있다. 2~3연에서는 누나의 죽음에 대해 객관적으로 서술하고 있지만, 4연부터 화자의 감정이 직접적으로 나타나기 시작한다.

상황
깊은 밤에 접동새 울음소리를 듣고 있음

⇓

정서
의붓어미 시샘에 죽은 누이가 ❸ㅈㄷㅅ로 환생하여 우는 소리라고 생각하며 누이를 그리워함

■ '접동새'의 상징적 의미

새는 일반적으로 자유와 비상을 상징하지만 이 작품에서 '접동새'는 억울하게 세상을 떠난 누나가 환생한 대상이다. 나아가 아홉 동생을 잊지 못하고 이 산 저 산 떠돌며 슬피 우는 모습을 통해 접동새는 아홉 동생에 대한 누나의 애틋한 마음을 상징한다고 볼 수 있다.

'죽어서 접동새가 되었습니다'
죽은 누나의 ❹ㅎㅅ

\+

'아홉이나 남아 되던 오랩동생을 / 죽어서도 못 잊어 차마 못 잊어'
누나의 그리움과 ❺ㅎ

화자·대상 시어(구) 표현

■ '접동 / 접동 / 아우래비 접동'의 효과

1연의 '접동 / 접동 / 아우래비 접동'은 접동새의 울음소리를 표현한 의성어이다. 이때 '아우래비'는 아홉 오래비를 매끄러운 소리로 표현한 것으로 보기도 하고, 접동새의 소리를 나타낸 것이라고 보기도 한다.

표현	특징
접동새의 울음소리를 표현한 의성어	• 접동새 설화 내용을 환기함 • 누나의 한을 효과적으로 드러냄
aaba 형식	리듬감을 형성함
행을 바꾸어 반복함	비극적이고 ❻ㅇㅅㅈ인 분위기를 조성함

■ 표현상의 특징

이 작품은 계모의 학대를 받던 여인이 죽어 접동새가 된 이야기를 바탕으로 하였고, 전반적으로 3음보의 율격을 활용하고 있다.

표현상의 특징	• 접동새 ❼ㅅㅎ를 바탕으로 시상이 전개됨 • 7·5조, 3음보의 전통적 율격을 사용함

⇓

효과	• 우리 민족의 보편적 정서인 '한'을 드러냄 • ❽ㅁㅇ적이고 전통적인 느낌을 줌

어휘력 테스트

1 **제시된 뜻과 예문을 참고하여 다음 초성에 해당하는 단어를 괄호 안에 써 보자.**

(1) ㅂ ㄷ : ① 정성을 들이지 않고 아무렇게나 하는 대접 ② 인정 없이 모질게 대함

예 오랜만에 찾아간 친구에게 ( )를 당하고 나니 마음이 상했다.

(2) ㅅ ㅅ ㅇ : 자기보다 잘되거나 나은 사람을 공연히 미워하고 싫어함. 또는 그런 마음

예 동생은 주변 사람들의 ( )을 받을 만큼 외모도 뛰어나고 공부도 잘한다.

(3) ㅇ ㅅ ㄱ : 하룻밤을 오경(五更)으로 나눈 셋째 부분. 밤 열한 시에서 새벽 한 시 사이를 말함

예 달빛이 휘황하게 빛나는 ( )에 이리저리 뒤척이다 임과 만나는 꿈을 꾸었다.

2 **다음 단어의 뜻을 참고하여 끝말잇기를 완성해 보자.**

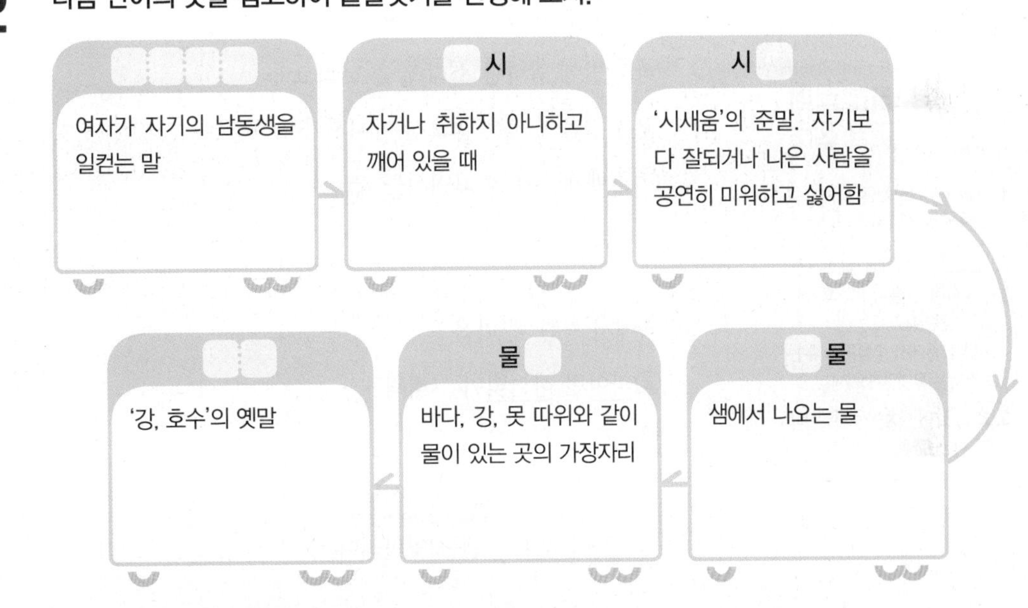

독해쌤과 함께하는 감상 넓히기

접동새를 소재로 한 작품

이번에 감상한 「접동새」와 같이 접동새를 소재로 창작된 작품들이 있어요. 접동새는 한(恨)을 표상하는 소재로 흔히 등장하는데, '두견이(새)', '귀촉도' 등으로 불리기도 한답니다. 접동새가 등장하는 작품들을 더 감상해 볼까요?

귀촉도_서정주

'귀촉도'에 얽힌 설화를 바탕으로 사별한 임에 대한 그리움을 형상화한 작품입니다. 망국의 한을 간직한 귀촉도를 임과 사별한 여인의 애절한 슬픔과 정한 및 그리움으로 변형하여 노래하고 있습니다.

낙화_조지훈

꽃이 지는 모습을 바라보면서 느끼는 삶의 무상함과 비애를 절제된 전통적 율격과 차분하고 담담한 어조로 노래한 작품입니다. 이 작품에서 '귀촉도'는 화자의 슬픔을 드러내는 소재로 제시되고 있습니다.

향수 _ 정지용

이 작품의 제목인 '향수'는 고향에 대한 그리움을 뜻해요. 여러분에게 '고향'은 어떤 모습으로 남아 있나요? 이 작품은 농경 시대 한국인의 고향의 전형적인 모습을 노래하고 있는데요. 작가에게 '고향'은 어떤 모습이고 어떤 의미인지, 살펴보며 작품을 감상해 볼까요?

독해쌤의 감상 질문

1. 시어(구) 이 작품에 사용된 시어의 특징은 무엇인가요?
2. 표현 • 이 작품에 사용된 감각적 심상과 그 효과는 무엇인가요?
   • 이 작품에서 후렴구가 주는 효과는 무엇인가요?
3. 주제 이 작품에서 전달하고자 하는 주제는 무엇인가요?

넓은 벌 동쪽 끝으로

옛이야기 지줄대는 ⓐ실개천이 / 휘돌아 나가고,
(지줄대는: 낮은 목소리로 자꾸 지껄이는)

ⓑ얼룩빼기 황소가 / 해설피 금빛 게으른 울음을 우는 곳,
(해설피: 해가 질 때 빛이 약해진 모양)

㉠—그곳이 차마 꿈엔들 잊힐리야.

ⓒ질화로에 재가 식어지면,

비인 밭에 밤바람 소리 말을 달리고,

엷은 졸음에 겨운 늙으신 아버지가

ⓓ짚베개를 돋아 고이시는 곳,

—그곳이 차마 꿈엔들 잊힐리야.

흙에서 자란 내 마음

ⓔ파아란 하늘빛이 그리워

함부로 쏜 화살을 찾으려

풀섶 이슬에 함초롬 휘적시던 곳,
(함초롬: 젖거나 서려 있는 모습이 가지런하고 차분한 모양)

—그곳이 차마 꿈엔들 잊힐리야.

전설(傳說) 바다에 춤추는 밤물결 같은

검은 귀밑머리 날리는 어린 누이와

아무렇지도 않고 예쁠 것도 없는

사철 발 벗은 아내가

따가운 햇살을 등에 지고 이삭 줍던 곳,

—그곳이 차마 꿈엔들 잊힐리야.

하늘에는 성근 별

알 수도 없는 모래성으로 발을 옮기고,

서리 까마귀 우지짖고 지나가는 초라한 지붕,
(서리 까마귀: 가을 까마귀)

흐릿한 불빛에 돌아앉아 도란도란거리는 곳,

—그곳이 차마 꿈엔들 잊힐리야.

● 정답과 해설 03쪽

확인 문제

[01~04] 다음 설명이 맞으면 ○, 틀리면 ×표 하시오.

01 이 작품은 추상적인 시어를 사용하여 주제를 압축적으로 전달한다. (○, ×)

02 이 작품은 특정 형식의 시구 및 후렴구를 반복하여 운율감을 형성하고 있다. (○, ×)

03 이 작품은 다양한 감각적 심상을 활용하여 시 전체적인 구조에 형태적인 안정감을 준다. (○, ×)

04 이 작품에 그려진 '고향'은 가난하고 고단한 삶을 살아가지만 단란한 가족이 있는 곳이다. (○, ×)

[05~07] 다음 빈칸에 들어갈 알맞은 말을 쓰시오.

05 이 작품에서 3연의 '파아란 [ㅎ][ㄴ][ㅂ]'은 어린 시절에 화자가 품었던 꿈을 비유한다.

06 이 작품에서 '금빛 게으른 울음'은 [ㅊ][ㄱ]적 심상을 [ㅅ][ㄱ]적 심상으로 전이시켜 나타낸 공감각적 표현이다.

07 이 작품에서 '―그곳이 차마 꿈엔들 잊힐리야.'는 [ㅅ][ㅇ]적 표현과 각 연의 반복 사용을 통해 고향에 대한 그리움을 강조하고 있다.

표현

08 윗글에 대한 설명으로 가장 적절한 것은?

① 시간의 흐름에 따라 시상을 전개하고 있다.
② 대조적인 공간을 나란히 제시하여 주제를 강조하고 있다.
③ 유사한 의성어를 빈번하게 사용하여 생동감을 주고 있다.
④ 첫 연의 내용을 마지막 연에서도 반복하여 안정감을 주고 있다.
⑤ 다양한 감각적 이미지를 통해 대상을 선명하게 그려 내고 있다.

표현

09 ㉠이 주는 효과로 가장 적절한 것은?

① 시적 대상을 구체적으로 묘사한다.
② 연과 연의 관계를 분명하게 밝혀 준다.
③ 특정 음운을 반복하여 음악적 효과를 얻는다.
④ 각 연마다 시상을 매듭지으며 그 의미를 단계적으로 심화한다.
⑤ 각 연의 마지막에 반복적으로 쓰여 작품 전체에 통일감을 준다.

시어(구)

10 ⓐ~ⓔ 중, 〈보기〉의 설명과 거리가 먼 것은?

> **보기**
>
> 「향수」에는 평화롭고 한가로운 농촌의 전형적인 풍경이 그려져 있다. 이를 표현하기 위해 농촌에서 흔하게 발견할 수 있는 향토적인 소재들을 활용하고 있는데, 이는 독자들에게 정겹고 익숙한 고향의 모습을 떠올리게 한다.

① ⓐ ② ⓑ ③ ⓒ ④ ⓓ ⑤ ⓔ

수능형 주제

11 윗글에 나타나는 장면들을 영상으로 제작하려 할 때, 그 내용으로 적절하지 않은 것은?

① 농촌의 들판을 먼 거리에서 촬영하되, 평화롭고 향토적인 분위기가 드러나도록 한다.
② 겨울밤을 배경으로 방 안에 누워 계신 아버지를 가까운 거리에서 찍되, 노년의 서글픔이 나타나도록 한다.
③ 풀숲을 뛰어다니는 소년의 모습을 역동적으로 담아내되, 천진하고 순수한 분위기가 느껴지도록 한다.
④ 따가운 햇살 아래 들판에서 이삭을 줍는 여인들을 촬영하되, 소박하고 평범한 모습이 나타나도록 한다.
⑤ 깊은 밤을 배경으로 은은한 불빛이 새어 나오는 초가집의 전체 풍경을 찍되, 아늑하고 따뜻한 느낌이 들도록 한다.

작품 전체

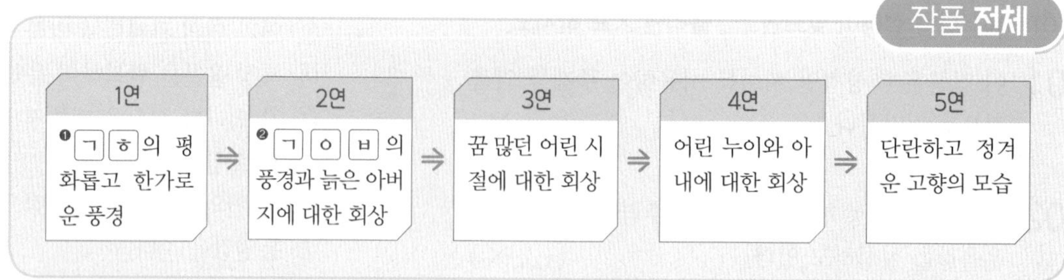

작품 압축

■ 감각적인 심상과 효과

이 작품은 다양한 감각적인 심상을 활용하여 고향의 풍경을 선명하게 묘사하고 있다.

심상	시구
시각적 심상	얼룩빼기 황소, 파아란 하늘빛, 검은 귀밑머리, 성근 별, 흐릿한 불빛
청각적 심상	옛이야기 지줄대는 실개천, 서리 까마귀 우지짖고, 도란도란거리는 곳
촉각적 심상	풀섶 이슬에 함초롬 휘적시던 곳, 따가운 햇살을 등에 지고
공감각적 심상	금빛 게으른 울음, 밤바람 소리 말을 달리고

⇓

효과	• 고향의 모습을 생생하게 드러냄 • 고향에 대한 추억을 떠올리게 하고 ❸ [ㄱ][ㄹ][ㅇ]을 불러일으킴

■ 후렴구 반복의 효과

이 작품은 고향의 풍경을 인과 관계 없이 병렬적으로 제시하고 있는데, 각 연마다 반복되는 후렴구를 통해 통일성을 주고 고향에 대한 정서를 집약적으로 드러내고 있다.

1연	2연	3연	4연	5연
고향의 풍경	늙으신 아버지	과거의 화자	누이와 아내	가족들

↘ ↘ ↓ ↙ ↙

그곳이 차마 꿈엔들 잊힐리야.

⇓

효과	• 운율감을 형성함 • 고향에 대한 그리움을 강조함 • 형태적인 ❹ [ㅌ][ㅇ][ㅅ]과 안정감을 줌

표현 / 시어(구) / 주제

■ 향토적 시어의 기능

이 작품에는 고향의 모습을 표현하기 위해 향토적인 소재를 사용하고 있다. 이는 우리 민족의 마음속에 내재되어 있는 전형적인 고향의 모습을 그려 낸 것으로 정겨운 느낌을 준다.

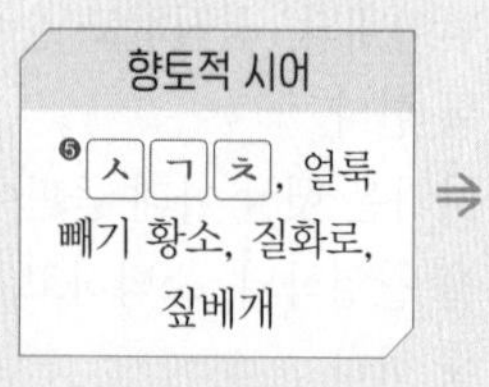

향토적 시어		효과
❺ [ㅅ][ㄱ][ㅊ], 얼룩빼기 황소, 질화로, 짚베개	⇒	소박하고 정겨운 고향을 떠올리게 함

■ 시상 전개와 주제 의식

이 작품은 가난하지만 평화로운 고향의 모습을 ❻ [ㅎ][ㅅ]하며 그곳에 대한 그리움을 노래하고 있다.

연	내용
1연	평화롭고 한가한 고향에 대한 그리움
2연	겨울밤 풍경과 아버지에 대한 그리움
3연	순수했던 유년 시절에 대한 그리움
4연	소박한 누이와 아내에 대한 그리움
5연	가난하지만 단란한 고향 집에 대한 그리움

⇓

주제	가난하지만 평화로운 고향에 대한 그리움

어휘력 테스트

1 다음 단어를 활용하기에 적절한 문장을 찾아 바르게 연결해 보자.

(1) 성근 •　　• ㉠ 서쪽 언덕에 걸린 해가 (　　　　) 빛난다.

(2) 함초롬 •　　• ㉡ 잔뜩 흐린 하늘 아래 (　　　　) 빗방울이 떨어지기 시작했다.

(3) 해설피 •　　• ㉢ 엄마를 올려다보는 아이는 눈에 눈물을 (　　　　) 머금고 있었다.

2 다음 괄호 안에 들어갈 단어를 〈보기〉에서 골라 써 보자.

보기

역동적　　전형적　　향토적

(1) 「홍길동전」은 영웅 소설의 (　　　　)인 형식을 보여 준다.

(2) 이 시는 의태어를 사용하여 새의 모습을 (　　　　)으로 묘사하고 있다.

(3) 김유정의 소설은 대부분 농촌을 배경으로 하기 때문에 (　　　　) 분위기가 느껴진다.

독해쌤과 함께하는 감상 넓히기

고향에 대한 정서를 노래한 작품

이번에 감상한 「향수」와 같이 고향에 대한 그리움을 노래한 작품들이 많아요. 「향수」에서는 가난하지만 평화로웠던 고향의 모습을 회상하고 있는데, 타향에서 떠나온 고향을 그리워하거나 고향에 대한 상실감을 노래한 시들도 있답니다. 이러한 작품들을 더 감상해 볼까요?

고향_정지용

그리워하던 고향에 돌아왔지만 화자의 마음속에 있던 고향의 모습이 아님을 깨닫고, 그에 대한 상실감과 허망함을 드러내고 있는 작품입니다.

고향_백석

타향인 북관을 혼자 떠돌다가 병이 들어 아버지뻘 되는 의원을 만나는데, 그와의 대화를 통해 자신이 아버지로 모시는 이와 그가 친구임을 확인하고, 타향에서 가족과 고향의 정을 느끼게 되었다는 내용을 담은 작품입니다.

수라(修羅) _ 백석

여러분은 '아수라장이다.'라는 말을 들어본 적이 있죠? '아수라장'은 눈 뜨고 볼 수 없을 만큼 끔찍한 현장을 표현할 때 쓰이는 말이에요. 이 작품의 제목인 '수라'는 '아수라'를 달리 부르는 말인데요, 작가는 왜 이런 제목을 붙였을지 생각하며 작품을 감상해 볼까요?

독해쌤의 감상 질문

1. 화자·대상 '거미'에 대한 화자의 정서는 어떠한가요?
2. 시어(구) • 제목 '수라'의 뜻과 그 상징적 의미는 무엇인가요?
   • '거미', '차디찬 밤', '문밖'이 상징하는 것은 무엇인가요?
3. 표현 이 작품에 나타난 표현상의 특징과 효과는 무엇인가요?

거미 새끼 하나 방바닥에 나린 것을 나는 ⓐ아무 생각 없이 ㉠문밖으로 쓸어 버린다
차디찬 밤이다

어니젠가(어느 사이엔가) 새끼 거미 쓸려 나간 곳에 큰 거미가 왔다
나는 ⓑ가슴이 짜릿한다
나는 또 큰 거미를 쓸어 문밖으로 버리며
찬 밖이라도 새끼 있는 데로 가라고 하며 ⓒ서러워한다

이렇게 해서 아린(마음이 몹시 고통스러운) 가슴이 싹기도(‘삭기도(마음이 가라앉음)’의 평안도 방언) 전이다
어데서 좁쌀알만 한 알에서 가제(‘갓, 이제 막’의 평안도 방언) 깨인 듯한 발이 채 서지도 못한 무척 작은 새끼 거미가 이번엔 큰 거미 없어진 곳으로 와서 아물거린다(작거나 희미한 것이 보일 듯 말 듯하게 조금씩 자꾸 움직이다)
나는 ⓓ가슴이 메이는 듯하다
내 손에 오르기라도 하라고 나는 손을 내어 미나 분명히 울고불고 할 이 작은 것은 나를 무서우이(무섭게 여기며) 달아나 버리며 나를 서럽게 한다
나는 이 작은 것을 고이 보드러운 종이에 받아 또 ㉡문밖으로 버리며
이것의 엄마와 누나나 형이 가까이 이것의 걱정을 하며 있다가 쉬이 만나기나 했으면 좋으련만 하고 ⓔ슬퍼한다

확인 문제

[01~03] 다음 설명이 맞으면 ○, 틀리면 ×표 하시오.

01 화자는 시적 대상에 대해 일관된 태도를 보여 주고 있다. (○, ×)

02 이 작품은 당시 우리 민족이 처한 현실을 우회적으로 드러내고 있다. (○, ×)

03 연이 바뀔 때마다 행의 수가 늘어나는 구조를 통해 대상이 처한 상황이 악화됨을 드러내고 있다. (○, ×)

[04~06] 다음 빈칸에 들어갈 알맞은 말을 쓰시오.

04 이 작품은 ㅇㅅㅈ인 경험을 바탕으로 시상이 전개되고 있다.

05 이 작품의 제목인 '수라'는 ㄱㅈ ㄱㄷㅊ가 해체된 상황을 의미한다.

06 이 작품에서 'ㅊㄷㅊ ㅂ'은 거미 가족이 처한 비극적인 현실을 감각적으로 표현한 것이다.

실력 문제

표현

07 윗글에 대한 설명으로 적절하지 않은 것은?

① 대상을 의인화하여 화자의 정서를 드러내고 있다.
② 대상의 등장과 화자의 특정 행위가 반복되고 있다.
③ 대상이 나타나는 시간과 공간이 점차 구체화되고 있다.
④ 대상이 놓인 비극적인 상황을 촉각적 심상을 사용하여 강조하고 있다.
⑤ 화자가 처한 상황을 현재형 어미를 사용하여 생생하게 보여 주고 있다.

시어(구)

08 ㉠과 ㉡의 의미로 가장 적절한 것은?

	㉠	㉡
①	생명을 위협받는 공간	생명의 보존이 보장되는 공간
②	가족 공동체 해체의 공간	가족과의 재회 가능성이 있는 공간
③	새로운 모험이 시작되는 공간	가족이 모여 안락함을 누리는 공간
④	생존을 위해 거쳐야 하는 공간	생존과 가족 화합이 결정되어 있는 공간
⑤	화자와의 갈등이 해소되는 공간	화자에게 슬픔을 불러일으키는 공간

화자·대상

09 윗글에서 화자의 정서 변화가 시작되는 부분은?

① ⓐ ② ⓑ ③ ⓒ ④ ⓓ ⑤ ⓔ

수능형 화자·대상

10 〈보기〉를 바탕으로 윗글을 이해한 내용으로 적절하지 않은 것은?

> 보기
>
> 시를 시인의 독백으로 본다면 작품 속 화자는 곧 시인이라 할 수 있다. 이때 시인은 외부의 대상을 통해 자신의 이야기를 하기도 한다. 시인은 그 대상에 자신을 투영할 수도 있고, 대상을 성찰의 계기로 삼을 수도 있다. 이를 통해 시인은 자신이 처한 상황과 내면을 노래하기도 하고, 삶의 본질을 통찰하기도 하며, 자신을 둘러싼 시대와 현실에 대해 이야기하기도 한다.

① 자연물이라는 대상을 통해 시인의 이야기를 하고 있다.
② 대상에 자신을 투영하여 시인 자신이 처한 상황을 드러내고 있다.
③ 시인은 대상과의 거리를 유지하여 자기 자신을 객관적으로 바라보고 있다.
④ 외부의 대상을 바라보는 시인의 태도가 시상이 전개됨에 따라 변화하고 있다.
⑤ 대상이 처한 상황을 통해 시인이 살고 있는 시대와 현실을 이야기하고 있다.

작품 전체

1연	2연	3연
거미 새끼 한 마리를 아무 생각 없이 ❶[ㅁ][ㅂ]으로 쓸어 버림	새끼 있는 곳으로 가라고 ❷[ㅋ][ㄱ][ㅁ]를 문밖으로 쓸어 버림	갓 깨어난 아주 작은 새끼 거미를 문밖으로 쓸어 버리며 슬퍼함

1연 ⇒ 2연 ⇒ 3연

작품 압축

■ 제목 '수라(修羅)'의 의미

이 작품은 가족이 뿔뿔이 흩어져 살아야 했던 1930년대 우리 민족의 현실을 거미 가족이 헤어지게 된 상황에 빗대어 표현하고 있다. 이 작품의 제목인 '수라'는 가족 공동체가 해체되는 우리 민족의 비극적인 현실을 상징적으로 표현한 것이다.

수라(=아수라(阿修羅))

사전적 의미		시적 의미
• 하늘에서 쫓겨난 사람들의 세계 • 눈 뜨고 볼 수 없을 만큼 끔찍하게 흩어져 있는 현장	⇒	한 ❸[ㄱ][ㅈ]이 함께 지내지 못하는 비극적인 상황을 표현함

■ '거미', '차디찬 밤', '문밖'의 의미

이 작품은 한 가족이 함께 지내지 못하는 눈물겨운 상황을 거미가 처한 상황을 통해 드러내고 있다.

'❹[ㄱ][ㅁ]'
연민의 대상, 가족 공동체

'차디찬 밤'	'문밖'
• 시간적 배경 • 거미 가족이 처한 비극 • 시련과 고통의 현실(일제 강점기)	• 가족 공동체가 ❺[ㅎ][ㅊ]되는 공간 • 춥고 위험하지만 가족 공동체 회복의 가능성이 있는 공간

시어(구) / 화자·대상 / 표현

■ '거미'에 대한 화자의 정서 변화

이 작품은 시상이 전개될수록 화자의 감정이 점층적으로 고조된다.

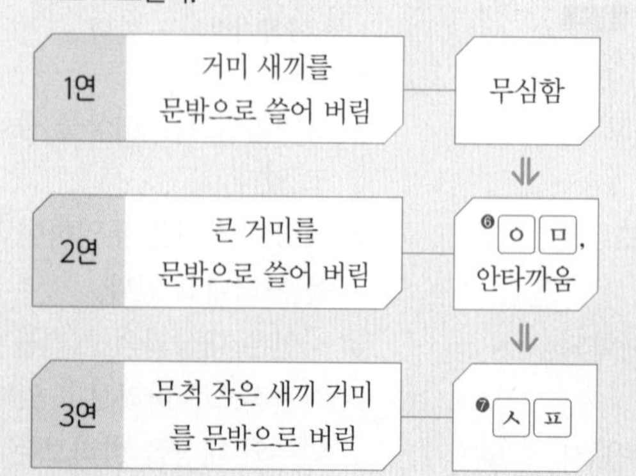

연	행동	정서
1연	거미 새끼를 문밖으로 쓸어 버림	무심함
2연	큰 거미를 문밖으로 쓸어 버림	❻[ㅇ][ㅁ], 안타까움
3연	무척 작은 새끼 거미를 문밖으로 버림	❼[ㅅ][ㅍ]

■ 표현상의 특징과 효과

이 작품은 거미를 의인화하여 1930년대의 현실을 우회적으로 드러냈다. 또한 화자가 거미를 문밖으로 버리는 행동이 반복되는데, 이러한 구조의 반복과 변용을 통해 화자의 정서가 심화되는 과정을 제시한다.

표현상의 특징	• 시적 대상을 ❽[ㅇ][ㅇ][ㅎ]함 • 화자의 특정 행동이 반복되며 시상이 전개됨
효과	• 우리 민족의 비극을 우회적으로 드러냄 • 행동이 반복되면서 화자의 정서가 ❾[ㅈ][ㅊ]적으로 심화됨

어휘력 테스트

1 다음 괄호 안에 들어갈 단어를 〈보기〉에서 골라 써 보자.

> 보기
> 본질 성찰 우회적

(1) 현실에 대한 비판적인 ( )을 통해 사회는 더 발전할 수 있다.

(2) 우화는 동물을 통해 인간 사회의 문제점을 ( )으로 표현한다.

(3) 문제의 ( )을 파악하기 위해서는 올바른 판단력이 있어야 한다.

2 다음 〈보기〉의 뜻을 참고하여 십자말풀이를 완성해 보자.

> 보기
> **가로**
> ❶ 마음이 몹시 고통스럽다.
> ❷ 절지동물문 거미강 거미목의 동물을 통틀어 이르는 말
> ❸ ① 하늘에서 쫓겨난 사람들의 세계
> ② 눈 뜨고 볼 수 없을 만큼 끔찍하게 흩어져 있는 현장
> ❹ 어떤 상황이나 자극을 지각할 때, 개인의 심리 상태나 성격이 반영되는 일
>
> **세로**
> ❶ 작거나 희미한 것이 보일 듯 말 듯하게 조금씩 자꾸 움직이다.
> ❸ 스포츠나 놀이로서 물속을 헤엄치는 일

독해쌤과 함께하는 감상 넓히기

백석 시인의 다른 작품

백석 시인의 작품에는 「수라」 외에도 일제 강점기 우리 민족의 비극을 다룬 작품들이 많아요. 고향을 잃고 유랑하는 삶을 담아내거나, 가족을 잃은 여인의 삶을 그려 낸 시들도 있답니다. 이러한 작품들을 더 감상해 볼까요?

남신의주유동박시봉방_백석

이 작품의 제목은 '신의주 남쪽의 유동에 사는 박시봉 집에서'라는 뜻으로, 편지를 보내는 이의 주소에 해당합니다. 이처럼 누군가에게 보내는 편지 형식을 통해, 고향을 떠나서 유랑하는 삶을 살고 있는 화자가 무기력한 자신의 삶에 대해 성찰하고 반성하는 모습을 그린 작품입니다.

여승_백석

가난으로 인해 남편과 어린 딸을 모두 잃고 여승이 된 한 여인의 비극적인 삶을 관찰자의 입장에서 서사적인 구조로 그려 낸 작품입니다.

광야 _ 이육사

일제 강점기와 같은 암울한 시대 상황 속에서 여러분들은 어떤 일을 할 수 있을지 생각해 본 적 있나요? 답답하고 부조리한 현실이지만 폭압적인 일본의 탄압이 두려워 숨조차 제대로 쉬기도 어려웠을 것 같아요. 일제 강점기에 끝까지 일제에 항거한 시인이었던 이육사가 이 작품을 통해 드러내고자 한 바가 무엇인지 살펴보며 감상해 볼까요?

독해쌤의 감상 질문

1. 화자·대상 화자의 태도에서 나타나는 작가 의식은 무엇인가요?
2. 시어(구) 이 작품에 나타난 시어들의 상징적 의미는 무엇인가요?
3. 표현 • 이 작품의 시상 전개 방식은 어떠한가요?
   • 이 작품에 나타난 표현상의 특징과 효과는 무엇인가요?

까마득한 날에
㉠하늘이 처음 열리고
어디 닭 우는 소리 들렸으랴.

모든 산맥(山脈)들이
바다를 연모(戀慕)해 휘달릴 때도
어떤 사람이나 존재를 사랑하여 간절히 그리워함
차마 이 곳을 범(犯)하던 못하였으리라.

㉡끊임없는 광음(光陰)을
햇빛과 그늘, 즉 낮과 밤이라는 뜻으로, 시간이나 세월을 이르는 말
부지런한 계절(季節)이 피어선 지고
㉢큰 강물이 비로소 길을 열었다.

[A] 지금 ㉣눈 내리고
매화 향기(梅花香氣) 홀로 아득하니
내 여기 가난한 노래의 씨를 뿌려라.

다시 천고(千古)의 뒤에
백마(白馬) 타고 오는 초인(超人)이 있어
이 ㉤광야(曠野)에서 목놓아 부르게 하리라.

확인 문제

[01~03] 다음 설명이 맞으면 ○, 틀리면 ×표 하시오.

01 이 작품에서 화자는 표면적으로 드러나 있다. (○, ×)

02 이 작품은 4음보의 율격으로 안정적인 리듬감을 형성하고 있다. (○, ×)

03 이 작품의 화자는 고통스러운 현실 속에서 부정적인 미래를 예견하고 있다. (○, ×)

[04~06] 다음 빈칸에 들어갈 알맞은 말을 쓰시오.

04 1연에서 'ㄷ ㅇㄴ ㅅㄹ'는 생명의 기척, 인류의 역사가 시작됨을 표현한 시구로 대유법이 사용되었다.

05 4연에서 'ㅁㅎ ㅎㄱ'는 시대의 억압에 굴하지 않는 강인한 기개, 현실 극복의 의지를 상징하는 시구이다.

06 5연에서 'ㅂㅁ ㅌㄱ ㅇㄴ ㅊㅇ'은 조국의 광복을 실현할 성스러운 존재로, 민족의 이상을 실현할 지도자를 의미한다.

실력 문제

표현

07 윗글의 표현상 특징으로 적절하지 않은 것은?

① 유사한 종결 어미를 반복하여 운율을 형성하고 있다.
② 토속적 시어들을 사용하여 향토적 정서를 불러일으키고 있다.
③ 추상적인 대상을 시각적 이미지로 구체화하여 형상화하고 있다.
④ 각 연의 시행을 일정한 형태로 배치하여 형태적 안정감을 주고 있다.
⑤ 활유법을 사용하여 대상의 역동적 이미지를 생동감 있게 그려 내고 있다.

화자·대상

08 [A]에 나타난 화자에 대한 설명으로 적절하지 않은 것은?

① 우리 민족이 처한 암울한 현실을 인식하고 있다.
② 명령형 어미를 통해 현실을 극복하고자 하는 의지를 드러내고 있다.
③ 민족의 미래를 위해 자신을 희생하려는 속죄양 모티프가 나타나 있다.
④ '가난한'에서 암울한 현실을 살아가는 민중들에 대한 연민을 드러내고 있다.
⑤ 자신이 뿌린 씨를 통해 결심을 맺게 될 것이라는 미래 지향적인 태도가 드러나 있다.

시어(구)

09 ㉠~㉤의 함축적 의미로 적절하지 않은 것은?

① ㉠: 광야의 탄생
② ㉡: 끝없이 이어지는 세월
③ ㉢: 우리 민족의 유구한 역사의 흐름
④ ㉣: 맑고 깨끗한 생명의 순수성
⑤ ㉤: 민족의 삶의 터전, 우리 역사의 현장

수능형 화자·대상 + 시어(구) + 표현

10 윗글의 구조를 〈보기〉와 같이 나타낼 때, 이를 이해한 내용으로 적절하지 않은 것은?

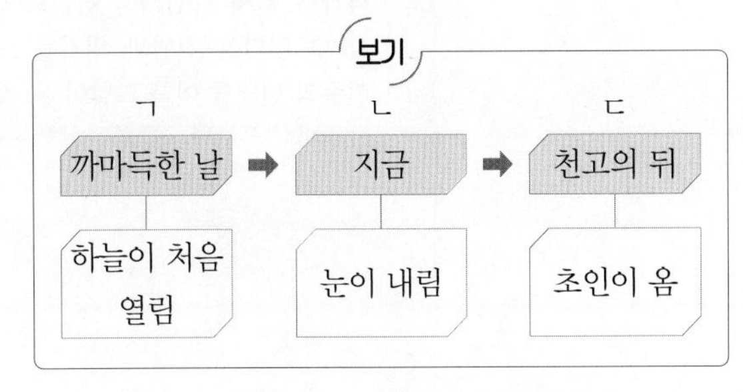

① 'ㄱ → ㄴ → ㄷ'으로 시간의 흐름에 따라 시상이 전개되고 있다.
② ㄱ과 ㄴ 사이에는 오랜 세월의 흐름이 상징적으로 제시되어 있다.
③ ㄴ의 상황에서 화자는 ㄱ의 신성했던 분위기를 떠올려 보고 있다.
④ ㄴ에서는 자연물을 통해 암울한 현실 상황 속에서 미래에 대한 긍정적 가능성을 제기하고 있다.
⑤ ㄷ에서 초인의 출현을 예측한 것은 화자가 ㄴ에서 초인과의 대결을 준비하고 있었기 때문이다.

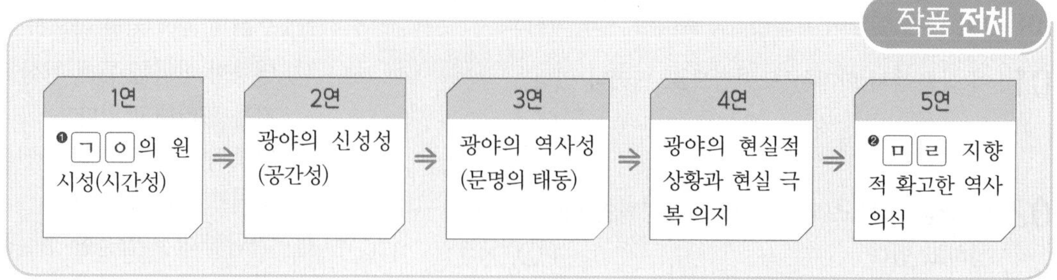

작품 압축

■ 화자의 태도에서 나타나는 작가 의식

이 작품의 화자는 '가난한 노래의 씨를 뿌려라'라고 자기 스스로에게 명령함으로써 일제 강점기의 암울한 현실 속에서도 자신의 의지를 굽히지 않겠노라는 강인한 선구자적 태도를 보이고 있다. 작가는 이러한 화자의 태도를 통해 민족의 시련을 극복하고자 하는 굳은 신념과 의지를 표현하고, 민족의 번영을 이룰 미래에 대한 확신을 보여 주고 있다.

화자의 태도
• 광야에 '❸ ㄴ'이 내리는 상황에서 '가난한 노래의 씨'를 뿌리라고 자기 스스로에게 명령함 • 백마 탄 '❹ ㅊ ㅇ'이 올 것임을 확신함

작가는 일제 강점기를 자기희생의 자세로 극복할 수 있다는 신념과 의지를 드러내고 있으며, 민족의 번영을 이룰 그날이 올 것임을 확신함

■ 시어(구)의 상징적 의미

시어(구)	의미
닭 우는 소리	❺ ㅅ ㅁ의 기척, 인류 역사의 시작
강물	인류의 역사와 문명
눈	일제의 탄압에 의한 고난과 시련
❻ ㅁ ㅎ ㅎ ㄱ	조국 광복의 기운, 현실 극복의 의지
가난한 노래의 씨	절망적인 현실 극복(광복)을 위한 자기희생의 의지
초인	조국의 ❼ ㄱ ㅂ을 이끌고 민족의 새로운 문화와 역사를 주도할 후손, 지도자
광야	민족의 삶의 터전, 우리 역사의 현장

화자·대상 시어(구)
표현

■ 시상 전개 방식

이 작품은 광야의 '과거 – 현재 – 미래'의 시간적 순서에 따라 시상을 전개하여 작가의 투철한 현실 인식과 미래 지향적 확고한 역사의식을 보여 주고 있다.

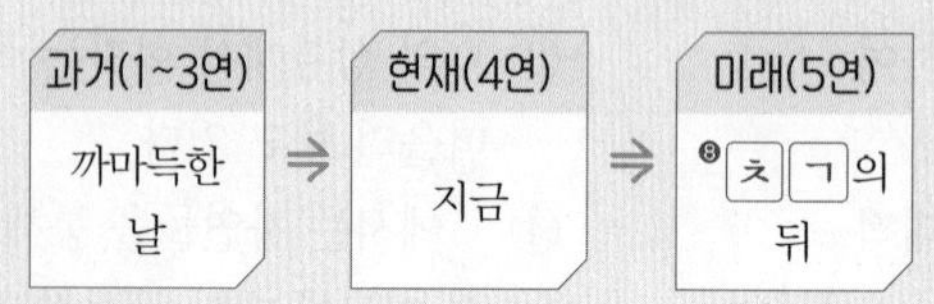

■ 표현상의 특징과 효과

표현상 특징	• 각 연을 균등하게 3행씩 배열하고, 1행에서 3행으로 갈수록 시행이 점점 길어짐 • '-랴/-라'의 ❾ ㅈ ㄱ 어미를 반복함

⇓

효과	시행의 규칙적인 배열 방식을 통해 형태적 안정감을 획득하고, 유사한 종결 어미의 반복을 통해 ❿ ㅇ ㅇ을 형성함

어휘력 테스트

• 다음 괄호 안에 들어갈 단어의 뜻을 〈보기〉에서 골라 기호를 써 보자.

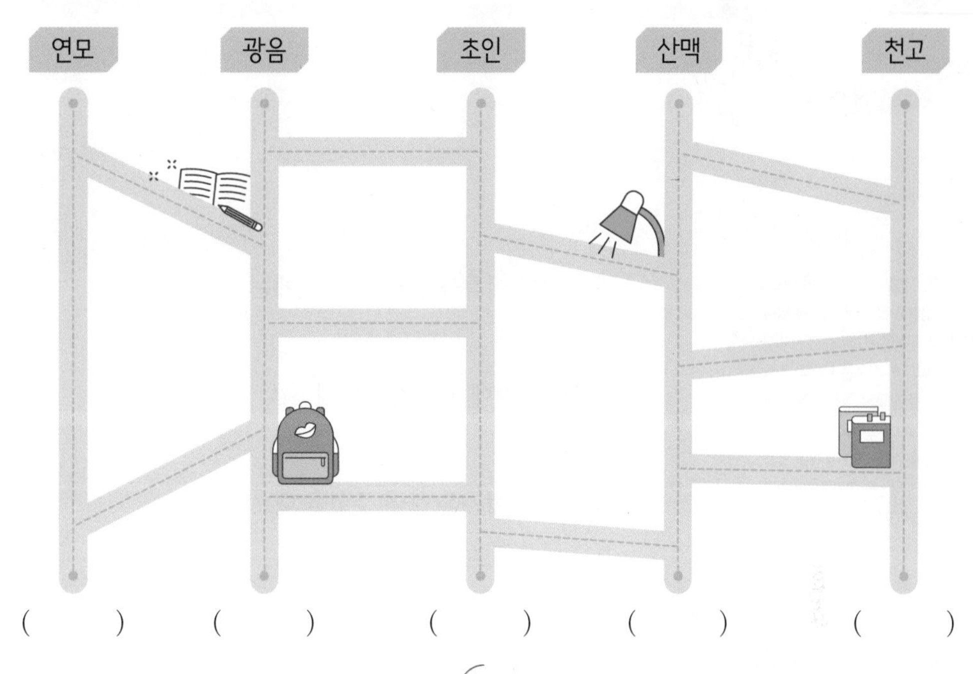

( )　( )　( )　( )　( )

보기

㉠ 아주 먼 옛적. 아주 오랜 세월 동안
㉡ 어떤 사람이나 존재를 사랑하여 간절히 그리워함
㉢ 산봉우리가 선이나 띠 모양으로 길게 연속되어 있는 지형
㉣ 보통 사람으로는 생각할 수 없을 만큼 뛰어난 능력을 가진 사람
㉤ 햇빛과 그늘, 즉 낮과 밤이라는 뜻으로, 시간이나 세월을 이르는 말

독해쌤과 함께하는 감상 넓히기

조국 광복을 염원하는 마음을 담은 작품

이번에 감상한 「광야」와 같이 일제 강점기에 조국의 광복을 염원하는 마음을 담은 작품들이 많아요. 이런 작품에 드러난 화자의 소망과 그 소망을 이루기 위해 화자가 어떤 태도를 지니고 있는지를 파악하며 작품들을 더 감상해 볼까요?

그날이 오면_심훈

'그날'이 왔을 때 벌어질 극한적이고 불가능한 상황을 가정법을 사용하여 역동적으로 노래하고 있으며, 조국 광복에 대한 간절한 염원과 화자의 자기희생적 의지가 잘 드러난 작품입니다.

어서 너는 오너라_박두진

일제 강점기에 삶의 터전을 떠나 해외로 뿔뿔이 흩어진 우리 민족이 모두 조국으로 돌아와 과거의 평화롭던 공동체적 삶이 회복되기를 바라는 염원이 잘 드러나 있는 작품입니다.

꽃 _ 김춘수

우리는 생활 속에서 다양한 관계를 형성하고 그 관계 속에서 살아갑니다. 진정한 관계라는 것은 어떤 것일까요? 이 작품은 대상과 진정한 관계를 맺고자 하는 화자의 소망을 노래하고 있어요. 화자가 어떤 행위를 통해 진정한 관계를 맺을 수 있다고 하는지 이해하며 작품을 감상해 볼까요?

독해쌤의 감상 질문

1. 화자·대상 화자가 바라는 것은 무엇인가요?
2. 시어(구) • '이름'을 부른다는 것은 어떤 의미인가요?
   • '몸짓', '꽃', '무엇', '눈짓'의 의미는 무엇인가요?
3. 표현 이 작품에서 인식의 대상과 인식의 주체는 어떤 변화를 보이고 있나요?

내가 그의 이름을 불러 주기 전에는
그는 다만
하나의 몸짓에 지나지 않았다.

내가 그의 이름을 불러 주었을 때
그는 나에게로 와서
꽃이 되었다.

내가 그의 이름을 불러 준 것처럼
나의 이 ㉠ 빛깔과 향기(香氣)에 알맞은
누가 나의 이름을 불러 다오.
그에게로 가서 나도
그의 꽃이 되고 싶다.

우리들은 모두
무엇이 되고 싶다.
너는 나에게 나는 너에게
잊혀지지 않는 하나의 눈짓이 되고 싶다.

확인 문제

[01~04] 다음 설명이 맞으면 ○, 틀리면 ×표 하시오.

01 이 작품에서 '몸짓'은 의미상 '꽃'과 대조되고 있다. (○, ×)

02 1연에서 인식의 주체는 '그'이고, 인식의 객체는 '나'이다. (○, ×)

03 4연의 '눈짓'과 시적 의미가 동일한 시어는 '이름'과 '몸짓'이다. (○, ×)

04 이 작품에서는 소망을 나타내는 간절한 어조를 사용하고 있다. (○, ×)

[05~07] 다음 빈칸에 들어갈 알맞은 말을 쓰시오.

05 이 작품에서 [ㅇ][ㄹ]이 불리기 이전의 존재는 의미를 갖지 못한 대상에 불과하다.

06 이 작품은 [ㄲ]을 소재로 하여 사물에 대한 존재론적 인식을 바탕으로 주제 의식을 드러내고 있다.

07 이 작품은 '나'와 '그'가 [ㅇ][ㄹ]로서 상호 간에 의미 있는 존재가 되기를 바라는 마음을 노래하고 있다.

표현

08 윗글에 대한 설명으로 가장 적절한 것은?

① 공간을 대립적으로 설정하여 주제를 부각하고 있다.
② 시구의 반복과 변주를 활용하여 시상을 전개하고 있다.
③ 역설적 표현을 사용하여 화자가 깨달은 바를 나타내고 있다.
④ 수미상관의 구성 방식을 사용하여 구조적 안정감을 획득하고 있다.
⑤ 자연물에 인격을 부여하여 자연물과의 친밀한 관계를 드러내고 있다.

시어(구)

09 ㉠에 대한 설명으로 가장 적절한 것은?

① '나'를 나타낼 수 있는 본질적 특성을 의미하고 있다.
② '나'가 '그'로부터 얻고자 하는 특성을 의미하고 있다.
③ '나'가 스스로 지니고 싶어 하는 특성을 의미하고 있다.
④ '나'가 '그'에게로 가기 위해 갖추어야 하는 특성을 의미하고 있다.
⑤ '나'를 '그'와 연결해 주는, '나'와 '그'의 공통적 특성을 의미하고 있다.

수능형 주제

10 〈보기〉를 참고하여 윗글을 감상한 내용으로 적절하지 않은 것은?

보기

김춘수의 「꽃」은 '꽃'을 소재로 하여 사물의 존재론적 의미를 바탕으로 존재들 사이의 진정한 관계 맺음을 소망하는 마음을 형상화하고 있다. 주체가 어떤 대상을 의미 있는 것으로 인식할 때 그 대상과 맺게 되는 관계와, 그 관계가 어떻게 확장될 수 있는지에 대해 주목하고 있다.

① '이름을 불러 주'는 것은 주체가 어떤 대상과 진정한 관계를 맺기 위한 행위를 나타낸다고 할 수 있어.
② '하나의 몸짓에 지나지 않았다'는 것은 '그'가 존재로서의 의미를 드러내지 못한 상태를 나타낸다고 할 수 있어.
③ '나에게로 와서' '꽃이 되었다'는 것은 '그'가 의미 있는 존재로서 '나'와 관계를 맺게 되었음을 나타낸다고 할 수 있어.
④ '그의 꽃이 되고 싶다'는 것은 주체와 대상 간의 관계가 변하지 않아야 진정한 관계 맺음이 가능함을 나타낸다고 할 수 있어.
⑤ '우리들은 모두 / 무엇이 되고 싶다'는 것은 진정한 관계 맺음에 대한 '나'의 소망이 '우리'의 소망으로 확대되고 있음을 나타낸다고 할 수 있어.

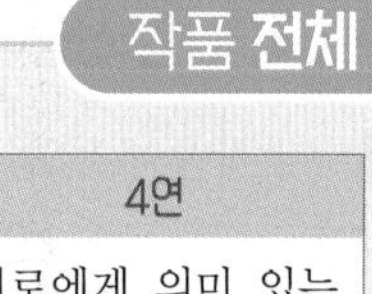

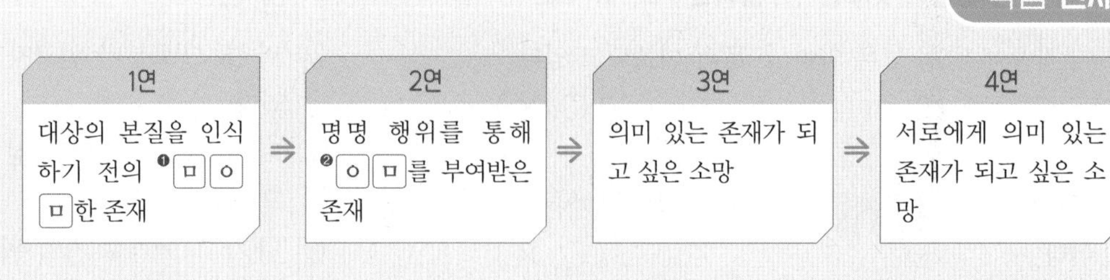

작품 압축

■ '이름'을 부르는 행위의 의미

대상과 관계를 맺어 나가는 과정이 '이름 부르기'라는 행위로 표현되고 있다.

❸ㅁㅈ	의미 없는 존재
⇓	
이름 부르기	• 대상의 존재를 인식하는 행위 • 대상에게 의미를 부여하는 행위 • 존재의 본질을 파악하고 이해하는 행위
⇓	
꽃	의미 있는 존재

■ '몸짓'과 '꽃', '무엇', '눈짓'의 의미

'하나의 몸짓'은 '나'가 이름을 불러 주기 전의 무의미한 존재를 상징하고, '꽃'은 '나'가 이름을 불러 준 후에 의미를 부여받은 존재, 본질을 획득한 존재를 상징한다. '무엇'과 '하나의 눈짓'은 '꽃'과 같은 의미를 함축하고 있는 시어이다.

몸짓	⇒	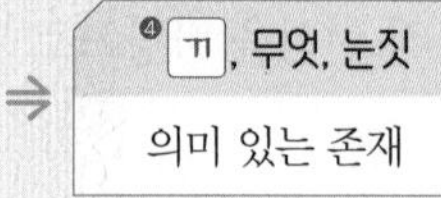 ❹ㄲ, 무엇, 눈짓
무의미한 존재		의미 있는 존재

시어(구)
화자·대상
표현

■ 존재의 본질적 의미를 파악하고 싶은 화자

이 작품에서 화자는 대상의 본질적 의미를 파악하고 상호 간의 진정한 관계를 형성해 나가기를 소망하고 있다. 이러한 소망은 '되고 싶다'라는 시구의 반복을 통해 간절한 어조로 드러나고 있다.

그의 꽃이 되고 싶다	'되고 싶다'를 반복하여 화자의 소망을 강조함
❺ㅁㅇ이 되고 싶다	
잊혀지지 않는 하나의 눈짓이 되고 싶다	

■ 의미의 점층적 확대

인식 대상과 인식 주체가 점층적으로 확대되면서 존재 간의 바람직한 관계는 일방적인 관계가 아닌 상호 간의 의미 있는 관계가 되는 것임을 드러내고 있다.

인식 대상	• 몸짓 → 꽃 → 눈짓 • 무의미한 대상에서 의미 있는 대상으로 발전함
인식 주체	• 나 → 너 → ❻ㅇㄹ • 주체를 점층적으로 확대하여 서로 간의 진정한 관계를 맺게 되기를 소망함

어휘력 테스트

1 **다음 괄호 안에 들어갈 단어를 〈보기〉에서 골라 써 보자.**

보기		
눈짓	몸짓	빛깔

(1) 희곡은 대사와 (   )으로 행동을 직접 표시한다.

(2) 노을이 비친 호수는 온통 붉은 (   )을 띠고 있다.

(3) 그는 이제 조용히 나가 보겠다고 나에게 (   )으로 신호하였다.

2 **다음 단어의 뜻을 참고하여 끝말잇기를 완성해 보자.**

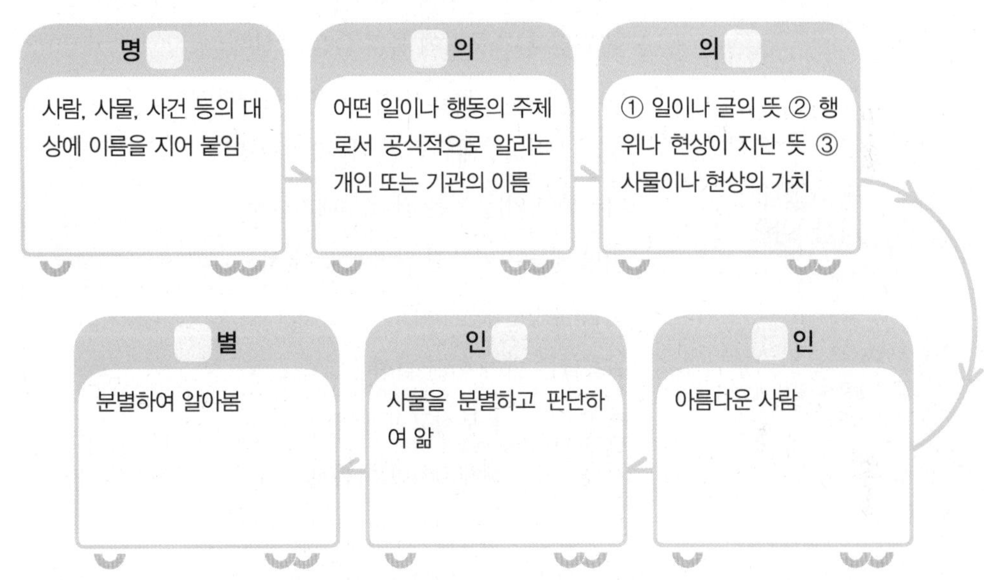

독해쌤과 함께하는 감상 넓히기

존재의 본질을 노래한 작품

이번에 감상한 「꽃」 외에도 '꽃'을 제재로 하여 존재의 본질을 노래한 김춘수 시인의 또 다른 작품을 비교하여 감상해 보세요. 그리고 「꽃」을 다른 시인이 패러디한 작품도 함께 감상하면 작품의 의미를 좀 더 깊게 이해할 수 있을 거예요.

꽃을 위한 서시_김춘수

작품 안에는 '꽃'이라는 시어가 제시되어 있지 않지만, 시의 진술을 통해 시적 대상이 '꽃'임을 유추할 수 있습니다. 존재의 본질에 도달하기 위한 염원을 품고 치열하게 노력하는 화자의 태도가 형상화되어 있는 작품입니다.

라디오같이 사랑을 끄고 켤 수 있다면_장정일

김춘수의 「꽃」을 쉽게 만나고 헤어지는 현대인의 소비적 사랑을 비판하는 시로 패러디한 작품입니다. '꽃' 대신에 '라디오'를 중심 소재로 삼아 시상을 전개하고 있는데, 운율과 형식적인 면에서 「꽃」을 그대로 따르면서도 주제 의식을 달리하여 문학의 창조적 재구성을 보여 주는 작품입니다.

농무 _ 신경림

'농무'란 풍물놀이에 맞춰 추는 춤으로, 꽹과리, 북, 태평소, 징 등의 소리에 맞춰 벙거지에 매단 털이나 띠를 빙빙 돌리며 흥겹게 추는 춤이에요. 흥겨운 춤이지만 이 작품의 화자는 왠지 흥겨워 보이지가 않네요. 왜 그런지 작품에 나타난 상황과 화자의 정서에 주목하여 감상해 볼까요?

독해쌤의 감상 질문

1. 화자·대상 화자는 자신이 처한 상황에 대해 어떤 태도를 보이고 있나요?
2. 시어(구) • '농무'에 담긴 의미는 무엇인가요?
   • 중의적 의미를 담고 있는 시구는 무엇인가요?
3. 표현 이 작품에 나타난 표현상의 특징과 효과는 무엇인가요?

징이 울린다 막이 내렸다.

오동나무에 전등이 매어 달린 가설무대
(가설무대: 임시로 설치한 우대)

구경꾼이 돌아가고 난 ㉠텅 빈 운동장

우리는 분이 얼룩진 얼굴로

학교 앞 ㉡소줏집에 몰려 술을 마신다.

ⓐ답답하고 고달프게 사는 것이 원통하다.

꽹과리를 앞장세워 ㉢장거리로 나서면

따라붙어 악을 쓰는 건 조무래기들뿐

처녀 애들은 기름집 담벽에 붙어 서서

철없이 킬킬대는구나.

보름달은 밝아 어떤 녀석은

꺽정이처럼 울부짖고 또 어떤 녀석은
(꺽정이: 조선 명종 때의 의적인 임꺽정)

서림이처럼 해해대지만 이까짓
(서림이: 임꺽정을 배신한 인물)

ⓑ산 구석에 처박혀 발버둥친들 무엇하랴.

ⓒ비룟값도 안 나오는 농사 따위야

아예 여편네에게나 맡겨 두고

㉣쇠전을 거쳐 ㉤도수장 앞에 와 돌 때
(쇠전: 쇠장, 우시장, 소를 사고 파는 장 / 도수장: 도살장)

우리는 점점 신명이 난다.

한 다리를 들고 날라리를 불거나.
(날라리: 국악기 '태평소'를 달리 이르는 말)

고갯짓을 하고 어깨를 흔들거나.

확인 문제

[01~04] 다음 설명이 맞으면 ○, 틀리면 ×표 하시오.

01 이 작품은 공간의 이동에 따라 시상이 전개되고 있다. (○, ×)

02 이 작품에는 화자의 정서가 직접적으로 드러나 있지 않다. (○, ×)

03 이 작품에서 화자는 농무를 추는 사람으로, 농촌 공동체를 대변한다. (○, ×)

04 이 작품에는 부정적인 현실을 극복하고자 하는 화자의 의지가 드러나 있다. (○, ×)

[05~07] 다음 빈칸에 들어갈 알맞은 말을 쓰시오.

05 'ㄴㅁ'는 화자의 한과 울분을 표출하는 수단이다.

06 '텅 빈 ㅇㄷㅈ'은 허탈한 농민들의 심정을 상징적으로 보여 주는 공간이다.

07 'ㄷㅅㅈ'은 화자의 울분이 최고조에 이르렀음을 상징적으로 드러내는 공간이다.

실력 문제

표현

08 윗글에 대한 설명으로 가장 적절한 것은?

① 상대방에게 말을 건네는 형식을 취하고 있다.
② 화자가 처한 상황을 사실적으로 드러내고 있다.
③ 동일한 문장을 반복하여 운율감을 형성하고 있다.
④ 계절을 드러내는 시어를 통해 시적 분위기를 조성하고 있다.
⑤ 명령형 어조를 사용하여 대상에 대한 화자의 정서를 강조하고 있다.

시어(구)

09 ㉠~㉤의 시적 의미로 적절하지 않은 것은?

① ㉠: 농민들의 공허한 심정이 드러나는 공간
② ㉡: 농민들이 술을 마시며 답답함을 달래는 공간
③ ㉢: 예전과는 다른 모습에서 서글픔이 느껴지는 공간
④ ㉣: 부정적 현실을 이겨 낼 수 있는 실마리가 제시되는 공간
⑤ ㉤: 농민들의 울분이 최고조에 이르게 되는 공간

화자·대상

10 ⓐ~ⓒ에 대한 설명으로 적절하지 않은 것은?

① ⓐ에는 현실에 대한 화자의 감정이 직설적으로 제시되어 있다.
② ⓑ에는 현실에 대한 화자의 체념적 태도가 드러나 있다.
③ ⓒ에는 농촌의 모순적인 현실이 직접적으로 제시되어 있다.
④ ⓐ~ⓒ에는 농무에 대한 화자의 부정적 태도가 드러나 있다.
⑤ ⓐ~ⓒ에서 화자는 주어진 상황을 회의적으로 바라보고 있다.

수능형 화자·대상 + 표현

11 윗글에 대한 감상으로 적절하지 않은 것은?

① '막이 내렸다'에서는 하강의 이미지를 통해 무너져 가는 농촌의 현실을 암시적으로 드러내고 있군.
② '분이 얼룩진 얼굴'에서는 '분'의 이중적 의미를 활용하여 시적 상황과 함께 화자의 정서도 나타내고 있군.
③ '따라붙어 악을 쓰는 건 조무래기들뿐'에서는 상황 제시를 통해 젊은 일꾼들이 떠나고 없는 농촌의 현실을 간접적으로 보여 주고 있군.
④ '점점 신명이 난다'에서는 화자의 실제 정서와는 대비되는 역설적 상황을 통해 현실의 암울함을 부각하고 있군.
⑤ '고갯짓을 하고 어깨를 흔들거나'에서는 행동의 나열을 통해 농무로써 한을 풀어내고 현실에 순응하여 살겠다는 화자의 다짐을 강조하고 있군.

작품 전체

1~6행	7~10행	11~16행	17~20행
공연이 끝난 후 답답함과 ❶ ㅇㅌㅎ을 술로 달램	장거리에서 느끼는 서글픔	피폐한 농촌 현실에 대한 ❷ ㅇㅂ	농무를 통한 한과 분노의 표출

작품 압축

■ '농무'의 의미

'농무'는 낙천적이고 활기찬 율동과 흥겨운 장단으로 이루어져 있어 농촌에서의 힘겨운 노동의 피로를 풀게 해 주는데 이 작품에서는 '농무'를 통해 피폐한 농촌 현실에 대한 분노와 울분을 표출하는 수단이 된다.

농무	• 농민들의 울분과 한을 신명으로 분출하는 ❸ ㅇㅅㅈ인 상황이 나타남 • 농촌의 ❹ ㅁㅅㅈ인 현실에 대한 농민들의 비판과 저항의 표출

■ 시구의 중의적 의미

이 작품은 시구에 중의적 의미를 부여하여 농촌 공동체의 해체와 이에 대한 농민들의 울분을 나타냄으로써 시적 의미를 풍부하게 하고 있다.

❺ ㅁ이 내렸다	• 공연이 끝남 • 전통적인 농촌 공동체가 끝남
분이 얼룩진 얼굴	• ❻ ㅂㅈ이 얼룩짐 • 얼굴에 분노가 어림

시어(구) / 화자·대상 / 표현

■ 현실에 대한 화자의 정서 및 태도

화자가 있는 농촌은 '비룟값도 안 나오는 농사'를 짓고, 이런 농사를 지어서 먹고살 수 없으니 '쪼무래기들'과 '처녀 애들'만 남아 있다. 이러한 농촌의 현실에 대해 화자는 '답답하고 고달프게 사는 것이 원통하다'라며 정서를 직설적으로 표출하고 있다.

현실 상황	• '쪼무래기들'과 '처녀 애들'만 남은 상황 • 비룟값도 안 나오는 ❼ ㄴㅅ 따위야

⇓

정서	답답하고 고달프게 사는 것을 원통해함
태도	농무를 추며 ❽ ㅅㅁ으로 울분을 분출함

■ 표현상의 특징 및 효과

① 공간의 이동에 따른 시상 전개

② 역설적 상황 설정의 효과

농촌이 피폐해지는 현실에 울분을 느끼고 있으면서 신명 나게 농무를 춘다는 것은 어울리지 않는 상황이다. 이러한 모순적인 상황은 농민들의 울분과 한을 강조하기 위한 장치이다.

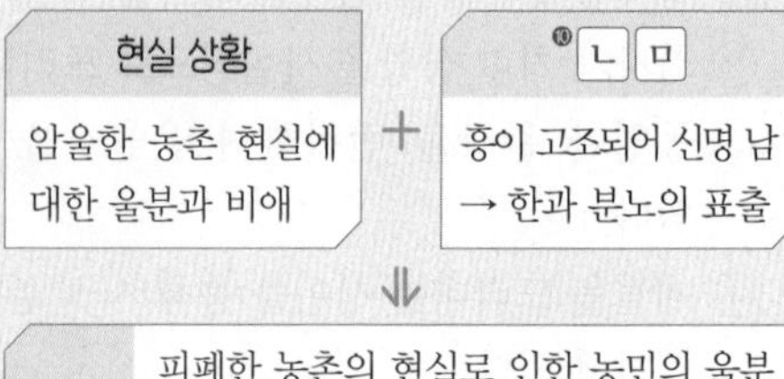

⇓

효과	피폐한 농촌의 현실로 인한 농민의 울분과 한을 강조함

어휘력 테스트

1 **제시된 뜻과 예문을 참고하여 다음 초성에 해당하는 단어를 괄호 안에 써 보자.**

(1) ㅇ ㅌ : 분하고 억울함

예 나는 뜻을 이루지 못하고 죽는 것이 (　　　　　)하였다.

(2) ㅅ ㅁ : 흥겨운 신이나 멋

예 할머니는 구성진 노랫소리에 (　　　　　)이 나서 어깨를 들썩이셨다.

(3) ㅂ ㅂ ㄷ : ① 주저앉거나 누워서 두 다리를 번갈아 내뻗었다 오므렸다 하면서 몸부림을 하는 일 ② 온갖 힘이나 수단을 다하여 애를 쓰는 일을 비유적으로 이르는 말

예 아이가 과자를 사 달라며 (　　　　　)을 쳤다.

2 **다음 〈보기〉의 뜻을 참고하여 십자말풀이를 완성해 보자.**

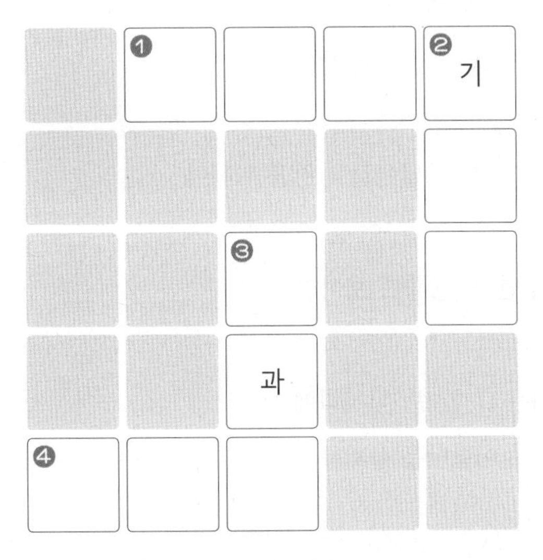

보기

가로

❶ 어린아이들을 낮잡아 이르는 말

❹ 나팔 모양으로 된 우리나라의 관악기인 '태평소'를 달리 이르는 말

세로

❷ 기름을 짜거나 파는 가게

❸ 풍물놀이와 무악 따위에 사용하는 타악기의 하나. 놋쇠로 만들어 채로 쳐서 소리를 내는 악기

독해쌤과 함께하는 감상 넓히기

산업화 시대의 현실을 반영한 작품

이번에 감상한 「농무」는 산업화 과정에서 피폐해진 농촌을 배경으로 하여, 소외된 농민들의 한과 울분을 그려 낸 작품이에요. 이 작품과 같이 산업화 시대를 배경으로 하되, 농촌뿐만 아니라 도시에서도 삶의 터전을 잃고 살아가는 사람들의 한을 다룬 작품들도 있어요. 이런 작품들을 더 감상해 볼까요?

목계 장터_신경림

'목계 장터'라는 토속적인 공간을 배경으로 유랑하는 민중의 삶을 민요적 가락으로 그려 낸 작품입니다. 산업화로 인해 붕괴되고 있는 농촌 사회에서 삶의 터전을 잃어버리고 떠돌이 삶을 살 수밖에 없는 민중의 애환을 드러내고 있습니다.

성북동 비둘기_김광섭

성북동이 개발되면서 삶의 터전을 잃은 비둘기를 통해, 산업화와 도시화로 인해 자연이 파괴되고 그곳에서 살던 사람들이 삶의 터전을 잃게 된 현실에 대한 비판 의식을 담고 있는 작품입니다.

첫사랑 _ 고재종

이 작품의 제목은 '첫사랑'인데 작품을 들여다보니 '눈'이 나뭇가지에 '눈꽃'을 피우는 과정에 대해 노래하고 있어요. 작가는 '눈꽃'을 통해 어떻게 '첫사랑'을 표현하고 있는지 살펴보면서 작품을 감상해 볼까요?

독해쌤의 감상 질문

1. 화자·대상 '눈'과 '나뭇가지'는 무슨 관계인가요?
2. 시어(구) • '눈'과, '황홀', '아름다운 상처'의 의미는 무엇인가요?
   • '눈꽃'과 '첫사랑'의 공통점은 무엇인가요?
3. 표현 이 작품의 표현상의 특징과 효과는 무엇인가요?

흔들리는 나뭇가지에 꽃 한번 피우려고
눈은 얼마나 많은 도전을 멈추지 않았으랴

싸그락 싸그락 두드려 보았겠지
난분분 난분분 춤추었겠지
미끄러지고 미끄러지길 수백 번,

바람 한 자락 불면 휙 날아갈 사랑을 위하여
햇솜 같은 마음을 다 퍼부어 준 다음에야
마침내 피워 낸 저 ㉠황홀 보아라

봄이면 가지는 그 한 번 덴 자리에
세상에서 가장 아름다운 상처를 터뜨린다

[01~03] 다음 설명이 맞으면 ○, 틀리면 ×표 하시오.

01 이 작품은 화자의 공간 이동에 따라 시상을 전개하고 있다. (○, ×)

02 이 작품은 시각적 이미지를 활용하여 대상을 형상화하고 있다. (○, ×)

03 이 작품은 동일하거나 유사한 시어의 반복을 통해 운율을 형성하고 있다. (○, ×)

[04~06] 다음 빈칸에 들어갈 알맞은 말을 쓰시오.

04 이 작품에서 '눈'은 [ㄴ][ㄲ]을 피우기 위해 헌신적인 노력을 하는 태도를 보여 주고 있다.

05 이 작품의 화자는 [ㄱ][ㅊ][ㅈ]의 입장에서 시상을 전개하고 있다.

06 이 작품에서 '[ㅆ][ㄱ][ㄹ] [ㅆ][ㄱ][ㄹ]'은 눈이 내리는 소리를 생동감 있게 표현한 시구이다.

표현

07 윗글의 표현상 특징으로 적절하지 않은 것은?

① 음성 상징어를 활용하여 시적 상황을 묘사하고 있다.
② 역설적 표현을 사용하여 주제 의식을 나타내고 있다.
③ 대상에 인격을 부여하여 시적 의미를 형상화하고 있다.
④ 설의적 표현을 사용하여 작품의 주제를 강조하고 있다.
⑤ 주체와 객체를 전도하여 화자의 의지를 강조하고 있다.

시어(구)

08 ㉠에 대한 이해로 가장 적절한 것은?

① 눈꽃의 보조 관념으로 눈꽃을 피워 낸 기쁨을 함축하고 있군.
② 눈꽃이 필연적으로 사라지는 슬픔을 반어적으로 표현하고 있군.
③ 눈 내리는 풍경의 아름다움을 드러내며 시적 분위기를 전환하고 있군.
④ 바람에 의해 눈꽃이 날리는 풍경에 대한 예찬적 태도를 나타내고 있군.
⑤ 나뭇가지가 눈을 이겨 내고 꽃을 피운 것에 대한 감탄을 드러내고 있군.

수능형 주제

09 <보기>를 참고하여 윗글에 대해 이해한 내용으로 적절하지 않은 것은?

보기

이 작품은 겨울철 나뭇가지에 눈꽃이 맺히고 봄이 되면 그 자리에 봄꽃이 환하게 피는 자연 현상을 바탕으로 시상을 전개하고 있다. 사랑을 이루는 것을 꽃을 피우는 것에 비유하고 있는데, 사랑을 이루는 것이 쉽지 않기 때문에 많은 노력을 기울여야 하며 그 과정에서 숱한 시련을 겪게 됨을 형상화하고 있다. 그리고 첫사랑의 아픔을 겪고 난 후에 이전보다 정신적으로 성숙한 사랑을 이루어 낼 수 있음을 제시함으로써 사랑의 의미에 대해 생각하게 한다.

① '눈'의 '많은 도전'은 사랑을 이루기 위한 '눈'의 끊임없는 노력으로 볼 수 있어.
② '두드려' 보고 '춤추'는 모습은 '눈'이 사랑을 이루는 과정에서 당면한 여러 어려움을 이겨 낸 기쁨을 표현한 것으로 볼 수 있어.
③ '미끄러지고 미끄러지길 수백 번'은 '눈'이 사랑을 이루는 과정에서 겪는 시련으로 볼 수 있어.
④ '한 번 덴 자리'는 눈꽃이 피었다가 눈이 녹은 자리로, 첫사랑의 아픔을 의미하는 것으로 볼 수 있어.
⑤ '세상에서 가장 아름다운 상처'는 시련과 헌신 끝에 얻은 결실인 성숙한 사랑으로 볼 수 있어.

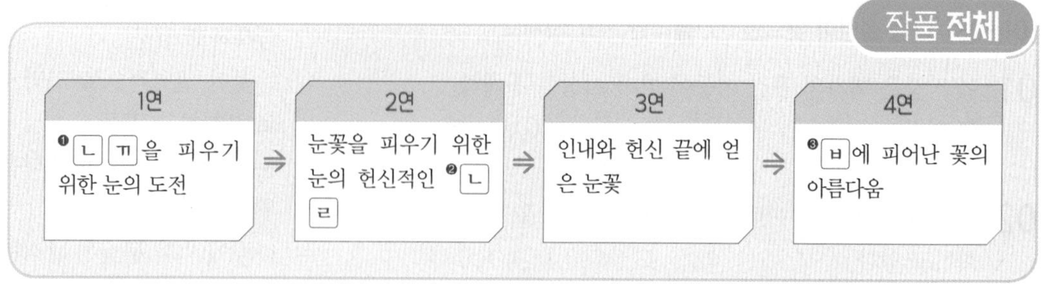

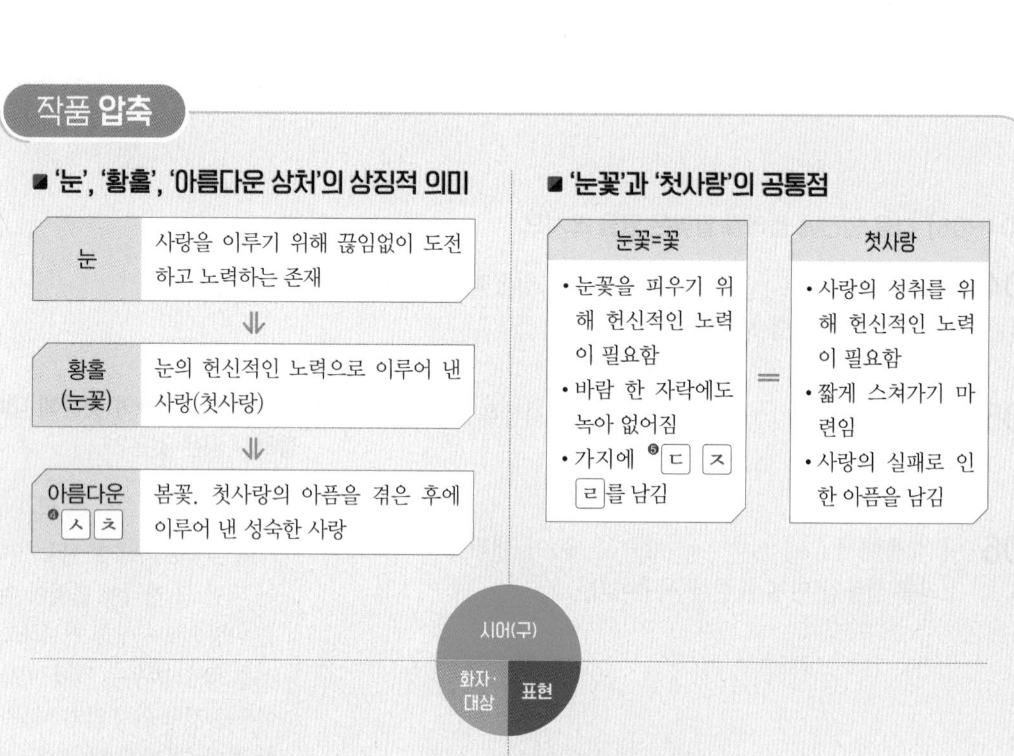

■ '눈'과 '나뭇가지'의 관계

'나뭇가지'는 '눈'이 사랑하는 대상으로, '눈'은 '나뭇가지'에 '꽃'을 피우려고 노력한다. '눈'의 노력으로 '나뭇가지'에는 바람 한 자락 불면 날아갈 사랑인 '눈꽃'을 피워 황홀한 첫사랑을 이루게 된다. 그러나 '눈'은 '나뭇가지'에 '덴 자리'를 남기고 첫사랑의 짧은 순간을 마감하게 된다.

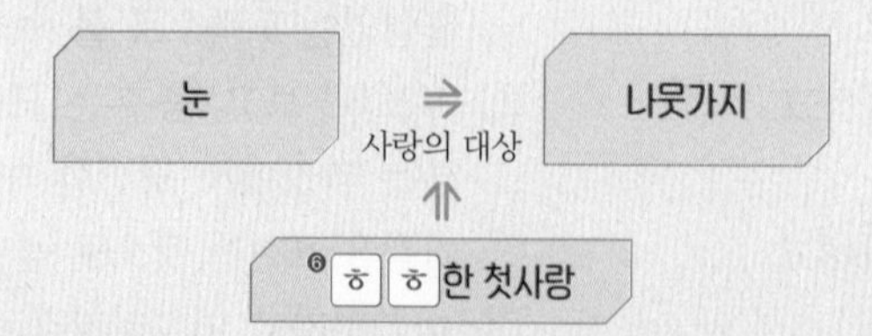

■ 표현상의 특징

표현	특징
설의법	'눈은 얼마나 많은 도전을 멈추지 않았으랴'를 통해 사랑을 이루기 위한 눈의 노력을 부각함
❼ ㅇ ㅇ ㅂ	'눈'을 사람인 것처럼 사랑을 이루기 위해 노력하는 존재로 표현함
은유법	'꽃'을 '바람 한 자락 불면 휙 날아갈 사랑', '마침내 피워 낸 저 황홀', '세상에서 가장 아름다운 상처'로 비유함
직유법	'눈'의 순수한 마음을 '햇솜 같은 마음'으로 형상화함
역설법	'세상에서 가장 아름다운 상처'는 겉으로는 모순이 되는 표현이지만 첫사랑의 결과로 인한 상처가 성숙한 사랑을 할 수 있게 해 준다는 의미를 효과적으로 드러냄

어휘력 테스트

1 다음 괄호 안에 들어갈 단어를 〈보기〉에서 골라 문맥에 맞게 써 보자.

〈보기〉
데다 퍼붓다 피우다

(1) 나는 어렸을 적에 뜨거운 국에 (   ) 크게 상처를 입었다.
(2) 동생이 한번 고집을 (   ) 그땐 어느 누구도 동생을 말릴 수가 없다.
(3) 그는 이십 년 동안 다니던 직장을 그만두고, 새롭게 시작한 사업에 모든 정열을 (   ).

2 다음 단어의 뜻을 참고하여 끝말잇기를 완성해 보자.

- □□: 몸을 다쳐서 부상을 입은 자리
- □세: 사람들과 사귀며 살아감. 또는 그런 일
- 세□: 사람이 살고 있는 모든 사회를 통틀어 이르는 말
- □전: 예전에, 종에 상대하여 그 주인을 이르던 말
- 전□: 전쟁의 실제 상황
- □□: 눈이 부시어 어릿어릿할 정도로 찬란하거나 화려함

독해쌤과 함께하는 감상 넓히기

자연 현상과 인간의 삶을 대응한 작품

이번에 감상한 「첫사랑」과 같이 자연 현상과 인간의 삶을 대응하여 표현한 작품들이 많아요. 「첫사랑」에서는 '눈꽃'과 '첫사랑'을 연관지어 노래하였어요. 다른 작품들에서는 자연 현상과 인간의 삶을 어떻게 대응하였는지 더 감상해 볼까요?

낙화_이형기
꽃이 지고 난 후에 열매가 맺히는 자연 현상을 통해 영혼의 성숙을 위한 이별의 의의와 가치를 노래하고 있습니다. 화자는 꽃이 지는 것을 소멸·죽음이 아니라 새로운 탄생을 위한 희생이라고 생각하면서 사람의 이별 역시 슬프지만 영혼의 성숙 또는 더 큰 만남을 위한 계기가 되어야 한다는 인식을 드러내고 있는 작품입니다.

국화 옆에서_서정주
국화 한 송이에서 느끼는 생명의 신비와 그 꽃이 피어나기까지의 과정을 형상화하고 있습니다. 국화가 개화하기 위해서는 '소쩍새'와 '천둥'과 '무서리' 등의 외적 시련을 겪어야 하고, 내적으로는 번민과 고뇌, 시련을 겪어야 한다는 인식을 바탕으로 시상이 전개되고 있는 작품입니다.

청산별곡 _작자 미상

친구와 다툰 후 외톨이가 되거나 원하는 만큼 성적이 나오지 않아 속상할 때, 일상에서 탈출해 어디론가 떠나고 싶지 않나요? 이 작품 역시 고통스러운 현실에서 벗어나 삶의 안식처를 찾으려는 소망이 잘 드러나 있어요. 중심 소재인 '청산'과 '바다'의 의미에 주목하면서 작품을 감상해 볼까요?

독해쌤의 감상 질문

1. 화자·대상 이 작품에서 화자에 따라 주제는 어떻게 해석되나요?
2. 시어(구) 각 연의 중심 소재와 그것의 의미는 무엇인가요?
3. 표현 · 이 작품의 시상 구조는 무엇인가요?
   · 이 작품의 운율감을 만들어 내는 요소들은 무엇인가요?

살어리 살어리랏다 청산(靑山)애 살어리랏다
멀위랑 다래랑 먹고 청산(靑山)애 살어리랏다
(머루랑 다래랑)
㉠얄리 얄리 얄라셩 얄라리 얄라

우러라 우러라 ⓐ새여 자고 니러 우러라 새여
(니러: 일어나)
널라와 시름 한 나도 자고 니러 우니노라
(널라와: 너보다 / 한: 많은)
얄리 얄리 얄라셩 얄라리 얄라

가던 새 가던 새 본다 믈 아래 가던 새 본다
(가던 새: 날아가던 새, 갈던 사래(밭고랑))
잉무든 장글란 가지고 믈 아래 가던 새 본다
(잉무든 장글란: 이끼 묻은 쟁기(농사 도구), 날이 무딘 병기, 이끼 묻은 은장도)
얄리 얄리 얄라셩 얄라리 얄라

이링공 뎌링공 하야 나즈란 디내와손뎌
(이링공 뎌링공 하야: 이럭저럭하여 / 나즈란: 낮은 / 디내와손뎌: 지내왔건만)
오리도 가리도 업슨 ⓑ바므란 또 엇디 호리라
(오리도 가리도: 올 사람도 갈 사람도 / 바므란: 밤)
얄리 얄리 얄라셩 얄라리 얄라

어듸라 더디던 돌코 누리라 마치던 돌코
(어듸라: 어디에다 / 누리라: 누구를)
믜리도 괴리도 업시 마자셔 우니노라
(믜리도 괴리도: 미워할 사람도 사랑할 사람도)
얄리 얄리 얄라셩 얄라리 얄라

살어리 살어리랏다 바다애 살어리랏다
나마자기 구조개랑 먹고 바다애 살어리랏다
(나마자기 구조개: 나문재, 굴, 조개)
얄리 얄리 얄라셩 얄라리 얄라

가다가 가다가 드로라 ⓒ에졍지 가다가 드로라
(에졍지: 외딴 부엌)
ⓓ사슴이 장대에 올아셔 해금을 혀거를 드로라
(올아셔: 올라서 / 혀거를: 켜는 것을)
얄리 얄리 얄라셩 얄라리 얄라

가다니 배브론 도긔 ⓔ설진 강수를 비조라
(배브론 도긔: 불룩한 술독에 / 설진 강수: 독한 술)
조롱곳 누로기 매와 잡사와니 내 엇디 하리잇고
(조롱곳 누로기: 조롱박꽃 모양의 누룩이 / 매와 잡사와니: 매워(독해서) 붙잡으니)
얄리 얄리 얄라셩 얄라리 얄라

확인 문제

[01~04] 다음 설명이 맞으면 ○, 틀리면 ×표 하시오.

01 이 작품에는 현실에서 겪는 삶의 고뇌와 슬픔이 담겨 있다. (○, ×)

02 이 작품의 화자는 자연에서 유유자적한 삶을 만끽하고 있다. (○, ×)

03 이 작품은 대화체를 활용하여 화자의 정서를 효과적으로 드러내고 있다. (○, ×)

04 이 작품에서 '청산'은 화자가 일상적으로 살아가는 삶의 공간을 의미한다. (○, ×)

[05~07] 다음 빈칸에 들어갈 알맞은 말을 쓰시오.

05 이 작품에서 화자를 울게 만든 'ㄷ'은 운명적 삶의 비애를 의미한다.

06 이 작품에서 'ㅁ ㅇㄹ'는 '청산', '바다'와 대조를 이루는 세속의 공간이다.

07 'ㅁㅇ'와 'ㄷㄹ'는 6연의 '나마자기 구조개'와 마찬가지로 소박한 음식 또는 소박한 삶을 나타낸다.

실력 문제

화자·대상

08 〈보기〉의 질문에 대한 대답으로 가장 적절한 것은?

> 보기
>
> 3연의 '가던 새'는 '갈던 사래'로, '잉무든 장글'은 '이끼 묻은 쟁기'로 해석할 수 있습니다. 이 해석을 따를 경우 이 작품의 화자는 누구일까요?

① 사랑에 실패한 여인
② 삶의 터전을 잃고 떠도는 농민
③ 술로써 고뇌를 잊으려는 지식인
④ 국경의 주변 지역을 지키는 군인
⑤ 자연물의 덕성을 본받으려는 사대부

표현

09 ㉠에 대한 설명으로 적절하지 않은 것은?

① 노래의 흥을 돋우어 준다.
② 당대 민중들의 낙천성이 드러나 있다.
③ 화자의 주된 정서를 집약적으로 나타낸다.
④ 울림소리를 연속적으로 사용해 경쾌한 음악적 효과를 준다.
⑤ 각 연마다 반복되어 작품 전체에 안정감과 통일감을 부여한다.

시어(구) + 표현

10 ⓐ~ⓔ 중 〈보기〉에서 설명하는 대상에 해당하는 것은?

> 보기
>
> 이 작품에서 화자는 자신의 감정을 다른 대상에 이입하여 동병상련의 정서를 나타내고 있다. 이때 '동병상련'은 같은 병을 앓는 사람끼리 서로 가엾게 여긴다는 뜻으로, 어려운 처지에 있는 사람끼리 서로 가엾게 여김을 이르는 말이다.

① ⓐ ② ⓑ ③ ⓒ ④ ⓓ ⑤ ⓔ

수능형 표현

11 〈보기〉를 바탕으로 윗글을 감상한 내용으로 적절하지 않은 것은?

> 보기
>
> 이 작품은 민요적 성격을 띤 노래로, 민간에서 입에서 입으로 전해져 내려오다가 후대에 정착되는 과정에서 5연과 6연의 순서가 뒤바뀌었을 가능성이 높다고 보는 견해가 있다. 5연과 6연의 순서를 뒤바꾸어 배열하면 전반부와 후반부가 대칭을 이루게 된다.

① 전반부는 '청산 노래', 후반부는 '바다 노래'로 나눌 수 있다.
② 2연의 '자고 니러 우니노라'는 5연의 '마자셔 우니노라'와 서로 짝을 이룬다.
③ 4연과 8연은 모두 의문형으로 끝맺음으로써 시상을 마무리하는 기능을 한다.
④ 2연과 7연, 3연과 5연이 각각 표현과 내용이 유사하게 전개되는 대칭적 구조를 지닌다.
⑤ 1연은 '청산', 6연은 '바다'로 공간은 다르지만, 두 공간 모두 삶의 고통에서 벗어나기 위해 화자가 선택한 도피의 공간으로 볼 수 있다.

작품 전체

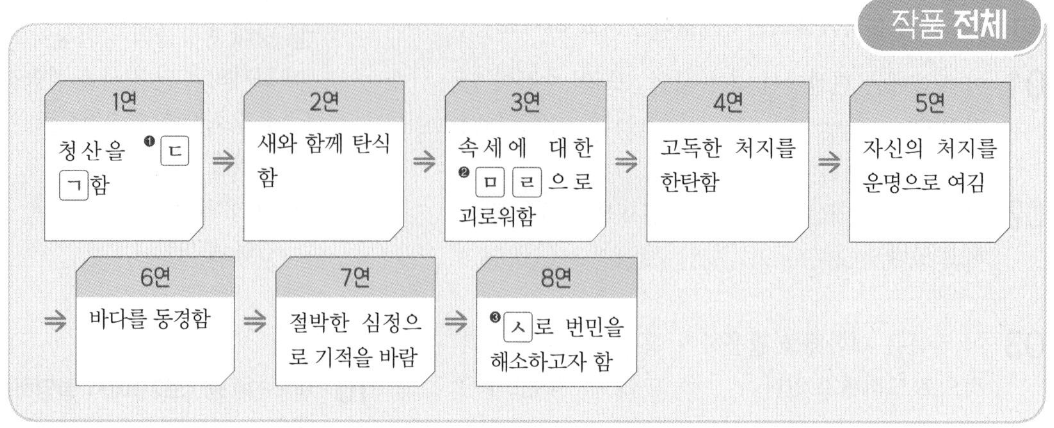

작품 압축

■ 화자에 따른 주제 해석의 다양성

이 작품의 화자에 관한 견해는 여러 가지이지만, 화자가 삶의 비애와 고통을 느끼며 그것에서 벗어나 삶의 안식처를 찾으려 한다는 점은 공통적이다.

화자	주제
❹ㅇㄹㅁ	삶의 터전을 잃은 유랑민의 삶의 비애
이별한 사람	이별의 슬픔을 잊기 위해 청산으로 도피하고 싶음 → 실연의 비애
지식인	속세의 번뇌를 떨쳐 버리고 삶의 위안을 얻기 위해 청산을 찾아감 → 세속적 삶의 고뇌

■ 시어의 의미

이 작품은 상징적인 시어를 사용하여 화자의 정서를 드러내고 있다.

청산, ❺ㅂㄷ	화자의 이상향, 현실 도피처
❻ㅅ	삶의 비애와 고독, 속세에 대한 미련을 드러냄(동병상련의 대상)
밤	운명적 고독을 드러냄
돌	운명적 삶의 비애를 드러냄
사슴	기적이 일어나기를 바라는 절박한 심정을 드러냄
술	삶의 고뇌를 해소하기 위한 수단

■ 대칭적 구조

5연과 6연의 위치를 바꾸면 1~4연은 '청산 노래', 5~8연은 '바다 노래'로 표현과 내용이 서로 대응된다.

1연	청산, 멀위 다래	6연	바다, 나마자기 구조개
2연	새, 자고 니러 우러라	5연	❽ㄷ, 마자셔 우니노라
3연	새, 가던 새 본다	7연	사슴, 가다가 드로라
4연	❼ㅂ, 또 엇디 호리라	8연	술, 내 엇디 하리잇고

■ 음악적 요소

이 작품은 aaba 구조 및 3음보 율격, 그리고 모든 연에서 후렴구를 반복하여 음악적 효과를 거두고 있다.

3·3·2조 3음보 율격 및 aaba 구조

3	3	2	3	3	2

살어리∨살어리∨랏다 / 청산애∨살어리∨랏다

a a b a

\+

후렴구 반복

- 악률을 맞추기 위해 사용된 것으로 흥을 돋움
- 'ㄹ, ㅇ' 음을 연속적으로 사용해 ❾ㄱㅋ한 음악적 효과를 거둠

어휘력 테스트

1 **제시된 뜻과 예문을 참고하여 다음 초성에 해당하는 단어를 괄호 안에 써 보자.**

(1) ㅁ ㄲ : 욕망을 마음껏 충족함

예 영호는 시골에서 전원생활을 (   )하고 있다.

(2) ㅈ ㅇ ㅈ : 하나로 모아서 뭉뚱그리는 것

예 원예 농업이란 채소, 과일, 화초 따위를 (   )으로 재배하는 농업을 뜻한다.

(3) ㄷ ㅂ ㅅ ㄹ : 같은 병을 앓는 사람끼리 서로 가엾게 여긴다는 뜻으로, 어려운 처지에 있는 사람끼리 서로 가엾게 여김을 이르는 말

예 자식을 잃고 가슴 아파하는 그를 보니 (   )의 감정이 느껴졌다.

2 **다음 〈보기〉의 뜻을 참고하여 십자말풀이를 완성해 보자.**

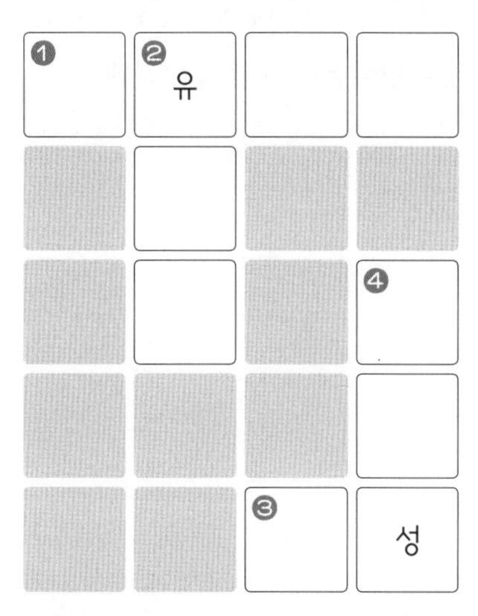

보기

가로

❶ 속세를 떠나 아무 속박 없이 조용하고 편안하게 삶

❸ 어질고 너그러운 성질

세로

❷ 일정한 거처 없이 이리저리 떠돌아다니는 백성

❹ 인생과 세상의 일을 좋고 희망적인 것으로 생각하는 특성

독해쌤과 함께하는 감상 넓히기

세상을 멀리하고 싶은 마음을 드러낸 작품

이번에 감상한 「청산별곡」은 현재의 처지에서 벗어나고 싶은 화자의 소망을 노래한 작품이에요. 「청산별곡」과 같이 여러 가지의 이유로 세상을 멀리하고 자연 속에서 살고자 하는 화자의 의지가 담긴 작품들이 있어요. 이러한 작품들을 더 감상해 볼까요?

상춘곡_정극인

정극인이 벼슬에서 물러나 고향에 머물면서 자연의 아름다움과 자연을 즐기는 삶의 흥취를 노래한 가사입니다. 세속적인 부귀와 공명을 멀리하고, 자연에 묻혀 소박하고 청빈한 삶을 살겠다는 의지를 드러내고 있는 작품입니다.

제가야산독서당_최치원

최치원이 쇠퇴해 가던 신라를 개혁하기 위해 노력하다가 실패한 후, 그 절망감으로 인해 벼슬을 버리고 전국 각지를 유랑하다가 해인사에 은거할 때 지은 7언 절구의 한시입니다. 세상을 멀리하고 산중에 은둔하고 싶다는 화자의 심경을 담고 있는 작품입니다.

(가) 님이 오마 하거늘~ _ 작자 미상
(나) 동짓달 기나긴 밤을~ _ 황진이

사랑하는 누군가와 헤어져 있다면 어떤 마음일까요? 아마도 그 사람을 그리워하며 다시 만나게 되기를 간절히 바라게 되겠죠? 두 시조는 사랑하는 임과 헤어진 상황에서 임을 기다리며 그리워하는 마음을 표현한 작품인데요. 이러한 화자의 정서가 작품 속에서 어떤 방식으로 표현되고 있는지 감상해 볼까요?

가 님이 오마 하거늘 ㉠저녁밥을 일찍 지어 먹고 중문 나서 대문 나가 지방(문지방) 위에 치달아 앉아 이수(以手)로 가액(加額)하고(손을 이마에 대고) 오는가 가는가 건넛산 바라보니 거머횟들(검은빛과 흰빛이 뒤섞인 것이) 서 있거늘 저야 ㉡님이로다

버선 벗어 품에 품고 신 벗어 손에 쥐고 곰븨님븨 님븨곰븨 천방지방 지방천방 진 데 마른 데 가리지 말고 위렁충창(우당탕퉁탕) 건너가서 정(情)엣말 하려 하고 곁눈을 흘깃 보니 상년(上年)(작년) 칠월 사흗날 갉아 벗긴 ㉢주추리 삼대(삼의 줄기) 살뜰이도 날 속였고나

모처라(마침) 밤일세망정 행여 낮이런들 남 웃길 뻔하과라

1. 화자·대상 (가)에서 '임'에 대한 화자의 정서는 어떠한가요?
2. 시어(구) (가)에서 '주추리 삼대'가 작품에서 하는 역할은 무엇인가요?
3. 표현 (가)의 작품이 독자의 웃음을 유발하는 이유는 무엇인가요?

나 ㉣동짓달 기나긴 밤을 한 허리를 베어 내어

춘풍(春風) 이불 아래 서리서리 넣었다가

㉤정든 임 오신 날 밤이어든 굽이굽이 펴리라

1. 화자·대상 (나)에서 시적 상황에 대한 화자의 정서는 어떠한가요?
2. 시어(구) (나)에서 초장과 종장의 '밤'은 의미상 어떤 차이가 있나요?
3. 표현 (나)의 작품에 나타난 표현상의 특징과 그 효과는 무엇인가요?

확인 문제

[01~04] 다음 설명이 맞으면 ○, 틀리면 ×표 하시오.

01 (가), (나)는 모두 시적 대상이 부재하는 상황이 드러나 있다. (○, ×)

02 (가)에는 의태어가, (나)에는 의성어가 주로 사용되었다. (○, ×)

03 (가)는 착각으로 인한 화자의 행동을 과장되게 묘사하여 웃음을 유발한다. (○, ×)

04 (나)에는 임과 오랜 시간을 함께 보내고 싶은 화자의 마음이 드러나 있다. (○, ×)

[05~07] 다음 빈칸에 들어갈 알맞은 말을 쓰시오.

05 (가)에서 'ㅈㅊㄹ ㅅㄷ'는 화자의 착각을 불러일으키는 자연물이다.

06 (가)는 평시조인 (나)와 달리 시조의 정형성에서 벗어나 초·중장이 제한 없이 길고 종장도 길어진 ㅅㅅㅅㅈ에 해당한다.

07 (나)에서 'ㄷㅈㄷ ㄱㄴㄱ ㅂ'은 임과 함께하는 긍정적인 시간을 뜻하는 'ㅈㄷ ㅇ ㅇㅅ ㄴ ㅂ'과 그 의미가 서로 대비된다.

실력 문제

화자·대상

08 **(가)~(나)의 화자에 대한 공통된 설명으로 가장 적절한 것은?**

① 오지 않는 임에 대한 원망이 드러나 있다.
② 임에 대한 기다림과 그리움이 나타나 있다.
③ 외로이 지내는 자신의 신세를 한탄하고 있다.
④ 임과 헤어진 상황에서 절망적 슬픔에 빠져 있다.
⑤ 이별의 원인을 자신의 탓으로 돌리며 후회하고 있다.

시어(구)

09 **㉠~㉤ 중, 〈보기〉의 ⓐ와 시적 기능이 유사한 것은?**

> **보기**
>
> 벽사창(碧紗窓)이 어룬어룬커늘 임만 여겨 펄떡 뛰어나가 보니 / 임은 아니 오고 명월이 만정(滿庭)한데 벽오동 젖은 잎에 봉황이 와서 긴 목을 후여다가 깃 다듬는 ⓐ그림자로다 / 마초아 밤일세 망정 행여 낮이런들 남 우일 뻔하여라

① ㉠ ② ㉡ ③ ㉢ ④ ㉣ ⑤ ㉤

표현

10 **(가)에서 해학성을 느낄 수 있는 이유로 가장 적절한 것은?**

① 임이 오지 않는 것을 '밤' 탓으로 돌리는 모습이 얄미워서
② 주추리 삼대를 임으로 착각해 허둥대는 모습이 재미있어서
③ 임이 온다는 소식을 듣고도 저녁밥을 짓는 모습이 진솔해서
④ 마당에서 서성이며 임을 기다리는 모습이 여유 있어 보여서
⑤ 진 데 마른 데 가리지 않고 우당탕 가는 모습이 위험해 보여서

수능형 시어(구)

11 **(나)와 〈보기〉를 감상한 학생들의 대화로 적절하지 않은 것은?**

> **보기**
>
> 꿈에 다니는 길이 자취가 남는다면
> 임의 집 창(窓)밖에 석로(石路)라도 닳으련마는
> 꿈길이 자취 없으니 그를 슬퍼하노라

① (나)에서 밤의 '한 허리를 베어 내'는 것은 임과 함께할 시간을 늘리려는 화자의 소망이 담겨 있어.
② 〈보기〉에서도 '석로'가 닳는다는 것은 임을 보고 싶어 하는 화자의 바람이 큼을 보여 주는 거야.
③ (나)와 달리 〈보기〉의 화자는 임을 원망하는 태도를 드러내고 있어.
④ (나)는 〈보기〉와 달리 '밤'이라는 추상적 개념을 구체적 사물로 표현하고 있어.
⑤ (나)와 〈보기〉는 모두 일정한 상황을 가정하여 화자의 정서를 드러내고 있어.

작품 전체

	초장	중장	종장
(가)	임을 애타게 기다림	임인 줄 알고 뛰어갔다 주추리 삼대임을 깨달음	자신의 ❶ㅊㄱ을 쑥스럽게 여김
(나)	동짓달 긴 밤의 한가운데를 베어 냄	❷ㅊㅍ 이불 안에 서리서리 넣어 둠	임이 오시는 밤에 굽이굽이 펴고자 함

작품 압축

두 시조의 공통된 정서

두 작품의 화자는 모두 사랑하는 임과 헤어져 외로운 상황에서 임을 애타게 그리워하며 임과의 만남을 소망하고 있다.

공통된 시적 상황
임과 헤어져 지내는 상황

⇓

공통된 화자의 정서
임에 대한 간절한 기다림과 ❸ㄱㄹㅇ

시어(구)의 의미

- (가)의 '주추리 삼대'는 의인화된 사물로 화자의 심리를 보여 주는 소재이다.

주추리 삼대	• 화자의 착각을 불러일으킨 소재 • 화자의 절실한 ❹ㄱㄷㄹ과 그리움을 보여 줌

- (나)의 초장과 종장의 '밤'은 그 의미가 대비된다.

동짓달 기나긴 '밤'	⇔	정든 임 오신 날 '밤'
• 임이 부재한 ❺ㅂㅈ적 시간 • 화자가 처한 현실		• 임과 함께하는 긍정적 시간 • 화자가 소망하는 미래

(가)에 나타난 표현의 해학성

(가)는 의성어, 의태어를 활용한 과장된 행동 묘사로 임이 보고 싶은 화자의 마음을 해학적으로 표현하고 있다.

'주추리 삼대'를 임으로 착각함
↓
임을 빨리 만나고 싶어 허둥대는 화자의 모습을 ❻ㄱㅈ되게 표현함 ⇒ ❼ㅇㅇ을 유발함
↓
주추리 삼대가 자신을 속인 것이라 말하며 겸연쩍어 함

(나)에 나타난 추상적 개념의 구체화

(나)는 형태가 없는 '밤'이라는 시간을 일정한 형태를 갖춘 사물처럼 표현하여 임과 오랜 시간을 보내고 싶은 화자의 소망을 드러내고 있다.

추상적 개념	⇒	구체적인 사물처럼 표현
동짓달 기나긴 ❽ㅂ		• 한 허리를 베어 내어 • ❾ㅅㄹㅅㄹ 넣었다가 굽이굽이 펴리라

어휘력 테스트

1 **다음 단어를 활용하기에 적절한 문장을 찾아 바르게 연결해 보자.**

(1) 애타다 • • ㉠ 그녀는 남편의 생환 소식을 (　　　　) 기다렸다.

(2) 대비하다 • • ㉡ 사건을 제대로 서술하지 않고 자극적인 내용만을 (　　　　) 것은 옳지 않다.

(3) 부각하다 • • ㉢ 우리의 축구 특성을 브라질의 것과 (　　　　) 보면 우리 축구가 개인기보다 팀 워크를 중시하는 것이 드러난다.

2 **제시된 뜻과 예문을 참고하여 다음 초성에 해당하는 단어를 괄호 안에 써 보자.**

(1) ㅁ ㅁ : 미묘한 재미나 흥취

예 바둑의 (　　　　)는 끝내기에 있다.

(2) ㅎ ㅎ ㅈ : 익살스럽고도 품위가 있는 말이나 행동이 있는 것

예 「봉산 탈춤」은 등장인물의 말과 행동을 통해 웃음을 유발하는 (　　　　) 성격을 띤다.

(3) ㅊ ㅅ ㅈ : 어떤 사물이 직접 경험하거나 지각할 수 있는 일정한 형태와 성질을 갖추고 있지 않은 것

예 그림을 그리듯이 표현하는 묘사는 (　　　　)인 대상을 구체적으로 보여 주는 방법이다.

독해쌤과 함께하는 감상 넓히기

기다림을 노래한 작품

이번에 감상한 두 편의 시조와 같이 임을 기다리는 마음과 그리움을 표현한 작품들이 많아요. 사랑하는 사람과 헤어진 상황에서 그 사람을 그리워하는 마음은 동서고금을 막론하고 누구나 겪을 수 있는 일이기 때문이겠지요. 기다림을 노래한 다른 작품들을 더 감상해 볼까요?

너를 기다리는 동안_황지우

누구라도 한 번쯤은 겪었을 기다림의 체험을 형상화하고 있습니다. 기다리는 동안에 느껴지는 설렘과 기대감, 기다리는 대상이 오지 않았을 때의 절망감 등을 감각적으로 표현한 작품입니다.

한 그리움이 다른 그리움에게_정희성

어려운 상황 속에서도 자신과 당신의 꿈이 한 폭의 비단이 된다면, 추운 겨울을 이겨 낼 수 있다고 노래하고 있습니다. 현실의 시련과 고통을 이겨 내고 기다림 끝에 당신과 만나 하나의 꿈을 엮게 되기를 바라는 화자의 소망을 드러낸 작품입니다.

실전 10

속미인곡 _ 정철

이 작품의 작가는 조선 시대 문신인 정철이에요. 명망 높은 사대부가 사랑하는 사람과 이별한 후 그에 대한 사랑과 그리움을 여성 화자를 내세워서 노래한 이유는 무엇일까요? 작품에 담긴 이면적 주제가 무엇인지 살펴보며 감상해 볼까요?

독해쌤의 감상 질문

1. 화자·대상 이 작품에 나타난 화자의 정서와 태도는 어떠한가요?
2. 시어(구) • 화자의 상황과 정서를 나타내는 시어는 무엇인가요?
   • '낙월'과 '궂은비'의 의미는 무엇인가요?
3. 표현 이 작품의 시상 전개 방식은 무엇인가요?

님다히 소식을 어떻게든 알자 하니
오늘도 거의로다. 내일이나 사람 올까.
내 마음 둘 데 없다. 어디로 가잔 말가.
잡거니 밀거니 **높은** 뫼에 올라가니
구름은 물론이고 ㉠안개는 무슨 일가.
산천(山川)이 어두운데 일월(日月)은 어찌 보며
지척(咫尺)을 모르는데 **천 리**를 바라보랴.
차라리 물가에 가 뱃길이나 보려 하니
바람이야 물결이야 어수선히 되었구나.
사공은 어디 가고 ㉡빈 배만 걸렸는가.
강천(江天)에 혼자 서서 지는 해를 굽어보니,
님다히 소식이 더욱 아득하구나.
모첨(茅簷)(초가지붕의 처마) 찬 자리에 밤중쯤 돌아오니
㉢반벽청등(半壁靑燈)(벽 가운데 걸려 있는 등불)은 누굴 위해 밝았는가.
오르며 내리며 헤매며 바장이니(허둥거리며 서성대니),
잠시 동안 역진(力盡)(힘이 다하여 지침)하여 풋잠을 잠깐 드니
정성이 지극하여 꿈에 님을 보니
옥(玉) 같은 몸이 반이나마 늙으셨네.
마음에 먹은 말씀 실컷 사뢰려니,
눈물이 쏟아지니 말씀인들 어찌하며,
정(情)을 못 다하여 목조차 메이는데
방정맞은 ㉣**닭소리**에 잠은 어찌 깨었던가.
아아 허사(虛事)로다. 이 님이 어디 간고.
잠결에 일어(일어나) 앉아 창을 열고 바라보니,
가엾은 그림자가 날 따를 뿐이로다.
차라리 죽어져서 낙월(落月)이나 되어서
님 계신 창 안에 번드시 비추리라.
각시님 달은커녕 ㉤궂은비나 되소서.

확인 문제

[01~03] 다음 설명이 맞으면 ○, 틀리면 ×표 하시오.

01 이 작품은 일정한 음보의 반복을 통해 리듬감을 형성하고 있다. (○, ×)

02 이 작품에는 임으로부터 소식이 오기를 기다리는 화자의 간절한 마음이 드러나 있다. (○, ×)

03 이 작품에는 화자가 자신의 지난 삶을 반성적으로 돌아보는 모습이 형상화되어 있다. (○, ×)

[04~06] 다음 빈칸에 들어갈 알맞은 말을 쓰시오.

04 이 작품은 두 인물의 ㄷ ㅎ 형식으로 시상을 전개하여 주제를 구현하고 있다.

05 이 작품은 ㄲ이라는 상황을 설정하여 화자의 소망이 매우 간절함을 드러내고 있다.

06 이 작품에는 화자와 임 사이를 가로막는 소재들이 등장하는데 '구름, ㅇ ㄱ, 바람, ㅁ ㄱ' 등이 그 역할을 하고 있다.

실력 문제

화자·대상

07 윗글의 화자에 대한 설명으로 적절하지 않은 것은?

① '높은 뫼'에 올라가는 모습에 임에게 더 가까이 가려는 화자의 마음이 드러나 있다.
② '산천'이 어두워서 '천 리'를 바라볼 수 없다는 데에서 화자와 임과의 거리감을 느낄 수 있다.
③ '물가에 가 뱃길이나 보려' 하는 태도에서 답답한 현실에서 벗어나 탈속적 공간에 가고자 함을 알 수 있다.
④ '오르며 내리며 헤매며 바장이니'에 임의 소식을 알기 위한 화자의 노력이 나타나 있다.
⑤ '방정맞은 닭소리'에서 꿈을 통해 보던 임을 잠이 깨서 볼 수 없다는 사실에 아쉬워함을 알 수 있다.

표현

08 윗글에 대한 설명으로 가장 적절한 것은?

① 계절의 변화와 관련지어 시상을 전개하고 있다.
② 과거와 미래를 대비하여 주제를 부각하고 있다.
③ 설의적 표현을 통해 화자의 정서를 강조하고 있다.
④ 대상을 의인화하여 대상이 지닌 속성들을 나열하고 있다.
⑤ 음성 상징어를 활용하여 생동감 있는 분위기를 조성하고 있다.

시어(구)

09 ㉠~㉤에 대한 이해로 적절하지 않은 것은?

① ㉠: 화자의 시야를 가로막아 화자에게 좌절감을 느끼게 하고 있다.
② ㉡: 화자의 쓸쓸한 심정을 나타내는 객관적 상관물이다.
③ ㉢: 화자가 기억하는 임의 모습을 상징한다.
④ ㉣: 화자가 꿈을 통해 소망을 실현하는 것을 방해하고 있다.
⑤ ㉤: 오랫동안 내려 임의 곁에 있고자 하는 적극적인 태도를 의미한다.

수능형

시어(구) + 주제

10 <보기>를 참고하여 윗글을 감상한 내용으로 적절하지 않은 것은?

> 보기
>
> 사대부의 시에서 '임'과 '미인'은 대부분 '임금'을 가리킨다. 벼슬에서 물러난 신하가 임금을 향한 마음을 직접적으로 드러냈든, 임을 그리는 여인의 심정에 의탁했든 이는 모두 임금에 대한 신하로서의 충절을 노래한 것으로 볼 수 있다.

① '님'과 '일월', '옥 같은 얼굴'은 모두 임금을 가리키는 것이겠군.
② '산천'이 어둡다는 것은 임금이 처한 부정적인 시대 상황을 의미하는 것이겠군.
③ '바람'과 '물결'은 화자가 임금에게 가는 것을 어렵게 만드는 존재라고 볼 수 있겠군.
④ '옥 같은 몸이 반이나마 늙으셨네.'는 자신을 내친 임금에 대한 화자의 원망이 담긴 것이겠군.
⑤ '낙월'이 되어 '님 계신 창 안'을 비추고 싶다는 것은 임금에 대한 변함없는 충절을 의미하겠군.

작품 전체

서사	본사 1	본사 2✰	결사✰
갑녀의 질문에 임과 이별한 사연을 말하는 을녀 ⇒	갑녀의 위로와 을녀의 임에 대한 사랑과 그리움 ⇒	을녀의 임에 대한 걱정과 임을 향한 간절한 ❶ ㄱ ㄹ ㅇ ⇒	죽어서라도 임을 따르겠다는 을녀의 다짐과 갑녀의 위로

✰: 교재 수록 부분

작품 압축

■ 화자의 상황과 정서를 나타내는 시어

① 장애물의 역할을 하는 시어

❷ ㄱ ㄹ, 안개, 바람, 물결	화자가 임에게 가지 못하게 방해하는 세력(간신)
닭소리	❸ ㄲ 속에서나 임을 보고자 하는 화자의 노력을 방해하는 존재

② 화자의 정서를 표출하는 객관적 상관물

❹ ㅂ ㅂ	임에게로 가지 못하고 쓸쓸하게 남아 있는 화자의 처지를 표현함
반벽청등	임의 부재에 따른 외로운 심정을 부각함

■ '낙월'과 '궂은비'의 의미

❺ ㄴ ㅇ	궂은비
• 임 계신 곳을 멀리서 잠깐 비추는 존재임 • 임과의 재회가 이루어질 수 없으리라는 체념적, 소극적 태도를 보임	• 오랫동안 내리는 비로, 임의 옷을 적실 수 있을 만큼 임에게 가까이 갈 수 있는 존재임 • 을녀의 애타는 마음을 갑녀가 위로하고 ❻ ㅈ ㄱ ㅈ 인 태도를 제안함

시어(구)
화자·대상
표현

■ 화자의 정서와 태도

화자는 임의 소식을 알고자 이리저리 다니며 그것도 모자라 꿈에서까지 찾는 것에서 임에 대한 그리움이 매우 간절함이 드러난다. 또한 '낙월'이 되어서라도 '님 계신 창 안'을 비추며 임과 함께하고 싶다는 소망을 드러내고 있다.

'차라리 죽어져서 낙월이나 되어서 / 님 계신 창 안에 번드시 비추리라.'

화자의 정서와 태도

죽어서라도 ❼ ㅇ 과 함께하고 싶은 간절한 마음

■ 시상 전개 방식

이 작품은 두 여인이 대화를 나누는 형식으로 전개되고 있다. 주로 을녀가 자신의 사연을 이야기하고 갑녀가 짧게 대답함으로써 내용을 전환하고 매듭짓고 있는데 이러한 방식을 통해 작가의 생각이 효과적으로 전달되고 있다.

서사	갑녀의 질문과 을녀의 답변

본사	갑녀의 위로와 을녀의 하소연

결사	을녀의 ❽ ㄷ ㅈ 과 갑녀의 위로

어휘력 테스트

● 다음 괄호 안에 들어갈 단어의 뜻을 〈보기〉에서 골라 기호를 써 보자.

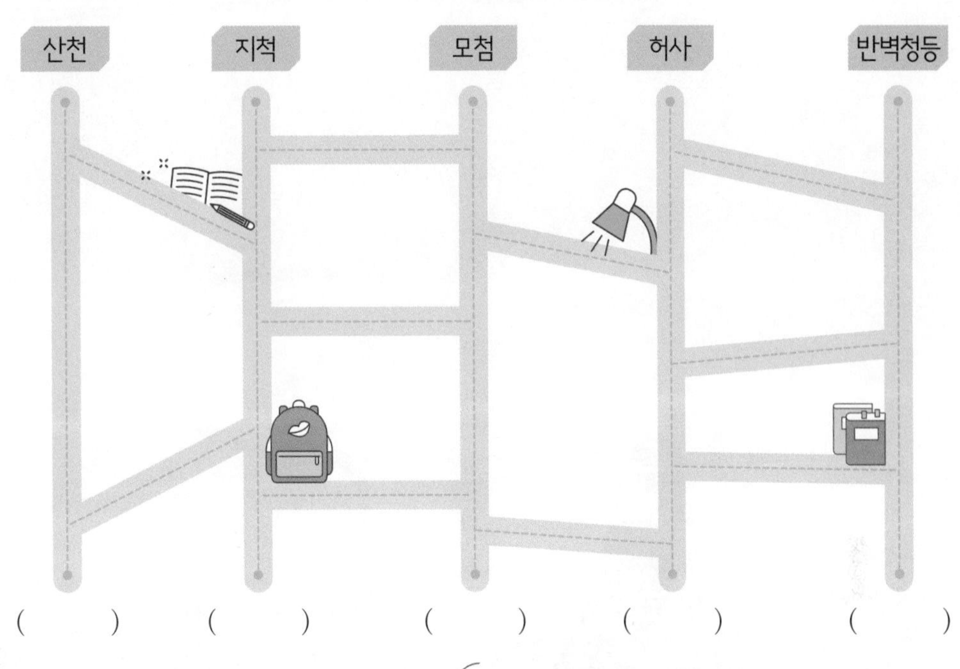

( ) ( ) ( ) ( ) ( )

보기

㉠ 초가지붕의 처마
㉡ 아주 가까운 거리
㉢ 벽 가운데 걸려 있는 등불
㉣ 보람을 얻지 못하고 쓸데없이 한 노력
㉤ 산과 내라는 뜻으로, '자연'을 이르는 말

독해쌤과 함께하는 감상 넓히기

임금에 대한 충절을 여인의 마음을 빌려 노래한 작품

고전 시가에는 이번에 감상한 「속미인곡」과 같이 신하로서 임금에 대한 충절을 여성 화자를 내세워 '임에 대한 사랑과 그리움'으로 표현한 작품들이 많아요. 이런 작품들 속에 화자의 정서와 태도가 어떻게 나타나고 있는지 감상해 볼까요?

사미인곡_정철

작가인 정철이 당파 싸움으로 관직에서 물러나 고향에 내려가 있을 때 임금을 향한 충성과 그리움을 노래한 연군 가사입니다. 임금을 임으로, 작가 자신을 여인인 화자로 설정하여 이별한 임에 대한 그리움을 토로하고 있는 작품입니다.

정과정_정서

작가인 정서가 고려 의종 때 유배지에서 지은 고려 가요로, 억울한 누명을 쓰고 귀양 간 자신의 결백을 주장하고 임금을 그리워하는 마음을 여성 화자의 목소리를 빌려 표현한 작품입니다.

소설

작품명	전국 연합	수능, 모평	중등 교과서	고등 교과서
[실전 01] 고향	○			○
[실전 02] 태평천하		○		○
[실전 03] 달밤				○
[실전 04] 광장	○	○	○	○
[실전 05] 아홉 켤레의 구두로 남은 사내	○	○		○
[실전 06] 도요새에 관한 명상	○	○		○
[실전 07] 유자소전	○		○	○
[실전 08] 운영전	○	○	○	○
[실전 09] 허생전	○		○	○
[실전 10] 홍계월전	○			○

'소설' 감상 스킬

'소설'은 시에 비해 소재나 배경이 지닌 의미를 파악하기가 좀 더 수월하긴 하지만, 길이가 길어서 등장인물의 관계나 사건의 진행 등을 잘 파악하며 감상해야 해. 낯선 소설을 만났을 때 뭐부터 봐야 할지 너무 막막하다면, 이제부터는 **'누가/무엇을'**, **'어떻게'**, **'왜'** 이 세 가지를 기억하고 살펴봐.

소설 속의 **'누가/무엇을'**은 인물과 사건에 대한 것이고, **'어떻게'**는 주제를 드러내기 위해 작가가 고민한 방법들, 즉 배경이나 소재, 서술상의 특징이나 효과 등을 파악하는 거야. **'왜'**는 결국 작가가 이 요소들을 등장시키고 고민한 이유에 해당하는, 즉 독자에게 전달하고 싶은 바인 주제를 파악하는 것이지. 그렇다면 소설 속에서 '누가/무엇을', '어떻게', '왜'는 구체적으로 어떻게 파악할 수 있을까? 아래 제시된 '소설' 감상 스킬을 살펴보자.

구분	요소			
'누가/무엇을'	❶ 인물·사건	[사건/인물의 처지, 상황] • 사건에 나타난 인물의 처지와 상황을 파악하라.	[인물의 심리, 태도] • 인물의 말과 행동을 통해 인물의 심리와 태도를 파악하라.	[갈등 양상] • 인물 간의 갈등 양상과 그 해결 과정을 파악하라.
+				
어떻게	❷ 배경·소재	[배경의 의미와 기능] • 시간과 공간, 시대적 상황이 나타난 부분을 찾아 작품의 배경과 그 기능을 파악하라.	[소재의 의미와 기능] • 사건 전개나 주제에 영향을 미치는 소재를 찾아 그 의미와 기능을 파악하라.	
+				
어떻게	❸ 서술	[서술상의 특징] • 시점, 구성, 어조와 문체, 묘사와 대화 등 서술상의 특징을 찾아라.	[서술의 효과] • 서술상의 특징이 작품에서 지니는 효과를 파악하라.	
⇓				
왜	❹ 주제	[창작 의도, 주제] • '인물·사건', '배경·소재', '서술'을 통해 파악한 내용을 종합하여 작품의 창작 의도 및 주제를 파악하라.		

이 감상 스킬을 좀 더 쉽게 적용할 수 있는 필기 방법을 알려 줄게. 바로 인물과 사건, 중요한 배경이나 소재 같은 곳에 기호를 표시해 두는 거야. 기호를 사용하면 소설의 핵심적인 내용을 한눈에 파악할 수 있어.

- ✓ 시간적·공간적 배경이 드러나는 부분에 ▽ 표시를 해 봐. 시간적·공간적 배경이 나타나는 부분을 정리하며 작품을 읽으면 사건을 이해하는 데 도움이 돼.
- ✓ 중심인물에 ○ 표시를 해 봐. ○ 표시는 모든 인물에 하는 것이 아니라, 사건의 전개에 중심 역할을 하는 중심인물에만 표시를 하렴.
- ✓ 인물과 인물의 관계는 선으로 표시해 두면 좋아. 가령 우호적 관계는 ―선, 대립적 관계는 ↔선, 어떤 영향이나 태도를 나타낼 때는 →선 등으로 표시하며 인물 간의 관계를 살펴봐.
- ✓ 주요 사건, 배경과 소재의 의미나 기능이 드러나는 부분에 밑줄(____)을 그어 봐. 그리고 밑줄 아래에는 내가 파악한 내용을 간단히 적어 두면 좋지.

❶ 인물·사건

1 소설 속 인물을 파악하라!

• **인물**: 작품 속에 등장하여 사건을 이끌어 가는 사람을 가리킨다. 인물의 성격은 인물의 성품, 가치관, 인상 등을 말하는 것으로, 인물이 지닌 성격은 다른 인물들과 갈등을 일으키고 사건을 만들면서 줄거리를 이끌어 가게 된다. 따라서 인물의 성격을 파악하는 일은 사건과 갈등의 양상을 이해하는 데 기본이 된다.
• **인물의 심리**: 인물의 마음속 상태나 마음의 움직임을 의미한다. 다양한 심리 양상이 나타나지만 일반적으로 긍정적인 심리와 부정적인 심리로 나누어진다.
• **인물의 태도**: 인물은 각자가 지닌 성격에 따라 다른 인물이나 대상 또는 작품 속 상황에 대해 다양하게 반응한다. 이는 우호적 태도, 비판적 태도, 원망의 태도, 체념적 태도, 무관심의 태도 등 다양한 양상으로 드러난다.

2 사건과 갈등 양상을 파악하라!

• **사건**: 작품 속에서 인물들 간에 구체적으로 전개되는 이야기로, 작품 전체의 줄거리를 이루며 주제를 형상화한다.
• **갈등**: 등장인물 사이에 일어나는 대립 또는 등장인물과 환경 사이의 대립을 말한다. 갈등으로 인해 사건이 나타나고, 갈등 해소 과정에서 주제가 드러난다.
• **갈등의 유형**
– 내적 갈등: 한 인물의 마음속에서 대립되는 욕구나 감정으로 인해 일어나는 갈등
– 외적 갈등: 인물과 그 인물을 둘러싼 외부 요소(인물, 사회, 운명, 자연 등) 간, 서로 다른 입장과 태도로 인해 발생하는 갈등

감상 IN 스킬

◆ 시험에서는 인물의 심리와 태도를 명확하게 구분하지 않는다. 인물의 말과 행동 등으로부터 심리를 추리해 가는 과정을 통해 인물과 사건을 이해하도록 하는 문제가 출제된다.

◆ 소설의 전체 흐름을 갈등의 시작과 고조, 해소의 과정이라고 부를 수 있을 만큼 갈등은 소설의 가장 중요한 요소이다. 따라서 인물이 겪는 갈등이 어떻게 형성되고, 표출되며, 해소되는지를 정확하게 파악해야 한다.

◆ 현대 소설에서는 식민지 현실, 한국 전쟁, 산업화나 도시화, 가치관의 차이, 가족 공동체의 붕괴 등이 주된 사회적 갈등 요소로 등장한다. 고전 소설에서는 외적의 침입, 신분적인 갈등, 봉건적 가부장 제도와 같은 요인 등이 주된 갈등 양상으로 제시된다.

작품 속 스킬

허생은 오직 책 읽기만 좋아할 뿐이어서, 그 아내가 삯바느질을 함으로써 간신히 입에 풀칠을 하는 지경이었다. (글 읽기만 좋아하고 실생활을 등한시하는 허생)

어느 날 허생의 아내는 너무 배가 고파서 울면서 말했다.
"당신은 과거도 보지 않으면서 글을 읽어 무엇합니까?"
허생이 웃으며 말하기를, / "나의 독서는 아직 미숙하오."
"그럼 공장 노릇도 못한단 말입니까?"
"공장 일은 배우지도 않았는데 어찌 할 수 있겠소."
"그럼 장사치 노릇도 할 수 없단 말입니까?"
"장사치 노릇도 밑천이 없으니 어찌 할 수 있겠소."
부인이 화를 내며 내쏘았다. / "밤낮으로 글만 읽었어도 배운 것이라곤 오직 '어찌 할 수 있겠소'뿐이구려." (선비의 무능함에 대한 비판)

– 박지원, 「허생전」

인물·사건

허생	⇔	아내
글 읽기만 좋아하고 실생활을 등한시함		삯바느질을 하며 생계를 책임지고 있음

↓

사건 및 갈등	허생의 아내가 경제적인 어려움 때문에 허생에게 공장 일이나 장사치 노릇을 해 보라고 하지만 허생은 못하겠다고 함

⇓

경제적으로 무능력한 허생의 모습을 통해 당대 양반층의 모습을 풍자함

② 배경·소재

1 작품의 배경을 찾고 그 기능을 파악하라!

• **배경**: 인물이 행동하고 사건이 일어나는 시대적·사회적 환경으로, 시간적 배경, 공간적 배경, 시대적 배경, 심리적 배경 등으로 나누어진다.
• **배경의 기능**: 작품 속의 배경은 작품에 사실성을 부여하고 작품의 전반적인 분위기를 형성하며 주제와도 관련이 있다. 배경 자체가 인물의 내면 심리를 상징하거나 앞으로 전개될 사건의 방향을 암시하기도 한다.

2 작품에서 중심 소재를 찾고 그 의미와 기능을 파악하라!

• **소재**: 소설에서 작가가 이야기를 전개하기 위해 사용하는 글의 재료로, 특정 사물이나 환경, 인물의 행동이나 감정 등이 모두 소재가 될 수 있다.
• **소재의 기능**
– 갈등의 유발과 해소: 같은 소재에 대한 인물의 가치관이 다르거나, 여러 인물이 같은 소재를 추구할 때 갈등이 발생함. 이와 반대로 특정 소재로 인해 갈등이 해소되기도 함
– 인물이 처한 상황 및 심리 제시: 소재를 통해 인물이 처한 상황이나 구체적인 시대상이 드러나며, 인물의 심리가 나타나기도 함
– 주제의 형상화: 주제를 소재를 통해 상징적으로 드러내기도 함
– 사건의 암시 및 연결: 앞으로 일어날 사건을 암시하는 복선의 역할을 하기도 하고, 과거 회상의 매개체 역할을 하여 과거와 현재의 사건을 연결해 주기도 함

감상 IN 스킬

◈ 시험에서는 창작 당시의 시대상을 반영한 작품이 많이 제시되기 때문에 우리 현대사의 큰 사건들에 따른 작품 경향을 이해하고 있으면 많은 도움이 된다.
– 일제 강점기에 비참하게 살아가는 우리 민족의 모습을 그린 작품 ㉠ 김유정의 「만무방」, 이태준의 「달밤」, 현진건의 「운수 좋은 날」
– 전쟁으로 인한 상처와 극복 의지를 그린 작품 ㉠ 윤흥길의 「장마」, 하근찬의 「수난이대」
– 산업화로 인한 인간 소외를 그린 작품 ㉠ 김원일의 「도요새에 관한 명상」, 조세희의 「난쟁이가 쏘아 올린 작은 공」

◈ 소재와 배경은 주로 의미와 기능을 묻는 문제가 출제된다. 그런데 소재 문제의 경우 정형화된 선지가 나오는 반면, 배경 문제는 작품의 구체적인 내용과 연결지어 나오는 경우가 많다.

작품 속 스킬

"…… 멋 허러 오냐? 돈 달라러 오지?" / "동경서 전보가(종학의 피검을 알리는 소재) 왔는데요……." / 지체를 바꾸어 윤 주사를 점잖고 너그러운 아버지로, 윤 직원 영감을 속 사납고 경망스런 어린 아들로 둘러놓았으면 꼬옥 맞겠습니다.
"동경서? 전보?"
"종학이 놈이 경시청에 붙잽혔다구요!" / "으엉?" 〈중략〉
"화적패가 있너냐아? 부랑당 같은 수령들이 있더냐? …… 재산이 있대야 도적놈의 것이요, 목숨은 파리 목숨 같던 말세넌(윤 직원이 살아온 사회의 모습) 다 지내가고오……, 자 부아라, 거리거리 순사요, 골골마다 공명헌 정사, 오죽이나 좋은 세상이여…….(당시가 일제 강점기임을 알 수 있음) 남은 수십만 명 동병을 히여서, 우리 조선 놈 보호히여 주니, 오죽이나 고마운 세상이여? 으응? …… 제것 지니고 앉어서 편안허게 살 태평 세상, 이걸 태평천하라구 허는 것이여, 태평천하!"(윤 직원의 비뚤어진 역사의식을 드러냄) – 채만식, 「태평천하」

배경·소재

• 소재 '전보'의 기능

전보	• 윤종학이 피검되었음을 알림 • 윤 직원 일가의 몰락을 예고함 • 사건 전개에 극적인 반전을 유도함 • 작품에 등장하지 않는 윤종학의 존재를 간접적으로 제시함

• 시대적 배경과 중심인물의 풍자

시대적 배경	1930년대 일제 강점기
시대적 상황	우리 민족 대부분이 일제의 억압과 수탈에 고통을 당함

⇓

태평천하의 의미	• 윤 직원은 자신의 재산을 안전하게 지킬 수 있는 일제 강점기를 '태평천하'라고 말함 • 윤 직원의 잘못된 역사의식을 반어적으로 풍자한 것임

❸ 서술

1 시점, 어조와 문체 등 서술상의 특징을 찾아라!

서술상의 특징은 서술자가 작품 안에서 일어나는 일들을 전달해 주는 방식을 말한다. 사건의 전개와 주제 구현과 관련지어 서술자와 시점, 어조와 문체, 서술 방식 등을 파악해야 한다.

- **시점**: 서술자가 사건과 인물을 바라보는 관점을 말한다. 서술자가 누구이고 등장인물이나 사건에 대해 어떤 태도를 취하느냐에 따라 시점의 종류가 달라진다.

– 1인칭 주인공 시점: 작품 속 주인공인 '나'가 이야기를 전개함
– 1인칭 관찰자 시점: 작품 속 인물인 '나'가 주인공의 이야기를 관찰하여 전달함
– 3인칭 관찰자 시점: 작품 밖의 서술자가 객관적인 시선으로 이야기를 서술함
– 전지적 서술자 시점: 작품 밖의 서술자가 등장인물의 심리와 사건의 정황을 모두 알고 있는 입장에서 이야기를 전달함

- **어조**: 서술자의 말투로, 상황이나 인물에 대한 서술자의 태도를 드러내며 작품의 분위기를 조성하여 주제를 간접적으로 드러낸다.
- **문체**: 작품 내용을 전달하는 데 사용하는 언어 구사 방식을 말한다. 작가마다 사용하는 어휘, 문장의 길이, 표현 방법 등이 다르므로 문체를 통해 작가의 개성을 알 수 있다.

2 서술상의 특징이 작품에서 지니는 효과를 이해하라!

작가가 다양한 서술 방식을 활용하는 이유는 결국 자신의 의도나 주제를 효과적으로 드러내기 위함이다. 따라서 서술의 효과를 파악하기 위해서는 서술상의 특징을 주제의 형상화 측면에서 관련지어 보아야 한다.

감상 IN 스킬

◈ 시험에서는 시점, 문체, 어조 등을 직접 묻는 문제는 거의 출제되지 않는다. 그러나 서술상의 특징을 묻는 문제의 선지로 사건과 갈등과 관련된 개념들과 함께 다양하게 출제되므로 꼭 알아두어야 한다.

◈ 한 작품에서 반드시 하나의 시점만이 유지되지는 않으며, 두 가지 이상의 시점이 복합적으로 쓰일 수 있음을 기억해야 한다.

◈ 시험에서 자주 나오는 서술상의 특징에 대해 이해해 보자.
– 편집자적 논평: 서술자가 인물과 사건에 대한 판단이나 평가를 직접 전달함
– 시점의 이동: 서술자의 시점이 다른 시점으로 바뀜
– 해학적 표현: 대상을 우스꽝스럽게 표현하여 낙관적인 웃음을 이끌어 내는 표현임
– 요약적 제시: 서술자가 인물의 성격과 심리, 사건의 흐름 등을 직접 간결하게 서술함

작품 속 스킬

한동안 넋나간 듯이 서 있던 총수가 하고많은 사람 중에 하필이면 유자를 겨냥하며 물은 말이었다. / "글쎄유, 아마 밤새에 고뿔이 들었던 개비네유." / 유자는 부러 딴청을 하였다.
(실없이 거짓으로 의뭉스러운 태도를 보이는 유자)

"뭐야? 물고기가 물에서 감기 들어 죽는 물고기두 봤어?"

총수는 그가 마치 혐의자나 되는 것처럼 화풀이를 하려 드는 것이었다.

그는 비위가 상해서, /『"그야 팔자가 사나워서 이런 후진국에 시집 와 살라니께 여러 가지루다 객고가 쌓여서 조시두 안 좋았을 테구……그런디다가 부룻쓰구 지루박이구 가락을 트는 대루 디립다 춰 댔으니께 과로해서 몸살끼두 다소 있었을 테구…… 본래 받들어서 키우는 새끼덜일수록 다다 탈이 많은 법이니께……."』
(『 』: 해학적, 골계적 문체가 돋보임)

– 이문구, 「유자소전」

서술	
방언의 사용	• 토속적인 정감과 사실성, 현장성을 획득함 • 주인공에 대하여 친근감을 유발함
비속어의 사용	• 주인공이 속한 계층과 그들의 처지를 전형적으로 표현함 • 풍자와 비판의 효과를 지님
판소리 사설체	• 전지적인 서술자의 위치에서 작가의 생각을 직접 독자에게 전달함 • 등장인물을 논평하면서 독자와 함께 조롱하고 풍자함

고향 ① _ 현진건

상대의 외양이나 행동만 보고 그에 대해 거부감을 느껴 본 적이 있나요? 이 작품의 '나'는 기이한 차림의 '그'를 보고 처음에는 호기심을 느끼다가 '그'의 행동에 거부감을 보이기도 해요. 하지만 '그'의 이야기를 들으면서 태도가 변하고 있어요. '나'의 태도가 어떻게 변하는지 그리고 그 이유는 무엇인지 살펴보며 작품을 감상해 볼까요?

독해쌤의 감상 질문

1. 인물·사건 '그'에 대한 '나'의 태도는 어떠한가요?
2. 배경·소재 결말 부분에 제시된 민요는 어떤 기능을 하나요?
3. 서술 이 작품의 구성상 특징과 그 효과는 무엇인가요?
4. 주제 이 작품에 반영된 현실과 주제는 무엇인가요?

앞부분 줄거리 '나'는 대구에서 서울로 가는 기차 안에서 조선, 중국, 일본 삼국의 옷을 섞어 입은 듯한 기이한 옷차림의 '그'를 보며 호기심을 느끼다가 '그'의 말과 행동에 거부감을 보이기도 한다. 그러나 '나'는 자신에게 말을 걸어 오는 '그'를 거부하지 않고 '그'와 대화하게 된다. '그'는 '나'에게 일자리를 알아보러 무작정 서울로 가고 있는 중이라며 자신의 사연을 말한다.

전개

가 그러자 그의 신세타령의 실마리는 풀려 나왔다. 그의 고향은 대구에서 멀지 않은 K군 H란 외딴 동리였다. 한 백 호 남짓한 그곳 주민은 전부가 역둔토를 파먹고 살았는데 역둔토로 말하면 사삿집 땅을 부치는 것보다 떨어지는 것이 후하였다. 그러므로 넉넉지는 못할망정 평화로운 농촌으로 남부럽지 않게 지낼 수 있었다. 그러나 세상이 뒤바뀌자 그 땅은 전부가 동양 척식 주식회사의 소유에 들어가고 말았다. 직접으로 회사에 소작료를 바치게나 되었으면 그래도 나으련만 소위 중간 소작인이란 것이 생겨나서 저는 손에 흙 한 번 만져 보지도 않고 동척엔 소작인 노릇을 하며 실작인에게는 지주 행세를 하게 되었다. 동척에 소작료를 물고 나서 또 중간 소작인에게 긁히고 보니 실작인의 손에는 소출의 삼 할도 떨어지지 않았다. 그 후로 '죽겠다', '못 살겠다' 하는 소리는 중이 염불하듯 그들의 입길에서 오르내리게 되었다. 남부여대하고 타처로 유리하는 사람만 늘고 동리는 점점 쇠진해 갔다.

- 역둔토: 역토(역에 속한 논밭)와 둔토(지방에 주둔하는 군대의 군량을 마련하기 위한 토지)를 아울러 이르는 말
- 사삿집: 개인이 살림하는 집
- 부치는: 논밭을 이용하여 농사를 짓는
- 동양 척식 주식회사: 1908년에 일본이 한국의 경제를 독점·착취하기 위하여 설립한 국책 회사
- 동척: =동양 척식 주식회사
- 실작인: 실제로 농사짓는 소작인
- 소출: 논밭에서 나는 곡식. 또는 그 곡식의 양
- 입길: 이러쿵저러쿵 남의 흉을 보는 입의 놀림
- 남부여대: 남자는 지고 여자는 인다는 뜻으로, 가난한 사람들이 살 곳을 찾아 떠돌아다님을 비유함
- 유리하는: 정처 없이 떠돌아다님

전개 '그'가 고향을 떠나게 된 사정을 듣게 됨

위기

나 지금으로부터 구 년 전 그가 열일곱 살 되던 해 봄에(그의 나이는 실상 스물여섯이었다. 가난과 고생이 얼마나 사람을 늙히는가) 그의 집안은 살기 좋다는 바람에 서간도로 이사를 갔었다. 쫓겨 가는 운명이거든 어디를 간들 신신하랴. 그곳의 비옥한 전야도 그들을 위하여 열려질 리 없었다. 조금 좋은 땅은 먼저 간 이가 모조리 차지를 하였고 황무지는 비록 많다 하나 그곳 당도하던 날부터 아침거리 저녁거리 걱정이라 무슨 행세로 적어도 일 년이란 장구한 세월을 먹고 입어 가며 거친 땅을 풀 수가 있으랴. 남의 밑천을 얻어서 농사를 짓고 보니 가을이 되어 얻는 것은 빈주먹뿐이었다. 이태 동안을 사는 것이 아니라 억지로 버티어 갈 제 그의 아버지는 우연히 병을 얻어 타국의 외로운 혼이 되고 말았다. 열아홉 살밖에 안 된 그가 홀어머니를 모시고 악으로 악으로 모진 목숨을 이어 가는 중 사 년이 못 되어 영양 부족한 몸이 심한 노동에 지친 탓으로 그의 어머니 또한 죽고 말았다.

- 신신하랴: 새로운 데가 있겠는가
- 전야: 논밭으로 이루어진 들
- 이태: 두 해

확인 문제

[01~04] 다음 설명이 맞으면 ○, 틀리면 ×표 하시오.

01 '나'는 기차 안에서 만난 '그'를 보며 예전에 '그'와 만났던 기억을 떠올리고 있다. (○, ×)

02 '그'는 가난과 고생스러운 삶으로 인해 실제 나이보다 더 늙어 보이는 모습이었다. (○, ×)

03 '그'의 고향 사람들은 세상이 뒤바뀌기 전에는 넉넉하지 못해도 남부럽지 않게 살았다. (○, ×)

04 (가), (나)는 과거 이야기의 내부에 있는 서술자가 인물들의 대화와 행동을 객관적으로 묘사하고 있다. (○, ×)

[05~07] 다음 빈칸에 들어갈 알맞은 말을 쓰시오.

05 ㅂㅈㅁ은 서간도에서의 힘겨운 생활을 단적으로 보여 주는 말이다.

06 ㄷㅇ ㅊㅅ 주식회사를 통해 이 작품이 일제 강점기를 배경으로 하고 있음을 알 수 있다.

07 이 작품은 '나'가 기차 안에서 '그'를 만나는 이야기 속에 '그'의 과거 이야기가 들어 있는 ㅇㅈㅅ 구성을 취하고 있다.

인물·사건

08 윗글의 '그'에 대한 설명으로 가장 적절한 것은?

① 살기 좋다는 이야기를 듣고 가족들과 함께 서간도로 갔다.
② 아버지와 어머니 모두 타향에서 우연히 병을 얻어 돌아가셨다.
③ 자신이 부모님을 제대로 모시지 못했다는 생각으로 괴로워하였다.
④ 과거 고향에서는 땅을 소유하고 있었기 때문에 생계에 대한 걱정 없이 살았다.
⑤ 서간도에서 황무지를 개간하며 살았지만 현지인들의 핍박으로 쫓겨나고 말았다.

서술

09 (가)~(나)의 시점에 대한 설명으로 가장 적절한 것은?

① 주인공이 자신의 과거 이야기를 직접 전달하고 있다.
② 서술자가 인물이 처한 상황을 요약적으로 설명하고 있다.
③ 이야기 밖의 서술자가 인물과 사건을 객관적으로 묘사하고 있다.
④ 시점을 전환하여 인물과 사건에 대한 다양한 관점을 보여 주고 있다.
⑤ 작품에 등장하는 인물이 주인공이 처한 상황을 직접 관찰하여 제시하고 있다.

수능형 주제

10 〈보기〉를 참고하여, 윗글을 감상한 내용으로 적절하지 않은 것은?

보기

『동아일보』 기자였던 작가 현진건은 국내 농촌의 피폐함뿐만 아니라 해외 동포들의 비극적인 삶에 대해 기사를 통해 누구보다 자주 접할 수 있었다. 이런 환경 속에서 일본의 폭력적 식민 지배가 낳은 폐단을 고발하고 식민 지배의 직접적인 피해 계층은 조선 민중이라는 사실을 집약적으로 드러내는 「고향」이 창작되었다. 민족 전체가 암울하게 살아가던 때, 「고향」은 우리 민중들이 품고 있는 반일 감정과 민족에 대한 연민의 감정을 고조시키는 계기가 되었다.

① 역둔토 전부가 동양 척식 주식회사의 소유로 들어간 것은 일본의 폭력적 식민 지배를 보여 주는 것이군.
② 동양 척식 주식회사와 중간 소작인의 수탈로 인해 사람들이 고향을 떠나는 모습은 당시 농촌의 피폐함을 반영한 것이군.
③ 서간도로 이주했지만 여전히 가난하게 살다가 가족마저 잃게 되는 이야기는 해외 동포들의 비극적인 삶에 바탕을 둔 것이군.
④ 평화로운 농촌 마을이 점점 쇠진해 가는 모습을 통해 식민 지배의 직접적인 피해 계층이 조선 민중이라는 사실이 드러나는군.
⑤ '죽겠다', '못 살겠다' 하는 소리가 오르내리는 모습을 통해 반일 감정을 품고 적극적으로 저항하려는 민중의 의지를 구체적으로 보여 주는군.

고향 ②

독해쌤 속닥속닥

◆ 앞부분에 등장했던 '그'의 기이한 차림새는 조선을 떠나 중국과 일본을 유랑하며 살 수밖에 없었던 '그'의 고달프고 기구한 삶을 보여 주는 것임을 알 수 있어요. 대구 근교의 평화로운 농촌의 농민이었던 '그'가 일제의 식민지 지배가 시작되자 농토를 빼앗기고 서간도로 갔으나, 부모를 잃고 중국 곳곳과 일본까지 떠돌다가 다시 고향으로 돌아온 거지요. 고향을 떠나 9년간이나 각지로 유랑했던 '그'의 비참한 삶의 역정이 서술되어 있어요.

◆ (라)를 통해 '그'가 오랜만에 고향을 찾아갔지만, '그'의 고향은 안타깝게도 완전히 황폐화되었다는 것을 알 수 있어요. 폐허가 된 '그'의 고향을 통해 일제의 수탈로 인해 더 이상 살지 못하는 곳으로 변한 조선의 농촌 현실을 드러내고 있어요. 그리고 '그'의 눈물 속에서 '조선의 얼굴'을 보았다는 것은 주권을 상실한 조선의 모습과 고향을 잃고 떠도는 조선 민중의 비참한 모습을 보았음을 의미해요.

다 ㉠"모친꺼정 돌아갔구마." / "돌아가실 때 흰 죽 한 모금 못 자셨구마." / 하고 이야기하던 이는 문득 말을 뚝 끊는다. 그의 눈이 번들번들함은 눈물이 쏟아졌음이리라. 나는 무엇이라고 위로할 말을 몰랐다. ㉡한동안 머뭇머뭇이 있다가 나는 차를 탈 때에 친구들이 사 준 정종병 마개를 빼었다. 찻잔에 부어서 그도 마시고 나도 마셨다. 악착한 운명이 던져 준 깊은 슬픔을 술로 녹이려는 듯이 연거푸 다섯 잔을 마신 그는 다시 말을 계속하였다. 그 후 그는 부모 잃은 땅에 오래 머물기 싫었다. 신의주로, 안동현(지금의 단동(丹東)으로, 중국 라오둥 반도에 있음)으로 품(삯을 받고 하는 일)을 팔다가 일본으로 또 벌이를 찾아가게 되었다. 구주('구슈'를 우리 한자음으로 읽은 이름) 탄광에 있어도 보고 대판 철공장에도 몸을 담아 보았다. 벌이는 조금 나았으나 외롭고 젊은 몸은 자연히 방탕해졌다. 돈을 모으려야 모을 수 없고 이따금 울화만 치받치기 때문에 한곳에 주접(한때 머물러 삶)을 하고 있을 수 없었다. 화도 나고 고국산천이 그립기도 하여서 훌쩍 뛰어나왔다가 오래간만에 고향을 둘러보고 벌이를 구할 겸 서울로 올라가는 길이라 한다.

위기 | 농토를 잃고 고향을 떠나 비참한 유랑 생활을 하던 '그'의 과거 내력

절정

라 "고향에 가시니 반가워하는 사람이 있습디까?" / ㉢나는 탄식하였다.

"반가워하는 사람이 다 뭐기오, 고향이 통 없어졌더마."

"그렇겠지요. 구 년 동안이면 퍽 변했겠지요."

"변하고 뭐고 간에 아무것도 없더마. 집도 없고 사람도 없고 개 한 마리도 얼씬을 않더마." / "그러면 아주 폐농이 되었단 말씀이오."

"흥, 그렇구마. 무너지다가 담만 즐비하게 남았즈마. 우리 살던 집도 터야 안 남았겠는기오." / 하고 그의 짜는 듯한 목은 높아졌다.

"썩어 넘어진 서까래, 뚤뚤 구르는 주추(기둥 밑에 괴는 돌 따위의 물건)는! 꼭 무덤을 파서 해골을 헐어 젖혀 놓은 것 같더마. 세상에 이런 일도 있는기오? 백여 호 살던 동리가 십 년이 못 되어 통 없어지는 수도 있는기오, 후!"

하고 그는 한숨을 쉬며 그때의 광경을 눈앞에 그리는 듯이 멀거니 먼 산을 보다가 내가 따라 준 술을 꿀꺽 들이켜고,

"참! 가슴이 터지드마, 가슴이 터져."

하자마자 굵직한 눈물 뒤(두어, 둘에서 셋 정도) 방울이 뚝뚝 떨어진다.

㉣나는 그 눈물 가운데 음산하고 비참한 조선의 얼굴을 똑똑히 본 듯싶었다.

마 이윽고 나는 이런 말을 물었다.

㉤"그래, 이번 길에 고향 사람은 하나도 못 만났습니까."

"하나 만났구마, 단지 하나." / "친척 되시는 분이던가요."

"아니구마, 한 이웃에 살던 사람이구마."

하고 그의 얼굴은 더욱 침울해진다. / "여간 반갑지 않으셨겠지요."

"반갑다마다, 죽은 사람을 만난 것 같더마. 더구나 그 사람은 나와 까닭도 좀 있던 사람인데……." / "까닭이라니?" / "나와 혼인 말이 있던 여자구마."

"하—!" / 나는 놀란 듯이 벌린 입이 닫혀지지 않았다.

확인 문제

[01~04] 다음 설명이 맞으면 ○, 틀리면 ×표 하시오.

01 '그'는 큰돈을 벌기 위해 서간도를 떠나 중국 곳곳과 일본을 떠돌아다녔다. (○, ×)

02 '그'가 고향으로 돌아간 이유는 자신에게 닥친 문제를 근본적으로 해결하기 위해서였다. (○, ×)

03 이 작품은 한 인물의 삶을 통해 우리 민족이 처한 상황을 사실적으로 보여 주고 있다. (○, ×)

04 '나'는 '그'의 말에 적절히 반응하면서 '그'가 이야기를 계속 이어 가게 하는 역할을 하고 있다. (○, ×)

[05~07] 다음 빈칸에 들어갈 알맞은 말을 쓰시오.

05 [ㅅ]은 '그'와 정서적 공감대를 형성한 '나'가 '그'의 슬픔을 위로해 주는 매개물이다.

06 '그'는 일제의 수탈로 인해 사람들이 모두 떠나고 황폐해진 고향의 모습을 [ㅁ][ㄷ]과 [ㅎ][ㄱ]에 빗대어 표현하고 있다.

07 이 작품에서 '그'의 고향은 일제 강점기의 우리나라 [ㄴ][ㅊ]을 대표하는 공간이고, '그'는 우리 [ㅁ][ㅈ]을 상징하는 인물이라 할 수 있다.

인물·사건

08 윗글을 읽고 떠올린 장면으로 적절하지 않은 것은?

① '그'가 눈물을 글썽이며 술을 마시는 모습
② '그'가 일본 탄광과 철공장에서 일하는 모습
③ '그'가 중국 여기저기를 떠돌며 장사하는 모습
④ '그'가 고향에서 우연히 과거의 이웃 여자를 만나 반가워하는 모습
⑤ '그'가 터만 남은 옛집을 안타까운 시선으로 바라보며 서 있는 모습

인물·사건

09 ㉠~㉤에 대한 설명으로 적절하지 않은 것은?

① ㉠: 어머니의 죽음을 떠올리는 '그'의 슬픔이 드러나고 있다.
② ㉡: '나'가 '그'를 위로하고 싶은 마음을 행동으로 표현하고 있다.
③ ㉢: '그'의 이야기를 들으며 '나'는 현실에 대한 분노와 무력감을 느끼고 있다.
④ ㉣: '나'가 '그'를 통해 일제 강점하 우리 민족의 비참한 모습을 떠올리고 있다.
⑤ ㉤: '그'와 관련된 다른 인물의 이야기가 시작되는 계기가 되고 있다.

수능형 서술

10 〈보기〉를 읽고 윗글에 대해 토의한 내용으로 적절하지 않은 것은?

> 보기
>
> 이 작품은 1920년대 일제 강점기에 서울로 가는 기차 안을 배경으로 하여 이야기를 전개하고 있다. 기차를 탄 '나'는 옆자리에 앉은 '그'와 이야기를 나누면서 '그'가 살아온 내력을 듣게 된다. 이때 기차 안에서 '나'가 '그'와 만나 대화를 나누는 것은 외부 이야기이고, '그'가 들려주는 이야기는 내부 이야기로, 이 작품은 액자식 구성을 취하고 있다. 이러한 구성으로 인해 외부 이야기와 내부 이야기는 서로 다른 시점으로 서술된다.

① '그'가 살아온 내력을 들려주는 부분은 3인칭 시점으로 서술되고 있어.
② 내부 이야기는 '그'가 들려준 이야기이기 때문에 '나'가 등장하지 않는구나.
③ 눈물을 흘리는 '그'의 모습을 '나'가 바라보는 장면은 액자식 구성의 외부 이야기야.
④ 외부 이야기에는 '나'의 감정이 주로 드러나기 때문에 1인칭 주인공 시점이 사용되었어.
⑤ 폐허가 된 고향에 대해 '그'가 '나'에게 설명해 주고 있는 장면은 외부 이야기에 해당하는구나.

고향 ③

독해쌤 속닥속닥

◆ (바)는 '그'가 들려주는 이야기를 통해 새로운 인물인 '그 여자'의 이야기가 전개되고 있는데요. 아버지에 의해 유곽으로 팔려 가 몹쓸 병에 걸려서야 겨우 풀려난 '그 여자'의 기구한 사연이 제시되어 있어요. 극심한 가난으로 인해 딸을 유곽에 팔 수밖에 없었던 일제 강점하 비참한 민중의 현실과 그로 인해 여성들이 겪는 고통이 나타나 있어요.

바 "그 신세도 내 신세만이나 하구마."

하고 그는 또 ㉠이야기를 계속하였다. 그 여자는 자기보다 나이 두 살 위였는데 한 이웃에 사는 탓으로 같이 놀기도 하고 싸우기도 하며 자라났었다. 그가 열네 살 적부터 그들 부모 사이에 혼인 말이 있었고 그도 어린 마음에 매우 탐탁하게 생각하였었다. 그런데 그 처녀가 열일곱 살 된 겨울에 별안간 간 곳을 모르게 되었다. 알고 보니 그 아비 되는 자가 이십 원을 받고 대구 유곽에 팔아먹은 것이었다. 그 소문이 퍼지자 그 처녀 가족은 그 동리에서 못 살고 멀리 이사를 갔는데 그 후로는 물론 피차에 한 번 만나 보지도 못하였다. 이번에야 빈터만 남은 고향을 구경하고 돌아오는 길에 읍내에서 그 아내 될 뻔한 댁과 마주치게 되었다. 처녀는 어떤 일본 사람 집에서 아이를 보고 있었다. 궐녀는 이십 원 몸값을 십 년을 두고 갚았건만 그래도 주인에게 빚이 육십 원이나 남았었는데 몸에 몹쓸 병이 들고 나이 늙어져서 산송장이 되니까 주인 되는 자가 특별히 빚을 탕감해 주고 작년 가을에야 놓아준 것이었다. 궐녀도 자기와 같이 십 년 동안이나 그리던 고향에 찾아오니까 거기에는 집도 없고 부모도 없고 쓸쓸한 돌무더기만 눈물을 자아낼 뿐이었다. 하루 해를 울어 보내고 읍내로 들어와서 돌아다니다가 십 년 동안에 한 마디 두 마디 배워 두었던 일본 말 덕택으로 그 일본 집에 있게 되었던 것이었다.

탐탁하게: 모양이나 태도, 또는 어떤 일 따위가 마음에 들어 만족하게
유곽: 많은 창기를 두고 영업을 하는 집. 또는 그런 집이 모여 있는 곳
탕감: 빚이나 요금, 세금 따위의 물어야 할 것을 없애 줌

절정 폐허가 된 고향의 모습 및 '그'와 혼인 말이 있던 '그 여자'의 기구한 삶의 내력

◆ (사)에서 '그'의 이야기를 다 들은 '나'는 '그'와 함께 술을 마시며 어린 시절 부르던 노래(민요)를 함께 읊조리고 있어요. 우리 민족에 대해 수탈과 억압을 일삼았던 일제 강점기의 사회상을 집약적으로 보여 주는 노래(민요)를 작품의 마지막에 삽입함으로써 주제를 압축하여 드러내고, 일제에 의해 우리 민족이 비극적인 삶을 살아야 했던 당시 현실을 풍자하고 있어요.

결말

사 "암만 사람이 변하기로 어째 그렇게도 변하는기오? 그 숱 많던 머리가 훌렁 다 벗어졌더마. 눈은 푹 들어가고 그 이들이들하던 얼굴빛도 마치 유산을 끼얹은 듯하더마."

"서로 붙잡고 많이 우셨겠지요."

"눈물도 안 나오드마. 일본 우동집에 들어가서 둘이서 정종만 열 병 따라 뉘고 헤어졌구마."

하고 가슴을 짜는 듯이 괴로운 한숨을 쉬더니만 그는 지낸 슬픔을 새록새록이 자아내어 마음을 새기기에 지쳤음이더라.

"이야기를 다 하면 무얼 하는기오."

하고 쓸쓸하게 입을 다문다. 나 또한 너무도 참혹한 사람살이를 듣기에 쓴물이 났다.

"자, 우리 술이나 마저 먹읍시다."

하고 우리는 서로 주거니 받거니 한 되 병을 다 말리고 말았다. 그는 취흥에 겨워서 우리가 어릴 때 멋모르고 부르던 노래를 읊조렸다.

유산: 황산. 무색무취의 끈끈한 불휘발성 액체
취흥: 술에 취해 일어나는 흥취

[A]
볏섬이나 나는 전토는 / 신작로가 되고요——
말마디나 하는 친구는 / 감옥소로 가고요——
담뱃대나 떠는 노인은 / 공동묘지 가고요——
인물이나 좋은 계집은 / 유곽으로 가고요——

전토: 논과 밭

결말 '그'의 이야기를 듣고 함께 술을 마시며 공감하고 위로하는 '나'

• 정답과 해설 17쪽

확인 문제

[01~04] 다음 설명이 맞으면 ○, 틀리면 ×표 하시오.

01 과거에 '그'는 '그 여자'를 결혼 상대로 마음에 들어 했었다. (○, ×)

02 '그 여자'는 십 년 동안 빚을 다 갚고 고향으로 돌아와서 부모님과 살고 있다. (○, ×)

03 이 작품의 마지막에 삽입된 민요는 작품 전체에 생동감을 주는 역할을 한다. (○, ×)

04 이 작품은 서술자인 '나'가 '그'에게서 들은 내부 이야기를 전달하는 방식을 통해 이야기의 신뢰감을 높이고 있다. (○, ×)

[05~06] 다음 빈칸에 들어갈 알맞은 말을 쓰시오.

05 (사)에 제시된 노래(민요)에서 '신작로'와 '감옥소'는 일제의 ㅅㅌ과 ㅇㅇ을 집약적으로 보여 준다.

06 '그 여자'가 아버지에 의해 ㅇㄱ으로 팔려 간 이야기를 통해 일제 강점기에 비참하게 살았던 우리 민족의 현실을 확인할 수 있다.

실력 문제

서술

07 윗글에 대한 설명으로 가장 적절한 것은?

① 하나의 사건을 여러 서술자가 번갈아 전달하고 있다.
② 배경 묘사를 통해 앞으로 일어날 사건을 암시하고 있다.
③ 동시에 진행되는 사건을 나란히 제시하여 입체감을 주고 있다.
④ 여러 장면을 반복적으로 교차하여 인물이 처한 긴박한 상황을 드러내고 있다.
⑤ 요약적 제시와 인물의 대화를 통해 인물이 살아온 내력과 현재 상황을 서술하고 있다.

배경·소재

08 [A]에 대한 설명으로 가장 적절한 것은?

① 우리 민족이 처한 비참한 상황을 압축적으로 보여 주고 있다.
② 암울한 현실을 해학적으로 표현하여 슬픔을 이완시키고 있다.
③ 부정적인 현실을 이겨 내려는 강한 의지를 직접적으로 표출하고 있다.
④ 결말을 비유적으로 제시하여 다양한 상상이 가능하도록 열어 두고 있다.
⑤ 음악적인 효과를 통해 인물들이 느끼는 흥겨움을 집약적으로 제시하고 있다.

인물·사건

09 ㉠에 대한 이해로 적절하지 <u>않은</u> 것은?

① '그'와 '그 여자'의 관계가 구체적으로 드러난다.
② '그 여자'는 가혹한 수탈을 당하던 사회적인 약자를 대변한다.
③ '그 여자' 역시 '그'와 마찬가지로 황폐해진 고향의 모습을 보게 되었다.
④ '그'는 고향에 갔다가 돌아오는 길에 '그 여자'를 만나기 위해 읍내에 들렀다.
⑤ 극심한 가난으로 인해 아버지가 딸을 팔 수밖에 없었던 민중의 비참한 삶이 반영되어 있다.

수능형 주제

10 윗글을 읽고 독서 감상 발표 계획을 세울 때, 그 주제로 가장 적절한 것은?

① 일제 강점기 현실 속에서 참담하게 살아가는 민족의 모습을 대변하는 인물로 '그'를 탐구한다.
② '그'를 대하는 '나'의 태도를 통해 식민지 현실에서 같은 민족 간에 발생한 갈등과 불화를 연구한다.
③ '그'의 이야기를 들으며 술을 권하는 '나'를 통해 부정적인 현실에 저항하는 지식인의 모습을 확인한다.
④ 우울하고 무기력하게 살아가는 '그'와 '궐녀'의 모습을 통해 전쟁이 인간의 삶에 미치는 영향을 분석한다.
⑤ 현실을 대하는 '나'와 '그'의 태도 차이를 통해 역사적 혼란기를 극복하기 위한 바람직한 삶의 태도를 생각해 본다.

작품 전체

발단	전개★	위기★	절정★	결말★
'나'는 기차 안에서 '그'의 기이한 차림새에 호기심을 느끼다 '그'의 행동에 거부감을 느낌	'나'는 '그'와 대화를 나누며 그가 ❶ㄱㅎ을 떠나게 된 사연을 듣게 됨	'그'가 농토를 잃고 고향을 떠나 비참한 ❷ㅇㄹ 생활을 하던 이야기를 함	'그'는 폐허가 된 고향의 모습과 그곳에서 만난 이웃 여자의 기구한 삶에 대해 이야기함	이야기를 마친 '그'와 함께 '나'는 ❸ㅅ을 마시며 어릴 때 부르던 노래를 부름

★: 교재 수록 부분

작품 압축

■ '그'에 대한 '나'의 태도 변화

'그'의 기이한 차림새와 경망스러운 언행을 봄

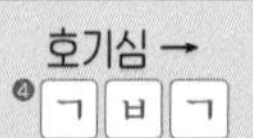

'그'의 비참한 삶에 대한 이야기를 들음 — 연민

'그'와 술을 나누어 마시며 노래를 부름

■ 노래(민요)의 내용과 기능

신작로가 된 농토	일제의 토지 강탈
감옥소로 간 친구	일제의 핍박과 억압
공동묘지로 간 노인	일제에 나라를 빼앗긴 비운의 삶
유곽으로 간 계집	일제 강점기에 극심한 가난으로 인해 여성들이 겪은 고난

기능
- 당시의 사회상을 집약적으로 보여 줌
- 일제로 인해 비극적 삶을 살아야 하는 현실을 ❻ㅍㅈ함

인물·사건 / 배경·소재 / 서술 / 주제

■ 구성상 특징과 그 효과

기차 안(외부 이야기)

기차 안에서 '나'가 '그'를 만나 과거 이야기를 들음 (1인칭 ❼ㄱㅊㅈ 시점)

'그'의 고향 이야기(내부 이야기)

'그'와 '궐녀'의 비참한 삶의 과정 (전지적 서술자 시점)

❽ㅇㅈㅅ 구성의 효과	전체 이야기에 입체감을 부여하고 '그'의 이야기에 대한 신뢰감을 높임

■ 작품에 반영된 현실과 주제

- 농민들이 동양 척식 주식회사에 땅을 빼앗기고 ❾ㅅㅈㅇ으로 전락함
- 일제의 수탈로 고생을 하다가 결국 유랑하거나 해외로 이주하는 사람이 늘어 감
- 농촌은 황폐화되고, 극심한 가난으로 여인들은 유곽으로 팔려 감

'조선의 ❿ㅇㄱ'

주권을 상실한 조선의 현실과 우리 민족의 비참한 삶을 상징함

어휘력 테스트

1 다음 괄호 안에 들어갈 단어를 〈보기〉에서 골라 써 보자.

보기

이완　　황무지　　피폐

(1) 지배층의 가혹한 수탈로 인해 농민들의 생활은 (　　　　)해졌다.

(2) 그는 긴장된 분위기를 (　　　　)시키기 위해 가벼운 농담을 했다.

(3) 오랜 전쟁으로 인해 그토록 기름지던 땅이 (　　　　)로 변해 버렸다.

2 다음 단어를 활용하기에 적절한 문장을 찾아 바르게 연결해 보자.

(1) 유리 •　　• ㉠ 오랜만에 만난 그는 병으로 인해 몹시 마른 데다가 체력도 (　　　　)해 있었다.

(2) 폐단 •　　• ㉡ 허위·과장 광고로 인한 (　　　　)을 없애기 위해서는 관련 법률 규정을 바꾸어야 한다.

(3) 쇠진 •　　• ㉢ 나라 안팎의 혼란으로 인해 터전을 잃고 (　　　　) 하는 민중이 늘어났다.

독해쌤과 함께하는 감상 넓히기

일제 강점기의 현실을 다룬 작품

이번에 감상한 「고향」과 같이 일제 강점기의 현실에 대해 고발한 작품들이 많아요. 이 작품에서는 농촌을 배경으로 민중의 비참한 삶을 다루었지만, 도시 빈민의 비참한 삶이나 지식인의 눈으로 본 식민지의 현실 등을 다룬 작품들도 있답니다. 이러한 작품들을 더 감상해 볼까요?

술 권하는 사회_현진건

현진건의 체험이 바탕이 된 작품으로, 일제 강점기를 살아야 했던 지식인으로서의 고뇌가 담겨 있습니다. 동경 유학까지 마치고 돌아온 지식인이지만, 식민지 조선의 현실에 절망하여 주정꾼으로 살아가는 지식인과 그를 이해하지 못하는 무지한 아내의 이야기를 사실적으로 그려 낸 작품입니다.

만세전_염상섭

일제 강점기에 창작된 작품으로, 동경 유학생인 '나'가 아내가 위독하다는 전보를 받고 서울로 돌아왔다가 다시 동경으로 가기까지의 여정을 중심으로 사건이 전개되고 있습니다. 3·1 운동이 일어나기 직전, 일제에 핍박받고 수탈당하는 조선의 현실을 사실적으로 그려 낸 작품입니다.

태평천하 ① _ 채만식

일제 강점기를 배경으로 한 영화나 드라마를 보면 당시 우리 민족이 처한 현실은 참 암담해 보입니다. 그런데 이 작품의 주인공인 윤 직원 영감은 당대의 현실을 태평천하로 생각하고 있어요. 분명 일제 강점기는 우리 민족에게 고난의 시기일 텐데 왜 윤 직원 영감은 태평스럽고 편안한 세상이라고 말하는지 생각해 보며 작품을 감상해 볼까요?

독해쌤의 감상 질문

1. 인물·사건 • 이 작품에 등장하는 주요 인물의 특성은 어떠한가요?
   • 이 작품의 등장인물 중 작가가 긍정하는 인물과 부정하는 인물은 누구인가요?
2. 서술 이 작품의 서술상 특징과 그 효과는 무엇인가요?
4. 주제 이 작품의 제목을 통해 작가가 말하고자 하는 것은 무엇인가요?

발단

가 **1 윤 직원 영감 귀택지도(歸宅之圖)**

추석을 지나 이윽고, 짙어 가는 가을 해가 저물기 쉬운 어느 날 석양.

저 계동(桂洞)의 이름 난 장자(富者)(큰 부자를 이르는 말) 윤 직원(尹直員) 영감이 마침 어디 출입을 했다가 방금 인력거를 처억 잡숫고 돌아와, 마악 댁의 대문 앞에서 내리는 참**입니다**.

나 [A] 간밤에 꿈을 잘못 꾸었던지, 오늘 아침에 마누라하고 다툼질을 하고 나왔던지, 아무튼 엔간히 일수 좋지 못한 인력거꾼입니다.

여느 평탄한 길로 끌고 오기도 무던히(정도가 어지간하게) 힘이 들었는데 골목쟁이로 들어서서는 빗밋이(≒ 비스듬히) 경사가 진 이십여 칸을 끌어올리기야, ㉠엄살이 아니라 정말 혀가 나올 뻔했습니다.

이십팔 관(무게의 단위. 1관 = 3.75kg), 하고도 육백 몸메(무게의 단위를 나타내는 일본어. 육백 몸메는 2.25kg임)……! / 윤 직원 영감의 이 체중은, 그저께 춘심이년을 데리고 진고개로 산보를 갔다가 경성우편국 바로 뒷문 맞은편, **아따 무어라더냐** 그 양약국 앞에 놓아 둔 앉은뱅이저울에 올라 서 본 결과, 춘심이년이 발견을 했던 것입니다.

이 이십팔 관 육백 몸메를, 그런데, ㉡좁쌀 계급인 인력거꾼은 그래도 직업적 단련이란 위대한 것이어서, 젖 먹던 힘까지 아끼잖고 겨우겨우 끌어올려 마침내 남대문보다 조금만 작은 솟을대문 앞에 채장을 내려놓곤, 무릎에 드렸던 담요를 걷기까지에 성공을 했습니다.

㉢윤 직원 영감은 옹색한(집이나 방 따위의 자리가 비좁고 답답한) 좌판에서 가까스로 뒤를 쳐들고, 자칫하면 넘어 박힐 듯싶게 휘뚝휘뚝하는(넘어질 듯이 자꾸 한쪽으로 쏠리거나 이리저리로 흔들리는) 인력거에서 내려오자니 여간만 옹색하고 조심이 되는 게 아닙니다.

"야, 이 사람아……!"

윤 직원 영감은 혼자서 내리다 못해 ㉣필경 인력거꾼더러 걱정을 합니다.

"……좀 부축을 히여 줄 것이지. 그냥 그러구 뻐언허니 섰어야 옳담 말잉가?"

실상인즉 뻔히 섰던 것이 아니라, 가쁜 숨을 돌리면서 땀을 씻고 있었던 것이나, 인력거꾼은 책망을 듣고 보니 미상불(아닌 게 아니라 과연) 일이 좀 죄송하게 되어, 그래 얼핏 팔을 붙들어 부축을 해 드립니다. / 내려선 것을 보니, 진실로 거판진 체집(무거운 몸집)입니다.

다 초리(어떤 물체의 가늘고 뾰족한 끝부분)가 길게 째져 올라간 봉의 눈, 준수하니 복이 들어 보이는 코, 부리가 추욱 처진 귀와 큼직한 입모, 다아 수부귀다남자(壽富貴多男子)(오래 살고 부귀를 누리며 아들을 많이 낳는 복)의 상입니다.

나이……? 올해 일흔두 살입니다. 그러나 시삐 여기진 마시오. 심장 비대증으로 천식(喘息)기가 좀 있어 망정이지, 정정한 품이 ㉤서른 살 먹은 장정 여대친답니다('빰치다(비교 대상을 능가하다)'의 방언). 무얼 가지고 겨루든지 말이지요.

발단 | 인력거를 타고 집으로 돌아오는 윤 직원 영감

확인 문제

[01~03] 다음 설명이 맞으면 ○, 틀리면 ×표 하시오.

01 윤 직원 영감은 몸집이 거대함에도 천식을 앓고 있어 병약한 인상을 준다. (○, ×)

02 윤 직원 영감의 이목구비는 관상학적으로 모두 복을 부르는 모습으로 생겼다. (○, ×)

03 이 작품은 1인칭 서술자인 '나'가 중심인물에 관한 이야기를 전달하는 방식으로 내용을 전개하고 있다. (○, ×)

[04~06] 다음 빈칸에 들어갈 알맞은 말을 쓰시오.

04 이 작품은 각 장에 ㅅㅈㅁ을 붙여 각 장에서 다룰 내용을 압축적으로 제시하고 있다.

05 (가)~(다)는 소설의 발단 부분으로 시·공간적인 ㅂㄱ을 제시하고 중심인물을 소개하고 있다.

06 인력거꾼은 ㅊㅈ이 너무 무거운 윤 직원 영감을 태우고 경사진 길을 오르느라 몹시 고생했다.

인물·사건 + 서술

07 **㉠~㉤에 대한 이해로 적절하지 않은 것은?**

① ㉠: 윤 직원 영감을 싣고 비탈길을 오르는 것이 매우 힘들었음을 표현하고 있다.
② ㉡: 직업적 단련을 근거로 윤 직원 영감을 집 앞까지 싣고 올 수 있었던 이유를 밝히고 있다.
③ ㉢: 윤 직원 영감의 몸집이 크다는 것을 인력거의 좌판이 옹색한 것으로 돌려서 표현하고 있다.
④ ㉣: 윤 직원 영감이 인력거꾼을 염려하고 있음을 서술자가 직접적으로 제시하고 있다.
⑤ ㉤: 젊은 나이의 장정과의 비교를 통해 윤 직원 영감이 매우 정정하다는 것을 강조하고 있다.

인물·사건

08 **〈보기〉는 (다) 이후의 내용이다. 〈보기〉를 고려할 때, [A]의 기능으로 가장 적절한 것은?**

> 보기
>
> 인력거꾼은 고생했으니 돈을 더 받고 싶어 하나, 인색한 윤 직원 영감은 어떻게든 주지 않으려고 하면서 두 사람 사이에 실랑이가 벌어진다. 결국 윤 직원 영감은 돈을 조금만 주고는 집으로 들어가 버린다.

① 운 없는 일이 일어날 것임을 암시한다.
② 새로운 사건이 일어날 것임을 예고한다.
③ 작품에 반영된 당시의 사회상을 드러낸다.
④ 현재와 과거를 연결하는 매개체로 작용한다.
⑤ 등장인물 간의 갈등을 촉발하는 원인이 된다.

수능형 서술

09 **〈보기〉를 바탕으로 윗글을 감상한 내용으로 적절하지 않은 것은?**

> 보기
>
> 이 작품은 판소리 사설의 문체를 통해 이야기를 전달하고 있다. 판소리는 창자가 가까이서 관람하는 관객들에게 말을 건네며 상호 소통하는 방식을 사용하여 관객들의 관심을 끌면서 작중 상황을 전달하고, 작중 상황에 대한 설명이나 주관적인 평가를 덧붙이기도 한다. 이러한 문체를 소설에서 사용하는 것을 판소리 사설체라고 한다.

① '~입니다'와 같이 서술자가 경어체를 사용하면서 판소리의 창자와 같은 역할을 하는군.
② '아따 무어라더냐'는 서술자의 생각을 드러낸 것으로, 판소리에서 창자가 주관적 평가를 덧붙이는 방식을 활용한 것이겠군.
③ '실상인즉 뻔히~있었던 것이나'는 판소리에서의 창자처럼 서술자가 작중 상황을 전달하는 것이겠군.
④ '나이……? 올해 일흔두 살입니다.'는 독자가 궁금해할 만한 내용을 서술자가 묻고 뜸을 들이다 답하여 독자의 관심을 이끌어 내는 것으로, 판소리에서 창자가 관객의 관심을 끄는 방식을 활용한 것이겠군.
⑤ '그러나 시삐 여기진 마시오.'는 서술자가 독자의 반응을 예측해서 한 말로, 판소리에서 창자가 관객과 상호 소통하는 방식을 활용한 것이겠군.

태평천하 2

중략 부분 줄거리 윤 직원 영감은 지독한 구두쇠로 인력거 삯을 깎기 위해 인력거꾼과 실랑이를 벌이고, 기생 춘심과 명창 대회를 보러 가는 중 여차장을 속여 버스비를 내지 않는다. 구한말에 지주가 됐지만 화적패의 습격으로 재산과 아버지를 잃었던 윤 직원 영감은 일제 강점하의 현실을 태평천하라고 여기며 자신의 재산을 지키기 위해 큰손자 종수를 군수로, 작은손자 종학을 경찰서장으로 만들려고 애쓴다. 하지만 아들 창식과 마찬가지로 큰손자 종수는 아버지의 첩과 불륜을 저지르는 등 방탕하게 생활한다. 이런 상황에서 윤 직원 영감은 일본에서 유학 중인 작은손자 종학만큼은 경찰서장이 될 것이라 믿고 있다.

독해쌤 속닥속닥

◆ 이 작품은 각 장마다 소제목을 붙이는 형식을 취하고 있는데, 이 소제목은 앞으로 일어날 일을 암시하는 기능을 하고 있어요. 15장의 제목인 '망진자(亡秦者)는 호야(胡也)니라'는 진나라를 망하게 할 사람은 진시황의 아들인 '호해'라는 의미예요. 즉, 윤 직원의 집안을 망하게 하는 것은 자손임을 암시하는 말인 것이죠.

◆ (마)에서 윤 직원 영감은 큰손자인 종수는 군수가 되고 작은손자인 종학은 경찰서장이 되어야 한다며 종수를 훈계하고 있어요. 겉보기에는 손자들이 잘되기를 바라는 덕담으로 보이지만 윤 직원 영감은 사실 가문의 재산을 지키는 것에만 정신이 팔려 있습니다.

절정·결말

라 **15 망진자(亡秦者)는 호야(胡也)니라**

일찍이 윤 직원 영감은 그의 소싯적(젊었을 때) 윤 두꺼비 시절에, 자기 부친 말 대가리 윤용규가 화적의 손에 무참히 맞아죽은 시체 옆에 서서, 노적(곡식 따위를 한데에 수북이 쌓음. 또는 그런 물건)이 불타느라고 화광이 충천한 하늘을 우러러, / "이놈의 세상, 언제나 망하려느냐?"

"우리만 빼놓고 어서 망해라!" / 하고 부르짖은 적이 있겠다요.

이미 반세기 전, 그리고 그것은 당시의 나한테 불리한 세상에 대한 격분된 저주요, 겸하여 ㉠웅장한 투쟁의 선언이었습니다.

해서 윤 직원 영감은 과연 승리를 했겠다요. 그런데…….

마 식구들은 시아버지 윤 직원 영감이 보기가 싫은 건넌방 고 씨만 빼놓고, 서울아씨, 태식이, 뒤채의 두 동서, 모두 안방에 모여 종수를 맞이하는 예를 표하고, 그들의 옹위(좌우에서 부축하여 지키고 보호함) 아래 윤 직원 영감과 종수는 각기 아랫목과 뒷벽 앞으로 갈라 앉았습니다. 방금 점심 밥상을 받을 참입니다. / "너 경손 애비, 부디 정신채리라……!" / 윤 직원 영감이 종수더러 곰곰이(여러모로 깊이 생각하는 모양) 훈계를 하던 것입니다. 안식구가 있는 데라 점잖게 경손 애비지요.

"……정신을 채리야 헐 것이 늬가 암만히여두 네 아우 종학이만 못히여! 종학이는 그놈이 재주두 있고 착실히여서, 너치름 허랑허지두(언행이나 상황 따위가 허황하고 착실하지 못하지도) 않고 그럴 뿐더러 내년 내후년이머넌 대학교를 졸업허잖냐? 내후년이지?" / "네."

"그렇지? 응, 그래, 내후년이면 대학교 졸업을 허구 나와서, 삼 년이나 다직('기껏'의 뜻을 나타내는 말) 사 년만 찌들어 나머넌 그놈은 지가 목적헌, 요새 그 목적이란 소리 잘 쓰더구나, 응? 목적…… 목적헌 경부가 되야 갖구서, 경찰서장이 된담 말이다! 응? 알겼어." / "네."

[A] "그러닝개루 너두 정신을 바싹 채리 갖구서, 어서어서 군수가 되야야 않겄냐……? 아, 동생놈은 버젓한 경찰서장인디, 형놈은 게우 군 서기를 댕기구 있담! 남부끄러서 어쩔 티여? 응……? 아 글씨, 군수 되구 경찰서장 되구 허머넌, 느덜 좋구 느덜 호강이지 머, 그 호강 날 주냐? 내가 이렇기 아등아등 잔소리를 허넌 것두 다 느덜 위히여서 그러지, 나는 파리 족통('발'을 속되게 이르는 말)만치두 상관읎어야! 알어듣냐?" / "네."

"그놈 종학이는 참말루 쓰겄어! 그놈이 어려서버텀두 워너니(본디부터 남다르고 특별하게) 나를 자별허게 따르구, 재주두 있구 착실허구, 커서두 내 말을 잘 듣구……. 내가 그놈 하나넌 꼭 믿넌다, 꼭 믿어. 작년 올루 들어서 그놈이 돈을 어찌 좀 히피(방언. 아끼는 데가 없이 마구) 쓰기는 허넝가 부더라마는, 그것두 허기사 네게다 대머는 안 쓰는 심이지. 사내자식이 너처럼 허랑허지만 말구서, 제 줏대만 실헐 양이면 돈을 좀 써두 괜찮언 법이여…… 그래서 지난달에두 오백 원 꼭 쓸 디가 있다구 핀지히였길래, 두말 않고 보내 주었다!"

확인 문제

[01~03] 다음 설명이 맞으면 ○, 틀리면 ×표 하시오.

01 윤 직원 영감은 종학의 헤픈 씀씀이를 언짢게 생각한다. (○, ×)

02 종학은 종수의 동생으로, 현재 집을 떠나 대학교에 다니고 있다. (○, ×)

03 윤 직원 영감은 일제 강점기라는 암울한 현실 상황에 적극적으로 저항한다. (○, ×)

[04~06] 다음 빈칸에 들어갈 알맞은 말을 쓰시오.

04 이 작품은 '윤 두꺼비, 말 대가리' 등 등장인물들의 [ㅂ][ㅁ]을 통해 풍자의 효과를 거두고 있다.

05 이 작품에서 윤 직원 영감은 종수는 [ㄱ][ㅅ]가 되고, 종학은 [ㄱ][ㅊ][ㅅ][ㅈ]이 되기를 바라고 있다.

06 이 작품은 '-겠다요'와 같은 [ㅍ][ㅅ][ㄹ] 사설 형식의 문체를 활용하여 인물에 대한 서술자의 부정적 태도를 효과적으로 드러내고 있다.

실력 문제

인물·사건

07 윗글을 통해 알 수 있는 내용이 아닌 것은?

① 윤 직원 영감의 바람대로 나라는 망하고, 그는 많은 재산을 모았다.
② 윤 직원 영감은 큰손자인 종수보다 작은손자인 종학을 더 신뢰한다.
③ 종수는 허랑하게 살아가는 모습으로 인해 윤 직원 영감의 꾸중을 듣는다.
④ 윤 직원 영감의 아버지는 화적패의 습격을 받고 그들의 손에 목숨을 잃었다.
⑤ 윤 직원 영감의 맏며느리인 고 씨는 혹독한 시집살이로 인해 시아버지에 대한 불만이 많다.

서술

08 윗글의 서술상 특징으로 적절한 것끼리 바르게 묶은 것은?

> ㉮ 등장인물을 희화화하여 웃음을 유발한다.
> ㉯ 편집자적 논평을 통해 등장인물을 조롱한다.
> ㉰ 등장인물의 과거 회상을 통해 비극적인 가족사를 부각한다.
> ㉱ 미성숙한 서술자를 설정하여 독자의 비판 의식을 유도한다.

① ㉮, ㉯ ② ㉯, ㉰ ③ ㉰, ㉱
④ ㉮, ㉱ ⑤ ㉯, ㉱

인물·사건

09 [A]에 담긴 윤 직원 영감의 속마음으로 가장 적절한 것은?

① 장손인 종수가 동생보다 성공하길 바란다.
② 군 서기가 된 종수의 모습을 자랑스러워한다.
③ 손자들의 출세로 가문의 재산을 지키고자 한다.
④ 손자들이 자신과는 달리 남부럽지 않은 삶을 살기를 원한다.
⑤ 손자들이 군수가 되고 경찰서장이 되는 것은 자신과 하등의 상관이 없는 일이라고 생각한다.

수능형 서술

10 <보기>의 ⓐ~ⓔ 중, ㉠과 같은 표현 방법이 사용된 것은?

> **보기**
>
> "무슨 죄인고?" / 형리 아뢰되,
> "본관 사또 수청 들라고 불렀더니 ⓐ수절이 정절이라. 수청 아니 들려 하고 사또에게 악을 쓰며 달려든 춘향이로소이다."
> 어사또 분부하되, / "너 같은 년이 수절한다고 ⓑ관장(官長)에게 포악하였으니 살기를 바랄쏘냐. 죽어 마땅하되 내 수청도 거역할까?"
> 춘향이 기가 막혀, / "ⓒ내려오는 관장마다 모두 명관(名官)이로구나. 어사또 들으시오. ⓓ층암절벽 높은 바위가 바람 분들 무너지며, 청송녹죽 푸른 나무가 눈이 온들 변하리까. 그런 분부 마옵시고 어서 바삐 죽여 주오." 〈중략〉
> 어사또 분부하되, / "얼굴 들어 나를 보라."
> 하시니 춘향이 고개 들어 위를 살펴보니, ⓔ걸인으로 왔던 낭군이 분명히 어사또가 되어 앉았구나.
>
> – 작자 미상, 「춘향전」

① ⓐ ② ⓑ ③ ⓒ ④ ⓓ ⑤ ⓔ

태평천하 ③

독해쌤 속닥속닥

◆ (바)는 윤 직원 영감이 종학이 피검됐다는 내용의 전보를 받는 부분이에요. 손자들을 통해 계속된 신분 상승과 재산 증식을 꿈꾸던 윤 직원 영감에게는 청천벽력과 같은 소식일 거예요.

◆ 윤 직원 영감은 종학이 경시청에 잡혀갔다는 소식보다 그 이유가 사회주의에 참여했기 때문이라는 사실에 더 놀라고 있어요. 윤 직원 영감이 사회주의에 이와 같이 반감을 가지고 있는 이유는 빈부의 차이가 없는 평등한 세상을 이루고자 하는 사회주의의 계급 해방 운동 때문이에요. 즉, 윤 직원 영감에게는 사회주의자들은 자신의 재산을 도둑질하는 존재인 것이죠.

바 마침 이때, 마당에서 혬혬, 점잖은 받은기침 소리가 납니다. 창식이 윤 주사가 조금 아까야 일어나서, 간밤에 동경서 온 전보 때문에 억지로 억지로 큰댁 행보를 하던 것입니다. / 윤 주사는 토방으로 내려서는 아들 종수더러, 언제 왔느냐고, 심상히 알은체를 하면서, 역시 토방으로 내려서는 두 며느리의 삼가로운 무언의 인사와, 마루까지만 나선 이복 누이동생 서울아씨의 입인사를 받으면서, 방으로 들어가서는 부친 윤 직원 영감한테 절을 한자리 꾸부리고서, 아들 종수한테 한자리 절과, 이복동생 태식이한테 경례를 받은 후, 비로소 한옆으로 꿇어앉습니다.

받은기침: 병이나 버릇으로 소리도 크지 아니하고 힘도 그다지 들이지 않으며 자주 하는 기침

"해가 서쪽으서 뜨겄구나?" / 윤 직원 영감은 아들의 이렇듯 부르지도 않은 걸음을, 더욱이나 안방에까지 들어온 것을 이상타고 꼬집는 소립니다.

"……멋 하러 오냐? 돈 달라러 오지?" / "동경서 전보가 왔는데요……."

지체를 바꾸어 윤 주사를 점잖고 너그러운 아버지로, 윤 직원 영감을 속 사납고 경망스런 어린 아들로 둘러 놓았으면 꼬옥 맞겠습니다.

지체: 어떤 집안이나 개인이 사회에서 차지하고 있는 신분이나 지위
경망스런: 행동이나 말이 가볍고 조심성 없는 데가 있는

"동경서? 전보?" / "종학이 놈이 경시청에 붙잡혔다구요!" / "으엉?"

외치는 소리도 컸거니와 엉덩이를 꿍— 찧는 바람에, 하마 방구들이 내려앉을 뻔했습니다. 모여 선 온 식구가 제가끔 정도에 따라 제각기 놀란 것은 물론이구요.

하마: 행여나 어찌하면

사 윤 직원 영감은 마치 묵직한 몽치로 뒤통수를 얻어맞은 양, 정신이 멍—해서 입을 벌리고 눈만 휘둥그랬지, 한동안 말을 못 하고 꼼짝도 않습니다.

몽치: 짤막하고 단단한 몽둥이

그러다가 이윽고 으르렁거리면서 잔뜩 쪼글트리고 앉습니다.

"거, 웬 소리냐? 으응? 으응……? 거 웬 소리여? 으응? 으응?"

"그놈 동무가 친 전본가 본데, 전보가 돼서 자세히는 모르겠습니다."

윤 주사는 조끼 호주머니에서 간밤의 그 전보를 꺼내어 부친한테 올립니다. 윤 직원 영감은 채듯 전보를 받아 쓰윽 들여다보더니 커다랗게 읽습니다. 물론 원문은 일문이니까 몰라 보고, 윤 주사네 서사 민 서방이 번역한 그대로지요.

"종학, 사상 관계로, 경시청에 피검……이라니? 이게 무슨 소리다냐?"

피검: 수사 기관에 잡혀감

"종학이가 사상 관계로 경시청에 붙잡혔다는 뜻일 테지요!"

"사상 관계라니?" / "그놈이 사회주의에 참예를……." / "으엉?"

참예: 참여

아까보다 더 크게 외치면서 벌떡 뒤로 나동그라질 뻔하다가 겨우 몸을 가눕니다.

윤직원 영감은 먼저에는 몽치로 뒤통수를 얻어맞은 것같이 멍했지만, 이번에는 앉아 있는 땅이 지함을 해서 수천 길 밑으로 꺼져 내려가는 듯 정신이 아찔했습니다.

지함: 땅이 움푹 가라앉아 꺼짐

그러나 그것은 결단코 자기가 믿고 사랑하고 하는 종학이의 신상을 여겨서가 아닙니다.

여겨서가: 주의 깊게 생각해서가

윤 직원 영감은 시방 종학이가 사회주의를 한다는 그 한 가지 사실이 진실로 옛날의 드세던 부랑당패가 백길 천길로 침노하는 그것보다도 더 분하고, 물론 무서웠던 것입니다.

침노하는: 성가시게 달라붙어 손해를 끼치거나 해치는

[A] 진(秦)나라를 망할 자 호(胡: 오랑캐)라는 예언을 듣고서 변방을 막으려 만리장성을 쌓던 진시황, 그는, 진나라를 망한 자 호가 아니요, 그의 자식 호해(胡亥)임을 눈으로 보지 못하고 죽었으니, 오히려 행복이라 하겠습니다.

[01~03] 다음 설명이 맞으면 ○, 틀리면 ×표 하시오.

01 윤 직원 영감은 갑작스럽게 방문한 아들 창식을 못마땅하게 여기고 있다. (○, ×)

02 편집자적 논평을 통해 윤 직원 영감의 가볍고 신중하지 못한 행동을 풍자하고 있다. (○, ×)

03 윤 직원 영감은 과거에 자신의 집안을 망하게 만들었던 부랑당패가 주장했던 사회주의에 대해 두려움을 느끼고 있다. (○, ×)

[04~05] 다음 빈칸에 들어갈 알맞은 말을 쓰시오.

04 이 작품에서 ㅈㅂ는 작품 전면에 등장하지 않는 종학의 상황을 간접적으로 제시하는 역할을 한다.

05 이 작품에서는 중국의 ㄱㅅ를 활용하여 윤 직원 영감의 집안을 망하게 하는 것은 그의 자손들임을 암시하고 있다.

인물·사건 + 어휘

06 윗글에 대한 독자의 반응으로 적절하지 않은 것은?

① 윤 직원 영감과 창식의 관계는 견원지간이라고 할 수 있군.
② 종학의 피검으로 충격에 빠진 윤 직원 영감은 망연자실하고 있군.
③ 종학이 경시청에 잡혀갔다는 소식은 윤 직원 영감에게 청천벽력이겠군.
④ 윤 직원 영감은 종학이 사회주의에 참여한 일을 배은망덕한 짓으로 여기겠군.
⑤ 윤 직원 영감은 종학의 안위에 대한 걱정으로 우왕좌왕하며 어쩔 줄을 모르는군.

배경·소재

07 [A]에 담긴 의미를 〈보기〉와 같이 나타낼 때, ㉠과 ㉡에 해당하는 인물을 바르게 나열한 것은?

보기

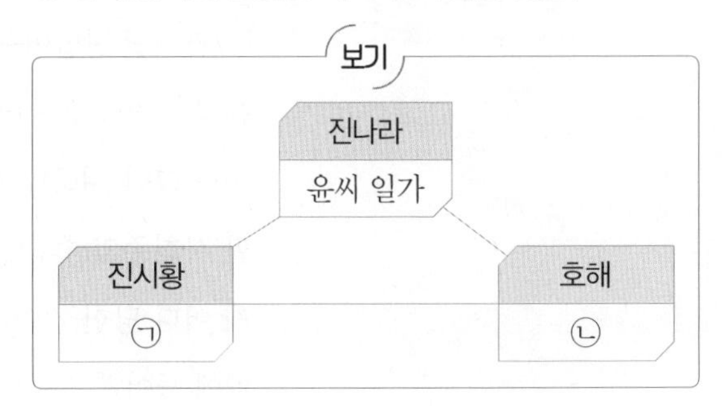

① 창식, 종수 ② 창식, 종학
③ 종수, 종학 ④ 윤 직원 영감, 종수
⑤ 윤 직원 영감, 종학

수능형 인물·사건 + 배경·소재

08 〈보기〉의 ⓐ에 따라 윗글을 감상한 내용으로 가장 적절한 것은?

보기

문학을 감상하는 방법은 크게 네 가지로 나눌 수 있다. 창작 당시의 시대 현실을 중심으로 감상하는 ⓐ반영론적 관점, 작품을 창작한 작가의 삶이나 세계관 등을 중심으로 감상하는 표현론적 관점, 작품을 받아들이는 독자의 입장에서 감상하는 효용론적 관점, 그리고 작품의 내용, 형식, 표현 등 내적 요소만을 가지고 감상하는 구조론적 관점이 있다.

① 이 작품을 읽고 현대를 사는 우리도 윤 직원 영감처럼 개인적 이익만을 추구하며 살고 있지는 않은지 반성해 보았다.
② 이 작품은 서술자가 독자에게 질문을 던지거나 반응을 유도하는 등 전통적인 판소리의 표현 방식을 활용해 사건을 제시하고 있다.
③ 채만식은 친일파 작가였으나 광복 후 자신의 행적을 반성했다. 이러한 작가의 의식이 이 작품에 투영된 것은 아닐까 생각해 보았다.
④ 무척 소심하고 나약한 성격을 지닌 내가 일제 강점기에 태어났다면 종학과 같이 사회주의 운동에 참여할 수 있었을까 의구심이 들었다.
⑤ 1925년에 일제는 '치안 유지법'을 통해 사회주의자를 탄압했다. 이 작품에서 종학이 경시청에 붙잡혀간 것은 이러한 시대 상황을 간접적으로 보여 준다.

태평천하 ④

◆ (자)에는 사회주의 운동에 참여하다 피검된 종학에게 분노하며 자신의 기대가 무너진 현실에 절망하는 윤 직원 영감의 모습이 잘 나타나 있어요. 우리 민족이 고난을 겪었던 지옥과 같은 일제 강점기를 태평천하라고 부르짖는 윤 직원 영감은 자신과 자신의 가문만을 지키며 편안히 살기를 바라는 이기적이고 반민족적인 인물이에요. 작가는 윤 직원 영감을 통해 왜곡된 역사의식을 가진 인물들을 풍자하고 있어요.

아 "……으응? 그놈이 사회주의를 허다니! 으응? 그게, 참말이냐? 참말이여?"

"허긴 그놈이 작년 여름방학에 나왔을 때버틈 그런 기미가 좀 뵈긴 했어요!"

"그러머넌 참말이구나! 그러머넌 참말이여, 으응!"

윤 직원 영감은 이마로, 얼굴로 땀이 방울방울 배어 오릅니다.

"……그런 쳐죽일 놈이, 깎어 죽여두 아깝잖을 놈이! 그놈이 경찰서장 허라닝개루, 생판 사회주의허다가 뎁다 경찰서에 잽혀? 으응……? 오—사 육시(이미 죽은 사람의 시체에 다시 목을 베는 형벌을 가함)를 헐 놈이, 그놈이 그게 어디 당헌 것이라구 지가 사회주의를 히여? 부자놈의 자식이 무엇이 대껴서 부랑당패에 들어?"

자 "……오죽이나 좋은 세상이여? 오죽이나……." / 윤 직원 영감은 팔을 부르걷은 주먹으로 방바닥을 땅— 치면서 성난 황소가 영각(소가 길게 우는 소리)을 하듯 고함을 지릅니다.

"화적패가 있너냐아? 부랑당(불한당) 같은 수령(守令)들이 있더냐……? 재산이 있대야 도적놈의 것이요, 목숨은 파리 목숨 같던 말세넌 다 지내가고오…… 자 부아라, 거리거리 순사요, 골골마다 공명헌 정사(政事), 오죽이나 좋은 세상이여…… 남은 수십만 명 동병(動兵)을 히여서, 우리 조선놈 보호히여 주니, 오죽이나 고마운 세상이여? 으응……? 제 것 지니고 앉아서 편안허게 살 태평 세상, 이걸 태평천하라구 허는 것이여, 태평천하……! 그런디 이런 태평천하에 태어난 부자놈의 자식이, 더군다나 왜 지가 떵떵거리구 편안허게 살 것이지, 어찌서 지가 세상 망쳐 놀 부랑당패에 참섭(어떤 일에 끼어들어 간섭함)을 헌담 말이여, 으응?"

땅— 방바닥을 치면서 벌떡 일어섭니다. 그 몸짓이 어떻게도 요란스럽고 괄괄한지, 방금 발광이 되는가 싶습니다. 아닌 게 아니라 모여 선 가권(호주나 가구주에게 딸린 식구)들은 방바닥 치는 소리에도 놀랐지만, 이 어른이 혹시 상성(본래의 성질을 잃어버리고 전혀 다른 사람처럼 됨)이 되지나 않는가 하는 의구(의심하고 두려워함)의 빛이 눈에 나타남을 가리지 못합니다.

"……착착 깎어 죽일 놈……! 그놈을 내가 핀지히여서, 백 년 지녁(징역)을 살리라구 헐걸! 백 년 지녁 살리라구 헐 테여…… 오냐, 그놈을 삼천 석거리는 직분(分財)하여(분재하다. 재산을 나눠) 줄라구 히였더니, 오—냐, 그놈 삼천 석거리를 톡톡 팔어서, 경찰서으다가 사회주의허는 놈 잡어 가두는 경찰서으다가 주어 버릴걸! 으응, 죽일 놈!"

마지막의 으응 죽일 놈 소리는 차라리 울음소리에 가깝습니다.

"……이 태평천하에! 이 태평천하에……."

쿵쿵 발을 구르면서 마루로 나가고, 꿇어앉았던 윤 주사와 종수도 따라 일어섭니다.

"……그놈이, 만석꾼의 집 자식이, 세상 망쳐 놀 사회주의 부랑당패에, 참섭을 히여. 으응, 죽일 놈! 죽일 놈!"

연해 부르짖는 죽일 놈 소리가 차차로 사랑께로 멀리 사라집니다. 그러나 몹시 사나운 그 포효가 뒤에 처져 있는 가권들의 귀에는 어쩐지 암담한 여운이 스며들어, 가뜩이나 어둔 얼굴들을 면면상고(아무 말도 없이 서로 얼굴만 물끄러미 바라봄), 말할 바를 잊고, 몸둘 곳을 둘러보게 합니다. 마치 장수의 죽음을 만난 군졸들처럼…….

절정·결말 기대했던 종학이 사회주의에 참여했음을 알고 충격을 받은 윤 직원 영감

[01~02] 다음 설명이 맞으면 ○, 틀리면 ×표 하시오.

01 가족들 모두 종학이 사회주의에 참여하고 있다는 낌새를 전혀 눈치채지 못하고 있었다. (○, ×)

02 윤 직원 영감은 종학의 피검보다 그가 사회주의 운동에 참여한 사실에 더 분개하고 있다. (○, ×)

[03~04] 다음 빈칸에 들어갈 알맞은 말을 쓰시오.

03 이 작품에서 윤 직원 영감은 일제 강점기를 ㅌㅍㅊㅎ로 여기며 왜곡된 역사의식을 드러낸다.

04 이 작품의 결말인 (자)에서 'ㅈㅅ의 ㅈㅇ'은 윤 직원 영감과 그 가문의 몰락을 암시한다고 볼 수 있다.

인물·사건 + 배경·소재

05 윗글을 바탕으로 〈보기〉의 ㉠~㉢에 대해 이해한 내용으로 적절하지 않은 것은?

보기

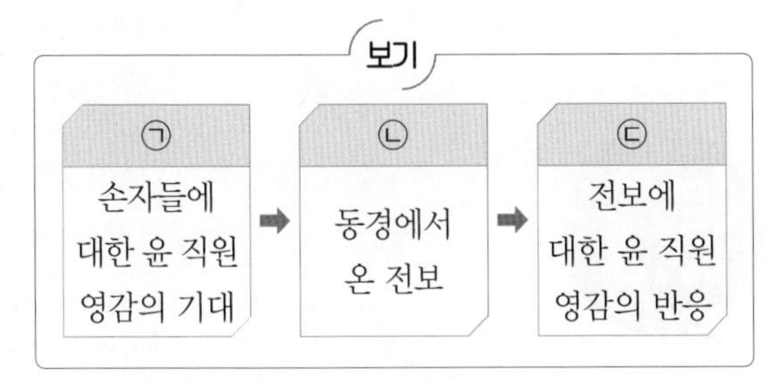

① ㉠에서 윤 직원 영감은 종학이 경찰서장이 되기를 바라고 있다.
② ㉡은 종학의 일본에서의 행적을 간접적으로 드러내는 역할을 하고 있다.
③ ㉡은 ㉠에서 ㉢으로의 전환을 매개하면서 종학에 대한 윤 직원 영감의 태도 변화를 유발하고 있다.
④ ㉢에서 윤 직원 영감은 ㉠의 기대를 저버린 종학에게 분노하며 좌절하고 있다.
⑤ ㉢을 본 가족들은 윤 직원 영감에게 동조하며 울분을 터트리고 있다.

주제

06 〈보기〉를 참고할 때, 윗글의 창작 의도를 파악한 내용으로 적절하지 않은 것은?

보기

'태평천하'는 태평스럽고 편안한 세상을 의미하는 말로, 윤 직원 영감은 당시 현실을 태평천하로 받아들이고 있다. 작가는 윤 직원 영감의 현실 인식이 반영된 '태평천하'를 이 작품의 제목으로 삼았다.

① 식민지 현실에 순응하는 도덕적 타락상을 풍자한다.
② 당시 우리 민족이 겪었던 고난과 고통의 현실을 사실적으로 그려 낸다.
③ 민족의 역사적 현실에 무관심한 사람들에 대한 비판적 인식을 담아 낸다.
④ 독자로 하여금 당시 현실에 대한 올바른 대응 방식을 생각해 보게 한다.
⑤ 독자로 하여금 당시 현실에서 가져야 할 바람직한 가치관을 고민해 보게 한다.

수능형 인물·사건

07 윗글의 윤 직원 영감과 〈보기〉의 '나'의 공통점으로 가장 적절한 것은?

보기

나라라는 게 무언데? 그런 걸 다 잘 분간해서 이럴 건 이러고 저럴 건 저러라고 지시하고, 그 덕에 백성들은 제각기 제 분수대로 편안히 살도록 애써 주는 게 나라 아니오?

그놈의 것 사회주의만 하더라도 나라에서 금하질 않고 저희가 하는 대로 두었어 보아? 시방쯤 세상이 무엇이 됐을지……. 〈중략〉

내 이상과 계획은 이렇거든요.

우리 집 다이쇼가 나를 자별히 귀애하고 신용을 하니까 한 십 년만 더 있으면 한밑천 들여서 따로 장사를 시켜 줄 그런 눈치거든요.

– 채만식, 「치숙」

① 개인의 행복보다 시대 현실에 관심을 두고 있다.
② 사람들의 인심이 변화된 현실을 걱정하고 있다.
③ 자신이 속한 국가를 위해 할 일을 모색하고 있다.
④ 국가에서 사회주의를 금하는 것을 부정적으로 바라보고 있다.
⑤ 자신들이 살고 있는 현재의 세상은 질서가 바로 잡혀 있다고 생각하고 있다.

작품 전체

발단※	전개	위기	절정※	결말※
윤 직원 영감의 외양과 인물됨	윤 직원 영감의 집안 내력과 재산 축적 과정	작은손자 종학에 대한 윤 직원 영감의 기대	종학이 사상 관계로 피검되었다는 ❶ㅈㅂ를 받는 윤 직원 영감	종학에 대한 ❷ㅂㄴ로 표효하는 윤 직원 영감

발단 ⇒ 전개 ⇒ 위기 ⇒ 절정 ⇒ 결말

※: 교재 수록 부분

작품 압축

주요 등장인물

윤 직원 영감	자기 가문의 안전과 부를 지켜 주는 일제 강점기를 ❸ㅌㅍㅊㅎ라고 여기는 그릇된 역사의식을 지님
윤창식	윤 직원의 아들로, 사회 현실에 적응하지 못하고 노름 등 향락에 빠져 삶
윤종수	윤 직원의 큰손자로, 군수가 되기를 바라는 윤 직원의 바람과 달리 방탕한 생활을 함
윤종학	윤 직원의 작은손자로, 일본 유학 중 ❹ㅅㅎㅈㅇ에 참여했다가 체포돼 가문의 몰락을 불러일으킴

등장인물의 대비

윤 직원, 윤창식, 윤종수	⇔	윤종학
• 도덕적으로 타락한 인물들로 작가에게 ❺ㅍㅈ의 대상이 됨 • 작품에 직접 등장함		• 현실의 문제를 해결하기 위해 사회주의 운동에 참여한 인물로 풍자의 대상이 아님 • 작품에 직접 등장하지 않음
⇓ 부정적 인물		⇓ ❻ㄱㅈㅈ 인물

인물·사건 / 서술 / 주제

서술상의 특징과 효과

서술상의 특징		효과
서술자의 풍자적 어조와 편집자적 ❼ㄴㅍ	⇒	작가의 의도대로 인물을 비판함
조롱하는 어투와 ❽ㄱㅇㅊ의 사용	⇒	인물을 조롱하고 풍자함
반어, 비속어, 방언 등의 사용	⇒	대상을 회화화하고 격하시켜 독자의 웃음을 유발함

제목 '태평천하'에 담긴 작가의 의도

제목	• 작품의 창작 배경이 되는 일제 강점기 상황을 고려할 때, ❾ㅂㅇ적 표현임 • 윤 직원의 왜곡된 현실 인식을 보여 줌
⇓	
의도	• 윤 직원 영감과 같이 식민지 현실에 순응하며 도덕적으로 ❿ㅌㄹ한 사람들을 풍자함 • 독자로 하여금 일제 강점기에 바람직한 현실 대응 방식은 무엇인지 고민하게 함

어휘력 테스트

1 **다음 괄호 안에 들어갈 단어를 〈보기〉에서 골라 써 보자.**

보기

면면상고 청천벽력 망연자실

(1) 어머니의 수술비를 잃어버린 그녀는 (   )하였다.

(2) 법 없이도 살 네가 고소를 당했다니, 이게 무슨 (   ) 같은 소리냐?

(3) 마땅한 해결 방법을 찾을 수 없었던 우리는 그저 (   )하며 앉아 있었다.

2 **다음 〈보기〉의 뜻을 참고하여 십자말풀이를 완성해 보자.**

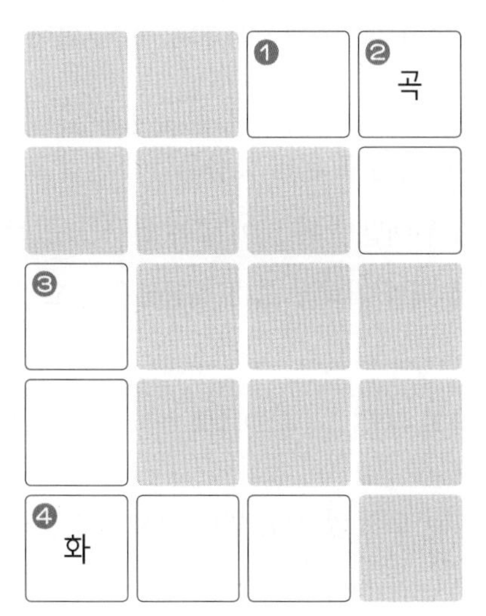

보기

가로

❶ 사실과 다르게 해석하거나 그릇되게 함

❹ 떼를 지어 돌아다니며 재물을 마구 빼앗는 사람들의 무리

세로

❷ 남의 말이나 행동을 본뜻과는 달리 좋지 아니하게 이해함. 또는 그런 이해

❸ 어떤 인물의 외모나 성격, 또는 사건이 의도적으로 우스꽝스럽게 묘사되거나 풍자됨. 또는 그렇게 만듦

독해쌤과 함께하는 감상 넓히기

부조리한 현실을 풍자한 작가 채만식의 다른 작품

이번에 감상한 「태평천하」와 같이 작가 채만식은 부조리한 현실이나 부정적 인물을 풍자한 작품들을 많이 창작했어요. 풍자 문학의 대가라고 불리는 채만식의 왜곡된 역사의식을 지닌 인물이나 사회의 모순을 풍자한 또 다른 작품들을 감상해 볼까요?

논 이야기_채만식

광복이 되면서 일제 강점기 때 일본인에게 팔았던 땅을 되찾을 수 있을 것이라고 기대한 한 생원이 좌절하는 과정을 통해, 광복의 의미를 왜곡하여 인식하는 인물의 행태와 광복 직후의 친일파들이 여전히 기득권을 유지했던 부조리한 사회상을 풍자하고 있는 작품입니다.

미스터 방_채만식

해방 이후 우리나라에 들어온 미군 S 소위의 영어 통역을 맡아 출세의 길에 올랐다가 몰락한 방삼복이라는 인물을 통해 권력에 빌붙어 부귀영화를 누리려던 기회주의적 인물을 풍자하고 있는 작품입니다.

달밤 1 _ 이태준

착하고 순수하지만 어리숙하고 모자라기 때문에 소외당하는 사람들을 주변에서 볼 수 있어요. 이 작품의 황수건 역시 그런 사람이지요. 황수건이라는 사람이 어떤 사람이고 이 인물에 대해 작가는 어떤 태도를 보여 주고 있는지 살펴보며 작품을 감상해 볼까요?

독해쌤의 감상 질문

1. 인물·사건 이 작품에 등장하는 황수건은 어떤 인물인가요?
2. 배경·소재 • 이 작품의 시간적 배경인 '달밤'의 의미와 기능은 무엇인가요?
   • 이 작품의 등장인물이 서로에 대한 마음을 드러내는 역할을 하는 소재는 무엇인가요?
3. 서술 이 작품의 시점상의 특징과 그 효과는 무엇인가요?

앞부분 줄거리 성북동으로 이사 온 '나'는 우둔하지만 천진한 신문 보조 배달부인 황수건을 만난다. '나'는 황수건과의 첫 만남에서 그가 '못난이'라는 것을 안다. 하지만 '나'는 그와 가깝게 지내며 그의 말벗이 되어 주고, 신문 원배달이 되는 것이 황수건의 평생 소원임을 알게 된다.

전개

가 "이 선생님? 이 선생님 겝쇼? 아, 저도 내일부턴 원배달이올시다. 오늘 밤만 자면입쇼……." / 한다. 자세히 물어보니 성북동이 따로 한 구역이 되었는데, 자기가 맡게 되었으니까 ㉠내일은 배달복을 입고 방울을 막 떨렁거리면서 올 테니 보라고 한다. 그리고 '사람이란 게 그러게 무어든지 끝을 바라고 붙들어야 한다'고 나에게 일러 주면서 신이 나서 돌아갔다. 우리도 그가 원배달이 된 것이 좋은 친구가 큰 출세나 하는 것처럼 마음속으로 진실로 즐거웠다. 어서 내일 저녁에 그가 배달복을 입고 방울을 차고 와서 쭐럭거리는 것을 보리라 하였다.

쭐렁거리다. 매우 가볍고 경망스럽게 자꾸 행동하다.

전개 | '나'는 황수건과 자주 대화를 하면서 그의 소원이 신문 원배달이 되는 것임을 알게 됨

위기

나 ㉡그러나 이튿날 그는 오지 않았다. 밤이 늦도록 신문도 그도 오지 않았다. 그 다음 날도 신문도 그도 오지 않다가 사흘째 되는 날에야, 이날은 해도 지기 전인데 방울 소리가 요란스럽게 우리 집으로 뛰어들었다.

㉢'어디 보자!' / 하고 나는 방에서 뛰어나갔다.

그러나 웬일일까, 정말 배달복에 방울을 차고 신문을 들고 들어서는 사람은 황수건이가 아니라 처음 보는 사람이다. / "왜 전엣사람은 어디 가고 당신이오?" / 물으니 그는,

"제가 성북동을 맡았습니다." / 한다.

"그럼, 전엣사람은 어디를 맡았소?" / 하니 그는 픽 웃으며,

㉣"그까짓 반편을 어딜 맡깁니까? 배달부로 쓸랴다가 똑똑지가 못하니까 안 쓰고 말었나 봅니다." / 한다. / "그럼 보조 배달도 떨어졌소?" / 하니,

반편: 지능이 보통 사람보다 모자라는 사람을 낮잡아 이르는 말

"그럼요, 여기가 따루 한 구역이 된 걸이오."/ 하면서 방울을 울리며 나갔다.

다 이렇게 되었으니 황수건이가 우리 집에 올 길은 없어지고 말았다. 나도 가끔 문안엔 다니지만 그의 집은 내가 다니는 길 옆은 아닌 듯 길가에서도 잘 보이지 않았다.

나는 가까운 친구를 먼 곳에 보낸 것처럼, 아니 친구가 큰 사업에나 실패하는 것을 보는 것처럼, 못 만나는 섭섭뿐이 아니라 마음이 아프기도 하였다. ㉤그 당자와 함께 세상의 야박함이 원망스럽기도 하였다.

당자: ① 바로 그 사람 ②당사자. 어떤 일이나 사건에 직접 관계가 있거나 관계한 사람

확인 문제

[01~03] 다음 설명이 맞으면 ○, 틀리면 ×표 하시오.

01 '나'는 새로 온 신문 배달부를 통해 황수건에 대한 소식을 듣는다. (○, ×)

02 황수건은 원배달이 되지 못하고 보조 배달마저 떨어져 '나'를 피해 다닌다. (○, ×)

03 이 작품은 서술자이자 주인공인 '나'의 시선에 따라 이야기가 전개되고 있다. (○, ×)

[04~06] 다음 빈칸에 들어갈 알맞은 말을 쓰시오.

04 [ㅂ][ㅍ]은 황수건을 무시하는 사람들의 평가가 반영된 말이다.

05 황수건이 우리 집에 매일 찾아왔던 것은 [ㅅ][ㅁ]을 배달하기 위해서였다.

06 황수건은 원배달이 되어 [ㅂ][ㄷ][ㅂ]을 입고 [ㅂ][ㅇ]을 찰 생각에 들떠 있었다.

실력 문제

인물·사건

07 ㉠~㉤에 대한 이해로 적절하지 않은 것은?

① ㉠: 황수건의 기대감과 자랑스러움이 드러난다.
② ㉡: 기대에 어긋나는 상황이 일어났음을 암시한다.
③ ㉢: 황수건 대신 온 배달원에 대한 괘씸한 마음이 드러난다.
④ ㉣: 황수건에 대한 다른 사람들의 생각을 단적으로 보여 준다.
⑤ ㉤: '나'는 순박한 황수건이 좌절할 수밖에 없는 현실의 야박함을 원망하고 있다.

서술

08 윗글의 서술 방식에 대한 설명으로 가장 적절한 것은?

① 이야기 안의 서술자가 자신의 이야기를 담담하게 서술한다.
② 이야기 밖의 서술자가 인물의 내면 심리를 독자에게 직접 말해 준다.
③ 이야기 안에 등장하는 인물이 다른 인물의 행동을 관찰하여 전달한다.
④ 서술자의 주관적인 논평을 통해 인물들의 성격이 변화하는 과정을 보여 준다.
⑤ 서술자가 인물에 대해 거리를 둠으로써 독자 스스로 인물에 대해 평가하도록 한다.

수능형 인물·사건

09 〈보기〉를 참고하여, 윗글을 감상한 내용으로 적절하지 않은 것은?

> 보기
>
> 이태준의 「달밤」은 급속한 근대화의 과정에서 이에 적응하지 못하는 어리숙한 인물인 황수건의 이야기를 다룬 작품이다. 황수건은 소박하고 순수한 성품을 지니고 있지만, 각박한 현실 속에서 하는 일마다 실패하는 비극적인 삶을 산다. 작가는 이러한 주인공의 모습을 애정 어린 따뜻한 시선으로 그려 내고 있는데, 이는 서술자가 황수건을 대하는 태도를 통해 드러난다.

① 황수건이 원배달이 될 기대에 부풀어 있는 모습을 통해 그의 소박한 성품을 알 수 있군.
② 황수건이 보조 배달부 자리마저 잃게 된 것은 각박한 현실 속에서 하는 일마다 실패하는 삶의 일부가 드러난 것이군.
③ 황수건이 사업에 실패한 것을 안타까워하는 '나'의 모습을 통해 급속한 근대화 속에서도 인정이 남아 있음을 보여 주는군.
④ 황수건이 보조 배달부 자리에서도 밀려났다는 소식을 듣고 마음 아파하는 '나'의 태도는 인물에 대한 애정이 담긴 것으로 볼 수 있군.
⑤ 황수건이 원배달이 될 것이라는 소식을 듣고 '나'가 마음속으로 즐거워하는 것은 황수건에 대한 작가의 따뜻한 시선이 반영된 것이군.

달밤 ❷

중략 부분 줄거리 몇 가지 우스운 일화로 동네에서 유명한 황수건은 한동안 모습을 드러내지 않다가 '나'가 거의 그를 잊어버리고 있을 때쯤 집으로 찾아와 신문 배달이 잘 되고 있는지 묻는다.

라 "그런뎁쇼, 선생님?" / "왜 그류?"

"삼산학교에 말씀예요, 그 제 대신 들어온 급사가 저보다 근력이 세게 생겼습죠?"

급사: 관청이나 회사, 가게 따위에서 잔심부름을 시키기 위하여 부리는 사람
근력: 근육의 힘. 또는 그 힘의 지속성

"나는 그 사람을 보지 못해서 모르겠소." / 하니 그는 은근한 말소리로 히죽거리며,

"제가 거길 또 들어가 볼랴굽쇼, 운동을 합죠." / 한다.

운동: 어떤 목적을 이루려고 힘쓰는 일. 또는 그런 활동

"어떻게 운동을 하오?"

"그까짓 거 날마다 사무실로 갑죠. 다시 써 달라고 졸라 댑죠. 아, 그랬더니 새 급사란 녀석이 저보다 크기도 무척 큰뎁쇼, 이 녀석이 막 불근댑니다그려. 그래 한번 쌈을 해야 할 턴뎁쇼, 그 녀석이 근력이 얼마나 센지 알아야 뎀벼들 턴뎁쇼…… 허."

"그렇지, 멋모르고 대들었다 매만 맞지."

하니 그는 한 걸음 다가서며 또 은근한 말을 한다.

"그래섭쇼, 엊저녁엔 ㉠큰 돌멩이 하나를 굴려다 삼산학교 대문에다 놨습죠. 그리구 오늘 아침에 가 보니깐 없어졌는뎁쇼. 이 녀석이 나처럼 억지루 굴려다 버렸는지, 뻔쩍 들어다 버렸는지 그만 못 봤거든입쇼, 제—길……." / 하고 머리를 긁는다.

마 그러더니 갑자기 무얼 생각한 듯 손뼉을 탁 치더니,

"그런뎁쇼, 제가 온 건입쇼, 댁에선 우두를 넣지 마시라구 왔습죠." / 한다.

우두: 천연두를 예방하기 위해 소에서 뽑은 면역 물질

"우두를 왜 넣지 말란 말이오?" / 한즉,

"요즘 마마가 다닌다구 모두 우두들을 넣는뎁쇼, 우두를 넣으면 사람이 근력이 없어지는 법인뎁쇼." / 하고 자기 팔을 걷어 올려 우두 자리를 보이면서,

마마: '천연두'를 일상적으로 이르는 말

"이걸 봅쇼. 저두 우두를 이렇게 넣기 때문에 근력이 줄었습죠." / 한다.

"우두를 넣으면 근력이 준다고 누가 그럽디까?" / 물으니 그는 싱글거리며,

"아, 제가 생각해 냈습죠." / 한다.

"왜 그렇소?" / 하고 캐니,

"뭘…… 저 아래 윤금보라고 있는데 기운이 장산뎁쇼. 아 삼산학교 그 녀석두 우두만 넣었다면 그까짓 것 무서울 것 없는뎁쇼, 그걸 모르겠거든입쇼……." / 한다. 나는,

"그렇게 용한 생각을 하고 일러 주러 왔으니 아주 고맙소."

하였다. 그는 좋아서 벙긋거리며 머리를 긁었다.

"그래 삼산학교에 다시 들기만 기다리고 있소?" / 물으니 그는,

"돈만 있으면 그까짓 거 누가 고스카이(용인) 노릇을 합쇼. 밑천만 있으면 삼산학교 앞에 가서 뻐젓이 장사를 할 턴뎁쇼." / 한다.

용인: 삯을 받고 남의 일을 해 주는 사람
고스카이: '소사'의 일본어. 관청이나 회사, 학교, 가게 따위에서 잔심부름을 시키기 위하여 고용한 사람

"무슨 장사?"

"아, 방학될 때까지 차미 장사도 하굽쇼, 가을부턴 군밤 장사, 왜떡 장사, 습자지, 도화지 장사 막 합죠. 삼산학교 학생들이 저를 어떻게 좋아하겝쇼. 저를 선생들보다 낫게 치는뎁쇼." / 한다.

차미: '참외'의 방언

독해쌤 속닥속닥

◆ 중략 부분에는 황수건과 관련된 일화가 두 가지 소개돼요. 하나는 삼산학교에서 급사로 일하면서 종 치는 것도 잊고 시학관에게 짧은 일본말을 반복해서 연습한 일화이고, 다른 하나는 황수건의 아내가 달아날 것이라는 농담 때문에 황수건이 하교를 알리는 종을 임의로 일찍 쳐 버렸다는 일화예요. 이 일화들을 통해 다소 모자라지만 순수하고 엉뚱한 황수건의 성격이 더 부각되고 있어요.

◆ (라)와 (마)는 모두 서술자인 '나'와 주인공인 황수건의 대화를 통해 내용이 전개되고 있는데, 이를 통해 황수건의 성격과 그를 대하는 '나'의 태도가 간접적으로 드러나고 있어요.

◆ 우두 접종을 하면 며칠 간 약하게 천연두를 앓으면서 힘이 없어지는 현상이 나타나는데 황수건은 이런 현상을 두고 근력이 약해진다고 생각한 듯해요. 황수건이 근거 없이 하는 말에도 '나'는 존중하며 들어주고 있네요.

[01~02] 다음 설명이 맞으면 ○, 틀리면 ×표 하시오.

01 '나'는 황수건의 엉뚱한 말에도 호의적인 태도로 대꾸해 주고 있다. (○, ×)

02 황수건은 우두를 맞으면 근력이 줄어든다는 이야기를 윤금보에게 들었다. (○, ×)

[03~05] 다음 빈칸에 들어갈 알맞은 말을 쓰시오.

03 (마)에서 황수건은 [ㅇ][ㄷ]를 맞지 말라는 말을 '나'에게 해 주기 위해 찾아왔다.

04 황수건은 밑천만 있다면 급사 대신 학교 앞에서 [ㅈ][ㅅ]를 하고 싶다고 말한다.

05 황수건은 새 급사의 힘을 시험해 보기 위해 삼산학교 대문 앞에 [ㄷ][ㅁ][ㅇ]를 가져다 놓았다.

배경·소재

06 ㉠에 대한 설명으로 가장 적절한 것은?

① 사건의 해결책을 엉뚱한 곳에서 찾는 황수건의 어리석음을 부각한다.
② 자신보다 약한 사람을 도우려는 황수건의 따뜻한 마음씨를 강조한다.
③ 상대를 이기기 위해 미리 준비하는 황수건의 치밀한 면모를 보여 준다.
④ 문제의 근본적인 원인을 해결하려는 황수건의 적극적 의지를 보여 준다.
⑤ 많은 사람 앞에서 자신의 힘을 과시하려는 새 급사의 교만과 허세를 암시한다.

서술

07 윗글에 대한 설명으로 가장 적절한 것은?

① 질문과 대답의 형식을 활용하여 사건의 숨겨진 의미를 밝혀낸다.
② 간접 제시의 방식을 통해 인물 간의 대립이 심화됨을 보여 준다.
③ 인물 간의 대화를 통해 인물에 대한 정보와 성격 등을 제시한다.
④ 서술자의 논평을 통해 현재 사건의 원인이 된 과거의 사건을 밝힌다.
⑤ 병렬적 구성을 통해 서로 다른 공간에서 동시에 일어나는 사건을 나란히 보여 준다.

수능형 인물·사건

08 〈보기〉를 참고하여, '황수건'을 이해한 내용으로 적절하지 않은 것은?

보기

이태준의 작품은 주로 늙은이, 가난한 사람, 배움이 부족한 사람 등 사회적으로 소외된 사람들의 삶을 다루고 있다. 이들은 냉정한 현실에 적응하지 못하고 실패하여 사회의 중심에서 밀려난 사람들로, 사회의 주변인에 해당한다. 그럼에도 불구하고 이들은 모두 순수한 성격과 몰인정한 세태에 물들지 않은 따뜻한 품성을 지니고 있다.

① 고맙다는 '나'의 말에 좋아서 벙긋거리는 모습으로 보아, 순박한 성격의 인물이겠군.
② 삼산학교 급사였다가 밀려난 것으로 보아, 냉정한 현실에 적응하지 못한 주변인이겠군.
③ 우두를 넣으면 사람의 근력이 없어진다고 자의적으로 판단하고 이를 사실로 믿는 것으로 보아, 배움이 부족한 사람이겠군.
④ 삼산학교 학생들이 선생들보다 자신을 더 좋아한다는 말에 위로받는 것으로 보아, 사회적으로 소외받는 처지에서 점차 벗어나고 있군.
⑤ '나'에게 우두를 넣지 말라고 일러 주러 집으로 찾아온 것으로 보아, 몰인정한 세태에 물들지 않은 따뜻한 품성을 지니고 있는 사람이겠군.

달밤 ③

독해쌤 속닥속닥

◆ '돈 삼 원'이라는 소재를 통해 황수건에 대한 '나'의 애정과 연민이 드러나 있어요. 황수건은 독자들의 동정을 불러일으킬 만큼 부당한 대우를 받거나, 독자들의 시선을 끌 만큼 매력적인 인물이 아님에도 불구하고 독자들은 황수건에 대해 연민을 느끼게 되지요. 이는 황수건을 바라보는 서술자 '나'의 호의적이고 애정 어린 태도에서 비롯된 것이라 할 수 있어요. 이러한 서술자('나')의 태도는 순박하고 순수한 인간성을 지닌 인물에 대한 작가의 따듯한 시선이 반영된 것이라고도 볼 수 있어요.

◆ 황수건에게 닥친 연속된 불행을 요약적으로 제시하고 있어요. 이러한 서술은 독자가 황수건의 불행에 몰입하는 것을 막아 작품이 비극적인 분위기로 흘러가는 것을 방지하지요.

◆ (자)에는 거듭된 좌절과 실패를 경험한 황수건이 평화롭고 아름다운 달밤에 노래를 부르며 가는 장면이 제시되어 있어요. 삶에 지친 황수건의 슬픈 모습에서 애상적이고 서정적인 분위기가 느껴지는 동시에, 황수건에 대한 '나'의 따뜻한 시선과 연민의 정서가 드러나고 있어요. 즉 '달밤'이라는 시간적 배경은 서정적인 분위기를 조성하여 황수건이 처한 비극적인 상황을 이완해 주는 기능을 한다고 볼 수 있어요.

바 나는 그날 그에게 ㉠돈 삼 원을 주었다. 그의 말대로 삼산학교 앞에 가서 뻐젓이 참외 장사라도 해 보라고. 그리고 돈은 남지 못하면 돌려 오지 않아도 좋다 하였다.

그는 삼 원 돈에 덩실덩실 춤을 추다시피 뛰어나갔다. 그리고 그 이튿날,

"선생님 잡수시라굽쇼."

하고 나 없는 때 ㉡참외 세 개를 갖다 두고 갔다.

위기 | 보조 배달부 자리에서도 쫓겨난 황수건이 '나'의 도움으로 참외 장사를 시작함

절정

사 그러고는 온 여름 동안 그는 우리 집에 얼른하지 않았다.

얼씬하다. 조금 큰 것이 눈앞에 잠깐 나타났다 없어지다.

들으니 참외 장사를 해 보긴 했는데 이내 장마가 들어 밑천만 까먹었고, 또 그까짓 것보다 한 가지 놀라운 소식은 그의 아내가 달아났단 것이다. 저희끼리 금실은 괜찮았건만 동서가 못 견디게 굴어 달아난 것이라 한다. 남편만 남 같으면 따로 살림 나는 날이나 기다리고 살 것이나 평생 동서 밑에 살아야 할 신세를 생각하고 달아난 것이라 한다.

금실: 부부간의 사랑

아 그런데 요 며칠 전이었다. 밤인데 달포 만에 수건이가 우리 집을 찾아왔다. 웬 ㉢포도를 큰 것으로 대여섯 송이를 종이에 싸지도 않고 맨손에 들고 들어왔다. 그는 벙긋거리며,

달포: 한 달이 조금 넘는 기간

"선생님 잡수라고 사 왔습죠."

하는 때였다. 웬 사람 하나가 날쌔게 그의 뒤를 따라 들어오더니 다짜고짜로 수건이의 멱살을 움켜쥐고 끌고 나갔다. 수건이는 그 우둔한 얼굴이 새하얗게 질리며 꼼짝 못하고 끌려 나갔다.

나는 수건이가 포도원에서 포도를 훔쳐 온 것을 직각하였다. 쫓아 나가 매를 말리고 포돗값을 물어 주었다. 포돗값을 물어 주고 보니 수건이는 어느 틈에 사라지고 보이지 않았다.

직각하다: 보거나 듣는 즉시 곧바로 깨달음

나는 그 다섯 송이의 포도를 탁자 위에 얹어 놓고 오래 바라보며 아껴 먹었다. 그의 은근한 순정의 열매를 먹듯 한 알을 가지고도 오래 입 안에 굴려 보며 먹었다.

절정 | 황수건은 참외 장사마저 실패하고, 포도를 훔쳐서 '나'에게 가져옴

결말

자 어제다. 문안에 들어갔다 늦어서 나오는데 불빛 없는 성북동 길 위에는 밝은 달빛이 깁을 깐 듯하였다.

깁: 명주실로 바탕을 조금 거칠게 짠 비단

그런데 포도원께를 올라오노라니까 누가 맑지도 못한 목청으로,

"사…… 케…… 와 나…… 미다카 다메이…… 키…… 카……."

를 부르며 큰길이 좁다는 듯이 휘적거리며 내려왔다. 보니까 수건이 같았다. 나는,

"수건인가?" / 하고 아는 체하려다 그가 나를 보면 무안해할 일이 있는 것을 생각하고 휙 길 아래로 내려서 나무 그늘에 몸을 감추었다.

그는 길은 보지도 않고 달만 쳐다보며, ㉣노래는 그 이상은 외우지도 못하는 듯 첫 줄 한 줄만 되풀이하면서 전에는 본 적이 없었는데 ㉤담배를 다 퍽퍽 빨면서 지나갔다.

달밤은 그에게도 유감한 듯하였다.

결말 | 달밤에 서툰 노래를 부르며 지나가는 황수건을 목격하고 연민을 느끼는 '나'

확인 문제

[01~03] 다음 설명이 맞으면 ○, 틀리면 ×표 하시오.

01 (사)에서 서술자는 들은 이야기를 요약적으로 제시하여 황수건에 대한 정보를 전달하고 있다. (○, ×)

02 (자)에서 황수건이 큰길을 내려오며 부르는 노래는 황수건의 천진난만한 성격을 집약적으로 보여 준다. (○, ×)

03 (자)에서는 어두운 성북동 길 위를 비추는 밝은 달빛을 통해 인물의 미래가 변화될 것임을 암시적으로 나타내고 있다. (○, ×)

[04~06] 다음 빈칸에 들어갈 알맞은 말을 쓰시오.

04 (바)의 'ㄷ ㅅ ㅇ'은 황수건에 대한 '나'의 애정과 연민이 드러나는 소재이다.

05 (자)의 ㄷㅂ는 황수건의 답답한 마음을 간접적으로 드러내고 있는 소재이다.

06 '나'는 오랜만에 황수건을 보게 된 것에 반가워하면서도 황수건이 나를 보면 ㅁㅇ해할 일이 있는 것을 떠올리며 일부러 나무 그늘에 몸을 감춘다.

인물·사건

07 윗글을 읽고 알 수 있는 내용으로 가장 적절한 것은?

① 황수건은 '나'가 준 돈으로 장사에 성공한다.
② 황수건의 아내는 부부간의 불화로 집을 나간다.
③ 황수건은 포도원 주인을 피해 재빠르게 몸을 감춘다.
④ '나'는 황수건이 매를 맞는 것을 보고 새하얗게 질린다.
⑤ '나'는 포도를 먹으며 황수건의 순박한 마음씨를 느낀다.

배경·소재

08 ㉠~㉤ 중 〈보기〉의 밑줄 친 부분과 관련된 것을 골라 바르게 묶은 것은?

> 보기
>
> '나'는 황수건이 쓸데없는 이야기를 해도 기꺼이 다 들어 주고, 황수건의 착하고 인간미 넘치는 성품에 끌려 가까운 친구처럼 애정을 느낀다. 황수건 역시 '나'에게 격의 없는 태도로 자신의 개인적인 이야기를 털어놓는다. 또한 <u>'나'의 호의와 도움에 보답을 하고 싶어 한다.</u>

① ㉠, ㉡ ② ㉠, ㉢ ③ ㉡, ㉢
④ ㉡, ㉣ ⑤ ㉣, ㉤

수능형 배경·소재

09 (자)와 〈보기〉를 비교하여 감상한 내용으로 적절하지 <u>않은</u> 것은?

> 보기
>
> 달밤이었으나 어떻게 해서 그렇게 됐는지 지금 생각해도 도무지 알 수는 없었다.
>
> 허 생원은 오늘 밤도 또 그 이야기를 끄집어내려는 것이다. 조 선달은 친구가 된 이래 귀에 못이 박이도록 들어 왔다. 그렇다고 싫증을 낼 수도 없었으나 허 생원은 시침을 떼고 되풀이할 대로는 되풀이하고야 말았다.
>
> "달밤에는 그런 이야기가 격에 맞거든."
>
> 조 선달 편을 바라는 보았으나 물론 미안해서가 아니라 달빛에 감동하여서였다. 이지러는 졌으나 보름을 가제 지난 달은 부드러운 빛을 흐붓이 흘리고 있다. 대화까지는 칠십 리의 밤길, 고개를 둘이나 넘고 개울을 하나 건너고 벌판과 산길을 걸어야 된다.
>
> – 이효석, 「메밀꽃 필 무렵」

① (자)와 〈보기〉는 모두 시간적 배경을 밤으로 설정하고 있군.
② (자)와 〈보기〉는 모두 묘사의 방식을 활용하여 배경을 제시하고 있군.
③ (자)와 〈보기〉는 모두 '달빛'의 시각적 이미지를 통해 서정적 분위기를 형성하고 있군.
④ 〈보기〉와 달리 (자)에서의 '달밤'은 인물의 슬픈 처지를 부각하는 역할을 하고 있군.
⑤ (자)의 '달밤'은 갈등을 심화시키지만, 〈보기〉의 '달밤'은 과거를 떠올리는 매개체가 되고 있군.

작품 전체

발단	전개✰	위기✰	절정✰	결말✰
'나'는 성북동으로 이사 와서 황수건을 만나는데, 첫만남에서 그가 ❶ㅁㄴㅇ임을 알게 됨	신문 보조 배달부로 일하고 있는 황수건은 '나'에게 신문 원배달이 되는 것이 소원이라고 말함	신문 보조 배달 자리에서도 쫓겨난 황수건에게 '나'는 ❷ㅊㅇ 장사라도 해 보라고 돈을 줌	황수건은 참외 장사에 실패하고, ❸ㅍㄷ를 훔쳐 '나'에게 주다가 포도원 주인에게 잡힘	달밤에 담배를 피우며 서툰 노래를 부르는 황수건을 목격한 '나'는 그에게 연민을 느낌

✰: 교재 수록 부분

작품 압축

'황수건'의 성격

신문 원배달이 되는 것이 평생 소원임	❹ㅇㅅ이 없고 소박함
삼산학교의 급사로 다시 들어가기 위해 큰 돌멩이로 새 급사의 근력을 시험함	사건의 해결책을 엉뚱한 곳에서 찾는 어리숙함
❺ㅇㄷ를 넣으면 근력이 없어진다고 생각함	근거가 없는 자의적 판단을 하는 어리숙함
학생들이 자신을 좋아하기 때문에 장사를 하면 성공할 것이라고 생각함	자신의 능력을 과시하는 허풍스러움
'나'에게 참외 세 개와 포도를 가져다줌	고마움에 보답하는 순박하고 착한 성품

작품의 시점과 그 효과

1인칭 관찰자 시점
- '나'가 주인공 황수건의 대화와 행동을 관찰하여 전달함
- '나'가 주인공 황수건에 대한 최소한의 정보와 자신의 주관적인 정서를 중심으로 서술함

⇓

효과
- 사건의 전모를 완벽하게 전달하지 않기 때문에 인물에 대한 관심과 ❻ㅎㄱㅅ을 불러일으킴
- 황수건에게 연민을 보이는 서술자의 태도를 통해 모자라고 어리숙한 인물이 살아가기 힘든 현실을 ❼ㄱㅈㅈ으로 비판함
- 독자가 황수건의 불행에 몰입되는 것을 막아 줌

인물·사건 / 서술 / 배경·소재

'달밤'의 의미와 기능

달밤
- 애상적이면서도 서정적인 분위기를 조성함
- 황수건에 대한 '나'의 연민의 정서를 부각함
- 달밤 아래 서툰 노래를 부르는 황수건의 모습은 희화적이면서도 애처롭게 느껴짐

기능

황수건이 처한 상황은 불우하고 힘겹지만 달밤의 풍경을 통해 결말의 ❽ㅂㄱㅅ을 막아 줌

소재의 의미

돈 삼 원	황수건에 대한 '나'의 ❾ㅇㅈ과 연민을 보여 줌
참외 세 개, 포도	'나'에 대한 황수건의 고마운 마음이 드러남
❿ㄷㅁㅇ	사건의 해결책을 엉뚱한 데서 찾는 황수건의 어리석음을 부각함
담배	황수건의 답답한 마음을 드러냄
⓫ㄴㄹ	삶에 지친 황수건의 심리를 드러냄

● 정답과 해설 25쪽

어휘력 테스트

1 **제시된 뜻과 예문을 참고하여 다음 초성에 해당하는 단어를 괄호 안에 써 보자.**

(1) ㄷ ㅍ : 한 달이 조금 넘는 기간

예 이곳으로 이사 온 지 (   )가량 지났다.

(2) ㄱ : 명주실로 바탕을 조금 거칠게 짠 비단

예 마을 앞으로 흐르는 강이 긴 (   )을 펼쳐 놓은 듯 맑고 잔잔하였다.

(3) ㄱ ㅅ : 부부간의 사랑

예 우리 부모님은 (   ) 좋은 부부로 유명하시다.

2 **다음 〈보기〉의 뜻을 참고하여 십자말풀이를 완성해 보자.**

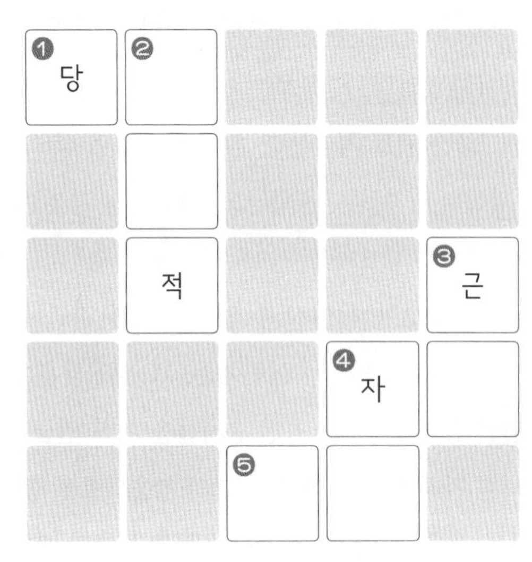

보기

가로
❶ 당사자. 어떤 일이나 사건에 직접 관계가 있거나 관계한 사람
❹ 자기 혼자의 힘
❺ 보거나 듣는 즉시 곧바로 깨달음

세로
❷ 일정한 질서를 무시하고 제멋대로 하는 것
❸ 근육의 힘. 또는 그 힘의 지속성
❹ 현실을 판단하여 자기의 입장이나 능력 따위를 스스로 깨달음

독해쌤과 함께하는 감상 넓히기

달밤을 배경으로 하는 작품

이번에 감상한 「달밤」과 같이 '달밤'을 배경으로 하는 다른 갈래의 작품들도 있어요. 이 작품에서는 달밤의 애상적 분위기가 중심을 이루는데, 달밤의 서정성이 강조되거나 달밤이 회상의 매개체가 되는 작품들도 있답니다. 이러한 작품들을 더 감상해 볼까요?

달밤_윤오영

글쓴이가 달밤에 친구를 찾아갔다가 만나지 못하고, 맞은편 집의 노인과 함께 막걸리를 마시며 밝은 달밤의 서정적인 분위기에 취하는, 짧은 내용의 수필 작품입니다.

달밤_이호우

낙동강의 빈 나루에 달빛이 비치는 풍경을 매개로 하여 화자가 평화로웠던 어린 시절의 추억을 떠올리면서 미움과 더러움이 가득한 현실에서 벗어난, 아름다운 사랑으로 가득한 맑은 세계에 대한 소망을 드러낸 시조 작품입니다.

광장 1 _ 최인훈

1945년 해방 직후 한반도에 임의로 그어진 38선이 남과 북을 가르는 분단선이 되어 버렸습니다. 이 작품의 주인공인 이명준은 남한과 북한 사회를 모두 경험한 이후 포로의 신분으로 남한과 북한 중 어느 한쪽을 선택할 것을 강요받습니다. 이러한 사건 전개 과정에 나타난 남북한 사회의 이념과 현실의 모습을 살펴보고, 이에 대한 주인공의 심리와 갈등 양상을 파악하며 감상해 볼까요?

독해쌤의 감상 질문

1. 인물·사건 명준이 느낀 남한과 북한은 어떤 사회인가요?
2. 배경·소재 · '바다'와 '한 사발의 물'의 의미는 무엇인가요?
   · 이 작품에 제시된 소재들의 상징적 의미는 무엇인가요?
3. 주제 결말을 통해 알 수 있는 이 작품의 주제는 무엇인가요?

앞부분 줄거리 철학과를 다니던 대학생 명준은 월북한 아버지로 인해 치안 당국에 끌려가 고초를 겪고 풀려난다. 이 문제로 남한 사회에 환멸을 느낀 명준은 월북하여 『노동 신문』의 기자로 일하게 되지만, 매번 당 간부에게 비판을 받자, 기자 생활을 접고 노동 현장에서 일하다가 부상을 당한다. 위문 온 발레리나인 은혜를 만나 사랑하게 되지만, 은혜는 모스크바로 유학을 떠난다. 6·25 전쟁이 일어나자 인민군 장교로 참전하게 된 명준은 간호병으로 지원한 은혜와 재회하게 된다. 그러나 은혜는 명준의 아이를 가진 채 죽고, 명준은 포로가 되어 포로 송환을 위한 심사를 받는다.

절정
가 앞에 앉은 장교가 ㉠부드럽게 웃으며 말한다. / "동무, 앉으시오."

㉡명준은 움직이지 않았다. / "동무는 어느 쪽으로 가겠소?"

ⓐ"중립국." / 그들은 서로 쳐다본다. 앉으라고 하던 장교가, ㉢윗몸을 테이블 위로 바싹 내밀면서, 말한다. / "동무, 중립국도, 마찬가지 자본주의 나라요. 굶주림과 범죄가 우글대는 낯선 곳에 가서 어쩌자는 거요?" / "중립국."

"다시 한번 생각하시오. ㉣돌이킬 수 없는 중대한 결정이란 말요. 자랑스러운 권리를 왜 포기하는 거요?" / "중립국." / 이번에는, 그 옆에 앉은 장교가 나앉는다.

"동무, 지금 인민 공화국에서는 참전 용사들을 위한 연금 법령을 냈소. 동무는 누구보다도 먼저 일터를 가지게 될 것이며, 인민의 영웅으로 존경받을 것이오. 전체 인민은 동무가 돌아오기를 기다리고 있소. 고향의 초목도 동무의 개선을 반길 거요." / "중립국."
(초목: 풀과 나무를 아울러 이르는 말 / 개선: 싸움에서 이기고 돌아옴)

그들은 머리를 모으고 소곤소곤 상의를 한다.

처음에 말하던 장교가, 다시 입을 연다. / "동무의 심정도 잘 알겠소. 오랜 포로 생활에서, 제국주의자들의 간사한 꾀임수에 유혹을 받지 않을 수 없었다는 것도 용서할 수 있소. 그런 염려는 하지 마시오. 공화국은 동무의 하찮은 잘못을 탓하기보다도, 동무가 조국과 인민에게 바친 충성을 더 높이 평가하오. 일체의 보복 행위는 없을 것을 약속하오. 동무는……." / "중립국." / 중공 대표가, 날카롭게 무어라 외쳤다. ㉤설득하던 장교는, 증오에 찬 눈초리로 명준을 노려보면서, 내뱉었다. / "좋아."
(제국주의자: 다른 나라나 민족을 정벌하여 대국가를 건설하려는 침략주의적 경향을 지닌 사람. 여기서는 남한이나 유엔 측 사람을 이름)

나 "지식인일수록 불만이 많은 법입니다. 그러나, 그렇다고 제 몸을 없애 버리겠습니까? 종기가 났다고 말이지요. 당신 한 사람을 잃는 건, 무식한 사람 열을 잃은 것보다 더 큰 민족의 손실입니다. 당신은 아직 젊습니다. 우리 사회에는 할 일이 태산 같습니다. 나는 당신보다 나이를 약간 더 먹었다는 의미에서, 친구로서 충고하고 싶습니다. 조국의 품으로 돌아와서, 조국을 재건하는 일꾼이 돼 주십시오. 낯선 땅에 가서 고생하느니, 그쪽이 당신 개인으로서도 행복이라는 걸 믿어 의심치 않습니다. 나는 당신을 처
(재건하는: 허물어진 건물이나 조직 따위를 다시 일으켜 세우는)

음 보았을 때, 대단히 인상이 마음에 들었습니다. 뭐 어떻게 생각지 마십시오. 나는 동생처럼 여겨졌다는 말입니다. 만일 남한에 오는 경우에, 개인적인 조력을 제공할 용의가 있습니다. 어떻습니까?"

명준은 고개를 쳐들고, 반듯하게 된 천막 천장을 올려다본다. 한층 가락을 낮춘 목소리로 혼잣말 외듯 나직이 말할 것이다. / "중립국."

설득자는, 손에 들었던 연필 꼭지로, 테이블을 툭 치면서, 곁에 앉은 미군을 돌아볼 것이다. 미군은, 어깨를 추스르며, 눈을 찡긋하고 웃겠지.

[01~02] 다음 설명이 맞으면 ○, 틀리면 ×표 하시오.

01 이 작품은 인물이 실제 겪은 일과 인물이 상상한 일을 병치하여 제시하고 있다. (○, ×)

02 명준은 남한 측과 북한 측에서 제시한 조건을 묵묵히 듣고 자신에게 유리한 방향으로 결정하고자 한다. (○, ×)

[03~04] 다음 빈칸에 들어갈 알맞은 말을 쓰시오.

03 (나)에서 설득자는 '제 몸'과 '[ㅈ][ㄱ]'에 비유하여 당시 남한 사회의 현실을 드러내고 있다.

04 남한 측은 명준에게 [ㅈ][ㅅ][ㅇ]으로서의 조국에 대한 의무를 앞세워 설득하고 있다.

인물·사건

05 (가)에서 북한 측이 명준을 설득하기 위해 내세운 근거로 적절하지 않은 것은?

① 참전 용사로서의 명예를 강조하고 있다.
② 자본주의 국가의 부정적인 측면을 제시하고 있다.
③ 북한에서 누릴 수 있는 제도적 권리를 알려 주고 있다.
④ 잘못한 일이 있더라도 보복 행위는 없을 것이라며 안심시키고 있다.
⑤ 조국에 바친 충성을 높이 평가하여 일을 하지 않아도 존경받을 수 있음을 약속하고 있다.

인물·사건

06 ㉠~㉤에 대한 설명으로 적절하지 않은 것은?

① ㉠: 명준에게 긍정적인 인상을 주기 위한 의도가 담겨 있다.
② ㉡: 무거운 분위기로 인해 명준의 몸이 경직되어 있음을 알 수 있다.
③ ㉢: 명준을 설득하기 위해 적극적인 태도를 보이고 있다.
④ ㉣: 명준이 신중하게 결정해야 할 사안임을 일깨우고 있다.
⑤ ㉤: 설득에 실패하자 명준에게 적대적인 태도를 보이고 있다.

인물·사건

07 ⓐ를 통해 알 수 있는 명준의 태도로 가장 적절한 것은?

① 상대를 설득함
② 현실에 순응함
③ 결심이 단호함
④ 세상일에 초월함
⑤ 지난 삶을 성찰함

서술

08 윗글의 서술상 특징으로 가장 적절한 것은?

① 대화와 행동을 통해 장면을 제시하고 있다.
② 이야기 속의 서술자가 상황을 전달하고 있다.
③ 과거 시제를 사용하여 회상 형식으로 서술하고 있다.
④ 인물의 내면 심리에 대한 서술을 중심으로 전개하고 있다.
⑤ 잦은 장면의 전환을 통해 사건의 긴장감을 고조시키고 있다.

독해쌤 속닥속닥

다 나오는 문 앞에서, 서기의 책상 위에 놓인 명부에 이름을 적고 천막을 나서자, ㉠그는 마치 재채기를 참았던 사람처럼 몸을 벌떡 뒤로 젖히면서, 마음껏 웃음을 터뜨렸다. 눈물이 찔끔찔끔 번지고, 침이 걸려서 캑캑거리면서도 그의 웃음은 멎지 않았다.

준다고 바다를 마실 수는 없는 일. 사람이 마시기는 한 사발의 물. 준다는 것도 허황하고 가지거니 함도 철없는 일. 바다와 한 잔의 물. 그 사이에 놓인 골짜기와 눈물과 땀과 피. ㉮그것을 셈할 줄 모르는 데 잘못이 있었다. 세상에서 뒤진 가난한 땅에 자란 지식 노동자의 슬픈 환상. ㉡과학을 믿은 게 아니라 마술을 믿었던 게지. 바다를 한잔의 영생수로 바꿔 준다는 마술사의 말을. 그들은 뻔히 알면서 권력이라는 약을 팔려고 말로 속인 꼬임을. 어리석게 신비한 술잔을 찾아 나섰다가, 낌새를 차리고 항구를 돌아보자, 그들은 항구를 차지하고 움직이지 않고 있었다. ㉢참을 알고 돌아온 바다의 난파자들을 그들은 감옥에 가둘 것이다. 못된 균을 옮기지 않기 위해서. 역사는 소걸음으로 움직인다. 사람의 커다란 모순과 업(業)에 비기면, 아무 자국도 못 낸 것이나 마찬가지다. 당대까지 사람이 만들어 낸 물질 생산의 수확을 고르게 나누는 것만이 모든 시대에 두루 맞는 가능한 일이다. 마찬가지 아닌가. 벌써 아득한 옛날부터 사람 동네가 알아낸 슬기. 사람이라는 조건에서 비롯하는 슬픔과 기쁨을 고루 나누는 것. 그래 봐야, 사람의 조건이 아직도 풀어 나가야 할 어려움의 크기에 대면, 아무것도 아니다. 사람이 이루어 놓은 것에 눈을 돌리지 않고, 이루어야 할 것에만 눈을 돌리면, 그 자리에서 그는 삶의 힘을 잃는다. 사람이 풀어야 할 일을 한눈에 보여 주는 것— 그것이 '죽음'이다. 은혜의 죽음을 당했을 때, 이명준 배에서는 마지막 돛대가 부러진 셈이다. 이제 이루어 놓은 것에 눈을 돌리면서 살 수 있는 힘이 남아 있지 않다. 팔자소관으로 빨리 늙는 사람도 있는 법이었다. 사람마다 다르게 마련된 몸의 길, 마음의 길, 무리의 길. 대일 언덕 없는 난파꾼은 항구를 잊어버리기로 하고 물결 따라 나선다. 환상의 술에 취해 보지 못한 섬에 닿기를 바라며. 그리고 그 섬에서 환상 없는 삶을 살기 위해서. 무서운 것을 너무 빨리 본 탓으로 지쳐 빠진 몸이, 자연의 수명을 다하기를 기다리면서 쉬기 위해서. ㉣그렇게 해서 결정한, 중립국행이었다.

◆ 이데올로기에 대한 명준의 깨달음이 제시된 부분이에요. '바다'를 준다는 약속, '바다'를 '영생수'로 바꿔 준다는 약속 등은 북한이나 남한의 권력자들이 제시하는 이데올로기의 허황된 유토피아일 뿐이라는 거예요. 명준은 이를 '마술'에 빗대고 있네요.

라 중립국. 아무도 나를 아는 사람이 없는 땅. ㉤하루 종일 거리를 싸다닌대도 어깨 한 번 치는 사람이 없는 거리. 내가 어떤 사람이었던지도 모를 뿐더러 알려고 하는 사람도 없다.

◆ (라)에서 명준이 살고자 한 중립국의 삶의 모습을 알 수 있어요. 명준은 이데올로기의 허상과 대립에서 벗어나 자연 그대로의 일상적인 삶을 살고자 했군요.

절정 | 명준은 포로수용소에서 석방될 때 남한과 북한 어느 쪽도 선택하지 않고 중립국만 고집함

확인 문제

[01~04] 다음 설명이 맞으면 ○, 틀리면 ×표 하시오.

01 명준에게 은혜는 매우 중요한 존재였다. (○, ×)

02 명준은 자신이 지나온 삶을 긍정하려고 노력하고 있다. (○, ×)

03 (다)에 나타난 명준의 '웃음'은 자신의 신세에 대한 자조라고 볼 수 있다. (○, ×)

04 명준은 남한과 북한의 문제점이 해소된 공간인 중립국에서의 새로운 삶을 희망하고 있다. (○, ×)

[05~08] 다음 빈칸에 들어갈 알맞은 말을 쓰시오.

05 'ㅁㅅㅅ'는 남한과 북한의 권력자들을 상징한다.

06 '바다'와 대비되는 '한 잔의 ㅁ'은 개인이 경험하는 현실에 해당한다.

07 'ㄴㅍㄲ'은 명준 자신으로, 이데올로기의 환상이 허황됨을 알아차린 존재이다.

08 'ㅂㄷ'는 허황된 것으로, 남한과 북한이 주장하는 이상적인 이데올로기를 의미한다.

인물·사건

09 ㉮의 구체적인 내용으로 가장 적절한 것은?

① 이상적인 것에만 집착하여 현실을 망각한 데에 잘못이 있었다.
② 이데올로기의 실현을 끝까지 추구하지 못한 데에 잘못이 있었다.
③ 현실의 문제를 고민만 하다가 해결하지 못한 데에 잘못이 있었다.
④ 자신만을 생각하고 주변 상황을 돌아보지 않은 데에 잘못이 있었다.
⑤ 지식인으로서 가난한 사람들을 돌봐야 하는 의무를 저버린 데에 잘못이 있었다.

서술

10 윗글의 서술상 특징으로 가장 적절한 것은?

① 현실과 꿈의 세계를 교차하여 몽환적 분위기를 조성하고 있다.
② 서술자가 관찰자의 입장에서 사건 이해에 필요한 단서를 제공하고 있다.
③ 인물의 의식에 초점을 맞추어 현실에 대한 관념적 인식을 드러내고 있다.
④ 동시에 벌어진 사건들을 삽화처럼 나열하여 이야기의 흐름을 지연시키고 있다.
⑤ 과거와 현재를 매개하는 경험을 제시하여 인물이 겪는 인식의 변화를 나타내고 있다.

수능형 인물·사건 + 주제

11 〈보기〉를 참고하여 윗글의 ㉠~㉤에 대해 이해한 내용으로 적절하지 <u>않은</u> 것은?

보기

최인훈의 「광장」은 이념 대립의 문제를 정면으로 파헤친 전후 분단 소설이다. 남한과 북한 간 이념의 극명한 대립 구도는 한반도의 분단을 일으키는 원인이 되었으며, 남북한 각 체제 내의 사회적 모순과 문제점을 비판하고 고발하는 것을 어렵게 만들었다. 「광장」은 그러한 이념 대립의 시대적 상황에 문제를 제기하고, 이를 극복하기 위한 비판적 대안을 제시하고자 하였다.

① ㉠은 명준이 중립국 선택을 마치고 보인 반응이야. 이념적 선택을 강요하는 억압적 상황에서 벗어난 명준의 심정이 드러나 있어.
② ㉡은 환상으로 사람들을 꾀는 마술사의 속임수에 빗대어 현실을 비꼬는 말이야. 현실의 문제를 감추거나 왜곡했던 체제에 대한 명준의 냉소적 태도가 담긴 표현이야.
③ ㉢은 권력자들의 부정적 행태를 빗대어 말하고 있어. 사회적 모순을 깨달은 이들을 감추려는 권력에 대한 명준의 비판 의식이 드러나 있어.
④ ㉣은 명준의 선택이 제시되어 있어. 이념 대립의 현실을 극복하기 위해 개인의 이익을 희생하는 지식인의 실천적 의지를 보여 주는 것이야.
⑤ ㉤은 일상적 삶을 자유롭게 누릴 수 있는 사회의 모습이야. 이념적 대립 구도에 갇힌 현실에 대한 대안으로 볼 수 있어.

광장 ③

결말

마 ㉠복도로 나선다. 복도에도 인기척은 없다. 선장실로 올라간다. 선장은 없다. 벽장문을 연다. 총이 제자리에 세워져 있다. 벽장문을 닫는다. 서랍을 열고, 아까 선장이 들어오는 바람에 미처 돌려놓지 못한 총알을 제자리에 놓는다. 몹시 중요한 일을 마친 사람처럼, 홀가분해진다. 테이블로 가서 해도를 들여다본다. 이 배가 밟아 온 자국이 연필로 그려져 있다. 선장이 하는 것처럼 컴퍼스를 손가락으로 꼬나 잡고, 해도 위를 재 보는 시늉을 한다. 한참 장난을 하다가 컴퍼스를 던져 버린다. 그때 여태까지 한 손에 부채를 들고 있었다는 사실을 처음 안다.

해도: 바다의 상태를 자세히 적어 넣은 항해용 지도

아까, 침대에서 손에 잡힌 대로, 들고 온 것이다. 의자에 걸터앉아서 부채를 쭉 편다. 바다가 있고, 갈매기가 있는 그림이 그려져 있다. 부채를 접었다 폈다 하다가, 스르르 눈을 감는다. 머릿속으로 허허한 벌판이 끝없이 열리며, 희미한 모습이 해돋이처럼 차츰 떠올라 온다.

◆ 명준은 부채를 펴고 그 안에 그려져 있는 바다와 갈매기 그림을 봅니다. 명준은 부채에 자신의 삶이 그려져 있다고 생각하고 자신의 삶을 되돌아보게 됩니다. 이후 (바)에서는 명준이 자신의 삶을 회상하는 내용이 이어져요.

바 ……펼쳐진 부채가 있다. 부채의 끝 넓은 테두리 쪽을, 철학과 학생 이명준이 걸어간다. 가을이다. 겨드랑이에 낀 대학 신문을 꺼내 들여다본다. 약간 자랑스러운 듯이. 여자를 깔보지는 않아도, 알 수 없는 동물이라고 여기고 있다.

책을 모으고, 미라를 구경하러 다닌다.

정치는 경멸하고 있다. 그 경멸은 실은 강한 관심과 아버지 일 때문에 그런 모양으로 나타난 것인 줄은 알고 있다. 다음에, 부채의 안쪽 좀 더 좁은 너비에, 바다가 보이는 분지가 있다. 거기서 보면 갈매기가 날고 있다. 윤애에게 말하고 있다. 윤애 날 믿어 줘. 알몸으로 날 믿어 줘. 고기 썩는 냄새가 역한 배 안에서 물결에 흔들리다가 깜빡 잠든 사이에, 유토피아의 꿈을 꾸고 있는 그 자신이 있다. 조선인 콜호스 숙소의 창에서 불타는 저녁놀의 힘을 부러운 듯이 바라보고 있는 그도 있다. 구겨진 바바리코트 속에 시래기처럼 바랜 심장을 하고 은혜가 기다리는 하숙으로 돌아가고 있는 9월의 어느 저녁이 있다. 도어에 뒤통수를 부딪히면서 악마도 되지 못한 자기를 언제까지나 웃고 있는 그가 있다. 그의 삶의 터는 부채꼴, 넓은 데서 점점 안으로 오므라들고 있었다. 마지막으로 은혜와 둘이 안고 뒹굴던 동굴이 그 부채꼴 위에 있다. 사람이 안고 뒹구는 목숨의 꿈이 다르지 않느니. 어디선가 그런 소리도 들렸다. 그는 지금, 부채의 사북 자리에 서 있다. 삶의 광장은 좁아지다 못해 끝내 그의 두 발바닥이 차지하는 넓이가 되고 말았다. 자 이제는? 모르는 나라, 아무도 자기를 알 리 없는 먼 나라로 가서, 전혀 새사람이 되기 위해 이 배를 탔다. 사람은, 모르는 사람들 사이에서는, 자기 성격까지도 마음대로 골라잡을 수도 있다고 믿는다. 성격을 골라잡다니! 모든 일이 잘 될 터이었다. 다만 한 가지만 없었다면. 그는 두 마리 새들을 방금까지 알아보지 못한 것이었다. 무덤 속에서 몸을 푼 한 여자의 용기를, 방금 태어난 아기를 한 팔로 보듬고 다른 팔로 무덤을 깨뜨리고 하늘 높이 치솟는 여자를, 그리고 마침내 그를 찾아내고야 만 그들의 사랑을.

유토피아: 이상향. 인간이 생각할 수 있는 최선의 상태를 갖춘 완전한 사회

콜호스: 소련의 집단 농장

사북: 접었다 폈다 하는 부채의 아랫머리나 가위 다리의 교차된 곳에 박아 돌쩌귀처럼 쓰이는 물건

◆ (바)에서는 부채를 통해 명준의 삶이 제시되고 있어요. 부채의 모양을 떠올려 보면 부채 끝의 테두리는 제일 넓고 안쪽으로 들어올수록 좁아지다가 부채살이 모두 모여 교차되는데, 교차된 곳이 사북 자리로, 이곳이 부채에서 가장 좁은 부분이에요. 남한에서 명준의 대학생 시절이 부채 끝의 넓은 테두리 부분에 해당되고, 월북한 이후의 삶이 중간 부분, 전쟁에 참전한 이후의 삶이 더 좁은 부채의 안쪽 부분에 해당됩니다. 마지막으로 중립국행 배 위에 있는 현재가 사북 자리에 해당되는데, 이는 명준의 삶의 광장이 점점 줄어들어 현재 막다른 상황에 온 것임을 의미하는 것이기도 해요.

확인 문제

[01~03] 다음 설명이 맞으면 ○, 틀리면 ×표 하시오.

01 (마)의 '스르르 눈을 감는다'는 명준이 상념에 빠짐을 나타내고 있다. (○, ×)

02 이 작품에서 명준은 먼 나라에서 성격도 달라진 새 사람이 되기 위해 배를 탔다. (○, ×)

03 (바)에 제시된 '두 마리 새들'은 현재의 명준과 북한에서의 명준을 의미한다. (○, ×)

[04~07] 다음 빈칸에 들어갈 알맞은 말을 쓰시오.

04 이 작품에서 명준이 월북한 이유가 ㅇㅌㅍㅇ의 꿈 때문임을 알 수 있다.

05 이 작품에서 ㅂㅊ는 명준이 과거를 회상하는 매개체의 역할을 한다.

06 ㅅㅂ 자리는 명준이 현재 더이상 물러설 곳이 없는 극한의 상황임을 비유적으로 나타낸 공간이다.

07 (바)에 제시된 '시래기처럼 ㅂㄹ ㅅㅈ'은 월북한 명준이 북한 사회에 대해서도 실망하고 절망감에 빠져 있음을 비유적으로 나타낸 표현이다.

인물·사건 + 서술

08 ㉠에 대한 이해로 가장 적절한 것은?

① 선장의 뒤를 좇는 명준의 행동을 통해 위기감이 증폭되고 있다.
② 명준의 행동을 짧은 문장으로 서술하여 불안한 심리를 드러내고 있다.
③ 시간 순서대로 명준의 행위를 제시하여 상황의 긴박감을 표현하고 있다.
④ 공간 이동의 과정을 제시하여 선장을 만나기 위한 명준의 노력을 드러내고 있다.
⑤ 복도의 분위기를 연속적으로 제시하여 명준이 처한 상황의 어려움을 나타내고 있다.

서술

09 윗글의 서술상 특징으로 가장 적절한 것은?

① 인물의 외양을 세밀하게 묘사하여 인물의 입체적 성격을 부각하고 있다.
② 인물의 내면 의식을 제시하면서 회상을 통해 과거와 현재를 연결하고 있다.
③ 이야기 내부의 서술자가 인물의 행위를 관찰하며 사건의 원인을 추리하고 있다.
④ 공간의 이동에 따라 서술자를 달리하여 사건에 대한 다양한 관점을 서술하고 있다.
⑤ 요약적 진술로 사건의 경과를 드러내면서 인물 간의 갈등 해소 과정을 제시하고 있다.

수능형 인물·사건

10 <보기>를 바탕으로 윗글을 이해한 내용으로 적절하지 않은 것은?

> 보기
>
> 이 작품에서 '부채'의 각 부분은 주인공인 명준의 삶의 과정을 상징적으로 나타내고 있다. 명준이 살아온 과정에서 ⓐ남한에서의 대학 시절, ⓑ월북해 은혜와 함께 생활하던 시절, ⓒ인민군 장교로 전쟁에 참전한 낙동강 전선에서 은혜와의 극적인 재회, ⓓ중립국행 배를 탄 상황 등이 부채의 네 부분으로 각각 표상되어 제시되고 있다.

① ⓐ는 '부채의 끝 넓은 테두리' 부분으로 표상되어 있으며, 대학생인 명준이 자신의 모습에 대해 자랑스러운 마음을 품고 정치를 경멸했던 때로 서술되고 있군.
② ⓑ는 '부채의 안쪽 좀 더 좁은 너비' 부분으로 표상되어 있으며, 유토피아의 꿈을 꾸기도 하고 하숙집에서 은혜와의 만남을 가졌던 때로 서술되고 있군.
③ ⓒ는 '부채의 사북 자리'에 가까운 '부채꼴'의 안쪽 부분으로 표상되어 있으며, 명준이 은혜와 함께 동굴에서 시간을 보낸 때로 서술되고 있군.
④ ⓓ는 '부채의 사북 자리'로 표상되어 있으며, 명준이 느꼈던 삶의 위기감이 해소되기 시작한 때로 서술되고 있군.
⑤ ⓐ에서 ⓑ를 거쳐 ⓒ로 전개된 삶의 과정은 부채의 각 부분과 연계되어 명준의 '삶의 광장'이 점점 줄어드는 과정을 나타내고 있군.

광장 ④

사 돌아서서 마스트를 올려다본다. 그들은 보이지 않는다. 바다를 본다. 큰 새와 꼬마 새는 바다를 향하여 미끄러지듯 내려오고 있다. 바다. 그녀들이 마음껏 날아다니는 광장을 명준은 처음 알아본다. ㉠부채꼴 사북까지 뒷걸음질친 그는 지금 핑그르르 뒤로 돌아선다. 제정신이 든 눈에 비친 ㉡푸른 광장이 거기 있다.

(마스트: 배의 중심선상의 갑판에 수직으로 세운 기둥)

자기가 무엇에 홀려 있음을 깨닫는다. 그 넉넉한 뱃길에 여태껏 알아보지 못하고, 숨바꼭질을 하고 피하려 하고 총으로 쏘려고까지 한 일을 생각하면, 무엇에 씌었던 게 틀림없다. 큰일 날 뻔했다. 큰 새 작은 새는 좋아서 미칠 듯이, 물속에 가라앉을 듯, 탁 스치고 지나가는가 하면, 되돌아오면서, 그렇다고 한다. 무덤을 이기고 온, 못 잊을 고운 각시들이, 손짓해 부른다. 내 딸아. 비로소 마음이 놓인다. 옛날, 어느 벌판에서 겪은 신 내림이, 문득 떠오른다. 그러자, 언젠가 전에, 이렇게 마음이 놓이던 일이 떠올랐다. 거울 속에 비친 남자는 활짝 웃고 있다.

◆ 명준이 '자기가 무엇에 홀려 있음을 깨닫는다'고 한 것은 무슨 뜻일까요? 이 지문에는 제시되지 않은 앞부분에서 명준은 배 위에서 맨 처음 바닷새를 보게 돼요. 이때 바닷새가 자신을 감시한다고 생각하여 총으로 쏘려고 하는 내용이 나옵니다. 그런데 지금은 이 새들에 대한 인식이 바뀌었네요? 그래서 이 새들을 알아보지 못하고 그런 행동을 했던 과거의 자신이 무엇에 홀려 있었던 것이라고, 무엇에 씌었던 게 틀림없다고 말하는 거예요.

아 밤중.

선장은 문을 두드리는 소리에 잠자리에서 몸을 일으켰다. 얼른 손목에 찬 야광 시계를 보았다. 마카오에 닿자면 아직 일렀다.

"무슨 일이야?"

"석방자가 한 사람 행방불명이 됐습니다."

"응?"

"지금 같은 방에 있는 사람이 신고해 와서, 인원을 파악해 봤습니다만, 배 안에는 보이지 않습니다."

선장은 계단을 내려가면서 물었다.

"누구야, 없다는 게?"

"미스터 리 말입니다."

자 이튿날.

타고르 호는, 흰 페인트로 말쑥하게 칠한 3,000톤의 몸을 떨면서, 한 사람의 손님을 잃어버린 채 물체처럼 빼곡이 들어찬 남중국 바다의 훈김을 헤치며 미끄러져 간다.

흰 바닷새들의 그림자는 보이지 않는다. 마스트에도, 그 언저리 바다에도, 아마, 마카오에서, 다른 데로 가 버린 모양이다.

결말 | 중립국인 인도로 향하는 타고르 호에서 명준이 바다에 투신함

[01~02] 다음 설명이 맞으면 ○, 틀리면 ×표 하시오.

01 (사)에서는 새들에 대한 명준의 인식의 전환이 나타나고 있다. (○, ×)

02 (아)에서는 명준이 바다에 투신했음을 직접적으로 드러내고 있다. (○, ×)

[03~04] 다음 빈칸에 들어갈 알맞은 말을 쓰시오.

03 (사)에서 '거울 속에 비친 남자'는 ㅁㅈ 자신을 가리킨다.

04 명준은 바다에서 본 ㅋ ㅅ와 ㄲㅁ ㅅ를 각각 은혜와 자신의 딸로 여기고 있다.

인물·사건

05 ㉠에 대한 설명으로 가장 적절한 것은?

① 자신의 선택이 옳은 것인지 계속해서 고민하고 있음을 나타낸다.
② 더 이상 물러날 곳이 없는 상황에서 새로운 인식을 하게 됨을 나타낸다.
③ 현실적인 상황에서 더 이상 물러설 곳이 없어서 위축된 마음 상태를 나타낸다.
④ 자신에게 주어진 상황에 맞서서 극복하려는 의지를 가지게 되었음을 나타낸다.
⑤ 인생의 갈림길에서 어떤 것을 택해야 할지 심리적인 갈등에 휩싸였음을 나타낸다.

배경·소재

06 명준이 파악하는 ㉡의 의미로 적절하지 않은 것은?

① 바람직하다고 인식하는 공간
② 남한과 북한에서 자신이 찾고자 한 공간
③ 개인적 삶과 사회적 삶이 공존하는 공간
④ 사랑하는 존재들과 함께할 수 있는 공간
⑤ 잃어버린 사회적 지위를 회복할 수 있는 공간

인물·사건

07 윗글에서 명준의 죽음이 갖는 의미로 적절하지 않은 것은?

① 이데올로기의 허상에서 벗어나고자 하는 행위이다.
② 사회적 무관심에서 탈피하고자 하는 처절한 몸부림이다.
③ 이념 선택의 한계와 남북한의 현실에 대한 비판적 인식이 담겨 있다.
④ 남한과 북한에서는 이룰 수 없었던 진정한 사랑의 성취를 보여 주고 있다.
⑤ 중립국으로 가는 것 역시 진정한 해결책이 될 수 없다는 인식이 반영되어 있다.

수능형

주제

08 <보기>를 참고하여 윗글을 이해한 내용으로 적절하지 않은 것은?

보기

이 작품에서는 남한과 북한 사회에 대한 명준의 인식을 '광장'과 '밀실'이라는 개념을 통해 제시하고 있다. 명준에게 남한은 사회적 소통이 이루어지는 광장은 없고, 타락과 방종에 가까운 개인의 자유만 있는 밀실만 존재하는 곳으로 인식된다. 이에 반해 북한은 모든 사회적 결정이 공동의 이념을 바탕으로 강요되는 광장만 있고, 개인적 자유를 추구할 수 있는 밀실은 없는 곳으로 인식된다. 명준은 활발한 사회적 소통이 이루어지면서 개인이 자유로운 삶을 살아가는 이상 사회를 꿈꾸었기에, 북한과 남한의 정치 현실을 모두 부정적으로 바라보았다.

① 명준은 '광장'과 '밀실' 이외의 공간의 필요성을 제기하고 있다.
② '밀실'은 인간이 자유를 누릴 수 있는 개인적 삶의 공간이다.
③ '광장'은 인간이 공동체의 이념을 추구할 수 있는 사회적 삶의 공간이다.
④ '광장'과 '밀실' 중 어느 한쪽에 치우치지 않는 곳이 바람직한 삶의 공간이다.
⑤ 명준은 북한과 남한 사회 모두 진정한 '광장'과 '밀실'이 존재하지 않는다고 생각하고 있다.

작품 전체

발단	전개	위기	절정✲	결말✲
명준은 월북한 아버지 때문에 경찰에 끌려가 고초를 겪고 남한 사회에 환멸을 느껴 월북함	명준은 월북 후 기자로 생활하지만 북한 사회의 왜곡된 이념과 부자유에 환멸을 느낌	6·25 전쟁에 인민군 장교로 참전한 명준은 은혜와 재회하지만, 은혜는 죽고 명준은 포로가 됨	포로 교환 심사를 받는 명준은 남한도 북한도 아닌 ❶ㅈ ㄹ ㄱ을 선택함	중립국인 인도로 가는 배 안에서 명준이 ❷ㅂ ㄷ로 투신함

✲: 교재 수록 부분

작품 압축

■ 작품에 나타난 남북한의 문제

남한	북한
부패한 자본주의와 방탕한 ❸ㅈ ㅇ만 있어, 사회적 소통이 부족함	이념에 사로잡힌 엄격한 사회 속에서 국민을 억압하고 통제할 뿐 개인의 자유가 없음

⇓

명준이 추구하는 이상향

개인적 삶과 사회적 삶이 조화롭게 공존하는 사회

■ 명준의 선택과 그 의미

명준의 선택은 남한과 북한의 정치 현실에 대한 비판적 의미가 담겨 있다.

중립국	남북한 사회 어느 쪽에서도 인간다운 삶을 충족하기 어렵다고 판단하여 ❹ㅇ ㄴ의 갈등이 없는 중립국을 선택함
바다에 투신	• 이념이 배제된 사랑과 자유가 존재하는 자신의 참된 광장(바다)을 발견함 • 절망 속에서의 체념이라는 소극적·부정적인 선택을 의미함

■ '바다'와 '한 사발의 물'의 의미

'바다'와 '한 사발의 물'의 차이를 통해서 이상과 현실의 괴리를 말하고 있다.

구분	내용	의미
바다	• 푸르고 넓은 이상적인 대상 • 바다의 물을 준다고 사람이 그 물을 다 마실 수는 없음	이념의 허상, 허황된 유토피아
한 사발의 물	• 바다에 비해 보잘것없는 대상 • 삶에 꼭 필요하고 가치 있는 것	개인이 경험하는 실제 현실

■ 소재의 상징적 의미

❺ㅂ ㅊ	진정한 광장을 찾아 나섰던 명준의 삶의 모습 전체
사북 자리	더 이상 물러설 수 없는 삶의 극한점이자 새로운 삶을 모색할 수밖에 없는 인식의 전환점
두 마리 ❻ㅅ	죽은 은혜와 태어나지 못한 명준의 딸
푸른 광장	• 은혜와 딸을 표상하는 새들이 자유롭게 날아다니는 공간 • 이념이 배제된 사랑과 자유가 존재하는 참된 광장

• 정답과 해설 29쪽

어휘력 테스트

1 다음 괄호 안에 들어갈 단어를 〈보기〉에서 골라 써 보자.

보기
경멸 　 낌새 　 참전 　 포로

(1) 그는 전쟁 중에 적에게 사로잡혀 (　　　　)가 되었다.

(2) 나는 다른 사람에게 그런 (　　　　)을 받을 만한 행동은 하지 않았다.

(3) 우리 할아버지는 전쟁에 (　　　　)하고 돌아온 후 심각한 신경과민 증세에 시달리셨다.

(4) 날이 어두워지고 있었지만 어머니가 돌아오고 있는 듯한 (　　　　)는 전혀 보이지 않았다.

2 다음 단어의 뜻을 참고하여 끝말잇기를 완성해 보자.

- 광□ : 많은 사람이 모일 수 있게 거리에 만들어 놓은 넓은 빈터
- □소 : 어떤 일이 이루어지거나 일어나는 곳
- 소□ : 글의 내용이 되는 재료
- □□기 : 코 안의 신경이 자극을 받아 갑자기 코로 숨을 내뿜는 일
- 기□ : 신문, 잡지, 방송 따위에 실을 기사를 취재하여 쓰거나 편집하는 사람
- □□ : 자기를 비웃음

독해쌤과 함께하는 감상 넓히기

분단 현실의 아픔을 다룬 작품

이번에 감상한 「광장」은 남과 북의 이념적 대립 상황에서 고뇌하는 한 지식인의 모습을 다루었는데 이러한 갈등은 분단 국가이기 때문에 겪게 되는 아픔이겠지요. 이데올로기의 문제를 한 집안의 갈등을 통해 드러낸 작품과, 분단된 현실의 문제가 극복되기를 바라는 시 작품을 함께 감상해 볼까요?

장마_윤흥길

6·25 전쟁 시기에 국군 아들을 둔 외할머니와 빨치산 아들을 둔 친할머니 간의 갈등을 중심으로, 한 집안에 발생한 이데올로기의 대립과 화해의 과정을 어린 서술자의 시각을 통해 그리고 있는 작품입니다.

껍데기는 가라_신동엽

민중의 힘을 보여 줬던 4·19 혁명과 동학 농민 운동의 순수한 정신을 이어받아 조국의 분단된 현실이 극복되기를 염원하고 있는 작품입니다.

아홉 켤레의 구두로 남은 사내 1 _ 윤흥길

살아가면서 자존심에 상처를 입었던 적이 있나요? 누구나 자존심을 지키며 살아가고 싶을 텐데요. 이 작품의 주인공 권 씨 역시 자존심을 목숨처럼 여기는 사람이에요. 작품을 읽으며 권 씨에게 구두가 갖는 의미는 무엇인지, 그가 집을 나간 후 돌아오지 않은 이유는 무엇일지 생각하며 작품을 감상해 볼까요?

독해쌤의 감상 질문

1. 인물·사건 • 권 씨와 '나'의 말이나 행동에서 드러나는 성격은 어떠한가요?
   • 권 씨에 대한 '나'의 태도는 어떠한가요?
2. 배경·소재 '구두'의 상징적 의미는 무엇인가요?
3. 주제 이 작품의 시대적 배경과 주제는 무엇인가요?

앞부분 줄거리 초등학교 교사인 '나'는 셋방살이를 하다가 어렵게 집을 장만하고, 문간방에 세를 놓는데, 권 씨 가족이 전세금도 다 내지 못한 채 들어온다. 어느 날 '나'는 권 씨로부터 전과자가 된 사연을 듣는다. 출판사에 다니던 권 씨는 집을 장만하기 위해 철거민의 입주권을 샀지만 당국의 부당한 조치로 어려운 상황에 처하게 되고, 비슷한 처지의 사람들이 조직한 투쟁 위원회의 생존권 투쟁에 휘말려 징역을 살았다는 것이다. 경찰의 감시 대상이 된 권 씨는 일자리를 구하지 못한 채 막일을 하며 궁핍하게 산다. 얼마 후 권 씨는 해산일에 진통이 길어진 아내를 업고 병원으로 간다.

위기

가 오후 수업이 시작된 바로 뒤에 뜻밖에도 권 씨가 나를 찾아왔다. 때마침 나는 수업이 없어 교무실에서 잡담이나 하고 있는 중이어서 수위로부터 연락을 받자 곧장 학교 정문으로 나갈 수가 있었다. / "바쁘실 텐데 이거 죄송합니다."

권 씨는 애써 웃는 낯이었고 왠지 사람이 전에 없이 퍽 수줍어 보였다. 나는 그 수줍음이 세 번째 아이의 아버지가 된 데서 오는 것일 거라고 좋은 쪽으로만 해석함으로써 연락을 받는 그 순간에 느낀 불길한 예감을 떨쳐 버리려 했다. / "잘됐습니까?"

"뒤늦게나마 오 선생 말씀대로 했기 망정(괜찮거나 잘된 일이라는 뜻을 나타내는 말)이지 끝까지 집에서 버텼다간 큰일 날 뻔했습니다. 녀석인지 년인지 모르지만 못난 애비 혼 좀 나 보라고 여엉 애를 멕이는군요."

권 씨는 수줍게 웃으며 길바닥 위에다 발부리(발끝의 뾰족한 부분)로 뜻 모를 글씬지 그림인지를 자꾸만 그렸다. 먼지가 풀풀 이는 언덕길을 터벌터벌(천천히 힘없는 걸음으로 걷는 모양) 올라왔을 터인데도 ㉠그의 구두는 놀랄 만큼 반짝거렸다. 나를 기다리는 동안 틀림없이 바짓가랑이 뒤쪽에다 양쪽 발을 번갈아 가며 문지르고 있었을 것이었다. / ㉡"십만 원 가까이 빌릴 수 없을까요!" / 밑도 끝도 없이 ㉢그는 이제까지의 수줍음이 싹 가시고 대신 도발(남을 집적거려 일이 일어나게 하는 것)적인 감정 같은 걸로 그득 채워진 얼굴을 들어 내 면전에 대고 부르짖었다. 담배 한 대만 꾸자는 식으로 십만 원 소리가 허망히도 나왔다. 내가 잠시 어리둥절해 있는 사이에 그는 매우 사나운 기세로 말을 보태는 것이었다.

"수술을 해야 된답니다. 엑스레이도 찍어 봤는데 아무 이상이 없답니다. 모든 게 다 정상이래요. 모체 골반두 넉넉허구요. 조기 파수(자궁이 완전히 열리기 전에 양막이 터져 양수가 흘러나오는 일)도 아니구 전치태반(태반이 정상 위치보다 아래쪽에 자리 잡아 자궁문을 막은 상태)도 아니구요. 쌍둥이는 더더욱 아니구요. 이렇게 정상적인 데도 이십사 시간이 넘도록 배가 위에 달라붙는 경우는 태아가 돌다가 탯줄을 목에 감았을 때뿐이랍니다. ㉣제기랄, 탯줄을 목에 감았다는군요. 빨리 손을 쓰지 않으면 산모나 태아나 모두 위험하대요."

나 나는 한동안 망설이지 않을 수 없었다. 그의 진지함 앞에서 '아아, 그거 참 안됐군요.' 라든가 '그래서 어떡하죠.' 하는 상투적(늘 써서 버릇이 되다시피 한 것)인 말로 섣불리 이쪽의 감정을 전달하기엔 사실 말이지 '십만 원 가까이'는 내게 너무나 큰 부담이었다. 집을 살 때 학교에다 진 빚을 아직 절반도 못 가린 처지였다. 정상 분만비 일, 이만 원 정도라면 또 모르지만 단순히 권 씨를 도울 작정으로 나로서는 거금에 해당하는 십만 원 가까이를 또 빚진다는 건 무리도 이만저만이 아니었다. 뿐만 아니라 ⓜ집안에서 경제권을 장악하고 있는 아내의 양해도 없이 멋대로 그런 큰일을 저질러도 괜찮을 만큼 나는 자유롭지도 못했다.

위기 | 권 씨가 '나'에게 아내의 수술비를 빌리러 옴

확인 문제

[01~03] 다음 설명이 맞으면 ○, 틀리면 ×표 하시오.

01 이 작품은 서술자인 '나'가 현실에서 직접 겪은 일을 바탕으로 쓴 소설이다. (○, ×)

02 권 씨는 사전에 약속한 시간에 맞추어 학교로 '나'를 찾아왔다. (○, ×)

03 권 씨는 생존권 투쟁에 휘말려 전과자가 되어 궁핍하게 살아가면서 아내의 수술비를 마련하지 못하는 처지에 놓여 있다. (○, ×)

[04~05] 다음 빈칸에 들어갈 알맞은 말을 쓰시오.

04 권 씨가 '나'를 찾아온 이유는 아내의 [ㅅ][ㅅ][ㅂ]를 빌리기 위해서이다.

05 (나)에는 돈을 빌려 달라는 권 씨의 부탁을 받은 '나'의 [ㄴ][ㅈ] 갈등이 나타나 있다.

인물·사건

06 윗글의 내용과 일치하지 <u>않는</u> 것은?

① '나'는 초등학교 교사로 윤택한 생활을 하고 있다.
② 권 씨는 막일을 하며 어렵게 가족의 생계를 책임지고 있다.
③ 권 씨는 '나'의 권유대로 출산을 앞둔 아내를 병원에 데리고 갔다.
④ '나'는 돈을 빌려 달라는 권 씨의 부탁을 받고 심적 부담을 느끼고 있다.
⑤ 출산 직전에 있는 권 씨의 아내는 수술을 하지 않으면 생명이 위험한 상태이다.

인물·사건

07 ㉠~ⓜ에 대한 설명으로 적절하지 <u>않은</u> 것은?

① ㉠: 어떤 상황에서도 구두를 반짝이게 유지하는 권 씨의 모습에서 자존심을 지키려는 의지가 드러난다.
② ㉡: 권 씨가 '나'를 찾아온 이유가 직접적으로 드러난다.
③ ㉢: '나'에게 비굴하게 보이고 싶지 않은 권 씨의 심리가 드러난다.
④ ㉣: 권 씨의 아내가 돈이 없어서 수술을 받지 못하고 있는 절박한 상황이 드러난다.
⑤ ⓜ: 집안에서 경제권을 장악하고 있는 아내의 눈치를 보는 상황에 대한 '나'의 불만이 드러난다.

주제

08 〈보기〉를 참고하여, 윗글의 창작 의도를 추측한 내용으로 가장 적절한 것은?

보기

1968년부터 서울시는 도시화 정책의 일환으로 광주 대단지(지금의 경기도 성남시)를 조성하여 철거민을 집단 이주시킬 계획을 세웠다. 그러나 이주민의 생업 대책이 마련되지 않은 상태에서 정부는 자급자족 도시를 키우겠다고 선전을 하였고, 이를 믿고 전국 각지에서 사람들이 모여들었으나 정부의 부당한 조치로 인해 주민들이 실업 상태에 빠졌다. 이에 주민들이 투쟁 위원회를 꾸려 대규모 시위를 하는데, 이때 많은 주민과 경찰이 부상당하고 주민 23명이 구속되었다. 이 작품은 이 사건을 배경으로 하고 있다.

① 피해자들 간의 연대가 필요함을 강조하기 위해서
② 도시화로 인해 소외된 사람들의 삶과 현실의 문제를 지적하기 위해서
③ 정부의 무계획적인 정책이 경제에 미치는 부정적 영향을 비판하기 위해서
④ 부조리한 현실과 맞서 싸운 사람들의 의지적인 삶의 모습을 널리 알리기 위해서
⑤ 산업 사회에서는 개인의 노력에 따라 삶의 질이 달라질 수 있음을 알려 주기 위해서

아홉 켤레의 구두로 남은 사내 ②

중략 부분 줄거리 '나'는 아내의 수술비를 빌려 달라는 권 씨의 부탁을 거절하였으나, 뒤늦게 자신의 이기심에 부끄러움을 느끼고 어렵게 돈을 모아 권 씨 모르게 권 씨 아내의 수술비를 지불해 준다.

독해쌤 속닥속닥

◆ (다)에는 강도 침입이라는 새로운 사건이 일어나고 있어요. 그런데 강도의 행동이 좀 이상하네요. '나'의 멱을 겨눈 식칼이 덜덜덜 위아래로 춤을 추는 등 강도 짓을 처음 해 보는 사람 같아요. '나'는 강도의 점잖고 조심스러운 태도와 술기운을 빌리지 않고는 남의 집 담을 넘지 못할 초보 강도라는 것, 그의 선한 눈빛과 모자라면서도 어설픈 행동 등을 통해 강도가 권 씨라는 것을 알아차리게 된답니다.

◆ 강도가 권 씨임을 알아차린 '나'가 강도를 대하는 모습이 오히려 당당하고 강도를 걱정해 주는 것처럼 보여요. '나'는 강도에게 돈이 있을 위치를 알려 주고, 돈이 될 만한 것은 챙기라고 하면서 강도를 도와주려는 모습을 보이고 있어요. 또한 '나'는 강도에게 신경질을 부려 보기도 하고, 마누라가 깨서 난처해지기 전에 자신을 믿고 일러 주는 대로 하라고 윽박지르기도 해요. 강도의 행동에 겁에 질려 있어야 할 '나'가 오히려 당당하고 강도를 걱정하는, 주객전도의 상황이 벌어지고 있어요.

절정

다 우리 집에 강도가 든 것은 공교롭게도 그날 밤이었다. 난생 처음 당해 보는 강도였다. ⓐ자꾸만 누군가 내 어깨를 흔들어 대고 있었다. 귀찮다고 뿌리쳐도 잠자코 계속 흔들었다. 나를 깨우려는 손의 감촉이 내 식구의 그것이 아님을 퍼뜩(어떤 생각이 갑자기 아주 순간적으로 떠오르는 모양) 깨닫고 눈을 떴을 때 나는 빨간 꼬마전구 불빛 속에서 복면의 사내를 보았다. 그리고 똑바로 ⓑ내 멱을 겨누고 있는 식칼의 서슬도 보았다. 술 냄새가 확 풍겼다. 조명 빛깔을 감안해서 붉은빛을 띤 검정 계통의 보자기일 복면 위로 드러난 코의 일부와 눈자위가 나우(조금 많이) 취해 있음을 나는 재빨리 간파했다. / "일어나, 얼른 일어나라니까."

ⓒ나 외엔 더 깨우고 싶지 않은지 강도의 목소리는 무척 낮고 조심스러웠다. 나는 일어나고 싶었지만 도무지 일어날 수가 없었다. ⓓ멱을 겨눈 식칼이 덜덜덜 위아래로 춤을 추었다. 만약 강도가 내 목통이라도 찌르게 된다면 그것은 고의(일부러 하는 생각이나 태도)에서가 아니라 지나친 떨림으로 인한 우발적인 상해일 것이었다. ㉠무척 모자라는 강도였다. 나는 복면 위의 눈을 보는 순간에 상대가 그 방면의 전문가가 못 됨을 금방 알아차렸던 것이다. 딴에 진탕(싫증이 날 만큼 아주 많이) 마신 술로 한껏 용기를 돋웠을 텐데도 ⓔ보기 좋을 만큼 큰 눈이 착하게만 타고난 제 천성을 어쩌지 못한 채 나를 퍽 두려워하고 있었다. 술로 간을 키우지 않고는 남의 집 담을 못 넘을 정도라면 강력 범행을 도모하는 사람으로서는 처음부터 미역국이었다.

"일어날 테니까 칼을 약간만 뒤로 물려 주시오." / 강도는 내가 시키는 대로 했다.

"내놔, 얼른 내놓으라니까." / 내가 다 일어나 앉기를 기다려 강도가 속삭였다.

라 "하라는 대로 하죠. 허지만 당신도 내가 하라는 대로 해야만 일이 수월할 거요."

잔뜩 의심을 품고 쏘아보는 강도를 향해 나는 덧붙여 말했다.

"집 안에 현금은 변변찮소(제대로 갖추어지지 못하여 부족한 점이 있다). 화장대 위에 돼지 저금통하고 장롱 서랍 속에 아마 마누라가 쓰다 남은 돈이 약간 있을 거요. 그 밖에 돈이 될 만한 건 당신이 알아서 챙겨 가시오."

[A] 강도가 더욱 의심을 두고 경거히(말이나 행동이 가볍게) 움직이려 하지 않았으므로 나는 시험 삼아 조금 신경질을 부려 보았다. / "마누라가 깨서 한바탕 소동을 벌여야만 시원하겠소? 난처해지기 전에 나를 믿고 일러 주는 대로 하는 게 당신한테 이로울 거요."

한차례 길게 심호흡을 뽑은 다음 강도는 마침내 결심했다는 듯이 이부자리를 돌아 화장대 쪽으로 향했다. 얌전히 구두까지 벗고 양말 바람으로 들어온 강도의 발을 나는 그때 비로소 볼 수 있었다. 내가 그렇게 염려를 했는데도 강도는 와들와들 떨리는 다리를 옮기다가 그만 부주의하게 동준이의 발을 밟은 모양이었다. 동준이가 갑자기 칭얼거리자 그는 질겁을 하고 엎드리더니 녀석의 어깨를 토닥거리는 것이었다. 녀석이 도로 잠들기를 기다려 그는 복면 위로 칙칙하게(방언. 축축하게) 땀이 밴 얼굴을 들고 일어나서 내 위치를 힐끗 확인한 다음 본격적인 작업에 들어갔다. 터지려는 웃음을 꾹 참은 채 강도의 애교스런 행각을 시종(처음부터 끝까지) 주목하고 있던 나는 살그머니 상체를 움직여 동준이를 잠재울 때 이부자리 위에 떨어뜨린 식칼을 집어 들었다.

확인 문제

[01~03] 다음 설명이 맞으면 ○, 틀리면 ×표 하시오.

01 강도는 치밀한 계획을 세우고 '나'의 집에 침입했다. (○, ×)

02 '나'는 서슬이 퍼런 강도의 위협에 두려움을 느끼며 어찌할 바를 모르고 있다. (○, ×)

03 '나'는 강도 스스로 돌아가게 만들려고 일부러 그의 자존심을 건드리고 있다. (○, ×)

[04~05] 다음 빈칸에 들어갈 알맞은 말을 쓰시오.

04 권 씨는 아내의 수술비를 마련하기 위해 ㄱ ㄷ 행각을 벌이고 있다.

05 '나'는 자신의 집에 침입한 강도를 도와주려 하는 등 강도에게 ㅎ ㅇ ㅈ인 태도를 보이고 있다.

실력 문제

인물·사건

06 윗글을 통해 알 수 있는 사실로 적절하지 않은 것은?

① '나'는 강도를 보자마자 그의 정체를 눈치챘다.
② 강도는 술의 힘을 빌려 강도 짓을 할 용기를 내었다.
③ 강도는 자신의 행동에 스스로 겁먹은 모습을 보이고 있다.
④ '나'는 강도가 자신의 집에 침입한 목적을 이루기를 바라고 있다.
⑤ '나'는 강도의 요구에 순순히 응하면서도 강도에게 도리어 충고하고 있다.

인물·사건

07 ⓐ~ⓔ 중, ㉠의 판단 근거로 적절하지 않은 것은?

① ⓐ ② ⓑ ③ ⓒ ④ ⓓ ⑤ ⓔ

서술

08 윗글의 서술상 특징으로 가장 적절한 것은?

① 구체적인 배경 묘사로 인물의 심리를 암시하고 있다.
② 잦은 장면 전환을 통해 긴박한 분위기를 조성하고 있다.
③ 이야기 속 인물인 '나'가 주인공을 관찰하여 사건을 서술하고 있다.
④ 짧은 문장과 현재형 시제를 사용하여 현장감과 사실감을 부여하고 있다.
⑤ 중심인물 간의 첨예한 대립을 통해 극도의 긴장감을 불러일으키고 있다.

인물·사건 + 어휘

09 [A]의 상황을 표현할 한자 성어로 가장 적절한 것은?

① 간담상조(肝膽相照) ② 설상가상(雪上加霜)
③ 이전투구(泥田鬪狗) ④ 주객전도(主客顚倒)
⑤ 풍전등화(風前燈火)

수능형

인물·사건 + 서술

10 〈보기〉를 바탕으로 윗글을 감상한 내용으로 적절하지 않은 것은?

보기

이 작품에서는 강도로 위장한 권 씨가 '나'의 집에 침입한 후의 행동을 해학적으로 그리고 있다. 아내의 수술비를 마련하기 위해 주인집에 침입한 권 씨의 처지가 연민을 불러일으키면서도 잇따라 계속되는 어설픈 그의 행동은 웃음을 유발한다.

① 구두는 벗고 침입한 권 씨의 모습은 강도로서의 어설픔을 드러내면서 웃음을 유발한다.
② 동준의 칭얼거림에 놀란 권 씨가 질겁하여 엎드려 아이를 토닥거리는 모습을 통해 해학적 분위기를 형성한다.
③ 자신이 들고 온 식칼을 이부자리 위에 떨어뜨린 채 물건을 훔치는 권 씨의 모습에서 강도로서의 어수룩함이 드러난다.
④ 착하게만 타고난 천성을 어쩌지 못해 두려움에 떠는 사람이 강도가 될 수밖에 없었던 권 씨의 처지에 대한 연민을 불러일으킨다.
⑤ 지나친 떨림으로 인해 의도하지 않게 남에게 상처를 입힌 권 씨의 모습을 통해 자신의 의지와 상관없이 불행이 연속되는 비극적 삶을 부각한다.

독해쌤 속닥속닥

◆ 강도의 정체를 아는 '나'는 강도를 배려하기 위한 행동을 하지만 강도는 '나'의 행동에 매우 기분이 상하고 마네요. '나'가 웃어 보이면서 강도가 떨어뜨린 칼을 되돌려 주자, 강도는 '나'가 자신을 무시한다고 생각했을 거예요. 이에 대한 대응으로 '도둑맞을 물건 하나 제대로 없'다고 '나'의 살림살이를 지적하고 있네요.

◆ '나'는 강도를 안심시키려고 하지만 강도는 더욱 분노하고 있어요. '나'는 강도를 안심시켜 편안한 마음으로 돌아가게 하려고 노력하지만, 이에 강도는 자신의 정체를 '나'가 눈치챘다고 생각하며 분개하는 모습을 보이고 있어요. '나'의 의도와 달리 강도는 자존심이 매우 상해 버리고 말았군요.

◆ 권 씨는 자신이 강도라는 것을 잊고 자기도 모르게 문간방으로 들어가려 하자, 강도가 권 씨임을 아는 '나'는 여유롭게 대처하고 있어요. 이러한 '나'의 행동은 권 씨의 마지막 자존심마저 무너뜨리는 비정한 행동이 되고 말지요. 이에 권 씨는 자신의 정체가 탄로 난 것을 알고, 자신의 학력을 말하며 상처 입은 자존심을 회복하려 하고 있어요.

마 ㉠"연장을 이렇게 함부로 굴리는 걸 보니 당신 경력이 얼마나 되는지 알 만합니다."

내가 내미는 칼을 보고 그는 기절할 만큼 놀랐다. 나는 사람 좋게 웃어 보이면서 칼을 받아 가라는 눈짓을 보냈다. 그는 겁에 질려 잠시 망설이다가 내 재촉을 받고 후닥닥 달려들어 칼자루를 낚아채 가지고 다시 내 멱을 겨누었다. 그가 고의로 사람을 찌를 만한 위인이 못 되는 줄 일찌기 간파했기 때문에 나는 칼을 되돌려 준 걸 조금도 후회하지 않았다. 아니나 다를까, 그는 식칼을 옆구리 쪽 허리띠에 차더니만 몹시 자존심이 상한 표정이 되었다. / "도둑맞을 물건 하나 제대로 없는 주제에 이죽거리긴!"

(이죽거리긴: 자꾸 입살스럽게 지껄이며 짓궂게 빈정거리긴)

"그래서 경험 많은 친구들은 우리 집을 거들떠도 안 보고 그냥 지나치죠."

㉡"누군 뭐 들어오고 싶어서 들어왔나? 피치 못할 사정 땜에 어쩔 수 없이……."

나는 강도를 안심시켜 편안한 맘으로 돌아가게 만들 절호의 기회라고 판단했다.

"그 피치 못할 사정이란 게 대개 그렇습니다. 가령 식구 중에 누군가가 몹시 아프다든가 빚에 몰려서……." / 그 순간 강도의 눈이 의심의 빛으로 가득 찼다. 분개한 나머지 이가 딱딱 마주칠 정도로 떨면서 그는 대청마루를 향해 나갔다. 내 옆을 지나쳐 갈 때 그의 몸에서는 역겨울 만큼 술 냄새가 확 풍겼다. 그가 허둥지둥 끌어안고 나가는 건 틀림없이 갈기갈기 찢어진 한 줌의 자존심일 것이었다. 애당초 의도했던 바와는 달리 내 방법이 결국 그를 편안케 하긴커녕 외려 더욱더 낭패케 만들었음을 깨닫고 나는 그의 등을 향해 말했다.

(외려: '오히려'의 준말 / 낭패케: 매우 딱하게 되게)

"어렵다고 꼭 외로우란 법은 없어요. 혹 누가 압니까, 당신도 모르는 사이에 당신을 아끼는 어떤 이웃이 당신의 어려움을 덜어 주었을지?"

㉢"개수작 마! 그 따위 이웃은 없다는 걸 난 똑똑히 봤어! 난 이제 아무도 안 믿어!"

그는 현관에 벗어 놓은 구두를 신고 있었다. 그 구두를 보기 위해 전등을 켜고 싶은 충동이 불현듯 일었으나 나는 꾹 눌러 참았다. 현관문을 열고 마당으로 내려선 다음 부주의하게도 그는 식칼을 들고 왔던 자기 본분을 망각하고 엉겁결에 문간방으로 들어가려 했다. 그의 실수를 지적하는 일은 훗날을 위해 나로서는 부득이한 조처였다.

(불현듯: 갑자기 어떠한 생각이 걷잡을 수 없이 일어나는 모양 / 문간방: 문간(출입문이 있는 곳) 옆에 있는 방 / 부득이한: 마지못하여 할 수 없는)

㉣"대문은 저쪽입니다." / 문간방 부엌 앞에서 한동안 망연해 있다가 이윽고 그는 대문 쪽을 향해 느릿느릿 걷기 시작했다. 비틀비틀 걷기 시작했다. 대문에 다다르자 그는 상체를 뒤틀어 이쪽을 보았다. / ㉤"이래봬도 나 대학까지 나온 사람이오."

누가 뭐라고 그랬나. 느닷없이 그는 자기 학력을 밝히더니만 대문을 열고는 보안등 하나 없는 칠흑의 어둠 저편으로 자진해서 삼켜져 버렸다.

바 나는 대문을 잠그지 않았다. 그냥 지쳐 놓기만 하고 들어오면서 문간방에 들러 권 씨가 아직도 귀가하지 않았음과 깜깜한 방 안에서 에미 애비 없이 오뉘만이 새우잠을 자고 있음을 아울러 확인하고 나왔다. 아내는 잠옷 바람으로 팔짱을 끼고 현관 앞에 서 있었다. / "무슨 일이라도 있었나요?" / "아무것도 아냐."

(오뉘: 오누이 / 새우잠: 새우처럼 등을 구부리고 자는 잠(불편하게 자는 잠))

잃은 물건이 하나도 없다. 돼지 저금통도 화장대 위에 고대로 있다. 아무것도 아닐 수밖에. 다시 잠이 들기 전에 나는 아내에게 수술 보증금을 대납해 준 사실을 비로소 이야기했다. 한참 말이 없다가 아내는 벽 쪽으로 슬그머니 돌아누웠다.

(고대로: 변함없이 고 모양으로)

"뗄 염려는 없어, 전셋돈이 있으니까." / "무슨 일이 있었군요?"

아내가 다시 이쪽으로 돌아누웠다. 우리 집에 들어왔던 한 어리숙한 강도에 관해서 나는 끝내 한마디도 내비치지 않았다.

어리숙한: 겉모습이나 언행이 치밀하지 못하여 순진하고 어리석은 데가 있는

절정 권 씨가 '나'의 집에 강도로 침입했다가 자존심만 상한 채 집을 나감

확인 문제

[01~03] 다음 설명이 맞으면 ○, 틀리면 ×표 하시오.

01 떨어뜨린 칼을 '나'가 되돌려 주자 다시 내 멱을 겨누는 권 씨를 보며 '나'는 칼을 되돌려 준 것을 후회하고 있다. (○, ×)

02 '나'는 강도를 안심시켜 그가 목적을 달성하고 편안한 마음으로 돌아가기를 바라고 있다. (○, ×)

03 '나'는 강도 행각을 벌인 이가 권 씨임을 알면서도 모른 척해 주려고 강도에게 대문의 위치를 알려 주고 있다. (○, ×)

[04~05] 다음 빈칸에 들어갈 알맞은 말을 쓰시오.

04 권 씨가 말한 'ㅍㅊ ㅁㅎ ㅅㅈ'은 아내의 수술비를 마련해야 하는 급박한 상황을 의미한다.

05 권 씨가 자신의 학력을 밝힌 이유는 자신의 마지막 ㅈㅈㅅ을 지키고 싶었기 때문이다.

실력 문제

인물·사건

06 윗글을 읽은 독자의 반응으로 적절하지 <u>않은</u> 것은?

① '나'는 강도의 정체가 권 씨임을 확신하고 있군.
② 권 씨는 '나'가 아내의 수술비를 대신 내준 사실을 모르고 있군.
③ 권 씨는 '나'가 자신의 정체를 눈치채고 있다는 사실을 깨닫고 당황하고 있군.
④ '나'는 권 씨가 자신의 정체를 스스로 밝히게 하려고 그의 자존심을 계속해서 자극하고 있군.
⑤ '나'가 자신을 비웃는다고 생각한 권 씨는 이에 대한 대응으로 '나'의 살림살이가 변변찮음을 지적하고 있군.

인물·사건 + 서술

07 ㉠~㉤의 말하기 방식에 대한 설명으로 적절하지 <u>않은</u> 것은?

① ㉠: '나'는 조롱하는 말투로 권 씨의 부적절한 행동을 비꼬고 있다.
② ㉡: 권 씨는 어쩔 수 없는 상황을 내세우며 자신의 행동을 정당화하고 있다.
③ ㉢: 아내의 수술비를 빌리려다 거절당한 일로 상처를 입은 권 씨는 사람에 대해 불신하고 있다.
④ ㉣: 자기도 모르게 자신의 문간방으로 들어가려는 권 씨를 일깨우는 말로, 강도가 권 씨라는 것을 모른 척하려는 '나'의 의도가 담겨 있다.
⑤ ㉤: 권 씨는 자신의 정체가 탄로 난 것을 알아차리고 마지막 자존심을 내세우고 있다.

수능형 인물·사건 + 배경·소재 + 서술

08 다음은 (마)에 관한 학습 과제이다. 이에 따라 작성한 내용으로 적절하지 <u>않은</u> 것은?

• 질문 1: 서술상 특징은 무엇인가?
→ 서술자인 '나'의 시선에서 주인공인 권 씨의 이야기를 전달하고 있다. ……… ①
→ 공간의 이동에 따라 사건이 전개되는 과정이 나타나고 있다. ……… ②
• 질문 2: 사건이 일어나는 시간적·공간적 배경은 무엇인가?
→ 시간은 어두운 밤, 공간은 '나'의 집을 배경으로 하고 있다. ……… ③
• 질문 3: 등장인물들 사이에 일어난 중심 사건은 무엇인가?
→ 권 씨가 '나'의 집에 강도로 침입했다가 '나'에게 정체가 탄로 나자 급히 돌아간다. ……… ④
→ 어떤 이웃이 권 씨의 피치 못할 사정을 알고 도와주었을지도 모른다는 '나'의 말에 담긴 의도를 '권 씨'가 알면서도 자신의 정체를 숨기기 위해 모른 척하며 '나'와 갈등하고 있다. ……… ⑤

아홉 켤레의 구두로 남은 사내 ④

결말

사 이튿날 아침까지 권 씨는 귀가해 있지 않았다. 출근하는 길에 병원에 들러 보았다. 수술 보증금을 구하러 병원 문밖을 나선 이후로 권 씨가 거기에 재차 발걸음한 흔적은 어디에서도 찾아볼 수 없었다.

그다음 날, 그 다음다음 날도 권 씨는 귀가하지 않았다. 그가 행방불명(간 곳이나 방향을 모름)이 된 것이 이제 분명해졌다. ㉠그리고 본의는 그게 아니었다 해도 결과적으로 내 방법이 매우 졸렬했음(옹졸하고 천하여 서툴렀음)도 이제 확연히 밝혀진 셈이었다. 복면 위로 드러난 두 눈을 보고 나는 그가 다름 아닌 권 씨임을 대뜸 알아차릴 수 있었다. 밝은 아침에 술이 깬 권 씨가 전처럼 나를 떳떳이 대할 수 있게 하자면 복면의 사내를 끝까지 강도로 대우하는 그 길뿐이라고 판단했었다. 그래서 아무 일도 없었던 듯이 병원에 찾아가서 죽지 않은 아내와 새로 얻은 세 번째 아이를 만날 수 있게 되기를 기대했던 것이다. 현관에서 그의 구두를 확인해 보지 않은 것이 뒤늦게 후회되었다. 문간방으로 들어가려는 그를 차갑게 일깨워 준 것이 영 마음에 걸렸다. 어떤 근거인지는 몰라도 ㉡구두의 손질의 정도에 따라 그의 운명을 예측할 수도 있지 않았을까 하는 생각이 드는 것이었다. 구두코가 유리알처럼 반짝반짝 닦여져 있는 한 자존심은 그 이상으로 광발이 올려져 있었을 것이며, 그러면 나는 안심해도 좋았던 것이다. 그때 그가 만약 마지막이란 걸 염두에 두고 있었다면 새끼들이 자는 방으로 들어가려는 길을 가로막는 그것이 그에게는 대체 무엇으로 느껴졌을 터인가.

◆ '나'는 권 씨가 돌아오지 않자 자신의 행동을 후회하고 있어요. 권 씨는 강도로 침입한 자신을 강도로 대우해 주지 않은 '나'의 행동에 자존심이 상해서 집에 들어오지 않고 있어요. '나'의 의도와는 달리 어설픈 배려로 권 씨의 자존심에 상처를 준 것을 뒤늦게 깨달은 '나'는 자신의 행동을 자책하게 됩니다.

아 아내가 병원을 다니러 가는 편에 아이들을 죄다 딸려 보낸 다음 나는 문간방을 샅샅이(빈틈없이 모조리) 뒤졌다. 방을 내준 후로 밝은 낮에 내부를 둘러보긴 처음인 셈이었다. 이사 올 때 본 그대로 세간(집안 살림에 쓰는 온갖 물건)이라곤 깔고 덮는 데 쓰이는 것과 쌀을 익혀서 담는 몇 점 도구들이 전부였다. 별다른 이상은 눈에 띄지 않았다. 구태여 꼭 단서가 될 만한 흔적을 찾자면 그것은 구두일 것이었다. 가장 값나가는 세간의 자격으로 장롱 따위가 자리 잡고 있을 꼭 그런 자리에 아홉 켤레나 되는 구두들이 사열받는(부대의 훈련 정도나 장비 유지 상태를 검열받는) 병정들 모양으로 가지런히 놓여 있었다. 정갈하게(깨끗하고 깔끔하게) 닦인 것이 여섯 켤레, 그리고 먼지를 덮어쓴 게 세 켤레였다. 모두 해서 열 켤레 가운데 마음에 드는 일곱 켤레를 골라 한꺼번에 손질을 해서 매일매일 갈아 신을 한 주일의 소용(쓸 곳. 또는 쓰이는 바)에 당해 온 모양이었다. 잘 닦아진 일곱 중에서 비어 있는 하나를 생각하던 중 나는 한 켤레의 그 구두가 그렇게 쉽사리는 돌아오지 않으리란 걸 알딸딸하게 깨달았다.

◆ '나'가 권 씨의 문간방을 둘러보는데 세간은 몇 점밖에 없고, 권 씨의 구두는 가지런히 놓여 있어요. 어떤 상황에서도 구두를 반짝이게 유지하고, 정갈하게 닦아 놓은 모습에서 권 씨에게 있어서 구두는 권 씨의 마지막 자존심을 상징한다고 볼 수 있어요. 그렇기 때문에 '나'는 '잘 닦아진 일곱 중에서 비어 있는 하나'를 생각하면서 한 켤레의 그 구두(권 씨)가 쉽게 귀가하지 않을 것이며, 그의 자존심도 쉽게 회복되지 않을 것임을 깨닫고 있는 것이지요.

권 씨의 행방불명을 알리지 않으면 안 될 때였다. 내 쪽에서 먼저 전화를 걸기는 그것이 처음이자 마지막이었다. 나는 되도록 침착해지려 노력하면서 내게, 이웃을 사랑하게 될 거라고 누차(여러 차례) 장담한 바 있는 이 순경을 전화로 불렀다.

결말 | 권 씨가 가족들을 남기고 행방불명이 됨

독해쌤 속닥속닥

확인 문제

[01~03] 다음 설명이 맞으면 ○, 틀리면 ×표 하시오.

01 '나'는 권 씨를 배려하고 도와주려 했던 방법이 졸렬한 것이었음이 밝혀진 것에 대해 억울해하고 있다. (○, ×)

02 권 씨는 강도 행각 당시 자식들을 보러 문간방으로 들어가려는 자신을 막은 '나'에게 화가 나서 가출하였다. (○, ×)

03 권 씨의 세간살이는 그가 이사 올 때 가져온 것에서 크게 변하지 않았다. (○, ×)

[04~05] 다음 빈칸에 들어갈 알맞은 말을 쓰시오.

04 '나'가 권 씨를 끝까지 강도로 [ㄷ][ㅇ]한 의도는 권 씨가 아무 일도 없었던 듯이 '나'를 대하기를 기대했기 때문이다.

05 '[ㄱ][ㄷ]'는 권 씨의 마지막 남은 자존심을 상징한다.

실력 문제

인물·사건

06 윗글을 바탕으로 〈보기〉의 질문에 대해 답변하려 할 때, 그 내용으로 가장 적절한 것은?

보기

질문	권 씨가 행방불명된 이유는 무엇일까?

① '나'의 신고로 권 씨가 경찰에 연행됐기 때문이다.
② 권 씨의 강도 행각이 이웃에 알려져 창피했기 때문이다.
③ 권 씨가 아내의 수술비를 구하기 위해 일자리를 찾아 떠났기 때문이다.
④ 어떤 상황에서도 지키고 싶었던 권 씨의 자존심이 무너졌기 때문이다.
⑤ 권 씨 자신의 경제적 무능 때문에 수술조차 받지 못하는 아내에게 미안했기 때문이다.

인물·사건

07 ㉠에 담긴 '나'의 심리를 바르게 파악한 것은?

① 의도치 않게 권 씨의 자존심을 상하게 한 일을 후회한다.
② 권 씨를 끝까지 강도로 대우하지 못한 경솔함을 반성한다.
③ 권 씨의 부탁을 냉정하게 거절한 자신의 이기심을 뉘우친다.
④ 권 씨의 구두 상태를 매일매일 확인하지 못한 것을 자책한다.
⑤ 권 씨의 서툰 강도 행각을 조롱하며 비웃은 졸렬한 태도를 뉘우친다.

배경·소재

08 ㉡에 대한 설명으로 적절하지 않은 것은?

① 권 씨의 운명을 예측하는 소재이다.
② 권 씨의 자존심과 관련되어 있는 소재이다.
③ 권 씨의 경제적인 무능과 대비되는 소재이다.
④ 권 씨의 가족에 대한 애정과 관심이 담겨 있는 소재이다.
⑤ 권 씨의 현실에서 겪는 좌절을 보상받는 수단이 되기도 하는 소재이다.

수능형 인물·사건 + 배경·소재 + 서술 + 주제

09 다음은 다른 작품을 찾아 윗글과 엮어 읽기를 하기 위해 세운 계획이다. 적절하지 않은 것은?

[다른 작품과 엮어 읽기를 위한 계획]
• 열린 결말 처리로 독자의 궁금증을 유발하고 여운을 주는 작품을 찾아본다. ········· ①
• 상징적 소재를 통해 인물의 내면 심리를 표현하고 있는 작품을 찾아본다. ········· ②
• 관찰자 입장의 서술자가 주인공을 연민의 시선으로 바라보고 서술한 작품을 찾아본다. ········· ③
• 외부 이야기와 내부 이야기로 이루어진 액자식 구성을 통해 사건을 입체적으로 전달하고 있는 작품을 찾아본다. ········· ④
• 1970년대 급속한 산업화와 도시화의 과정에서 소외된 계층을 대변하는 인물의 삶을 형상화하고 있는 작품을 찾아본다. ········· ⑤

작품 전체

발단	전개	위기★	절정★	결말★
권 씨의 가족이 '나'의 문간방에 전세금도 다 내지 못한 채 세를 들게 됨	권 씨는 경제적 능력이 부족한 전과자이지만 구두에 대한 정성이 지극함	'나'는 아내의 ❶ㅅㅅㅂ를 빌려 달라는 권 씨의 부탁을 거절했다가 양심의 가책을 느껴 수술 보증금을 대납함	권 씨가 '나'의 집에 ❷ㄱㄷ로 침입했다가 자존심만 상한 채 집을 나감	권 씨가 가족들을 남기고 ❸ㅎㅂㅂㅁ이 됨

★: 교재 수록 부분

작품 압축

■ 등장인물의 특성

권 씨		'나'
• 작품의 ❹ㅈㅇㄱ • 생존권 투쟁에 휘말려 전과자가 됨 • 도시 빈민으로 전락했지만, 구두를 깨끗이 닦으며 끝까지 ❺ㅈㅈㅅ을 지키려 함	관찰 ←	• 작품의 ❻ㅅㅅㅈ • 초등학교 교사로, 어렵게 집을 장만함 • 자신이 입을 피해를 걱정하며 권 씨의 부탁을 거절했다가 양심의 가책을 느낌
⇓		⇓
몰락한 소시민의 전형		소시민의 전형

■ 권 씨에 대한 '나'의 태도

권 씨		'나'
• 아내의 수술비를 마련하기 위해 '나'의 집에 강도로 침입함 • 자신의 정체가 들통난 것을 알고 가출한 후 행방불명이 됨	연민 ←	강도로 돌변해 자신의 집에 침입한 권 씨에게 호의적인 태도를 보이며 도와주려 함

⇓

독자로 하여금 어수룩한 강도 행각을 벌이는 권 씨에게 ❼ㅇㅁ의 정서를 느끼게 함

인물·사건 / 배경·소재 / 주제

■ '구두'의 상징적 의미

권 씨의 행동
• 양반 가문 출신이고 대학 졸업자라는 자부심을 드러냄 • 경제적으로 무능하지만, 지식인이라는 자존심만은 잃지 않기 위해 늘 구두를 깨끗하게 닦음

⇓

❽ㄱㄷ	권 씨의 마지막 남은 자존심을 상징함

■ 시대적 배경과 주제

시대적 배경		권 씨
급속한 산업화·도시화가 진행된 1970년대	⇒	출판사를 다니다가 막일을 하는 도시 빈민으로 전락함

⇓

주제	산업화 과정에서 ❾ㅅㅇ된 계층의 고달픈 삶

• 정답과 해설 34쪽

어휘력 테스트

1 **다음 단어를 활용하기에 적절한 문장을 찾아 바르게 연결해 보자.**

(1) 고깝다 • • ㉠ 노사 간의 (　　　　) 대립으로 회사 분위기가 어수선하다.

(2) 첨예하다 • • ㉡ 정부는 타국의 수출 규제를 (　　　　) 행위라고 비난했다.

(3) 졸렬하다 • • ㉢ 나의 자존심에 상처를 주는 동수에게 (　　　　) 마음이 들었다.

2 **제시된 뜻과 예문을 참고하여 다음 초성에 해당하는 단어를 괄호 안에 써 보자.**

(1) ㅁ ㅈ : 괜찮거나 잘된 일이라는 뜻을 나타내는 말

예 당신이 옆에 있었으니 (　　　　)이지, 없었으면 큰일 날 뻔했다.

(2) ㅇ ㅎ : 서로 밀접한 관계로 연결되어 있는 여러 것 가운데 한 부분

예 학교의 안전 체계 구축의 (　　　　)으로 CCTV를 교체, 증설하기로 했다.

(3) ㅅ ㄱ : 집안 살림에 쓰는 온갖 물건

예 우리가 결혼할 때에는 (　　　　)이라고는 냄비 하나에 숟가락 두 개뿐이었다.

독해쌤과 함께하는 감상 넓히기

산업화·도시화 과정에서의 도시 빈민의 삶을 다룬 작품

이번에 감상한 「아홉 켤레의 구두로 남은 사내」와 같이 급속한 산업화·도시화의 과정에서 소외된 계층의 어려운 삶을 그리고 있는 작품들이 많아요. 도시 빈민의 궁핍한 삶뿐만 아니라 도시 빈민으로 전락하게 만드는 현실의 문제를 다룬 작품들도 있답니다. 이러한 작품들을 더 감상해 볼까요?

비 오는 날이면 가리봉동에 가야 한다_양귀자

비가 오지 않은 날에는 생계를 꾸려 나가기 위해 여러 가지 막일을 하고, 비가 와서 일하지 못하는 날에는 자신의 연탄 값을 떼어먹은 공장 사장에게 돈을 받으러 가는 도시 빈민 노동자인 임 씨의 삶을 통해 산업화 시대에서의 도시 빈민의 삶과 부유층의 이기적이고 비도덕적 모습을 고발한 작품입니다.

난쟁이가 쏘아 올린 작은 공_조세희

급속한 산업화의 과정에서 소외된 계층을 대표하는 난쟁이 일가의 비참한 삶을 통해 도시 빈민들이 겪는 삶의 고통과 좌절을 다룬 소설로, 1970년대 사회의 구조적 모순을 사실적으로 그리고 있는 작품입니다.

도요새에 관한 명상 1 _ 김원일

산업화는 우리의 삶을 더 풍요롭고 편리하게 만들었지만, 이로 인해 환경 오염 문제는 심각해지고 많은 생물들은 살아가는 터전을 잃고 말았어요. 이런 사회적 현실과 관련지으며 '병국' 가족의 이야기가 담긴 작품을 감상해 볼까요?

독해쌤의 감상 질문

1. 인물·사건 이 작품에서 서로 갈등하는 인물은 누구인가요?
2. 배경·소재 '도요새'가 상징하는 것은 무엇인가요?
3. 서술 각 장면에서 사건을 전달하는 인물은 누구인가요?
4. 주제 작품에 반영된 현실과 이를 통해 드러나는 창작 의도는 무엇인가요?

독해쌤 속닥속닥

◆ 이 부분에서 도요새가 '떠남의 자유와 고통에 대해 여러 말을 재잘거렸다.'라는 내용이 나오지요. 이때의 재잘거림이 바로 (나)의 내용이에요. 따라서 (나)의 '우리'는 도요새겠죠? 하지만 실제 도요새가 재잘거리며 '나'에게 말할 수 있는 것은 아니니까, 도요새가 하는 말은 바로 '나'의 내면 의식을 대변하는 것이에요.

앞부분 줄거리 서울의 명문 국립 대학교에 다니던 병국은 학생 운동을 하다가 퇴학을 당한 후 고향으로 돌아온다. 휴전 후 실향민이 되어 소극적으로 살아가는 아버지와 억척스럽게 재산을 늘리는 일에만 관심을 가지는 어머니, 그리고 재수를 하는 동생 병식과 함께 살게 된 병국은, 자신에 대한 어머니와 동생의 경멸과 이웃의 차가운 시선에 절망감을 느낀다.

전개

가 ㉠죽음을 거부하면서도 삶답지 못한 생존의 늪을 허우적거릴 때, 이 도시의 생활환경이 왜 자연을 파손시키느냐의 또 다른 문제에 관심을 갖게 되었다. 그와 동시에 나는 동진강 하구의 삼각주 개펄에서 새 떼를 만난 것이다. 실의의 낙향 생활로 술만 죽여 내던 내 깜깜한 생활 안으로 나그네새의 울음소리가 화톳불처럼 살아나기 시작했다. 새가 내 머릿속으로 자유자재 날아다녔다. ㉡수백 마리로 떼를 이루어 의식의 공간을 무한대로 휘저었다. 새 중에서도 동진강 하구에서 자취를 감춘 ⓐ도요새였다. 나는 도요새를 찾아 헤매었다. 그중 중부리도요를 발견하기 위해 휴일에는 정배 형과 함께, 그 외의 날은 나 혼자서 동남만 일대의 습지와 못과 개펄을 싸돌았다. 그러나 봄은 짧았고 곧 초여름으로 접어들었다. 그때는 이미 물떼새목의 도요새과에 포함된 그 무리는 우리나라 남단부를 거쳐 휴전선 하늘을 질러 북상한 뒤였다. ㉢다시 도요새 무리가 도래할 시절을 만해의 님처럼 기다렸다. 그래서 시베리아 알래스카 캐나다의 툰드라에서 편도 일만 킬로미터를 날아 남으로 남으로 내려오는 그 작은 새 떼의 길고 긴 여정에 밤마다 동참했던 것이다. 나의 일상이 너무 권태스러울 정도로 자유스러우면서, ㉣전혀 자유스럽지 못한 내 사고의 굳게 닫힌 문을 도요새가 그 날카로운 부리로 쪼며 밀려들었다. 그리고 떠남의 자유와 고통에 대해 여러 말을 재잘거렸다.

- 삼각주: 강이 바다로 들어가는 어귀에, 강물이 운반하여 온 모래나 흙이 쌓여 이루어진 편평한 지형
- 도래할: 외부에서 전해져 들어옴

나 —우리는 여름에 그 한대의 추운 지방에서 번식하여 가을이면 지구의 반을 가로지르는 여행길에 오른다. 우리는 떠나야 할 때를 안다. 엷은 햇살 아래 파르스름하게 살아 있던 이끼류와 작은 떨기나무가 잿빛으로 시들고, 긴 밤이 저 북빙의 찬바람을 몰아올 때쯤이면 우리는 여정의 채비를 차린다. 여름 동안 부쩍 큰 새끼들도 날개를 손질하며 출발의 한때를 기다린다. ㉤우리의 여행은 자유를 찾기 위한 고통의 길고 긴 도정이다. 처음 떠날 때, 우리는 무리를 이룬다. 그러나 창공을 가로질러 쉬지 않고 날 때는 다만 혼자 날 뿐이다. 마라톤 선수가 사십이 점 일구오 킬로를 완주할 때는 오직 자기 자신의 극기와의 싸움이라고 말했듯, 작은 심장으로 숨가빠하며 열심히 열심히 혼자 날아간다. 그렇다고 방향이나 길을 잃는 법은 없다. 혼자 날지만 결코 혼자가 아니기 때문이다. 우리는 각각

- 북빙: 북극의 얼음
- 도정: 어떤 장소나 상태에 이르기까지의 과정
- 완주: 목표한 지점까지 다 달림
- 극기: 자신의 감정이나 욕심, 충동 따위를 이성적 의지로 눌러 이김

떨어진 개체의 몸이지만 나는 속도가 일정하고 행로가 분명하므로 우리는 낙오되거나 결코 헤어지지 않는다. 오백만 년 전 신생대부터 우리 조상들은 그런 고통의 긴 여행을 터득해 왔다. 인간으로서는 감히 상상할 수 없는 바다와 하늘이 맞물려 있는 무공 천지(우한히 넓은 세상)에 길을 열어 봄가을 두 차례를 대이동으로 장식해 온 것이다. 오직 생활 환경에 적응키 위해서라는 한마디로 치부(마음속으로 그러하다고 보거나 여김)해 버린다면 인간도 거기에서 예외일 수는 없다. 오히려 인간은 거기에 적응하기 위해 사악하고 간사하고 탐욕하고 음란하고 권력욕에 차 있어, 자연의 환경을 파괴하고 끝내 너희들 스스로까지 파멸(파괴되어 없어짐)시키기 위해 기계와 조직의 노예가 되고 있지 않은가…….

[01~02] 다음 설명이 맞으면 ○, 틀리면 ×표 하시오.

01 (가), (나)는 등장인물 중 병국의 시각에서 이야기가 전개되고 있다. (○, ×)

02 (나)의 '우리'는 도요새로, 서술자의 내면 의식을 대변한다. (○, ×)

[03~04] 다음 빈칸에 들어갈 알맞은 말을 쓰시오.

03 서술자는 도요새의 긴 여정을 ㅈㅇ를 찾기 위한 고통의 과정으로 바라보고 있다.

04 도요새는 인간이 욕망 때문에 ㅈㅇ의 환경을 파괴하고 ㄱㄱ와 조직의 노예가 되었다고 비판한다.

서술

05 윗글의 서술상의 특징으로 가장 적절한 것은?

① 이야기 안의 서술자가 주인공의 행동을 관찰한다.
② 이야기 안의 서술자가 자신의 경험과 생각을 드러낸다.
③ 어리석은 인물을 서술자로 내세워 독자의 판단을 유도한다.
④ 이야기 밖의 서술자가 사건을 객관적으로 관찰하여 전달한다.
⑤ 이야기 밖의 서술자가 전지적 입장에서 인물들의 갈등 상황을 제시한다.

주제

06 (나)에 대한 설명으로 가장 적절한 것은?

① 도요새들 간의 대화 형식을 통해 인간과 대조되는 도요새의 지혜로움을 보여 주고 있다.
② 도요새가 이동하는 공간을 구체적으로 묘사하여 자연 파괴의 심각성을 부각하고 있다.
③ 도요새가 희생당하는 모습을 사실적으로 그려 내어 인간 문명의 폭력성을 비판하고 있다.
④ 도요새가 말을 하는 형식의 우화적 방법을 통해 인간에 대한 비판적 시각을 드러내고 있다.
⑤ 도요새의 이동 경로를 단계적으로 보여 주며 인간과 공존하는 도요새의 삶을 그려 내고 있다.

인물·사건

07 ㉠~㉤에 대한 설명으로 적절하지 않은 것은?

① ㉠: 인물이 희망을 잃고 살아가는 모습을 비유적으로 표현하고 있다.
② ㉡: 인물의 머릿속이 대상에 대한 생각으로 가득 차 있음을 역동적으로 그려 내고 있다.
③ ㉢: 인물이 대상과의 만남을 간절하게 기다리는 모습을 다른 대상에 빗대어 나타내고 있다.
④ ㉣: 인물의 의식이 대상에 의해 고통받는 모습을 감각적으로 보여 주고 있다.
⑤ ㉤: 인물이 생각하는 인생의 의미를 대상의 관점에 빗대어 간접적으로 드러내고 있다.

배경·소재

08 ⓐ에 대한 설명으로 가장 적절한 것은?

① 인물에게 깨달음을 준다.
② 인물에게 자신감을 준다.
③ 인물에게 종속된 존재이다.
④ 인물의 내적 갈등을 유발한다.
⑤ 인물이 극복해야 할 대상이다.

도요새에 관한 명상 ②

독해쌤 속닥속닥

◆ 중략 부분에는 '나'의 중학교 선배인 정배 형과 연구실에서 대화하는 장면이 나오는데요, 두 사람의 대화를 통해 환경 오염으로 인해 공해병에 시달리는 일본의 환자들에 대한 기사가 소개되지요. 그 대표적인 사례가 육가크롬화에 대한 이야기인데요, 육가크롬이라는 독극물로 인해 폐환(폐결핵), 신경장애, 관절통, 빈혈, 궤양, 턱의 뼈가 썩는 증상, 이가 빠지고 상하는 증세 등이 생긴다고 해요.

◆ (마)에서는 석교천이 있는 동진읍이 개발된 배경이 제시되어 있어요. 깨끗한 자연을 가진 변두리 시골 마을이 중화학 공업 단지가 들어서면서 시로 승격되었지만, 결국 그렇게 아름답고 완벽했던 자연은 잃고 말아요. 산업화가 도시의 발전을 가져왔지만, 자연환경을 파괴하는 문제를 낳은 것이에요.

다 나는 여름 내내 **도요새**의 이런 재잘거림을 꿈을 통해, 또는 환청으로 들어 왔다. **가을이** 왔다. 그러나 이제 동진강 하류의 삼각주에서 중부리도요는 찾아볼 수가 없었다. 아니, 중부리도요보다 몸집이 좀 큰 마도요, 등이 불그스름한 민물도요도 볼 수가 없었다. 동진강은 이미 공장 지대에서 흘러내린 폐수로 수질이 크게 오염되고 말았다. 그래서 그 많은 철새나 나그네새 중에 이제는 공해에 비교적 강한 몇 종류의 철새와 나그네새만이 도래할 뿐이다. 바다쇠오리 청둥오리 등의 오리 무리와, 흰목물떼새 꼬마물떼새 등의 물떼새 무리가 그것이다.

나는 열 개의 미터글라스가 꽂힌 시험관꽂이를 들고 동진강의 지류(강의 원줄기로 흘러들거나 원줄기에서 나온 물줄기)로 수질 오염도가 아주 높은 석교천 둑 위를 걷고 있었다.

중략 부분 줄거리 '나'는 석교천 아래 냇물을 미터글라스에 담으며 정배 형의 연구실에서 본 일본의 육가크롬화 환자 사진을 떠올린다.

라 나는 시험관꽂이를 들고 자갈밭으로 되돌아 걷기 시작했다. 이제 석교천은 살아 있는 물이라 부를 수는 없다고 생각했다. **석교천 물은 이미 죽어 버렸다.** 아니, 악마의 혼으로 살아 있다. 이 폐유(쓰고 난 기름)가 결국 동진강으로 흘러 들어가지 않는가. 그렇다면 강폭이 팔십 미터에 가까운 동진강은 몰라도 이 석교천에는 분명 인체에 절대적인 영향을 줄 만큼의 크롬산이나 수은을 함량하고 있을 것이다. 또 석교천 주민 중 십 년이나 이십 년 뒤 육가크롬화로 앓지 않는다고 누가 감히 장담할 수 있을 것인가. 나는 자갈밭에 앉아 양말을 신었다.

"두고 봐라. 내가 기필코 석교천은 물론 동진강까지 예전의 자연수 상태로 만들고 말테니."

누가 들으란 듯 내가 말했다. 나 자신도 수천 번을 반복하여 이미 자기 최면에 걸린 말이었다. 누가 이 말을 듣는다면 그것은 터무니없는 헛된 집념이라고 나를 비웃을는지도 몰랐다. 아니 미쳤다고 손가락질할 것이다. 그러나 지구의 절반을 한 해에 두 번씩이나 건너다니는 그 작은 도요새의 고통보다는 그 일이 내게 결코 어렵게 생각되지 않았다.

마 우리나라가 60년대부터 경제 성장에 발돋움을 시작하여 대망의 중화학 공업 시대로 돌입했던 70년대 벽두(맨 처음. 또는 일이 시작된 머리), 구 년 전이다. 내가 중학교 삼학년 때 정부는 이 **동남만 일대**를 대단위 중화학 공업 단지로 고시(글로 써서 게시하여 널리 알림. 주로 행정 기관에서 일반 국민들을 대상으로 어떤 내용을 알리는 일을 이름)했다. 이태 뒤 가을, **군청 소재지조차 못 되었던 동진읍은** 일약 시로 승격(지위나 등급 따위가 오름)되었다. 그 이전까지 이 읍은 인구 불과 일만을 윗돌던 동해 남부선의 한 작은 역이었다. 석교 마을은 읍내에서도 해안 쪽으로 치우친 변두리였다. 읍내에서 석교 마을까지 나오자면 이 석교천 둑방길로 삼 킬로는 족히 걸어야 했다. 내가 중학교에 갓 들어갔을 적만 하더라도 석교천의 개울물은 투명한 은빛이었다. 깊은 곳이라야 겨우 허리를 채울 정도였지만 물속에서 눈을 뜨고 물굽이 사이로 내려다보면 물밑의 길동그란 자갈들이 맑게 들여다보였다. 길도 먼 데다 추위 때문에 겨울철은 예외였지만, 학교가 파한 뒤 반 애들과 어울려 조갑지나 불가사리 따위를 주우러 바다로 나갈 적이면 늘 석교

마을 앞을 지나곤 했었다. 그러면 그 맑은 냇가에 늘어앉아 **빨래를 하던 아낙네와 처녀들**의 웃음소리도 해맑았다. 60년대, 그때만 하더라도 이곳의 자연 상태는 아주 완벽하게 보호되고 있었다.

전개 대학에서 제적된 후 고향으로 내려온 병국은 새와 환경 문제에 관심을 갖게 됨

확인 문제

[01~02] 다음 설명이 맞으면 ○, 틀리면 ×표 하시오.

01 (다)~(마)는 1인칭 관찰자 시점으로 이야기를 서술하고 있다. (○, ×)

02 (마)에는 현재와 대조되는 과거의 모습이 그려져 있다. (○, ×)

[03~05] 다음 빈칸에 들어갈 알맞은 말을 쓰시오.

03 동진강이 오염된 것은 ㄱㅈ 지대에서 흘러나온 ㅍㅅ 때문이다.

04 ㅅㄱㅊ은 동진강의 지류로, 폐유로 인한 수질 오염이 심각한 곳이다.

05 '나'는 석교천과 동진강의 오염된 물을 예전의 ㅈㅇㅅ 상태로 돌려놓겠다는 확고한 의지를 보여 주고 있다.

서술

06 윗글에 대한 설명으로 가장 적절한 것은?

① 비슷한 내용을 가진 여러 가지 이야기를 나열하고 있다.
② 서로 다른 공간에서 동시에 일어나는 사건을 보여 주고 있다.
③ 현재의 이야기와 과거의 이야기를 반복적으로 교차하고 있다.
④ 인물의 행동과 그에 따른 내면 의식을 중심으로 서술하고 있다.
⑤ 배경을 구체적으로 묘사하여 앞으로 일어날 사건을 암시하고 있다.

인물·사건

07 윗글의 '나'에 대한 설명으로 적절하지 않은 것은?

① 여름 내내 도요새를 생각하며 도요새가 동진강으로 돌아오기를 기다렸다.
② 폐유로 인해 오염이 심각한 석교천이 동진강 오염의 원인이 된다고 생각한다.
③ 석교천과 동진강의 현재 상태를 60년대 시절의 상태로 만들고자 하는 의지를 드러낸다.
④ 현재의 환경 오염이 지속되면 시간이 흐른 뒤 공해병을 앓는 사람이 생길 수 있다고 예상한다.
⑤ 도요새가 겪고 있는 고통보다 환경 오염을 해결하기 위해 인간이 겪어야 할 고통이 더 크다고 생각한다.

수능형 주제

08 <보기>를 참고하여, 윗글을 이해한 내용으로 적절하지 않은 것은?

보기

「도요새에 관한 명상」은 1970년대에 발표된 작품으로, 수질이 오염된 동진강 하구에 도요새가 날아오지 않는 상황을 바탕으로 이야기가 전개된다. 1960년부터 강행된 경제 개발과 산업 근대화로 인해 외형적으로는 눈부신 발전을 이루었지만, 우리의 삶과 환경은 황폐화되었다. 이 소설은 신흥 공업 단지를 배경으로 하여 이에 대한 문제의식을 다룬 선구적 작품으로 평가받고 있다.

① '가을이 왔'지만 '도요새'가 날아오지 않는 것을 통해 환경 문제에 대한 문제의식을 드러내고 있군.
② '이미 죽어 버'린 '석교천 물'은 산업화로 인해 황폐화된 환경을 보여 주는군.
③ '동남만 일대'는 경제 개발을 위해 만들어진 신흥 공업 단지에 해당하겠군.
④ '군청 소재지조차 못 되었던 동진읍'이 '일약 시로 승격'된 것은 외형적인 발전이라 할 수 있군.
⑤ 냇가에서 '빨래를 하던 아낙네와 처녀들'의 모습은 눈부신 발전 이면에 있는 황폐화된 삶의 모습을 드러낸 것이겠군.

도요새에 관한 명상 ③

중략 부분 줄거리 통제 구역에 무단으로 출입하여 군 당국에 잡히는 등 환경 문제에 몰두하던 병국은 동생 병식이 철새 도래지에서 새들을 독살하는 이들과 한패일 것이라고 의심하여 병식을 찾아간다.

결말

바 "너 그날 석교천 방죽에서 말야, 새를 독살하고 오던 길이지?"

㉠"그래서, 그게 뭘 어쨌다는 거야?" / 병식의 표정에서 비로소 장난기가 사라졌다. 그는 조금 전 얘기의 종호처럼 아주 당당한 얼굴이었다.

"뻔뻔스런 자식. 언제부터 그 짓을 시작했냐? 그건 그렇고, 왜 새를 죽여, 죽인 새로 뭘 하냐?" / 병국의 언성이 높아졌다. 여윈 목에 푸른 심줄이 불거졌다. 그때 늙은 주모가 술 주전자와 안주를 날라 왔다.

"나 원. 별 말코 같은 소릴 다 듣는군. 아니, 날아다니는 새도 임자 있나? 형, 지구의 새를 형이 몽땅 사들였어, 어쨌어?"

하고는 병식이가 스텐 잔을 형 앞에 밀어 놓았다. 그리고 그 잔에다 술을 쳤다.

㉡"자, 우선 한잔 꺾지. 형제의 우정을 위해서."

"누가 네게 그 일을 시키고 있어? 그 사람을 대?"

병국이가 술이 찬 잔을 한쪽으로 밀며 소리쳤다. 출렁거린 술이 반쯤 식탁 위에 쏟아졌다.

"왜 그래? 자연 훼손으로 고발하겠다구? 날아다니는 새를 잡아 박제를 해서 호구를 잇는 건 죄가 되고, 돈 많은 놈이 허가 낸 사냥총으로 새를 잡아 구워 먹는 건 죄가 안 된다 이 말씀이야?" / 병식이가 코웃음을 치고는 자기 잔의 술을 죽 들이켰다.

- 호구: 입에 풀칠을 한다는 뜻으로, 겨우 끼니를 이어 감을 이르는 말
- 박제: 동물의 가죽을 곱게 벗기고 썩지 아니하도록 한 뒤에 솜이나 대팻밥 따위를 넣어 살아 있을 때와 같은 모양으로 만듦. 또는 그렇게 만든 물건

"이 지구상에 희귀조가 계속 멸종되어 간다는 건 너도 알지? 인간이 새로운 새를 창조해 낼 순 없어."

"그 개떡 같은 이론은 집어쳐. 내가 알기론 이 지구상에는 삼십 억이 넘는 새들이 살고 있어. 그중 내가 오십 마리를 죽였다 치자, 그게 형은 그렇게 안타까워? ㉢그렇담 숫제 참새구이도 없애 버리지 뭘, 닭도 진화를 도와 하늘로 해방시키구."

사 ㉣"박제하는 놈을 못 대겠어?"

병국이가 의자에서 벌떡 일어서더니 아우의 멱살을 틀어쥐었다. 주모가 달려와 둘 사이에 끼어들었다. 개시도 안 한 술집에서 웬 행패냐고 주모가 소리쳤다.

- 개시: 가게 문을 열고 하루의 영업을 시작함
- 행패: 체면에 어그러지는 난폭한 짓을 버릇없이 함. 또는 그런 언행

"난 못 불겠다. 그래, 고발 좋아한담 고발해 봐. 형 손에 아우가 쇠고랑을 차지!"

병식이가 형의 손목을 잡고 비틀어 꺾었다.

"형도 구치소깨나 출입했으니 아운들 햇볕만 보란 법은 없으니깐."

- 구치소: 형사 피의자 또는 형사 피고인으로서, 구속 영장에 의하여 구속된 사람을 판결이 내려질 때까지 수용하는 시설

"이 자식, 말이면 다야!" / 순간 병국의 주먹이 아우의 턱을 갈겼다. 병식이의 머리가 뒷벽에 부딪히자 금세 입술 사이에서 피가 내비쳤다. / "쳐, 정말 형이 날 쳤어!"

병식이가 의자에서 벌떡 일어났다. 그러곤 의자와 술상 사이로 빠져나오더니 형의 허리를 억세게 조여 안았다. 병국이의 몸이 마른 장작개비처럼 번쩍 들렸다. 병식은 형을 홀바닥에 내동댕이치곤 옆에 있던 의자를 번쩍 치켜들었다. 그리고 그것을 형의 면상에다 내리찍으려 하다 손에 힘을 뽑더니 그만 내려놓았다. / "형, 오늘은 내가 참는 거야. 내가 정말 다구리 탈 짓을 했담 형한테 얼마든지 맞아 주겠어. 그러나 내가 새를 죽인 것도 아

- 다구리 탈 짓: 뭇매 맞을 짓

독해쌤 속닥속닥

◆ (바)에서 도요새의 독살과 박제 문제를 둘러싼 병국과 병식의 가치관의 차이를 확인할 수 있어요. 병국은 멸종 위기에 있는 도요새를 지켜야 한다고 생각하지만, 병식은 많은 새 중에서 몇 마리 죽이는 것일 뿐이라며 도요새의 독살이나 박제에 대해 아무런 문제의식도 느끼지 못해요. 이러한 인물들의 태도로 보아, 병국이 물질적 가치보다 생태·환경적 가치를 중시하는 인물이라면, 병식은 이와 반대로 물질적이고 세속적인 가치를 중시하는 인물임을 알 수 있어요.

◆ (사)에서는 병국과 병식의 대화가 진행되면서 두 사람의 갈등이 점점 심화되고, 결국 몸싸움까지 벌이고 있어요. 그런데 이 갈등의 이면에는 산업화가 진행되면서 경제 성장만을 중시하던 1970년대 당시에 사람들이 물질적 가치만을 추구하며 환경과 같은 중요한 가치를 소홀히 여겼던 사회 분위기가 반영되어 있어요. 작가는 이러한 현실을 작품에 담아냄으로써 독자들에게 진정으로 추구해야 할 가치가 무엇인지를 생각해 보게 하고 있어요.

니구, 족제비란 친구를 따라 심심풀이로 같이 다녔는데, 뭐 치사하게 동생을 고발해!"

병식은 백 원짜리 동전 세 개를 술상 위에 소리 나게 놓았다. 입술의 피를 닦았다. 그리고 가방을 들더니 재빨리 출입문을 열었다. / ⓜ"병식아, 학관 끝나면 집으로 꼭 들어와!"

모잡이로 쓰러졌던 병국이가 상체를 일으키며 외쳤다. 그러나 병식이는 이미 술집을 나서 버린 뒤였다.

[01~02] 다음 설명이 맞으면 ○, 틀리면 ×표 하시오.

01 (바), (사)는 특정 인물의 심리를 중심으로 이야기를 전달하고 있다. (○, ×)

02 병식은 새 밀렵과 관련된 일에 가담한 자신의 행동이 형을 위한 것이었다고 변명하고 있다. (○, ×)

[03~05] 다음 빈칸에 들어갈 알맞은 말을 쓰시오.

03 병국은 병식이 새를 ㄷㅅ하는 일과 관련되어 있다고 생각한다.

04 ㅅㅈ은 병식과 병국이 서로 다른 가치관으로 갈등하는 공간이다.

05 병국과 병식은 ㄷㅇㅅ에 대한 생각의 차이로 인해 갈등하고 있다.

서술

06 윗글에 대한 설명으로 가장 적절한 것은?

① 새로운 인물의 등장으로 긴장감을 고조시킨다.
② 서술자가 인물에 대해 거리를 두고 주관적으로 평가한다.
③ 삶과 관련된 서술자의 생각을 직접 자신의 목소리로 말한다.
④ 시점의 전환을 통해 동일한 대상에 대한 여러 인물의 다양한 생각을 보여 준다.
⑤ 이야기 외부의 서술자가 인물들의 말과 행동을 제시하여 그들의 가치관을 보여 준다.

인물·사건

07 ㉠~ⓜ에 나타난 인물의 태도로 적절하지 않은 것은?

① ㉠: 잘못한 게 없다는 듯 자신 있게 말하고 있다.
② ㉡: 동정심을 유발하기 위해 친근감을 강조하고 있다.
③ ㉢: 상대가 현실과 동떨어진 허황된 생각을 한다고 비웃고 있다.
④ ㉣: 상대에게 화가 치밀어 덤벼들 듯한 태도로 다그치고 있다.
⑤ ⓜ: 형으로서 동생을 걱정하는 마음이 반영되어 있다.

수능형 인물·사건

08 윗글의 갈등을 〈보기〉와 같이 정리할 때, 그에 대한 설명으로 적절하지 않은 것은?

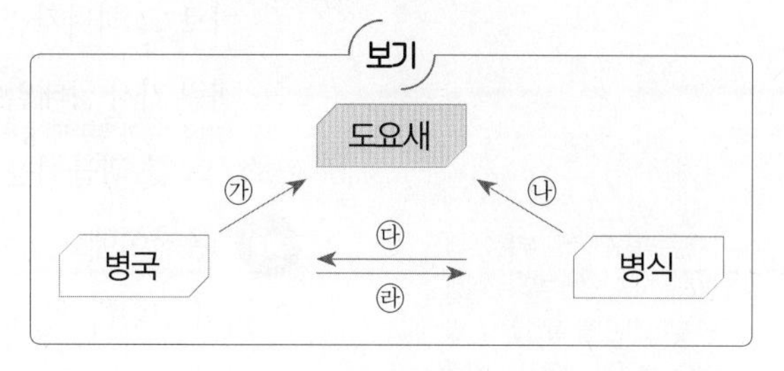

① ㉮: 병국은 도요새를 보호해야 할 대상이라고 생각한다.
② ㉯: 병식은 도요새를 돈을 벌기 위한 수단이라고 여긴다.
③ ㉮, ㉯: 인물의 갈등이 사회 문제와 연관되어 있음이 드러난다.
④ ㉰: 병식은 병국의 과거를 언급하며 냉소적인 태도를 보인다.
⑤ ㉱: 병국은 병식이 나쁜 사람들에게 이용당하게 될까 봐 염려한다.

도요새에 관한 명상 ④

중략 부분 줄거리 병식과 다투고 난 후 마음이 편하지 않은 병국은 새 떼나 보기 위해 개펄로 향하다가 자주 가는 서점에 들른다. 서점 주인이 다른 손님과 나누는 대화를 통해 동진시 공단 주변에서 일어나는 여러 가지 문제에 대해 들은 병국은 주문한 책을 받아들고 서점을 나선다.

독해쌤 속닥속닥

◆ (아)에서는 병국이 꿈속에서 보는 도요새의 모습을 통해 현실에 대한 병국의 생각이 간접적으로 드러나고 있어요. 도요새 무리가 밤에 등대 불빛을 향해 날다가 등대의 벽에 부딪혀 죽거나 낮에 매와 사냥꾼에게 쫓기고 오염된 폐수로 생존에 위협을 받는 꿈속 상황을 통해, 자유로운 삶과 생명을 위협하는 산업화 시대의 사회적 폭력을 암시적으로 드러내고 있어요.

아 병국은 정배 형의 학교로 전화라도 한 통 걸까 하고 공중전화 박스를 찾았다. 퇴근 시간 무렵이라 개펄로 같이 나갈 수 있겠느냐고 권해 볼 심산이었다. 그럴 사이 마침 버스 정류소에 도착했고, 웅포리행 차가 와서 올라타고 말았다. 제일 뒷좌석이 비어 있었다. 뒷자리에 앉아 병국은 등받이에 머리를 기대고 눈을 감았다. 그는 잠을 자듯 그렇게 늘어져 있었다. 눈앞에 수백 마리의 도요새 무리가 바다와 하늘 사이 무공 천지를 가르며 점점이 날고 있었다. 날개를 파닥파닥 상하로 쳐 대며 바람에 쫓기듯 삐라처럼 남으로 남으로 떠내려가고 있었다. 그런데 병국의 눈앞에 한 마리의 도요새가 무리에서 떨어져 나와 힘없이 처져 날더니 저공으로 떨어져 내려오기 시작했다. 이윽고 ⓐ낙오된 새는 지쳐 더 날 힘을 잃고 꽃잎 지듯 바다로 향해 떨어졌다. 암흑천지의 밤이었다. 파도는 높았고 바람은 드세었다. 멀리로 깜박깜박 등대 불빛이 보였다. 도요새 무리는 등대 불빛을 향해 곧장 날아가고 있었다. 그러나 어둠 속에 가린 등대의 몸체를 미처 피하지 못한 ⓑ몇십 마리의 새가 등대 벽에 머리를 박고 떨어졌다. 다시 낮이었다. 강 하구와 벼를 베고 난 논바닥에서 도요새 무리가 쉬고 있었다. 하늘 높이 점처럼 떠 있던 ⓒ매 한 마리가 갑자기 수직으로 쏜살같이 떨어져 왔다. 매는 미처 날 틈을 못 찾고 쫓음 걸음을 하는 도요새 한 마리를 쉽게 포획했다. 포획당한 도요새가 매의 날카로운 발톱에 찍힌 채 애처롭게 울 동안 다른 도요새 무리는 재빠르게 창공으로 날아올랐다. 또 사냥꾼이 도요새를 수렵하고, 중금속에 ⓓ오염된 폐수와 그 폐수 속에 살고 있는 먹이가 도요새의 새로운 적으로 부상 되었다.

> 심산: 마음속으로 하는 궁리나 계획
> 삐라: 전단(선전이나 광고 또는 선동하는 글이 담긴 종이쪽)
> 저공: 지면이나 수면에 가까운 낮은 하늘
> 포획: 짐승이나 물고기를 잡음
> 수렵: 총이나 활 또는 길들인 매나 올가미 따위로 산이나 들의 짐승을 잡음
> 부상: 어떤 현상이 관심의 대상이 되거나 어떤 사람이 훨씬 좋은 위치로 올라섬

(가) ⓔ자유로운 삶의 터를 찾아 고통의 길고 긴 도정 중에 나는 그렇게 낙오되는 도요새가 아닐까. 대열에서 낙오되는 그 수요가 몇백 마리, 아니 몇천 마리 중의 하나일지라도 내가 바로 그 하나가 되어 죽어 버린 것이 아닐까. 설령 이렇게 숨쉬며 살아 있어도 혼이 빠져 버린 가사 상태일는지도 몰라.

> 가사: 생리적 기능이 약화되어 죽은 것처럼 보이는 상태

스스로를 괴롭히는 자책이 꼬리를 물고 그의 얼을 뽑았다.

◆ (자)는 작품의 결말 부분에 해당하는데요. 전반부와는 시점이 달라진 것을 확인할 수 있어요. 병국의 이야기가 시작되는 부분인 (가)에서는 병국이 '나'라는 1인칭으로 표현되지만, (자)에서는 '병국' 또는 '그'라는 3인칭으로 표현되고 있어요. 이를 통해 작품의 서술 시점이 1인칭 시점에서 3인칭 시점으로 바뀐 것을 알 수 있어요.

자 "종점이에요. 손님은 안 내리셔요?" / 병국이가 눈을 뜨니 버스 안내원이었다. 버스 안은 비어 있었다. 병국은 쫓기듯 ㉠버스에서 내렸다. 웅포리였다. 그는 주차장을 벗어나 바다 쪽으로 걷기 시작했다. 해풍이 시원하게 그의 얼굴을 핥았다. 그는 모래톱에 털썩 주저앉았다. 그리고 끝닿은 데 없이 펼쳐진 바다 멀리로 시선을 주었다. 서편으로 기운 햇살을 받아 먼바다의 물결이 은빛 광택을 띠고 있었다. 그는 그때부터 그 먼 데 하늘이 주황빛으로 물들고, 바다가 그 붉은빛에 반사되어 금빛 어룽으로 번질 때까지 그 자리를 지키고 있었다.

뒷부분 줄거리 자주 찾는 술집으로 갔다가 아버지가 강 회장과 함께 술을 마시며 통일에 대한 이야기를 나누는 것을 본 병국은 발길을 돌려 나온다. 해가 지는 바다와 하늘을 보던 중 자유를 상징하는 듯한 도요새의 비상을 발견한다.

결말 밀렵 문제로 형제가 싸우고, 병국은 자유를 상징하는 도요새의 비상을 바라봄

확인 문제

[01~03] 다음 설명이 맞으면 ○, 틀리면 ×표 하시오.

01 (아), (자)는 이야기 외부의 서술자가 인물의 심리를 파악하여 전달하고 있다. (○, ×)

02 (아)에서 병국은 낙오되는 도요새와 자신의 처지를 동일시하고 있다. (○, ×)

03 (아)에서 병국은 창밖으로 도요새의 무리가 자유로운 삶의 터를 찾아 떠나는 도정 중에 피해를 당하는 모습을 보고 있다. (○, ×)

실력 문제

서술

04 **(아)에 나타나는 서술상 특징으로 가장 적절한 것은?**

① 등장인물이 사건을 객관적으로 전달하고 있다.
② 특정 인물의 내면을 환상적 상황을 통해 드러내고 있다.
③ 등장인물과 자연물의 대화를 통해 사건의 흐름을 늦추고 있다.
④ 자연물이 서술자가 되어 주제 의식을 직접적으로 드러내고 있다.
⑤ 이야기 외부의 서술자가 인물의 행동과 생각을 평가하며 서술하고 있다.

배경·소재

05 **〈보기〉와 관련지어 ㉠의 공간적 의미를 파악한 내용으로 가장 적절한 것은?**

> **보기**
> 「도요새에 관한 명상」에서는 도요새를 매개로 한 병국의 고뇌와 현실 극복 의지를 통해 '자아를 찾지 못하고 방황하는 현대 젊은이의 인간성 회복 의지'라는 주제 의식을 드러내고 있다.

① 중심인물의 관심이 집중되는 공간
② 중심인물의 소망이 이루어지는 공간
③ 중심인물의 생존 본능이 되살아나는 공간
④ 중심인물과 대립하는 인물이 화해하는 공간
⑤ 중심인물이 자신의 모습을 되돌아보는 공간

서술

06 **〈보기〉를 ㉮로 고친 것이라고 할 때, 그 효과로 가장 적절한 것은?**

> **보기**
> 자유로운 삶의 터를 찾아 고통의 길고 긴 도정 중에 자신은 그렇게 낙오되는 도요새가 아닐까 하고 그는 생각했다. 대열에서 낙오되는 그 수요가 몇백 마리, 아니 몇천 마리 중의 하나일지라도 자신이 바로 그 하나가 되어 죽어 버린 것이 아닌지, 설령 그렇게 숨쉬며 살아 있어도 혼이 빠져 버린 가사 상태일는지도 모르겠다고 그는 중얼거렸다.

① 내적 갈등의 심화
② 새로운 사건의 암시
③ 직접적인 심리 제시
④ 긴박한 분위기 조성
⑤ 비유를 통한 심리의 간접적 전달

수능형 배경·소재

07 **〈보기〉를 바탕으로 ⓐ~ⓔ에 대해 이해한 내용으로 적절하지 않은 것은?**

> **보기**
> 우리나라 정부는 1970년대 후반 중화학 공업 위주의 산업을 중점적으로 키웠다. 이로 인해 경제적인 성장과 풍요를 이룩했지만, 반면에 환경 오염으로 인해 피해를 입은 사례도 많았다. 또한 그 당시는 정치적으로도 사상과 비판의 자유가 허용되지 않아, 이러한 억압에 저항하다가 고난을 당하는 사람들도 있었다. 이 작품은 당시의 이러한 사회적 문제들을 '도요새'의 상징성을 통해 비판하고 있다.

① ⓐ: 억압에 저항하다가 대학에서 쫓겨난 병국을 의미하는 것으로 볼 수 있겠군.
② ⓑ: 급속한 산업화 속에서 피해를 입은 사람들을 의미하는 것으로 볼 수 있겠군.
③ ⓒ: 사상과 비판의 자유를 허용하지 않는 정치적 힘을 의미하는 것으로 볼 수 있겠군.
④ ⓓ: 중화학 공업 위주의 산업으로 인해 생긴 환경 오염을 의미하는 것으로 볼 수 있겠군.
⑤ ⓔ: 경제적으로 성장하여 풍요롭게 살아가는 산업화 사회를 의미하는 것으로 볼 수 있겠군.

작품 전체

제1장		제2장✡		제3장		제4장✡
재수생인 '나'(병식)는 무능한 실향민 아버지와 대학에서 퇴학당한 형을 한심하게 여김	⇒	시위 경력 때문에 대학에서 제적당한 '나'(병국)는 고향에 내려와 도요새와 ❶ㅎㄱ 문제를 연구하며 삶의 의지를 갖게 됨	⇒	휴전 후 고향에 가지 못한 '나'(아버지)는 사랑 없는 결혼을 하고 새를 보는 즐거움으로 살아감	⇒	새 밀렵 문제로 인해 병국과 병식이 싸우고, 병국은 낙오된 ❷ㄷㅇㅅ를 보고 명상에 잠김

✡: 교재 수록 부분

작품 압축

인물 간의 갈등

병식		병국
• 도요새를 밀렵해서 박제사에게 팔면서 ❸ㅇㅅ의 가책을 느끼지 않음 • 사회나 환경 문제에 대해 무관심하고 물질적 가치만 추구함	⇔	• 학생 운동을 하다가 퇴학을 당하고 낙향하여 환경 문제에 관심을 가짐 • 동진강의 ❹ㅇㅇ에 문제의식을 가지며 도요새를 지키려 함
⇓		⇓
현실적이고 이해타산적인 인물		이상을 추구하는 적극적인 인물

시점의 변화와 효과

1인칭 ❺ㅈㅇㄱ 시점	제1장	동생 병식의 시각
	제2장	형 ❻ㅂㄱ의 시각
	제3장	아버지의 시각
전지적 서술자 시점	제4장	이야기 밖 서술자의 시각

⇓

효과

• 생각이 서로 다른 여러 인물의 시각에서 서술하여 치우치지 않은 시선으로 사건을 전달함
• 같은 사건과 사물에 대한 다양한 시각을 보여 줌으로써 다양한 작품을 읽는 것 같은 느낌을 줌

인물·사건 / 서술 / 배경·소재 / 주제

'도요새'의 상징성

도요새는 실향민인 아버지에게는 고향에 대한 그리움을 불러일으키는 존재, 병국에게는 동일시 대상, 병식에게는 경제적 이익의 대상으로서의 의미를 지닌다.

도요새		병국
자유를 찾아 비상하는 존재	⇒	정신적 ❼ㅈㅇ, 지켜야 할 생명

⇓

• 정신적 상처를 치유해 주는 존재
• 인간다운 삶과 자유 같은 절대적 가치

작품 전체에 반영된 현실과 주제

실향민으로 살아온 아버지의 한	학생 운동을 하다가 퇴학당한 병국	❽ㅅㅇㅎ로 인한 동진강의 오염

⇓

창작 의도

민족의 비극적 역사 현실에 대한 인식과
순수한 인간성 회복의 의지,
산업화로 인한 환경 오염에 대한 비판

어휘력 테스트

1 다음 단어를 활용하기에 적절한 문장을 찾아 바르게 연결해 보자.

(1) 도정 •	• ㉠ 그는 물건값을 조금이라도 더 깎아 볼 ( )으로 가게 주인과 계속 흥정하였다.
(2) 승격 •	• ㉡ 청소년은 육체적·정신적으로 성숙해 가는 ( )에 있다.
(3) 심산 •	• ㉢ 전쟁에서 큰 공을 세운 병사는 장군으로 ( ) 되었다.

2 제시된 뜻과 예문을 참고하여 다음 초성에 해당하는 단어를 괄호 안에 써 보자.

(1) ㄷ ㄹ 하다: 외부에서 전해져 들어오다.

예 겨울이면 어김없이 한강에 철새들이 (   )하여 둥지를 틀고 한 계절을 지낸다.

(2) ㅊ ㅂ 하다: 마음속으로 그러하다고 보거나 여기다.

예 진심 어린 나의 충고를 동생은 잔소리로 (   )해 버리곤 한다.

(3) ㄱ ㅅ 하다: 글로 써서 게시하여 널리 알리다. 주로 행정 기관에서 일반 국민들을 대상으로 어떤 내용을 알리는 일을 이른다.

예 노동부에서는 올해 최저 임금을 작년보다 3% 인상한다고 (   )하였다.

독해쌤과 함께하는 감상 넓히기

작가 김원일의 다른 작품

김원일 작가의 작품에는 환경 문제와 실향민의 이야기를 다룬 「도요새에 관한 명상」 외에도 우리 민족이 처한 현실의 문제를 다룬 작품들이 많아요. 전쟁 직후 한국 사회의 모습을 압축하여 보여 주거나, 광복 이후 좌우익의 이념 대립으로 생긴 우리 민족의 비극을 그려 낸 작품들도 있답니다. 이러한 작품들을 더 감상해 볼까요?

마당 깊은 집_김원일

1950년대 6·25 전쟁이 끝난 시기를 배경으로 하여 대구에 있는 '마당 깊은 집'에 모여 살게 된 여섯 가구, 총 스물두 명의 인물들에 얽힌 사건들을 통해 전후 한국 사회의 모습을 압축적으로 보여 주는 작품입니다.

어둠의 혼_김원일

경상도의 어느 시골을 배경으로 하여 광복 직후 이념의 대립으로 인해 발생한 민족의 비극을 다룬 소설로, 빨치산인 아버지의 죽음과 그로 인해 고통받는 한 가정의 이야기를 어린 서술자의 시선에서 그려 낸 작품입니다.

유자소전 ① _이문구

혹시 자신의 주변에 소설의 주인공으로 쓰고 싶은 특별한 인물이 있나요? 이 작품은 작가가 특별하게 생각했던 실존 인물을 주인공으로 한 소설이에요. 그 인물의 일화를 중심으로 사건이 전개되고 있으니, 일화에 나타난 인물의 성격을 살펴보면서 감상해 볼까요?

독해쌤의 감상 질문

1. 인물·사건 일화에 나타난 유재필(유자)은 어떤 인물인가요?
2. 서술 • 이 작품의 서술상 특징과 그 효과는 무엇인가요?
   • 제목을 통해 알 수 있는 이 작품의 특징은 무엇인가요?
4. 주제 이 작품에서 비판하고 있는 대상과 그를 통해 드러내고 있는 주제는 무엇인가요?

독해쌤 속닥속닥

◆ 제목인 '유자소전'에서 보듯이, 이 작품은 '전(傳)'의 형식으로 내용이 전개돼요. 전통적인 '전'의 형식은 출생과 성품, 행적, 그리고 인물의 삶에 대한 작가의 평가로 이루어져요. 이러한 양식을 계승한 이 작품은 시작 부분인 (가)에서 유자의 출생과 생애, 그리고 성품을 서술하고 있어요. 이후 내용은 유자의 어린 시절부터 장년기까지의 구체적인 일화가 제시되는데, 이는 '행적'에 해당해요.

발단

가 한 친구가 있었다. / 그냥 보면 그저 그렇고 그런 보통 사람에 불과한 친구였다.

그러나 여느 사람처럼 이 땅에 그런 사람이 있는지 마는지 하게 그럭저럭 살다가 제물에 흐지부지하고 몸을 마친 예사 허릅숭이는 아니었다.

(허릅숭이: 일을 실답게(미덥게) 하지 못하는 사람을 낮잡아 이르는 말)

그의 이름은 유재필(俞裁弼)이다. 1941년 홍성군 광천에서 태어나 보령군 대천에 와서 자라고 배웠다. 그리고 그 나머지는 서울에서 살았다. 그는 어려서부터 타고난 총기와 숫기로 또래에서 별쭝맞고 무리에서 두드러진 바가 있어, 비색한 가운과 불우한 환경 속에서도 여러모로 일찍 터득하고 앞서 나아감에 따라 소년 시절은 장히 숙성하고, 청년 시절은 자못 노련하고, 장년에 들어서서는 속절없이 노성하였으니, 무릇 이것이 그가 보통 사람 가운데서도 항상 깨어 있는 삶을 살게 된 바탕이었다.

(별쭝맞고: 말과 행동이 보통과 다르고 / 비색한: 운수가 꽉 막힌 / 가운: 집안의 운수 / 노성하였으니: 많은 경험을 쌓아 세상일에 익숙함)

나 그의 생애는 풀밭에서 뚜렷하고 쑥밭에서 우뚝하였다.

그는 애초에 심성이 밝고 깔끔하였다. 매사에 생각이 깊고 침착하였으며, 성품이 곧고 굳은 위에 몸소 겪음한 바와 힘써 널리 보고 애써 널리 들은 것을 더하여, 스스로 갖추어진 줏대와 나름껏 이루어진 주견으로 갈피 있는 태도를 흐트리지 아니하였다.

발단 | 유자(유재필)에 대한 소개 – 생애와 성품

중략 부분 줄거리 유자는 중학교를 졸업한 후에 선거 운동원과 국회 의원 비서관을 하다가 군에 입대한다. 제대 후에는 군대에서 배운 운전 기술로 택시 운전을 하다가 대기업 총수의 운전기사로 일하게 된다. 그러던 어느 날, 유자가 잡지사에서 일하는 '나'를 불쑥 찾아옴으로써 10여 년 만에 해후한다. 이후 '나'와 유자는 서로 연락을 하며 지낸다.

위기 1

다 총수의 자택에 연못이 생긴 것은 그 며칠 전의 일이었다. 뜰 안에다 벽이고 바닥이고 시멘트를 들어부어 만들었으니 연못이라기보다는 수족관이라고 하는 편이 알맞은 시설이었다. 시멘트가 굳어지자 물을 채우고 울긋불긋한 비단잉어들을 풀어놓았다.

(총수: 어떤 집단의 우두머리)

라 비단잉어들은 화려하고 귀티 나는 맵시로 보는 사람마다 탄성을 자아내게 하였으나, 그는 처음부터 흘기눈을 떴다. 비행기를 타고 온 수입 고기라서가 아니었다. 그 회사 직원 몇 사람 치 월급을 합쳐도 못 미치는 상식 밖의 몸값 때문이었다.

"대관절 월매짜리 고기간디그려?" / 내가 물어보았다.

(대관절: 여러 말 할 것 없이 요점만 말하건대)

"마리당 팔십만 원쓱 주구 가져왔댜."

그 회사 직원들의 봉급 수준을 모르기에 나의 월급으로 계산을 해 보니, 자그마치 3년 4개월 동안이나 봉투째로 쌓아야 겨우 한 마리 만져 볼까 말까 한 값이었다.

"웬 늠으 잉어가 사람버덤 비싸다나?" / 내가 기가 막혀 두런거렸더니,

"보통 것은 아닐러먼그려. 벧어낸밴또(베토벤)라나 뭬라나를 틀어 주면 그 가락대루 따라서 허구, 차에코풀구싶어(차이콥스키)라나 뭬라나를 틀어 주면 또 그 가락대루 따라서 허구, 좌우간 곡을 틀어 주는 대루 못 추는 춤이 읎는 순전 딴따라 고기닝께. 물고기두 꼬랑지 흔들어서 먹구사는 물고기가 있다는 건 이번에 그 집에서 츰 봤구먼."

확인 문제

[01~04] 다음 설명이 맞으면 ○, 틀리면 ×표 하시오.

01 이 작품은 1인칭 주인공 시점으로 내용이 전개되고 있다. (○, ×)

02 유재필은 성품이 곧고, 줏대와 주견이 뚜렷한 인물이다. (○, ×)

03 이 작품은 유자와 관련된 일화를 통해 그의 인물됨을 드러내고 있다. (○, ×)

04 유자는 비싼 비단잉어를 관상용으로 키울 만큼 재력이 있는 인물이다. (○, ×)

[05~06] 다음 빈칸에 들어갈 알맞은 말을 쓰시오.

05 이 작품은 서사 문학의 전통적 양식인 'ㅈ'의 형식으로 서술하고 있다.

06 이 작품은 지역 ㅅㅌㄹ와 비속어 등을 사용하여 서술하고 있다.

실력 문제

인물·사건

07 윗글에 등장하는 인물에 대한 설명으로 적절하지 않은 것은?

① 총수는 사회 고위층에 속하는 인물이다.
② 유자는 심성이 밝고 생각이 깊은 인물이다.
③ '나'는 유자에 대해 예찬적인 태도를 보이고 있다.
④ '나'는 유자와 함께 총수의 밑에서 일하고 있다.
⑤ 유자는 어려서부터 남들보다 두드러진 데가 있었다.

서술

08 (라)에 나타난 서술상의 특징으로 가장 적절한 것은?

① 내적 독백을 통해 이야기의 흐름을 지연시키고 있다.
② 외양을 상세하게 묘사하여 인물을 희화화하고 있다.
③ 현재와 과거를 교차 서술하여 주제를 부각하고 있다.
④ 간접 인용을 활용하여 사건 전개의 신빙성을 높이고 있다.
⑤ 비속어와 언어유희의 해학적 사용으로 웃음을 유발하고 있다.

수능형 주제

09 〈보기〉를 참고하여 윗글을 감상한 내용으로 적절하지 않은 것은?

보기

'전(傳)'은 우리나라의 전통적 서사 양식 중 하나로, 어떤 사람의 독특한 행적을 기록하고, 여기에 작가가 개입하여 교훈적인 내용이나 비판을 덧붙인 글이다. 과거에는 위인들의 일대기를 다루어 역사적인 기록으로서의 가치에 중점을 두었지만, 오늘날에는 인물의 생애와 성품에 대한 일대기적 기록과 평가를 세상 사람들에게 널리 알려 교훈이나 깨달음을 주고자 하는 의도가 담겨 있다.

① 작가는 작품에 개입하여 유자에 대한 평가를 덧붙이고 있군.
② 인물의 일대기를 기록하는 전(傳)의 양식을 현대적으로 계승한 것이로군.
③ 작가는 유자의 일대기를 다루어 역사적 기록으로 남기려는 의도가 있었군.
④ 작가는 유자의 삶을 널리 알려 독자에게 어떤 교훈이나 깨달음을 주려고 했군.
⑤ 독특한 행적이 드러나는 일화를 제시하여 인물의 예사롭지 않은 성품을 구체화하고 있군.

독해쌤 속닥속닥

◆ (마)는 비단잉어가 떼죽음을 당해 화가 난 총수로 인해 긴장감이 고조된 상황인데, 이러한 상황에서 비단잉어 죽음의 원인에 대해 설명하는 유자의 말은 웃음을 유발하면서 긴장된 분위기를 완화시키고 있어요. 또한 유자의 비꼬는 말투는 총수의 허영심을 풍자하는 역할을 한답니다.

◆ (바)에서 총수는 죽은 비단잉어를 불쌍하게 여기면서 직원들에게는 고압적인 모습을 보여요. 사람보다 비단잉어를 소중하게 생각하는 모습을 통해 총수가 위선적이고 비인간적인 인물이라는 것을 알 수 있어요.

마 그런데 이 비단잉어들이 어제 새벽에 떼죽음을 한 거였다. 자고 일어나 보니 죄다 허옇게 뒤집어진 채로 떠 있는 것이었다. 총수가 실내화를 꿴 발로 뛰어나왔지만 아무 소용없는 일이었다. / "어떻게 된 거야?"

한동안 넋 나간 듯이 서 있던 총수가 하고많은 사람 중에 하필이면 유자를 겨냥하며 물은 말이었다.

"글쎄유, 아마 밤새에 고뿔이 들었던 개비네유." / 유자는 부러 딴청을 하였다.
('감기'를 일상적으로 이르는 말) (실없이 거짓으로)

"뭐야? 물고기가 물에서 감기 들어 죽는 물고기두 봤어?"

총수는 그가 마치 혐의자나 되는 것처럼 화풀이를 하려 드는 것이었다.
(범죄를 저질렀을 것으로 의심을 받는 사람)

그는 비위가 상해서, / "그야 팔자가 사나서 이런 후진국에 시집와 살라니께 여러 가지루다 객고가 쌯여서 조시두 안 좋았을 테구…… 그런디다가 부룻쓰구 지루박이구 가락을 트는 대루 디립다 춰 댔으니께 과로해서 몸살끼두 다소 있었을 테구…… ㉠본래 받들어서 키우는 새끼덜일수록이 다다 탈이 많은 법이니께……."
(객지에서의 고생) ('상태'를 뜻하는 일본 말) (블루스) (지르박)

그는 시멘트의 독성을 충분히 우려내지 않고 고기를 넣은 것이 탈이었으려니 하면서도 부러 배참으로 의뭉을 떨었다.
(꾸지람을 듣고 그 화풀이를 다른 데다 함) (겉으로는 어리석은 것처럼 보이면서 속으로는 엉큼함)

㉡"하는 말마다 저 말 같잖은 소리…… 시끄러 이 사람아."

총수는 말 가운데 어디가 어떻게 듣기 싫었는지 자기 성질을 못 이기며 돌아섰다.

바 그는 총수가 그랬다고 속상해할 만큼 속이 옹색한 편이 아니었다. 그렇지만 오늘 아침에 들은 말만은 쉽사리 삭일 수가 없었다.

총수는 오늘도 연못이 텅 빈 것이 못내 아쉬운지 식전마다 하던 정원 산책도 그만두고 연못가로만 맴돌더니,

"유 기사, 어제 그 고기들은 다 어떡했나?"

또 그를 지명하며 묻는 것이었다. / 그는 아무렇지 않게 대답했다.

"한 마리가 황소 너댓 마리 값이나 나간다는디, 아까워서 그냥 내뻔지기두 거시기 허구, 비싼 고기는 맛두 괜찮겄다 싶기두 허구…… 게 비눌을 대강 긁어서 된장끼 좀 허구, 꼬치장두 좀 풀구, 마늘두 서너 통 다져 늫구, 멀국두 좀 있게 지져서 한 고뿌덜씩 했지유."
(음료 따위를 '컵'에 담아 그 분량을 세는 단위)

"뭣이 어쩌구 어째?" / "왜유?"

"왜애유? 이런 잔인무도한 것들 같으니……."

㉢총수는 분기탱천하여 부쩌지를 못하였다. 보아 하니 아는 문자는 다 동원하여 호통을 쳤으면 하나 혈압을 생각하여 참는 눈치였다.
(부접을 못하다. 한곳에 붙어 배기거나 견뎌 내지 못하다.)

㉣"달리 처리헐 방법두 읎잖은감유."

총수의 성깔을 덧들이려고 한 말이 아니었다. 그가 할 수 있는 것이 그 방법 말고는 없었기 때문에 그렇게 뒷동을 단 거였다.
(남을 건드려 언짢게 하려고) (일의 뒷부분. 또는 뒤 토막)

총수는 우악스럽고 무식하기 짝이 없는 아랫것들하고 따따부따해 봤자 공연히 위신이나 흠이 가고 득 될 것이 없다고 판단했는지, 숨결이 웬만큼 고루 잡힌 어조로,
(딱딱한 말씨로 따지고 다투어)

㉤"그 불쌍한 것들을 저쪽 잔디밭에다 고이 묻어 주지 않고, 그래 그걸 술안주해서 처먹어 버려? 에이…… 에이…… 피두 눈물두 없는 독종들……."

하고 혼잣말처럼 중얼거리면서 들어가 버리는 것이었다.

위기 1 비단잉어 사건에 대한 유자의 반감

[01~03] 다음 설명이 맞으면 ○, 틀리면 ×표 하시오.

01 총수는 자신의 건강과 위신을 중요하게 생각하는 인물이다. (○, ×)

02 유자는 비단잉어가 죽은 이유가 고뿔이 들어서라고 생각하고 있다. (○, ×)

03 (바)에서는 과거에 일어난 유자와 총수의 일화를 1인칭 관찰자 시점으로 서술하고 있다. (○, ×)

[04~05] 다음 빈칸에 들어갈 알맞은 말을 쓰시오.

04 유자는 총수가 자신을 ㅎㅇㅈ인 것처럼 대하는 것에 불쾌감을 느꼈다.

05 ㅂㄷㅇㅇ는 소중하게 여기고 유자에게는 고압적인 태도를 취하는 총수의 모습에서 위선적이고 비인간적인 면모가 드러난다.

서술

06 윗글에 대한 설명으로 적절하지 않은 것은?

① 인물 간의 대화를 중심으로 사건을 전개해 나가고 있다.
② 빠른 장면 전환을 통해 긴박한 분위기를 조성하고 있다.
③ 사투리를 사용하여 희극적 상황을 부각하여 표현하고 있다.
④ 대립적인 성격의 인물을 제시하여 작품의 주제를 효과적으로 드러내고 있다.
⑤ 주인공의 비꼬는 말투를 통해 다른 인물의 부정적인 면모를 부각하고 있다.

인물·사건

07 윗글을 통해 알 수 있는 '총수'의 인물됨으로 가장 적절한 것은?

① 부와 사치를 과시하는 허영에 찬 인물
② 작은 생명체도 아끼고 소중히 다루는 인물
③ 약자의 잘못을 너그럽게 용서하는 관용적인 인물
④ 자신의 명예와 지위에 자긍심을 지닌 기품 있는 인물
⑤ 아랫사람들의 잘잘못을 확실히 따지는 빈틈없는 인물

인물·사건 + 서술

08 윗글에서 웃음을 유발하는 요인으로 적절하지 않은 것은?

① 죽은 비단잉어로 매운탕을 끓여 먹은 사건
② 비단잉어에 대한 유자의 우스꽝스러운 표현
③ 총수에게 의뭉스러운 태도로 일관하는 유자의 모습
④ 자신의 운전기사인 유자에게 조롱을 당하는 총수의 상황
⑤ 비단잉어가 죽은 진짜 이유를 알지 못하는 유자와 총수의 어리석음

인물·사건

09 ㉠~㉤에 대한 이해로 적절하지 않은 것은?

① ㉠: 유자는 비단잉어를 애지중지하는 총수의 태도를 비꼬고 있다.
② ㉡: 총수는 유자가 자신을 조롱하고 있음을 눈치 채고 있다.
③ ㉢: 총수는 죽은 비단잉어로 매운탕을 끓여 먹었다는 사실에 매우 화가 나 있다.
④ ㉣: 유자는 총수의 반응에 당황하여 변명을 하고 있다.
⑤ ㉤: 사람보다 비단잉어를 중시하는 총수의 면모가 드러나 있다.

유자소전 ③

위기 2

사 ⓐ그는 하루바삐 총수의 승용차 운전석을 떠나고 싶었다. 남들은 그룹 소속 운전수들의 정상(頂上)(최고의 자리)이나 다름없는 그 자리에 서로 못 앉아서 턱주가리가 떨어지게 올려다보고들 있었지만, 그는 총수가 틀거지(듬직하고 위엄이 있는 겉모양)만 그럴듯한 보잘것없는 위선자로 비치기 시작하자, 그동안 그런 줄도 모르고 주야로 모셔 온 나날들이 그렇게 욕스러울 수가 없었고, 그런 위선자에게 이렇듯 매인 몸으로 살 수밖에 없는 구차스러운 삶이 칙살맞고(하는 짓이나 말 따위가 얄밉게 잘고 더럽고) 가련하지 않을 수가 없었다. 그래서 총수가 더 붙들어 두고 싶어도 불쾌하고 괘씸해서 갈아치울 수밖에 없는 어떤 사단(사건의 단서. 또는 일의 실마리)이나 한바탕 퉁그러지기(불거지기)만을 이제나저제나 하고 기다리고 있었다.

아 그 사단은 생각보다 이르게, 그리고 싱겁게 다가왔다. 〈중략〉

사단의 전말은 다음과 같았다. / 총수는 본디 각근하고(정성을 다하여 부지런히 힘쓰고) 신실한 불교 신자였다. 총수의 원당(願堂)(소원을 빌기 위하여 세운 집)만 해도 어디라고 하면 아이들도 이내 짐작할 수 있는 국립 공원 안의 명찰이거니와, 언필칭(말을 할 때마다 이르기를) 민족 문화유산 운운하지만 실은 총수의 사찰(私刹)이라고 해도 과언이 아닐 지경이었다. 오랫동안 물심양면으로 해 온 것이 있었기에 그리된 것이라고 보면, 총수의 신심이 어떠한가를 능히 헤아릴 수 있는 일이었다.

총수는 자택에도 불당을 두고 있었다. 자택의 불당은 저만치 떨어진 후원에 있었다. 정원이 웬만한 국민학교의 운동장보다도 너른 데다 잘 가꾼 정원수가 가득하여 살림집인 본채에서는 잘 보이지도 않는 외진 곳이기도 하였다. 불당은 여느 암자들처럼 불단에 황금색의 등신불(사람의 크기와 같게 만든 불상)을 모시고 있었으나, 불상 주변에는 정화수를 올리는 불기(부처에게 올릴 밥을 담는 밥그릇)와 향완(향을 담는 사발)이 하나씩, 그리고 양쪽에 풍물의 한 가지인 날라리를 거꾸로 세운 듯한 촛대뿐으로, 재벌가의 불당치고는 썩 정갈하고 소박한 편이라고 할 만하였다.

그런 반면에 ㉠총수는 불상이나 불단에 먼지 하나라도 앉으면 큰일 나는 줄 알고 청소한 가지는 하루도 거르는 날이 없도록 엄히 다루고 있었다.

자 유자는 총수가 참배 오기 전에 사닥다리를 오르내리며 불두(부처의 머리)에서 결가부좌까지 융으로 만든 마른행주로 불상의 먼지를 거두었고, 불단을 훔치고(말끔하게 닦고) 촛불을 써(켜) 놓은 다음 ㉡전날 제주도에서 공수해 온 약수로 정화수를 갈아 올리는 것이 일과의 시작이었다.

그날도 그렇게 하고 있었다.

불상의 먼지를 찍어 내려오던 그의 손이 항마촉지(降魔觸地)(불상의 자세 중 하나로, 왼손은 무릎 위에 두고 오른손은 내리어 땅을 가리킴)한 손등에 이르렀는데, **파리똥**인지 뭔지 마른행주로는 냉큼 지워지지 않는 것이 있었다.

행주에 물을 축여 오려면 넓은 정원을 가로질러 본채까지 다녀와야 할 텐데, 그렇게 지체하다가는(때를 늦추거나 질질 끌다가는) 십중팔구 총수가 나타나기 전에 청소를 마치지 못하기가 쉬웠다. 불단의 정화수를 쓸 수도 없었다. ㉢묵은 정화수는 총수 부인이 손수 식구대로 컵에 나누어 온 가족이 음복하듯이 마시게 하고 있어서 조금이라도 축낼 수가 없는 것이었다.

그가 차량을 다루던 버릇으로 자기도 모르게 툽 하고 **마른행주에 침을 뱉어서 막 파리똥을 지우려던** 순간이었다. / "야야, 저런 천하에 몹쓸……."

돌아다볼 것도 없이 총수의 호통이었다. **총수가 소리 없이 나타나서 청소하는 것을 지켜보고** 있었던 것이다. / 총수의 호령이 이어지고 있었다.

독해쌤 속닥속닥

◆ (사)에서 유자가 총수의 운전기사를 그만두고 싶어 하는 이유가 나타나고, 이를 통해 유자의 성격을 알 수 있어요. 유자가 위선적인 면모를 지닌 총수의 밑에서 일을 하는 것을 치욕스럽게 여겨요. 그래서 운전기사를 그만두고 싶어 하지요. 여기서 유자가 위선적인 것을 싫어하고 정직하고 곧은 것을 중시하며 자기 나름의 줏대와 주견이 있는 인물임을 알 수 있어요.

◆ (자)를 보면 총수는 독실한 불교 신자이지만 실제 자신의 손으로 정성을 들이는 행동은 하지 않아요. 불상이나 불단 청소도 아랫사람을 시키고, 불단에 초를 켜고 정화수를 올리는 일도 자신이 하지 않고 다른 사람을 시키지요. 이를 통해 총수가 겉보기에는 그럴싸한 불교 신자이지만 실제는 형식만 중시하는 위선자라는 것을 알 수 있어요.

㉣"너 너…… 너 오늘부터 내 집에서 당장 나가."

총수가 큰 절마다 정문의 문간에 좌우로 험악하게 서 있는 **금강역사(金剛力士)의 눈**을 해 가지고 명령하면서도 **'내 회사'가 아니라 '내 집'에서 나가라고** 한 것은, 거듭 생각해 보아도 ㉤ **대자대비하신 부처님**의 굽어살피심이라고 아니 할 수가 없었다.

금강신. 절 문 또는 수미단 앞의 좌우에 세우는 두 신

위기 2 | 불상에 묻은 파리똥을 침으로 지우려다가 총수의 집에서 쫓겨나는 유자

확인 문제

[01~03] 다음 설명이 맞으면 ○, 틀리면 ×표 하시오.

01 총수는 자택에 불당도 두고 있을 만큼 독실한 불교 신자이다. (○, ×)

02 총수는 유자가 불단에 올릴 정화수에 손을 대었기 때문에 매우 화가 났다. (○, ×)

03 유자는 자신의 잘못을 눈감아 주는 총수의 행동이 부처님의 굽어살피심 덕분이라고 생각한다. (○, ×)

[04~05] 다음 빈칸에 들어갈 알맞은 말을 쓰시오.

04 유자는 불상에 묻은 ㅍㄹㄸ을 침으로 지우려는 모습을 들켜 총수에게 쫓겨난다.

05 ㅈㅈㄷ에서 공수해 온 약수로 정화수를 갈아 올리는 모습에서 총수의 허영과 사치를 엿볼 수 있다.

실력 문제

인물·사건

06 ㉠~㉤에 대한 이해로 적절하지 않은 것은?

① ㉠: 본질보다 형식을 중시하는 총수의 성격이 드러난다.
② ㉡: 정성스럽게 손수 정화수를 올리는 것에서 총수의 깊은 불심이 드러난다.
③ ㉢: 총수 일가(一家)의 안녕만을 도모하는 행위로 총수 부인의 이기적인 면모가 드러난다.
④ ㉣: 불교의 근본 이념인 자비와는 거리가 먼 모습이 나타난다.
⑤ ㉤: 총수의 속 좁고 인색한 성품을 부각하는 표현이라고 할 수 있다.

인물·사건

07 ⓐ의 이유로 가장 적절한 것은?

① 총수의 성격이 포악했기 때문에
② 총수의 행동이 불쾌하고 괘씸했기 때문에
③ 총수가 위선자라는 생각이 들었기 때문에
④ 운전수보다 좀 더 가치 있는 일을 하고 싶었기 때문에
⑤ 자신의 자리를 원하는 사람들에게 양보하고 싶었기 때문에

수능형 | 인물·사건 + 서술

08 〈보기〉를 바탕으로 윗글을 감상한 내용으로 가장 적절한 것은?

보기

풍자와 해학은 우리나라 서사 문학의 전통적인 특징 중 하나이다. 풍자는 부정적인 현실이나 인물이 지닌 문제나 모순 등을 비웃으면서 폭로하거나 비판하는 방법이다. 그리고 해학은 익살스러운 말이나 우스꽝스러운 행동 등을 통해 웃음을 유발하는 방법으로, 대상에 대한 연민의 정서를 기반으로 한다.

① 불상의 손등에 묻은 지워지지 않는 '파리똥'을 통해 웃음과 함께 대상에 대한 연민의 정서를 불러일으키는군.
② '총수가 소리 없이 나타나서' 유자가 '청소하는 것을 지켜보고' 있는 행위를 통해 불신이 만연한 현실을 폭로하고 있군.
③ '금강역사의 눈'을 하고 유자를 내쫓는 총수와 '대자대비하신 부처님'의 대조를 통해 총수의 부정적 면모를 풍자하고 있군.
④ '마른행주에 침을 뱉어서' 불상에 묻은 '파리똥을 지우려는' 유자의 우스꽝스러운 행동을 통해 총수에 대한 유자의 반감을 드러내고 있군.
⑤ '내 회사'가 아닌 '내 집'에서 나가라고 하는 총수의 명령을 통해 '회사'와 '집'을 혼동하는 총수의 모순적 태도를 비판하고 있군.

유자소전 ④

중략 부분 줄거리 불상에 묻은 파리똥을 침으로 지우려는 사건으로 인해 유자는 운수 회사의 노선 상무로 좌천되어 그곳에서 사고 처리를 하는 일을 맡게 된다.

절정

차 그가 다루는 사건도 ㉠태반이 가해자의 운전 윤리 마비증이 자아낸 것이었다. 그렇지만 가해자가 그룹 내의 동료 운전수라 하여 팔이 들이굽는다는 식의 적당주의를 취한 적은 거의 없었다.

다만 사건 처리에 필요한 서류를 갖추기 위해 신상 기록 대장에 있는 주소를 찾아가 보면 일쑤 비탈진 산꼭대기에 더뎅이 진 무허가 주택에서 근근이 셋방살이를 하는 축이 많았고, 더욱이 인건비를 줄이느라고 임시로 쓰던 스페어 운전수들이 사는 꼴이 말이 아닐 때는, 그 운전자의 자질 여부를 떠나서 현실적인 딱한 사정에 괴로워하지 않을 수가 없었던 것이다.

더뎅이: 부스럼 딱지나 때 같은 것이 거듭 붙어서 된 조각
스페어 운전수: 정규 운전수가 아닌 대타 운전수

카 그는 결국 주머니를 털었다. 스페어 운전수의 사고에는 업무 추진비 명색도 차례가 가지 않아 자신의 용돈을 털게 되는 것이었다. 식구가 ㉡단출하면 쌀을 한 말 ㉢팔아 주고, 식구가 많은 집은 밀가루를 두 포대 팔아 주고, 그리고 연탄을 백 장씩 들여놓아 주는 것이 그가 용돈에서 여퉐 수 있는 한계였다.

여투다: 돈이나 물건을 아껴 쓰고 나머지를 모아 두다.

그는 쌀가게에서 쌀이나 밀가루를 배달하고, 연탄 가게에서 연탄 백 장을 지게로 져 올려 비에 안 젖게 쌓아 주기를 마칠 때까지 그 집을 떠나지 않았다. 그리고 그 집을 나와서 골목을 빠져나오다 보면 늘 무엇인가를 빠뜨리고 오는 것처럼 개운치가 않았다.

그는 비탈길을 다 내려와서야 그것이 무엇이라는 것을 깨닫곤 하였다. 산동네 초입의 반찬 가게를 보고서야 아까 그 집의 부엌에 간장밖에 없었던 것이 뒤늦게 떠오른 것이었다.

그러면 다시 주머니를 뒤졌다.

그가 반찬 가게에서 집어 드는 것은 만날 얼간하여 엮어 놓은 새끼 굴비 ㉣두름이었다. 바다와 ㉤연하여 사는 탓에 밥상에 비린 것이 없으면 먹어도 먹은 것 같지 않아 하는 대천 사람의 속성이 그런 데서까지도 드티었던 것이다.

얼간하여: 소금을 약간 뿌려서 소금에 절여
드티다: 밀리거나 비켜나거나 하여 약간 틈이 생기다. 여기서는 '나오다'의 뜻으로 쓰임

타 도로 산비탈을 기어 올라가서 굴비 두름을 개 안 닿게 고양이 안 닿게 야무지게 매달아 주면서,

"뷝(부엌)에 제우(겨우) 지랑(간장)뱨이 읎으니 뱁이구 수제비구 건건이가 있으야 넘어가지유. 탄불에 궈 자시든 뱁솥에 쪄 자시든 하면, 생긴 건 오죽잖어두 뇌인네 입맛에 그냥저냥 자셔 볼 만헐뀨."

건건이: 변변치 않은 반찬. 또는 간략한 반찬
오죽잖어두: 예사 정도도 못될 만큼 변변하지 않아도
뇌인네: 노인네

쌀이나 연탄을 들여 줄 때는 회사에서 으레 그렇게 돌봐 주는 것이거니 하고 멀건 눈으로 쳐다만 보던 노파도, 그렇게 반찬거리까지 챙겨 주는 자상함에는 그가 골목을 빠져나갈 때까지 눈시울을 적시고 있는 것이 보통이었다.

절정 정직하게 일을 처리하면서도 인간미를 갖춘 유자

뒷부분 줄거리 유자는 말년에 개인 종합 병원의 원무 실장으로 일하면서 원장의 반대에도 민주화 시위에 참여했다가 부상당한 사람들을 도와준 후 사표를 낸다. 그 뒤 유자는 간암으로 갑작스럽게 세상을 떠나고 그를 아는 문인들과 '나'는 그의 죽음을 애도한다.

독해쌤 속닥속닥

◆ 유자가 맡은 일은 말썽 많은 교통사고를 해결하는 것이었어요. 그런데 사고 대부분은 가해자가 운전 윤리를 지키지 않아 발생한 것으로, 유자는 가해자가 동료 운전수라고 해서 적당히 봐 주지 않았어요. 이를 통해 유자가 안전 윤리를 중시하며, 분별력 있는 행동을 하는 인물임을 알 수 있어요.

◆ '스페어 운전수'는 회사에서 인건비를 줄이려고 임시로 쓰던 사람들이에요. 이들은 임시직이라는 것에서도 알 수 있듯이, 이들의 가정 형편이 그리 좋지 않음을 짐작할 수 있어요. 그런데 이런 스페어 운전수의 사고에는 업무 추진비 명색도 차례가 가지 않아 유자가 자신의 용돈을 털어 돕고 있어요. 이를 통해 유자의 따뜻한 마음씨를 부각하면서, 한편으로는 회사에서 사람들을 고용하고도 제대로 돌보지 않는 매정한 현실을 간접적으로 비판하고 있어요.

◆ 유자는 회사의 운전수들이 낸 교통사고를 처리하는 일을 했는데, (차)~(타)는 가해자인 회사 운전수의 일을 처리할 때와 관련된 일화예요. 이 일화에는 사고 처리는 정직하고 냉철하게 하지만, 사고를 낸 운전수의 어려운 가정 형편을 보고는 그냥 지나치지 않고 돕는 유자의 따뜻한 인간미가 나타나 있어요. 이렇게 이 작품은 양심적이고 인간미 넘치는 유자(주인공)의 삶을 통해 산업화 속에 사라지고 있는 전통적 삶의 가치를 보여 주고자 한 작가 의식이 반영되어 있어요.

확인 문제

[01~03] 다음 설명이 맞으면 ○, 틀리면 ×표 하시오.

01 회사에서는 인건비를 줄이기 위해 스페어 운전수를 쓰기도 하였다. (○, ×)

02 총수의 운전수에서 좌천당한 유자는 회사의 동료 운전수들의 교통사고를 처리하는 업무를 맡게 되었다. (○, ×)

03 유자는 어려움에 처한 사람들에게 쌀이나 연탄을 사 주고 오면서 뿌듯함과 자랑스러움을 느꼈다. (○, ×)

[04~06] 다음 빈칸에 들어갈 알맞은 말을 쓰시오.

04 이 작품에서 [ㅇ][ㅈ]는 인정 많고 사람의 도리를 실천하는 인물이다.

05 이 작품은 [ㅅ][ㅌ][ㄹ]를 빈번하게 사용하여 토속적인 정감을 불러일으키고 사건에 사실성을 부여하고 있다.

06 (차)에서는 호흡이 긴 [ㅁ][ㅇ][ㅊ]의 문장을 사용하여 작중 상황과 그에 대한 유자의 심리를 구체적으로 서술하고 있다.

인물·사건

07 윗글을 통해 알 수 있는 내용으로 가장 적절한 것은?

① 유자는 동료 운전수의 입장을 충분히 고려하여 사건을 처리하였다.
② 스페어 운전수들은 그들의 자질 여부를 떠나서 대체로 벌이가 좋은 편이었다.
③ 노파는 유자가 챙겨 주는 반찬거리가 회사에서 제공해 주는 것으로 알고 있었다.
④ 스페어 운전수의 사고에는 업무 추진비가 책정되어 현실적인 도움을 줄 수 있었다.
⑤ 유자는 교통사고 처리에 필요한 서류를 마련하기 위해 운전수들의 집을 직접 찾아가기도 하였다.

어휘

08 문맥상 ㉠~㉤의 의미로 적절하지 않은 것은?

① ㉠: 반수 이상
② ㉡: 식구나 구성원이 많지 않아서 홀가분하면
③ ㉢: 값을 받고 물건이나 권리 등을 남에게 넘겨
④ ㉣: 조기 따위의 물고기를 짚으로 한 줄에 열 마리씩 두 줄로 엮은 것
⑤ ㉤: 잇닿아 있게

수능형 주제

09 〈보기〉를 바탕으로 윗글을 감상한 내용으로 가장 적절한 것은?

보기

「유자소전(俞子小傳)」은 '유자'라는 인물에 대한 전기를 말한다. 여기서 '유자'는 이 작품의 주인공인 유재필을 가리키는데 경의를 표하기 위하여 성에 자(子)를 붙인 것이다.

'전(傳)'은 한문 문체의 하나로 어떤 사람의 독특한 행적을 기록하고, 여기에 교훈적인 내용이나 비판을 덧붙인 글인데, '소전(小傳)'은 그중에서 짧은 전기를 가리킨다. 전(傳) 양식은 작가가 자신이 평소에 가지고 있던 가치관을 표현하려는 동기와 모범적 인물을 후세에 전달하기 위한 동기가 모두 작용한 양식이다.

① 넉살 좋고 입담 좋은 유자와 관련된 일화를 통해 골계미를 느낄 수 있는 작품이다.
② 산업화 과정에서 하층민이 겪는 소외와 갈등을 보여 줌으로써 현실의 문제를 되돌아보게 하는 작품이다.
③ 정직하게 일을 처리하면서도 진정한 인간미를 갖춘 유자를 통해 바람직한 인간상을 독자에게 전하고자 한 작품이다.
④ 허영과 사치에 젖어 가산을 탕진한 사람들의 모습을 제시함으로써 현대인의 물질 만능주의를 비판하고자 한 작품이다.
⑤ 가난하고 힘겨운 삶을 살아가는 소시민들의 생활상을 제시함으로써 이웃에 무관심한 현대인들의 모습을 비판하고 있는 작품이다.

작품 전체

발단✲	전개	위기✲	절정✲	결말
❶ ㅇ ㅈ에 대한 소개 – 생애와 성품	유자가 중학교를 졸업한 후 재벌 총수의 운전수가 되기까지의 일화	❷ ㅂ ㄷ ㅇ ㅇ 사건에 대한 유자의 반감과 불상에 묻은 파리똥을 침으로 지우려다가 총수의 집에서 쫓겨나는 유자	정직하게 일을 처리하면서도 ❸ ㅇ ㄱ ㅁ를 갖춘 유자	암에 걸린 상태에서 마지막 선행을 행하는 유자

✲: 교재 수록 부분

작품 압축

■ 일화에 나타난 유자의 성격

유자는 강자의 눈치를 보지 않고 자신의 신념과 소신을 당당히 표현할 줄 알며, 인정이 많고 사람의 도리를 실천하는 인물이다.

일화(사건)	유자의 성격
비단잉어 사건	약자인 입장에서도 총수를 비판할 줄 아는 뚜렷한 주견을 가짐
불상 사건	❹ ㅇ ㅅ ㅈ인 총수의 모습을 혐오하고 불의를 미워함
교통사고 처리 업무 사건	정직하게 일을 처리하면서도 진정한 인간미를 갖춤

■ 총수의 모습을 통한 현대 사회에 대한 비판

❺ ㅊ ㅅ
- 재벌 기업의 총수
- 사치와 허영심이 많음
- 위선적이며 몰인정함

유자
약자 입장에서 사회적으로 우위에 있는 총수의 몰인정한 모습과 위선적인 태도를 조롱하면서 ❻ ㅂ ㅍ함

⇓

- 사치와 허영에 젖어 있는 현대인의 허황된 삶을 비판함
- 몰인정하고 이기적인 현대인의 삶의 방식과 가치관을 비판함

인물·사건 / 주제 / 서술

■ 서술상 특징과 그 효과

❼ ㅅ ㅌ ㄹ의 사용	• 토속적인 정감과 작품에 사실성을 부여함 • 주인공에 대한 독자의 친근감을 유발함
비속어, 언어유희	비판하고 있는 대상을 더욱 우스꽝스럽게 보이게 함
서술자의 개입	• 작가의 생각을 직접 독자에게 전달함 • 등장인물을 논평하면서 독자와 함께 조롱하고 풍자함

■ '전(傳)'의 양식 차용과 그 효과

'전(傳)'은 범상치 않은 인물의 일대기를 기록하는 전통적인 양식인데, 이 작품은 이를 차용하여 '유자'라는 인물의 일대기를 서술함으로써 바람직한 인간상을 제시하고 있다.

전(傳)의 양식을 현대적으로 계승하여 유자의 ❽ ㅇ ㄷ ㄱ를 서술함

⇓

유자의 삶을 후세에 전하고, 나아가 유자라는 인물을 내세워 몰인정한 현대 사회에 대해 풍자와 비판을 가하고 있음

어휘력 테스트

1 다음 괄호 안에 들어갈 단어를 〈보기〉에서 골라 써 보자.

보기

독종 위신 줏대

(1) 이편에 붙었다 저편에 붙었다 하지 말고 (   )를 지켜라.

(2) 그 일로 사장의 (   )이 땅에 떨어졌음은 더 이야기할 나위가 없다.

(3) 그는 동료들로부터 (   )이라는 소리를 들을 만큼 악착같이 일하였다.

2 다음 단어의 뜻을 참고하여 끝말잇기를 완성해 보자.

□기: 총명한 기운

→ 기□: 자동차를 직업적으로 운전하는 사람

→ □단: 사건의 단서. 또는 일의 실마리

→ 단□: 길이, 무게, 수효, 시간 따위의 수량을 수치로 나타낼 때 기초가 되는 일정한 기준

→ □□자: 겉으로만 착한 체를 하거나 거짓으로 꾸미는 사람

→ 자□: 자기 자신의 집. 또는 그 당사자의 집

독해쌤과 함께하는 감상 넓히기

풍자와 해학이 잘 드러나는 작품

이번에 감상한 「유자소전」과 같이 풍자와 해학을 통해 부정적 대상을 조롱하며 웃음을 유발하는 작품들이 많아요. 고대부터 현대에 이르기까지 우리 문학에서 풍자와 해학은 중요한 특질 중 하나였어요. 이러한 특질이 잘 드러나는 작품들을 더 감상해 볼까요?

흥부전_작자 미상

조선 시대를 배경으로 흥부와 놀부 형제간의 우애와 권선징악을 주제로 한 고전 소설로, 흥부 가족이 처한 비극적 상황을 과장되게 표현하거나 비판의 대상인 놀부의 행태를 나열하는 방식 등 인물이나 상황에 대한 해학과 풍자를 통해 웃음을 유발하고 있는 작품입니다.

봄·봄_김유정

성례(혼인)를 둘러싼 어리숙한 데릴사위와 교활한 장인 사이에 벌어지는 희극적 갈등을 다룬 현대 소설로, 마름인 장인이 머슴으로 일하는 데릴사위를 착취하는 상황에는 1930년대 '지주 – 마름 – 소작인'이라는 농촌의 지배 구조가 간접적으로 드러나 있으나, 풍자와 비판보다는 해학에 중점을 둔 작품입니다.

운영전 1 _작자 미상

슬픈 사랑 이야기는 예나 지금이나 우리의 가슴을 울리며 감동을 줍니다. 이 작품은 궁녀와 선비의 이루어질 수 없는 사랑을 그린 소설인데요. 고전 소설에서는 보기 드물게 비극적인 내용을 담고 있어요. 궁녀인 운영과 김 진사의 목소리로 듣는 사랑 이야기, 지금부터 감상해 볼까요?

독해쌤의 감상 질문

1. 인물·사건 등장인물들은 어떤 관계에 있나요?
2. 배경·소재 '수성궁'은 어떤 의미를 가진 곳인가요?
3. 서술 이 작품의 구성상 특징은 무엇인가요?
4. 주제 이 작품에 나타나는 양면적 주제는 무엇인가요?

앞부분 줄거리 수성궁 옛터를 찾은 선비 유영이 술에 취해 잠들었다가 깨어서는 죽은 김 진사와 운영을 만나 그들의 이야기를 듣는다. 운영은 수성궁의 주인이었던 안평 대군의 궁녀였는데, 궁에 초대되어 온 김 진사를 보고 사랑에 빠지고, 김 진사 역시 운영에게 마음을 빼앗긴다.

전개

가 ㉠그날, 달 밝은 밤에 대군이 술자리를 크게 열어 손님을 모으고 진사의 재주를 매우 칭찬하며 일전에 진사가 지은 시 두 편을 내보였습니다. 모인 사람들이 돌려 보며 칭찬하기를 마지않더니 모두들 진사를 한번 만나 보고 싶어 했습니다. 대군이 즉시 하인과 말을 보내 진사를 초청했습니다. ㉡잠시 후 진사가 도착하여 자리로 오는데, 얼굴이 수척하고 몸은 홀쭉한 것이 예전의 기상이라곤 전혀 찾아볼 수가 없었습니다. 대군이 위로하며 이렇게 말했습니다.

"진사는 굴원의 마음이 있는 것도 아니면서 연못가에서의 초췌한 모습부터 미리 가진 게요?"

모여 있던 이들이 한바탕 크게 웃었지요. 진사가 일어나 인사하고 말했습니다.

"저는 빈천한(가난하고 천한) 유생으로서 외람되이(하는 짓이 분수에 지나치게) 나리의 은총을 받았습니다. 그러나 복이 지나치면 재앙이 생기는 법인지, 질병이 온몸을 휘감아 요사이 식음을 전폐하고 있습니다. 다른 사람의 도움 없이는 움직이기 어려우나 지금 부르심을 받자와 겨우 부축을 받고 와서 인사드립니다."

손님들이 모두 몸가짐을 바루어 공손함을 표했습니다. ㉢진사는 나이 어린 유생으로서 말석(좌석의 차례에서 맨 끝 자리)에 앉았기에 저희가 있던 안쪽 방과는 단지 벽 하나를 사이에 두고 있을 뿐이었습니다.

나 ㉣밤이 이미 다하여 손님들이 모두 취했을 때입니다. 제가 벽에 구멍을 뚫고 엿보니 진사 역시 제 뜻을 알고 모퉁이를 향해 앉아 있더군요. 저는 봉한 편지를 구멍 사이로 던졌습니다. 진사는 편지를 주워 집으로 돌아가서 뜯어 보고는 슬픔을 이기지 못해 편지를 차마 손에서 놓지 못했답니다. 그리워하는 정이 지난날보다 곱절이 되어 버틸 수 없을 지경이었고, ㉤답장을 보내고자 하나 전할 방도가 없는지라 홀로 수심에 잠겨 탄식할 뿐이었지요.

중략 부분 줄거리 김 진사는 수성궁에 드나드는 무녀가 있다는 소문을 듣고 그 무녀를 찾아가 자신의 마음을 담은 답장을 운영에게 전해 달라고 부탁한다. 무녀는 궁 안의 사람들이 눈치채지 못하게 운영에게 편지를 전하고, 운영은 김 진사가 쓴 편지와 시를 읽고 김 진사의 마음을 확인하게 된다.

확인 문제

[01~03] 다음 설명이 맞으면 ○, 틀리면 ×표 하시오.

01 김 진사는 안평 대군의 초청을 받아 수성궁에 찾아왔다. (○, ×)

02 이 작품은 동일한 시기에 일어났던 두 가지 사건을 액자 형식으로 전달하고 있다. (○, ×)

03 유영이 운영과 김 진사의 이야기를 듣는 것은 현실에서 일어난 사건이고, 운영과 김 진사가 사랑에 빠지는 것은 꿈에서 일어난 사건이다. (○, ×)

[04~05] 다음 빈칸에 들어갈 알맞은 말을 쓰시오.

04 (가)와 (나)의 서술자는 ㅇㅇ으로, 자신이 겪은 사건을 들려주는 방식으로 서술하고 있다.

05 운영은 벽에 구멍을 뚫어 구멍 사이로 김 진사에게 ㅍㅈ를 전하며 자신의 마음을 표현하고 있다.

실력 문제

인물·사건

06 (가)~(나)를 통해 알 수 있는 내용으로 적절하지 않은 것은?

① 운영과 김 진사는 이전에도 만난 적이 있다.
② 김 진사는 다른 사람들이 모두 칭찬할 정도로 뛰어난 글솜씨를 지니고 있다.
③ 김 진사는 운영에 대한 그리움으로 병이 들어 음식을 제대로 먹지 못하고 있다.
④ 대군은 김 진사의 수척해진 모습을 보고 고사를 인용하여 언짢은 마음을 드러내고 있다.
⑤ 운영은 김 진사가 모퉁이를 향해 앉아 있는 것을 보고 자신과 마음이 통했다고 생각하고 있다.

인물·사건 + 서술

07 ㉠~㉤ 중, 서술자가 직접 보거나 겪은 일이 아닌 것은?

① ㉠ ② ㉡ ③ ㉢ ④ ㉣ ⑤ ㉤

서술

08 〈보기〉를 참고하여 윗글에 대해 설명한 내용으로 적절하지 않은 것은?

> 보기
>
> 이 작품의 내용 구조는 ⓐ 속에 ⓑ가 들어 있다고 볼 수 있다.
>
> ⓐ: 유영과 김 진사, 운영의 만남과 대화
> ⓑ: 김 진사와 운영의 사랑 이야기

① (가)와 (나)는 ⓑ에 해당하는 이야기이다.
② 이야기 속에 또 다른 이야기가 들어 있는 구조이다.
③ ⓐ에서 일어난 일이 ⓑ의 사건에 영향을 미치게 된다.
④ ⓑ의 김 진사와 운영의 이야기를 듣는 청자는 ⓐ의 유영이다.
⑤ ⓐ와 ⓑ는 안평 대군의 궁궐이라는 실제 공간을 배경으로 하고 있다.

수능형 배경·소재

09 〈보기〉는 윗글에 대한 내용이다. 빈칸에 들어갈 내용으로 가장 적절한 것은?

> 보기
>
> 조선 시대에 궁녀는 어떤 사람이었을까요? 일단 궁녀가 되면 그 궁의 주인과 결혼한 것이나 마찬가지였어요. 이 때문에 평생 궁의 주인만을 바라보며 살아야 했고, 심지어는 궁녀가 궁을 함부로 나가는 것만으로도 큰 죄가 되었어요. 만일 궁녀가 궁의 주인이 아닌 다른 남자와 사랑을 할 경우에는 두 사람 모두 죽임을 당하기도 했지요. 이 때문에 궁녀는 억눌린 삶을 살 수밖에 없었어요.
>
> 이를 통해 볼 때, 이 작품의 '수성궁'은 (　　　)을 상징한다고 볼 수 있어요.

① 제한된 삶에서 벗어난 이상적 공간
② 사회적 제약이 나타나는 억압적인 공간
③ 시대의 모순에 갈등하는 인물의 내면 공간
④ 불합리한 현실 속에서 신분 상승을 꾀할 수 있는 공간
⑤ 개인이 가지고 있는 어떠한 능력도 펼칠 수 없는 제한된 공간

운영전 ②

독해쌤 속닥속닥

- 안평 대군의 명에 따라 운영은 서궁으로 거처를 옮기게 돼요. 서궁으로 가면 더 이상 김 진사를 볼 수 없게 되기 때문에 이 사건은 김 진사에 대한 운영의 그리움이 더욱 깊어지는 계기가 된답니다.
- 무녀는 김 진사의 외모가 빼어난 것을 보고 호감을 품게 되는데, 김 진사는 운영에게 편지를 전해 달라고 부탁을 합니다. 무녀는 어쩔 수 없이 김 진사의 부탁을 들어주기는 하지만, 운영의 편지까지는 전해 주고 싶지 않았을 거예요.
- 자란은 운영과 함께 서궁에 거처하는 궁녀로, 궁녀들 중에서 가장 먼저 운영이 김 진사와 사랑에 빠졌다는 사실을 알게 되지요. 자란은 같은 처지로서 운영의 마음에 공감하고, 그 이후부터 운영과 김 진사의 만남을 돕는 역할을 한답니다.

다 하루는 대군이 비취를 불러 말했습니다.

"너희들 열 사람이 한곳에 같이 있어서 학업에 전념하지 못하니, 마땅히 다섯 사람을 나누어 서궁(西宮)에 거처하게 하라."

(거처하게: 일정하게 자리를 잡고 살게)

이에 저와 자란·은섬·옥녀·비취가 그날 곧바로 서궁으로 옮겨 가게 되었습니다. 서궁에 이르러서 옥녀가 말했습니다.

"그윽한 꽃과 고운 풀, 흐르는 물과 향기로운 숲이 바로 산속에 있는 집이나 들판의 농막과 흡사하니, 진실로 독서당(讀書堂)이라 할 만하구나."

(농막: 농사짓는 데 편리하도록 논밭 근처에 간단하게 지은 집)

이에 제가 대답했습니다.

㉠"우리는 이미 도(道)를 닦는 사람도 아니고 또 비구니도 아닌데 이처럼 깊은 궁중에 갇혀 있으니, 이곳은 참으로 장신궁이라 할 만하다."

(장신궁: 한나라 성제의 후궁인 반씨가 왕의 관심 밖으로 밀려나 쓸쓸히 늙어 간 곳)

ⓐ제 말을 듣고 모두들 탄식하며 슬퍼했습니다. 그 후로 저는 편지를 한 통 써서 제 마음을 진사에게 전하기 위해 무녀를 지성으로 섬기면서 제 편지를 전해 달라고 간절하게 부탁했습니다. 그러나 무녀는 끝내 오지 않았는데, 이는 진사가 자기에게 마음이 없는 것에 유감을 품었기 때문이었습니다.

(유감: 마음에 차지 아니하여 섭섭하거나 불만스럽게 남아 있는 느낌)

라 어느 날 저녁, 자란이 저에게 몰래 말했습니다.

"궁중 사람들은 매년 중추(仲秋)에 탕춘대 아래 물가에서 완사를 하고 뒤이어 술자리를 마련한 다음 끝내곤 한다. 금년에는 이 자리를 소격서동에서 베풀고, 오가는 사이에 그 무녀를 찾아보는 것이 가장 좋은 방책일 것이다."

(중추: 가을이 한창인 때라는 뜻으로, 음력 8월을 달리 이르는 말 / 탕춘대: 서울 세검정에 있는 누대 / 완사: 빨래하는 일 / 소격서동: 지금의 삼청동, 사당인 소격서가 있음)

저는 그럴 듯하게 생각하고 중추가 되기를 고대하였는데, 하루가 삼 년 같았습니다. 비취가 어디서 그 말을 엿듣고는 짐짓 모른 체하면서 저에게 말했습니다.

[A]

"운영, 네가 처음 올 때에는 안색이 이화(梨花) 같고, 연지분을 바르지 않아도 타고난 자태가 어여쁘고 고왔다. 그래서 궁중 사람들이 너를 괵국부인으로 불렀었다. 그런데 근래에 이르러 안색이 옛날보다 좋지 않고 점점 처음보다 못해 가니, 대체 무슨 까닭이냐?"

(괵국부인: 양귀비의 언니로 당나라 현종의 사랑을 받음)

저는 대답했습니다.

"타고난 체질이 허약해서 매번 무더운 여름철만 되면 으레 더위 먹는 병이 드나, 오동잎이 떨어지고 비단 휘장에 서늘한 바람이 일게 되면 점차 저절로 낫곤 한다."

비취가 시 한 수를 지어 희롱하며 저에게 주었는데, 모두 조롱에 찬 어투였으나 뜻과 생각이 절묘하였습니다. 저는 그 재주를 기특하게 여기면서도 그녀가 조롱한 것이 부끄러웠습니다.

(희롱하며: 말이나 행동으로 실없이 놀리며 / 조롱: 비웃거나 깔보면서 놀림 / 절묘하였습니다: 비할 데가 없을 만큼 아주 묘하다.)

마 세월은 천연히 흘러 몇 개월이 지나고, 마침내 맑은 가을로 접어들었습니다. 저녁엔 차가운 바람이 불고 고운 국화는 누런 꽃을 피웠으며, 풀벌레는 소리를 거두고 흰 달은 밝은 빛을 흘리었습니다. 저는 속으로 가을이 된 것을 기뻐했습니다. 하지만 그 기쁨을 말로 표현하지는 않았습니다. 그런데 은섬이 말했습니다.

"편지를 전하기 좋은 시절이 멀지 않았으니, 인간 세상의 즐거움이 어찌 천상과 다르리오?"

이 말을 들은 저는 더 이상 서궁 사람들을 속일 수 없다는 것을 알고, 사실대로 말한 다음 일렀습니다.

중략 부분 줄거리 자란 및 다른 궁녀들과 김 진사의 하인인 특의 도움을 받아 운영과 김 진사는 수성궁의 담을 넘나들며 사랑을 키워 간다.

전개 | 김 진사와 운영이 사랑에 빠져 편지를 주고받다가 밤마다 몰래 만남

[01~02] 다음 설명이 맞으면 ○, 틀리면 ×표 하시오.

01 이 작품은 운영이 서술자가 되어 상황에 따라 사건을 요약적으로 제시하기도 한다. (○, ×)

02 옥녀는 서궁에 대해 자신의 속마음과 반대로 이야기했기 때문에 운영이 이를 지적하고 있다. (○, ×)

[03~04] 다음 빈칸에 들어갈 알맞은 말을 쓰시오.

03 ㅈㄹ은 운영에게 닥친 문제를 해결할 수 있게 도와주는 인물이다.

04 운영은 가을이 되기를 간절히 기다리는데, 이는 김 진사에게 ㅍㅈ를 전할 수 있을 것이라는 기대감 때문이다.

인물·사건

05 [A]에 나타난 대화의 양상을 바르게 설명한 것은?

① 조롱하는 비취의 말을 운영이 퉁명스럽게 받아치고 있다.
② 은근히 떠보는 비취의 말에 운영은 적당히 둘러대고 있다.
③ 호기심 어린 비취의 질문에 운영은 성의있게 설명하고 있다.
④ 진심으로 걱정하는 비취의 말에 운영은 대수롭지 않게 대답하고 있다.
⑤ 진실을 말할 것을 추궁하는 비취의 말에 운영은 사실대로 말하고 있다.

어휘

06 ⓐ를 나타낼 한자 성어로 가장 적절한 것은?

① 각골난망(刻骨難忘)
② 노심초사(勞心焦思)
③ 동병상련(同病相憐)
④ 절치부심(切齒腐心)
⑤ 좌불안석(坐不安席)

수능형 주제

07 〈보기〉를 참고할 때, ㉠의 의미로 가장 적절한 것은?

보기

반첩여는 중국 한나라 성제의 후궁으로, 성제의 사랑을 독차지했다. 그런데 조비연 자매가 궁에 들어오면서 반첩여에 대한 성제의 사랑은 식어 갔고, 이후 반첩여는 조비연 자매로 인해 자신이 해를 입을까 걱정하여 스스로 장신궁으로 물러나 지냈다. 궁궐의 이름인 '장신(張信)'은 '오래도록 믿음을 받는다.'라는 뜻인데, 이에 담긴 바람과 달리 반첩여는 성제의 관심에서 밀려나 쓸쓸하게 늙어 갔다.

① 경치가 아름다워도 갇힌 신세이므로 서궁은 쓸쓸한 공간이다.
② 우리가 있는 서궁은 독서를 하는 곳도 도를 닦는 곳도 아니다.
③ 아름다운 경치 속에서 도를 닦지 않는다면 서궁을 독서당이라 할 수 없다.
④ 깊은 궁중에 갇혀 있지만 아름다운 자연과 함께라면 서궁이 진정한 이상향이다.
⑤ 우리가 있는 서궁을 진정한 장신궁으로 만들려면 대군의 사랑을 받아야만 한다.

운영전 ③

중략 부분 줄거리 운영은 궁을 탈출하기 위해 자신의 재물을 궁 밖으로 옮겨 특에게 맡기는데, 운영이 지은 시에 임을 그리워하는 마음이 드러나는 것을 알아챈 안평 대군은 이에 대해 추궁한다. 운영은 자신의 결백을 주장하기 위해 목을 매었다가 다른 궁녀들의 도움으로 목숨을 건지고, 이후 김 진사에게 이별 편지를 전한다. 운영이 궁을 나오지 못하게 된 사실을 알게 된 특은 운영의 재물을 가로챌 계략을 세운다.

독해쌤 속닥속닥

◆ 김 진사가 운영을 만나기 위해 밤마다 수성궁의 담을 넘나들던 중, 밤새 내린 눈에 김 진사의 발자국이 남는 사건이 벌어지고 운영과 김 진사는 자신들의 사랑이 발각될까 봐 불안이 커져 가요. 운영은 궁 밖으로 도망갈 준비를 하지만, 친구 자란의 반대에 수긍하고 궁에 남기로 해요. 그런데 결국 이런 운영의 마음이 시에 드러나게 되어 안평 대군의 의심을 받는답니다.

◆ 운영이 김 진사에게 이별을 고하는 편지에서 세 가지 부탁을 해요. 하나는 자신이 죽더라도 마음 굳게 살라는 것이고, 또 하나는 학업에 힘써 장원급제하여 이름을 날리라는 것이지요. 그리고 마지막 하나는 자신의 재물을 팔아 다음 생에 두 사람이 다시 만날 수 있도록 부처님께 기도해 달라는 것이었어요. 그래서 김 진사는 잃어버린 재물을 찾기 위해 특의 집을 수색하는 거예요.

절정

바 하루는 특이 자기 옷을 찢고 코를 스스로 때려, 피를 온몸에 흠뻑 바르고 머리를 풀어 헤친 채 맨발로 달려 들어와 뜰에 엎드려 울면서 말했습니다.

"제가 강도에게 습격을 당했습니다."

그러고는 기절한 척했습니다. 진사는 특이 죽으면 재물을 묻은 곳을 알 수 없게 될까 염려되어, 약을 입에 흘려 넣는 등 특을 살려 냈습니다. 그러자 특이 십여 일 만에 일어나 말했습니다.

[A] "제가 혼자 산속에서 지키고 있는데 많은 도적들이 갑자기 들이닥쳤습니다. 박살날 것 같아 죽을힘을 다해 달아나 겨우 목숨을 보존하게 되었습니다. 이 보물이 아니었다면 제가 어찌 이런 위험에 처했겠습니까? 운명이 이리도 험한데 어찌 빨리 죽지 않는고!"

말을 마친 특은 발로 땅을 차고 주먹으로 가슴을 치며 통곡했습니다. 진사는 부모님이 알까 두려워 따뜻한 말로 위로하여 보냈다가, 뒤늦게야 특의 소행(이미 해 놓은 일이나 짓)을 알고 노비 십여 명을 거느리고 가서 불시에 특의 집을 포위하고 수색을 했습니다. 그러나 금비녀 한 쌍과 거울 하나만을 찾아낼 수 있었습니다. 이 물건을 장물(절도, 강도, 사기, 횡령 따위의 재산 범죄에 의하여 불법으로 가진 타인 소유의 재물)로 삼아 관가에 고발하여 나머지 물건들도 찾고 싶었으나, 일이 누설될까 두려워 고발하지 못했습니다. 진사는 그 재물이 없으면 불공을 드릴 수 없었기에 특을 죽이고 싶었으나, 힘으로 제압할 수 없어 애써 침묵하였습니다.

사 특은 자기 죄를 알고, 궁궐 담장 아래에 사는 맹인에게 가서 물었습니다.

[B] "내가 며칠 전 새벽에 이 궁궐 담장 밖을 지나가는데, 웬 놈이 궁궐 안에서 서쪽 담을 넘어 나왔소. 도적인 줄 알고 소리를 지르며 쫓아가자, 그놈은 가졌던 물건을 버리고 달아났소. 나는 그 물건을 집에 보관하고 있으면서 임자가 찾아가기를 기다렸소. 그런데 우리 주인은 본래 염치가 없어서 내가 물건을 얻었다는 소문을 듣고 몸소 내 집에 와서 그 물건들을 찾았소. 내가 다른 보물은 없고 단지 비녀와 거울 두 가지만 있다고 대답하자, 주인은 몸소 수색을 해서 과연 그 두 물건을 찾아내었소. 주인은 그것도 부족해서 바야흐로 나를 죽이려고 하오. 그래서 내가 달아나려고 하는데, 달아나면 길(吉)하겠소(운이 좋거나 일이 상서롭겠소?)?"

맹인이 말했습니다. / "길하다."

그때 맹인의 이웃이 옆에 있다가 그 이야기를 다 듣더니 특에게 말했습니다.

"너의 주인은 어떤 사람인데, 이처럼 노비에게 포악하게 구느냐?"

특이 말했습니다. / "우리 주인은 나이는 어리나 문장에 능해서 조만간 틀림없이 급제할 사람입니다. 그런데 이처럼 탐욕스러우니, 훗날 벼슬길에 올라 조정에 섰을 때 마음 씀씀이가 어떠할지 알 수 있을 것입니다."

이런 말들이 전파되어 궁중으로 들어가 대군에게 알려지게 되었습니다. 대군은 크게 화가 나서 남궁 사람들에게 서궁을 수색하게 하니, 제 의복과 보화가 하나도 없었습니다.

대군은 서궁의 궁녀 다섯 사람을 붙잡아 뜰 가운데 세우고, 눈앞에 형장을 엄히 갖춘 다음 명령하였습니다.

"이 다섯 사람을 죽여 다른 사람들을 경계하라." 〈중략〉

이에 대군의 노여움이 좀 풀어져서 저를 별당에다 가두고 다른 궁녀들은 다 돌려보냈는데, ㉠그날 밤 저는 비단 수건으로 목매어 죽었습니다.

[01~02] 다음 설명이 맞으면 ○, 틀리면 ×표 하시오.

01 김 진사는 운영과 자신의 관계를 부모님께 알리지 않았다. (○, ×)

02 김 진사는 특의 집에서 금비녀 한 쌍과 거울을 발견하고 관가에 특을 고발하였다. (○, ×)

[03~04] 다음 빈칸에 들어갈 알맞은 말을 쓰시오.

03 특은 재물을 가로채기 위해 김 진사에게 ㄱㄷ의 습격을 당했다고 거짓말을 한다.

04 특은 자기가 도망가야 할지를 알아보기 위해 ㅁㅇ을 찾아가는데, 이 일은 운영이 위기에 처하는 계기가 된다.

인물·사건

05 윗글에 대한 이해로 적절하지 않은 것은?

① 특은 강도를 당한 척을 하려고 옷을 찢고 스스로를 때렸다.
② 김 진사는 입에 약을 흘려 넣는 등 기절한 특을 진심으로 염려했다.
③ 김 진사는 운영의 재물을 다시 찾기 위해 불시에 특의 집을 수색했다.
④ 맹인의 이웃이 특에게 들은 말이 궁중까지 전파되어 대군도 알게 되었다.
⑤ 특이 맹인을 찾아간 것은 자기의 죄를 알고 벌을 피할 방법을 찾기 위해서이다.

인물·사건

06 [A]와 [B]에 대해 설명한 내용으로 적절하지 않은 것은?

① [A]와 [B]에서 특은 자신이 경험한 일을 실제보다 과장하여 말하고 있어.
② [A]에서와 달리 [B]에서 특은 다른 사람을 깎아내리는 말을 하고 있어.
③ [B]에서와 달리 [A]에서 특은 상대방을 원망하는 태도를 보이고 있어.
④ [A]와 [B]를 보니 특은 운영과 김 진사의 사랑에 부정적인 영향을 주는 인물임을 알 수 있어.
⑤ [A]가 자신의 욕망을 채우기 위한 거짓말이라면, [B]는 위기에서 벗어나기 위한 거짓말이라 할 수 있어.

수능형 주제

07 〈보기〉를 참고하여, ㉠을 이해한 내용으로 가장 적절한 것은?

보기

이 작품은 표면적으로 이루어질 수 없는 남녀 간의 비극적 사랑을 다루고 있다. 그런데 근대적인 관점에서 본다면 작품의 주제는 더 넓은 의미로 확장된다. 운영은 유교 사회의 부조리로 인해 이성에 대한 순수한 감정마저 감추어야 하는 상황에 있지만, 이에 굴하지 않고 자신의 사랑을 이루기 위해 여러 가지 노력을 한다. 이러한 운영의 행동을 볼 때, 이 작품은 누군가를 사랑하는 인간의 근본적인 욕망마저 제한하는 당시의 사회상을 비판하는 것이다.

① 영원한 사랑에 대한 욕망
② 억압적인 현실에 대한 저항
③ 이루지 못한 사랑에 대한 미련
④ 사랑하는 사람을 기다리는 순수한 마음
⑤ 현실의 부조리를 해결하려는 적극적인 노력

독해쌤 속닥속닥

아 진사는 붓을 잡아 기록하고 운영은 옛일을 당겨서 이야기하였는데 매우 자상하였다. 두 사람은 마주 보고 슬픔을 스스로 억제하지 못하다가, 운영이 진사 보고,

"이로부터 이하는 낭군님께서 이야기하셔요."

하고 말했다. 이에 진사가 이야기하기 시작했다. 〈중략〉

"이런 후로부터 저는 세상일에 뜻이 없어 목욕하여 몸을 정결히 하고 새 옷으로 갈아입고 고요한 곳에 누워 나흘을 먹지 않았지요. 마침내 한 번 깊이 탄식하고는 다시 일어나지 못할 몸이 되고 말았답니다." / 쓰기를 마치자 붓을 던지고 두 사람은 마주 보고 슬피 울면서 능히 스스로 그칠 줄을 몰랐다.

절정 운영과 김 진사가 도망갈 계획을 세웠다가 특의 배신으로 실패하고 두 사람은 비극적 죽음을 맞음

결말

자 "우리 두 사람은 다 같이 원한을 품고 죽었기로 염라대왕이 죄 없음을 불쌍히 여겨 다시 인간에 태어나도록 하고자 했습니다. 그러나 지하의 낙이 인간보다 못하지 않은데, 하물며 천상의 낙은 어떠하겠습니까. 이럼으로써 인간에 나아가기를 원하지 않습니다. 다만 오늘 저녁 슬퍼한 것은 대군이 한번 돌아가시자 고궁에 주인이 없고 까마귀와 새들이 슬피 울고, 사람의 자취가 이르지 아니하기로 그랬을 뿐입니다. 〈중략〉

"그러면 그대들은 천상의 사람인가."

"우리 두 사람은 본래 천상 선인으로서 오래도록 옥황상제를 모시고 있었더니, 하루는 상제께서 태청궁(太淸宮)에 앉아 저에게 옥동산의 과실을 따 오라 하기로, 제가 반도(蟠桃)를 많이 따 가지고 와서 운영과 같이 먹다가 들켜 진세에 적강되어 인간의 괴로움을 골고루 겪다가, 이제 옥황상제께서 전의 허물을 용서하사 삼청궁으로 올라가서 다시 옥황상제의 향안(香案) 앞에서 상제를 모시게 하였삽기로, 돌아가는 이때를 타서 바람의 수레를 타고 다시 진세의 옛날 놀던 곳을 찾아와 보았을 뿐입니다."

- 반도(蟠桃): 삼천 년마다 한 번씩 열매가 열린다는 선경에 있는 복숭아
- 진세: 정신에 고통을 주는 복잡하고 어수선한 세상
- 적강: 신선이 인간 세상에 내려오거나 사람으로 태어남
- 향안(香案): 제사 때에 향로나 향합을 올려놓는 상

◆ 운영과 김 진사는 원래 하늘나라의 선인이었는데 죄를 지어 인간 세상으로 내려와 고난을 당한 것이라고 말하고 있어요. 이처럼 천상 세계의 신선·선녀가 죄를 짓고 인간 세계에 태어나는 내용을 '적강 모티프'라고 해요.

차 "바다가 마르고 돌이 불에 타 버린들 우리들의 사랑은 사라지지 않을 것이요, 또 땅이 늙고 하늘이 거칠어진들 우리들의 원한은 지우기 어려울 것입니다. 오늘 저녁에 존군(尊君)과 서로 만나 이와 같이 따뜻한 정을 나누었으니, 속세의 인연이 없으면 어찌 얻을 수 있겠습니까? 엎드려 바라건대 존군께서는 이 원고를 거두어 가지고 돌아가시어 영원히 전해 주시옵고, 경솔한 사람들의 입에 전하여 웃음거리가 되지 않도록 하여 주시면 매우 다행으로 생각하겠습니다."

그러고는 김생은 취하여 운영의 몸에 기대어 시 한 수를 읊었다.

[A] 꽃 떨어진 궁중에 연작이 날고, / 봄빛은 예와 같건만 주인은 간 곳 없구나.
중천에 솟은 달은 차기만 한데, / 아직 푸른 이슬은 우의를 적시지 않았네.

- 연작: 제비와 참새를 아울러 이르는 말
- 우의: 선녀나 신선이 입는다는 새의 깃으로 만든 옷

운영이 받아서 읊었다.

[B] 고궁의 고운 꽃은 봄빛을 새로 띠고, / 천년만년 우리 사랑 꿈마다 찾아오네.
오늘 저녁 예 와 놀며 옛 자취 찾아보니, / 막을 수 없는 슬픈 눈물은 수건을 적시네.

◆ 이 작품은 중간중간에 인물이 읊는 시가 등장해요. 고전 소설에서는 중간에 시를 삽입함으로써 인물의 내면세계를 나타내는 경우가 많아요. 이 작품에서도 김 진사와 운영은 서로에 대한 사랑하는 마음을 시를 통해 표현하고 전달했어요. 김 진사와 운영이 느끼는 현재의 심리 상태를 시를 통해 드러내고 있답니다.

◆ 운영과 김 진사의 사랑도 비극적 결말을 맞고, 유영 또한 그 행적을 알 수 없게 됩니다. 보통 고전 소설의 행복한 결말이라는 전형적인 종결 구조에서 벗어났다는 점이 이 작품의 특징입니다.

(카) 이때 유영도 또한 취하여 잠깐 누워 있다가 산새 소리에 깨어났다. 구름과 연기는 땅에 가득하고 새벽빛은 창망한데 사방을 살펴보아도 사람은 보이지 않고, 다만 김생이 기록한 책자만이 있었다. 유영은 쓸쓸한 마음 금할 수 없어 신책(神冊)을 거두어 가지고 돌아왔다. 장속에 감추어 두고 때때로 내어 보고는 망연히 자실하여 침식을 전폐했다. 후에 명산을 두고 두루 찾아다니더니, 그 마친 바를 알 수 없다고 한다.

망연자실: 멍하니 정신을 잃음 / 전폐: 아주 그만두다. 또는 모두 없애다.

결말 | 유영은 졸다가 깨어 나서 두 사람의 이야기가 담긴 책을 발견하고, 이후 자취를 감춤

[01~04] 다음 설명이 맞으면 ○, 틀리면 ×표 하시오.

01 (카)에서는 유영의 행적을 요약적으로 제시하고 있다. (○, ×)

02 이 작품은 일반적인 고전 소설과 달리 비극적 결말 구조를 보인다. (○, ×)

03 김 진사와 운영은 과거의 추억을 떠올리기 위해 자주 수성궁을 방문하였다. (○, ×)

04 김 진사는 유영에게 자신들의 이야기가 사람들에게 알려지지 않게 해 달라고 부탁한다. (○, ×)

실력 문제

서술

05 〈보기〉를 참고하여, 윗글을 이해한 내용으로 적절하지 않은 것은?

보기

㉠ 유영이 수성궁에서 잠들었다 깨어남
㉡ 유영과 김 진사, 운영의 만남
㉢ 김 진사와 운영의 사랑 이야기

① ㉠에서는 전지적 서술자가 유영의 행동과 심리를 제시하고 있다.
② ㉡은 주로 인물들의 대화를 통해 전개된다.
③ ㉢에서 김 진사와 운영은 번갈아 가며 이야기를 한다.
④ ㉠의 '산새 소리'는 ㉡의 사실성을 높여 준다.
⑤ ㉡에서 김 진사는 ㉢의 이야기를 기록하였다.

인물·사건

06 [A]와 [B]에 공통적으로 드러나는 정서로 가장 적절한 것은?

① 인간사의 무상감
② 이루지 못한 사랑의 슬픔
③ 자연의 순환에서 느끼는 신비로움
④ 변하지 않는 사랑에 대한 의지와 다짐
⑤ 비극적인 운명으로 인한 좌절감과 체념

수능형 | 인물·사건 + 배경·소재

07 〈보기〉를 바탕으로 윗글을 감상한 내용 중, 적절하지 않은 것은?

보기

고전 소설에 자주 나오는 이야기 요소들이 몇 가지 있다. '금기의 위반 모티프'는 해서는 안 되는 '금기'를 어긴다는 내용으로, 보통 이로 인한 징벌이 이어진다. 또 '적강 모티프'는 주인공이 천상 세계의 존재였는데, 하늘에서 큰 죄를 지어 옥황상제의 명령을 받아 지상 세계의 인간으로 태어난다는 내용이다. 이 경우에 주인공은 자신이 지은 죄에 대한 벌로 지상 세계에서 여러 고난을 겪다가 이를 다 경험한 후에는 다시 천상 세계로 돌아가게 된다.

① 김 진사가 딴 반도를 운영과 먹은 이야기는 '금기의 위반 모티프'라고 할 수 있겠군.
② 김 진사와 운영이 지상 세계에서 여러 괴로움을 겪은 것은 천상 세계에서 지은 죄 때문이었겠군.
③ 김 진사와 운영이 삼청궁으로 올라간 것은 지상 세계에서 여러 고난을 다 겪었기 때문이겠군.
④ 김 진사와 운영이 천상에서 죄를 지어 지상으로 쫓겨간 것은 '적강 모티프'가 반영된 것이겠군.
⑤ 김 진사와 운영이 다시 인간 세계에 태어나지 않으려 한 것은 지상 세계에서의 벌을 피하고 싶어서였겠군.

작품 전체

발단	전개✲	위기	절정✲	결말✲
유영이 수성궁 옛터에서 술을 마시다 잠이 들고, 운영과 김 진사를 만나 이야기를 들음	안평 대군의 궁녀 운영은 김 진사와 사랑에 빠져 ❶ㅍㅈ로 정을 나누고, 밤마다 몰래 만남	안평 대군이 운영과 김 진사의 관계를 의심하기 시작하며 두 사람의 사랑에 위기가 닥침	운영과 김 진사가 도망치려 했으나 ❷ㅌ의 배신으로 실패하고, 두 사람은 죽음을 맞음	잠에서 깬 유영은 두 사람의 이야기가 담긴 ❸ㅊ을 발견하고, 이후 자취를 감춤

✲: 교재 수록 부분

작품 압축

■ 등장인물의 특징과 관계

인물	특징
유영	운영과 김 진사의 이야기를 듣는 선비

‖ 이야기를 들어줌

인물	특징
운영	❹ㄱㄴ로서의 억압된 삶에서 벗어나 사랑을 이루고자 하나 실패하고 자결함
김 진사	❺ㄱㅅㅆ가 뛰어난 선비로, 운영과의 사랑이 좌절되자 운영을 따라 죽음

⇕ 사랑을 방해함

인물	특징
안평 대군	문학과 예술을 즐기며 궁녀들을 아끼지만, 궁녀들을 자신의 뜻대로 지배하려는 권위적인 인물
특	김 진사의 노비로, 김 진사를 돕기도 하지만 결국 김 진사를 배신하고 운영의 재물을 빼돌림

■ 이 작품의 구성상 특징

이 작품은 외부 이야기 속에 내부 이야기가 들어가 있는 ❻ㅇㅈㅅ 구성을 취하는데, 서술 시점은 복합적으로 나타난다. 외부 이야기는 전지적 서술자 시점으로 전달되고, 내부 이야기는 유영에게 운영과 김 진사가 자신들의 과거 사건을 들려주는 형식으로 ❼ㅇㅇㅊㅈㅇㄱ 시점이다.

외부 이야기(현재)
- 유영이 운영과 김 진사를 만남

⇓

내부 이야기(과거)
- 운영과 김 진사의 사랑 이야기

⇓

- 운영, 김 진사와 헤어진 유영의 이후 행적

인물·사건 / 서술 / 배경·소재 / 주제

■ '수성궁'의 상징성

수성궁: 절대 권력을 지닌 안평 대군의 거처로 중세적인 질서가 지배하는 공간

⇓

- 운영과 김 진사의 사랑을 가로막는 장벽
- 폐쇄적 공간으로 사회적인 제약을 상징함

■ 이 작품에 나타나는 주제의 양면성

표면적 주제	이면적 주제
이루어질 수 없는 ❽ㅂㄱ적인 사랑	억압된 삶에 대한 ❾ㅈㅎ

⇓

인간의 근본적 욕망(남녀 간의 자유로운 사랑)마저 억압하는 당시의 사회상 비판

• 정답과 해설 45쪽

어휘력 테스트

1 **다음 단어를 활용하기에 적절한 문장을 찾아 바르게 연결해 보자.**

(1) 번천 •

(2) 전폐 •

(3) 진세 •

• ㉠ 아들이 전쟁에서 다쳤다는 소식을 듣고 그는 식음을 (　　　　　)하고 말았다.

• ㉡ 눈으로 덮인 산과 들의 풍경은 (　　　　　)를 벗어난 새로운 세상같이 신비로웠다.

• ㉢ 독립한 제 나라의 (　　　　　)이 남의 밑에 사는 부귀보다 기쁘고 영광스럽고 희망이 더 많다.

2 **제시된 뜻과 예문을 참고하여 다음 초성에 해당하는 단어를 괄호 안에 써 보자.**

(1) ㅅ ㅎ : 이미 해 놓은 일이나 짓

예 범행 수법을 보니 이곳의 지리를 잘 아는 이의 (　　　　　)인 것 같다.

(2) ㄴ ㅅ : 비밀이 새어 나감. 또는 그렇게 함

예 그는 국가의 기밀 정보를 (　　　　　)한 죄로 긴급 체포되었다.

(3) ㅇ ㄹ 되다: 하는 짓이 분수에 지나치다.

예 할아버지께는 (　　　　　)된 말씀이지만, 저는 그 결정이 잘못되었다고 생각합니다.

독해쌤과 함께하는 감상 넓히기

남녀 사이의 사랑을 다룬 작품

「운영전」과 같이 남녀 사이의 사랑 이야기를 다룬 소설을 염정 소설, 또는 애정 소설이라고 해요. 이 작품은 사회적 억압으로 인해 비극을 맞이하는 주인공들의 모습이 그려져 있지만, 부모님의 반대를 이겨 내고 사랑을 성취하거나 두 사람의 신분 차이로 인해 헤어지게 되는 내용을 담은 작품도 있답니다. 이러한 작품들을 더 감상해 볼까요?

채봉감별곡_작자 미상

주인공 채봉이 속물적인 욕심에 눈이 먼 부모 때문에 온갖 역경을 겪지만, 끝내 자신의 사랑을 쟁취하는 이야기를 그리고 있습니다. 자신의 혼사에 적극적인 채봉의 행동에서 근대적인 여성의 모습을 엿볼 수 있는 작품입니다.

심생전_이옥

조선 시대 양반인 심생과 중인 계층인 소녀가 우연히 만나 사랑에 빠지지만, 신분적인 갈등으로 인해 사랑의 결실을 맺지 못하고 죽음으로 끝나고 마는 비극적 사랑을 그린 작품입니다.

허생전 ① _박지원

이 작품은 허생이라는 인물을 통해 조선 후기 사회의 모습과 집권층에 대한 작가의 태도를 드러내고 있어요. 작품 속에서 당대 사회적·문화적 상황이 어떻게 그려져 있는지, 작가가 허생이라는 대리인을 통해 말하고자 하는 바가 무엇인지 살펴보면서 작품을 감상해 볼까요?

독해쌤의 감상 질문

1. 인물·사건 • 허생의 이중적 재물관 및 계급 의식의 한계는 무엇인가요?
   • 허생의 세 가지 제안과 그 의미는 무엇인가요?
2. 배경·소재 '조그만 시험'이 의미하는 바는 무엇인가요?
3. 서술 이 작품에서 미완의 결말 구조가 갖는 의미는 무엇인가요?

발단

가 허생(許生)은 묵적동(墨積洞)에 살았다. 남산 밑으로 곧바로 가다 보면 우물이 하나 있는데, 그 곁에는 오래된 은행나무가 한 그루 서 있다. 허생의 집 사립문은(잡목 가지로 만든 문) 그 은행나무를 향하여 열려 있다. 집이라야 비바람을 채 가리지도 못할 정도의 작은 초가집에 불과했다. 그러나 허생은 오직 책 읽기만 좋아할 뿐이어서, 그의 아내가 삯바느질을 함으로써 간신히 입에 풀칠을 하는 지경이었다.

나 어느 날 허생의 아내는 너무 배가 고파서 울면서 말했다.

"당신은 평생에 과거도 보지 않으면서, 책을 읽어 무엇에 쓰시려오?"

허생이 웃으며 말하기를,

"나의 독서는 아직 미숙하오."

아내가 묻기를,

"공장(工匠)(수공업에 종사하던 장인) 노릇도 못 한단 말입니까?"

허생이 말하기를,

"공장 일은 배우지도 않았는데 어찌 할 수 있겠소."

아내가 다시 묻기를,

"그럼 장사치 노릇도 할 수 없단 말입니까?"

허생이 대답하기를,

"장사치 노릇도 밑천이 없으니 어찌 할 수 있겠소."

부인이 화를 내며 내쏘았다.

"밤낮으로 글만 읽었어도 배운 것이라곤 오직 '어찌 할 수 있겠소.' 소리뿐이구려. 공장 노릇도 못 한다, 장사치 노릇도 못 한다, 그러면 도둑질이라도 못 한단 말이오?"

다 허생이 어쩔 수 없이 책을 덮고 일어섰다.

"애석하구나! 내 본디 십 년 기한으로 책을 읽으려 했지만, 이제 겨우 칠 년에 이르렀을 뿐이구나." / 하고 휙 문밖으로 나가 버렸다.

발단 | 가난하고 무능한 생활에 대한 아내의 질타로 집을 나간 허생

중략 부분 줄거리 허생은 부자 변씨에게 만 냥을 빌려 과일과 망건을 매점매석하여 10만 냥을 번다. 그는 도적들을 모아 사공이 가르쳐 준 빈 섬에 들어가 이상국을 건설하려 한다.

확인 문제

[01~02] 다음 설명이 맞으면 ○, 틀리면 ×표 하시오.

01 허생은 십 년 동안 글공부에 전념하였다. (○, ×)

02 발단 부분의 주된 갈등은 인물과 인물 사이의 외적 갈등이다. (○, ×)

[03~04] 다음 빈칸에 들어갈 알맞은 말을 쓰시오.

03 허생의 아내가 생각하는 책을 읽는 목적은 ㄱㄱ에 합격하여 출세하는 것이다.

04 ㄷㄷㅈ이라도 못 하냐는 말에는 생활에 무관심한 허생에 대한 아내의 분노가 담겨 있다.

실력 문제

서술

05 윗글에 대한 설명으로 적절하지 않은 것은?

① 조선 후기의 사회적·문화적 상황을 반영하고 있다.
② 영웅의 일대기를 그린 영웅 소설의 형식을 취하고 있다.
③ 양반 계층의 무능함을 비판하는 작가 의식을 담고 있다.
④ 실학적 관점에서 현실적인 문제를 우회적으로 비판한 소설이다.
⑤ 전지적 서술자 시점으로 서술자가 인물의 성격이나 가치관, 내면에 대해 서술하고 있다.

어휘

06 (나)에서 허생의 아내가 허생에게 말할 수 있는 속담으로 가장 적절한 것은?

① 평양 감사도 저 싫으면 그만이다
② 서당 개 삼 년이면 풍월을 읊는다
③ 수염이 석 자라도 먹어야 양반이다
④ 양반은 얼어 죽어도 곁불은 안 쬔다
⑤ 내 배 부르면 종의 밥 짓지 말라 한다

인물·사건

07 윗글의 등장인물에 대한 설명으로 적절하지 않은 것은?

① 아내는 작가의 사상을 대변하는 인물이다.
② 허생은 경제적으로 무능한 당시 양반 계층을 대변하는 인물이다.
③ 아내는 당대에 팽배했던 물질 만능주의 사고를 지닌 인물이다.
④ 허생은 학문적 성취만을 중시하고 가족의 생계를 돌보지 않는 인물이다.
⑤ 관념을 중시하는 허생과 경제적 처지를 중시하는 아내는 갈등 관계에 있다.

수능형 인물·사건

08 허생의 아내(㉠)와 〈보기〉의 흥부의 아내(㉡)를 비교하여 이해한 내용으로 적절하지 않은 것은?

> **보기**
>
> 어찌하면 잘 사는지 세상에 난 연후에 의롭지 않은 일 아니 하고 밤낮으로 벌어도 삼순구식(三旬九食) 할 수 없고 일 년 사철 헌 옷이라. 내 몸은 고사하고 가장은 부황 나고 자식들은 *아사지경이 되니 사람 차마 못 보겠네. 차라리 자결하여 이런 꼴 안 보고저. 애고애고 설운지고.
>
> – 작자 미상, 「흥보가」
>
> * 아사지경(餓死之境): 굶어 죽게 된 지경

① ㉠과 ㉡은 모두 가난한 생활 때문에 고통을 받고 있다.
② ㉠은 남편에 대한 원망을, ㉡은 남편에 대한 연민을 드러내고 있다.
③ ㉠과 ㉡은 모두 정신적 가치와 물질적 가치 사이에서 갈등하고 있다.
④ ㉠은 현실을 극복하기 위한 대책을 요구하고 있고, ㉡은 극복할 수 없는 현실에 대해 좌절하고 있다.
⑤ ㉠은 일하지 않는 '사람'을 탓하고, ㉡은 열심히 일해도 가난하게 살아야 하는 '상황'을 탓하고 있다.

허생전 ②

전개

라 허생은 이천 명의 사람이 일 년간 먹을 양식을 갖추고 기다렸다. 마침내 도적들이 도착하였으니, 늦게 온 사람은 아무도 없었다. 허생은 이들을 배에 싣고 빈 섬으로 들어갔다. 허생이 이처럼 도적들을 모두 데려가니, 이후 나라 안에는 도적 떼로 인한 소란이 없어졌다.

섬에 이르러 나무를 베어 집을 짓고 대나무를 엮어 울타리를 만들었다. 땅의 기운이 이미 비옥하기 이를 데 없으니 온갖 곡식이 무럭무럭 자라나는데, 김을 매거나 거름을 주지 않아도 한 줄기에 아홉 개의 이삭이 열릴 지경이었다. 추수가 끝나자 삼 년 동안 먹을 것을 쌓아 놓고, 그 나머지는 전부 배에 싣고 장기도로 가져가 팔았다. 장기도는 일본의 속주(屬州)로서 삼십만여 가구나 살고 있었다. 마침 장기도에는 큰 기근이 들어서 가지고 간 것을 모두 팔아치울 수 있었으니, 은 백만 냥을 벌 수 있었다.

속주(屬州): 한 나라에 속해 있는 주(州)

마 허생이 한숨을 쉬며 말했다.

"이제야 나의 조그만 시험을 마쳤도다."

이에 섬 안의 남녀 이천여 명을 모두 모아 놓고 명령을 내리기를,

"내가 처음 너희들과 함께 이 섬에 들어올 때에는, ㉠ 먼저 너희들을 부유하게 만든 후 따로이 문자도 만들고 좋은 문명을 만들려 했다. 하지만 땅이 협소하고 내 덕 또한 부족하니, 이제 나는 이 섬을 떠나려고 한다. 이후 아이가 태어나거든 수저를 쥘 때 오른손으로 쥐도록 가르칠 것이며, 하루라도 먼저 태어난 사람에게 음식을 양보하는 미덕을 가르쳐라."

그리고 허생은 섬에 남겨진 모든 배들을 불태워 버리며 말하기를,

"가지 않으면 오는 사람도 없을 것이다."

그리고 은 오십만 냥을 바닷물 속으로 던지며 말하기를,

"바다가 마르면 이 돈을 얻을 사람이 있을 것이다. 백만 냥이 한 나라 안에서 용납되지 않거늘, 하물며 이 좁은 섬에서는 오죽하랴!"

그리고 사람들 중에는 **글을 아는 사람**을 배에 태워 함께 떠나며 말하기를,

"이 섬에서 화근을 없애야지." / 하였다.

화근: 재앙을 일으키는 근본 원인

바 이때부터 허생은 나라 안을 두루 돌아다니며 가난하고 의지할 곳 없는 자들을 구제했다. 그러고도 은이 십만 냥이나 남았다.

구제: 어려운 처지에 있는 사람을 도와줌

"이 정도면 변씨의 빚을 갚기 충분하겠지." / 하고 변씨를 찾아갔다.

"당신은 나를 기억하겠소?" / 하고 허생이 묻자, 변씨는 깜짝 놀라며 말하기를,

"그대의 얼굴빛은 조금도 변하지 않았구료. 만 냥을 잃어버린 것이 아니오?"

허생은 껄껄 웃으며,

"ⓐ 재물로써 얼굴을 기름지게 하는 것은 당신들에게나 있는 일이오. 만 냥이라 한들 어찌 도(道)를 살찌우겠소."

라고 말하며, 은 십만 냥을 변씨에게 전해 주며 덧붙이기를,

"내 일찍이 한순간의 굶주림을 견디지 못해 책 읽는 것을 마치지 못했소. 이제 그대의

독해쌤 속닥속닥

◆ 조선 시대에는 지배 계층의 가혹한 수탈로 백성들이 삶의 터전을 버리고 떠돌이 삶을 살게 되는 경우가 많았어요. 그런데 세금을 내지 않고 도망을 가게 되면 그 세금을 친족이나 이웃에게 전가시켜 악순환이 반복되는 구조였죠. 이로 인해 유랑민이 증가하였는데 그들 중에는 도둑의 무리가 되기도 하는 등 사회적 문제로 남게 되었어요. 이 작품에 등장하는 도둑의 무리들이 바로 그 존재들로, 허생은 조선의 사회적 문제까지 해결하고 있는 상황이에요.

◆ 섬 안의 사람들에게 허생은 먼저 너희들을 부유하게 만든 후에 문자와 문명을 만들려고 했다고 말해요. 이는 문자나 문명과 같은 형식적인 제도보다 백성의 삶을 먼저 풍족하게 하는 것이 우선시되어야 한다는 박지원의 사상이 드러난 말이에요.

◆ (바)에서는 재물에 대한 허생의 이중적 가치관이 드러나요. 먼저 허생이 빈 섬에서 모은 돈으로 빈민을 구제하는 부분에서는 재물을 긍정적 가치로 보고 있어요. 그런데 변씨와 나눈 대화와 행동에서는 재물을 부정적으로 인식하고 있어요.

만 냥이 부끄러울 따름이오."

변씨는 크게 놀랐다. 그는 자리에서 일어나 절하고 사례하며, 십분의 일의 이자만을 더 해서 받기를 원했다. 이에 허생이 벌컥 화를 내며 말했다.

"ⓑ당신은 어찌 나를 장사치를 대접하듯 한단 말이오!"

허생은 옷자락을 떨치며 나가 버렸다.

전개 도적들을 데리고 빈 섬에서 이상국을 경영하고, 변씨의 돈을 갚는 허생

[01~03] 다음 설명이 맞으면 ○, 틀리면 ×표 하시오.

01 허생은 당시 사대부들과 달리 재물에 대한 긍정적 인식이 일관되고 있다. (○, ×)

02 허생의 행동으로 나라 안이 안정을 찾았다는 내용은 나라가 그만큼 무능함을 보여 주는 것이다. (○, ×)

03 (라)에서는 허생이 도적들을 데리고 빈 섬에 가서 생활하는 모습을 요약적으로 제시하여 사건 진행을 빠르게 하고 있다. (○, ×)

[04~05] 다음 빈칸에 들어갈 알맞은 말을 쓰시오.

04 허생은 [ㅂ][ㅅ]을 통해 이상 사회를 건설하려고 하였다.

05 허생은 '글을 아는 사람'을 [ㅎ][ㄱ]이라고 표현하며 현실과 동떨어진 관념적인 지식인들을 비판하고 있다.

인물·사건

06 다음 중 '조그만 시험'에 대한 내용으로 적절하지 않은 것은?

① 치안 문제를 해결하는 것
② 농업을 통해 자급자족하는 것
③ 이상 사회 건설을 시도하는 것
④ 남녀가 평등한 사회를 만드는 것
⑤ 해외 무역을 통해 부를 창출하는 것

인물·사건 + 배경·소재

07 윗글을 읽은 학생이 떠올린 의문점으로 적절하지 않은 것은?

① 장기도는 현재 어느 지역을 가리키는 것일까?
② 관념적인 지식인을 비판하는 작가의 또 다른 작품은 없을까?
③ 허생이 빈 섬에서 백성들을 위하여 만든 문자는 어떤 것일까?
④ 은 백만 냥의 가치를 오늘날 가치로 환산했을 때 얼마쯤 될까?
⑤ 당시 사회는 무역을 기반으로 한 경제 활동이 활발히 이루어졌을까?

어휘

08 ㉠에 드러난 허생의 생각을 속담으로 나타낸다고 할 때 가장 적절한 것은?

① 고생 끝에 낙이 온다
② 바늘 가는 데 실 간다
③ 단단한 땅에 물이 괸다
④ 곳간이 차야 예절을 안다
⑤ 가난 구제는 나라도 못한다

수능형 인물·사건

09 ⓐ와 ⓑ에 드러나는 허생의 태도를 비판한 내용으로 가장 적절한 것은?

① 선비의 도와 상인의 도를 혼동하고 있군.
② 부의 축적보다는 유교적 입신양명이 더 중요함을 역설하고 있군.
③ 상업의 중요성을 강조하면서도 봉건적 계급 의식을 버리지 못하고 있군.
④ 양반의 체면 때문에 더 많은 재물을 벌지 못한 것에 대해 아쉬워하고 있군.
⑤ 변씨와는 달리 자신이 나라를 위하는 큰 장사꾼이라는 우월 의식에 젖어 있군.

허생전 ③

위기

사 변씨는 원래 정승(政丞) 이완(李浣)과 친분이 있는 사이였다. 이완이 어영대장(御營大將)이 되었을 때 변씨에게 묻기를,

"위항(委巷)과 여염(閭閻) 중에 뛰어난 재주가 있어 큰일을 함께할 만한 사람이 있겠소이까?"

라고 하였다. 변씨가 허생의 이야기를 하자 이 대장이 크게 놀라 말하기를,

"기이한(기묘하고 이상한) 일이로군! 그 말이 사실이오? 그 사람 이름이 무엇이오?"

"제가 그와 삼 년을 사귀었지만 아직 그의 이름을 모릅니다."

이 대장이 말하기를,

"이 사람은 필시 이인(異人)(재주가 신통하고 비범한 사람)이로다. 나와 함께 찾아가 봅시다."

아 밤이 되자 이 대장은 수행하는 사람들을 물리치고 변씨와 더불어 걸어서 허생의 집을 찾아갔다. 변씨는 이 대장을 문밖에 세워 둔 후, 혼자 들어가 허생에게 이 대장과 함께 온 사연을 말했다. 그러나 허생은 못 들은 척하며 말하기를,

"자네가 차고 온 술병이나 풀어 놓게."

하고는 즐겁게 술을 마셨다. 변씨가 이 대장이 이슬을 맞고 오래 서 있는 것이 민망하여 수차례 이야기했으나 허생은 대꾸하지 않았다. 밤이 깊어지자 허생은 드디어 말하였다.

자 "밤은 짧은데 말이 기니 듣기에 무척 지루하외다. 당신 지금 벼슬이 뭐요?"

"대장을 맡고 있소이다."

허생이 말하기를,

"그렇다면 당신은 이 나라의 믿음직한 신하라 할 수 있소이다. 내가 와룡선생(臥龍先生)(삼국지에 나오는 제갈공명) 같은 사람을 천거한다면, 당신은 임금께 여쭈어서 삼고초려(三顧草廬)를 하시게 할 자신이 있으시오?"

이 대장이 고개를 숙이고 한참 생각하다가,

"그건 어렵겠소이다. 그 다음의 일을 들을 수 있겠소?"

차 허생은 냉랭하게,

"나는 '그 다음'이란 것은 배우지 못했소."

하고는 입을 다물어 버렸다. 이에 이 대장이 누차 묻자 대답하기를,

"명나라 장군과 벼슬아치들은 조선에 베푼 옛 은혜가 있다 하여, 나라가 망한 후 그 자손들이 우리나라로 많이 탈출했소. 그들은 지금 이리저리 떠돌아다니며 홀아비 생활을 하고 있다는데, 당신은 임금께 청하여 종실(宗室)(임금의 친족)의 여자들을 두루 시집보내고 김류(金瑬)와 장유(張維)(당시 높은 지위와 권세를 지녔던 인물들) 따위의 재산을 털어 그들의 거처를 마련해 줄 수 있겠소?"

이 대장이 또다시 머리를 숙이고 생각하다가,

"그것도 어렵겠소이다."

하고 대답했다.

독해쌤 속닥속닥

- 이완은 조선 후기 무신으로 실제로 존재했던 역사적 인물이에요. 효종 재위 시절 북벌 정책의 선봉 부대였던 어영청의 대장으로 일했어요. 작가는 이완이라는 실존 인물을 등장시켜 작품의 현실성을 높이고자 한 것으로 보여요.
- '삼고초려(三顧草廬)'는 촉한의 임금 유비가 제갈량을 얻는 과정에서 생겨난 고사예요. 제갈량이 자신이 비천한 신분임을 알면서도 유비가 몸을 낮추어 자신의 초가집을 세 번이나 찾아 준 것에 감동해 함께 일할 것을 허락한 일을 말해요.
- 왕실과 세도가들의 부정부패를 풍자하는 한편, 명나라의 은혜를 갚기 위해 청나라를 쳐야 한다고 주장하는 북벌론의 허구성을 지적하고 있는 부분이에요.

확인 문제

[01~03] 다음 설명이 맞으면 ○, 틀리면 ×표 하시오.

01 (아)에서 허생은 자신을 찾아온 이완 대장에 대해 반감을 드러내고 있다. (○, ×)

02 이 작품은 지배 계층에 대한 비판과 풍자가 담긴 평민 문학의 대표작이다. (○, ×)

03 이 작품은 당시 현실에 대한 비판적 의식을 바탕으로 한 개혁 사상이 담겨 있다. (○, ×)

[04~06] 다음 빈칸에 들어갈 알맞은 말을 쓰시오.

04 (자)에서 허생은 이완 대장에게 올바른 ㅇㅈ ㄷㅇ을 위한 적극적인 노력을 제안하였다.

05 (차)에서 허생은 이완 대장에게 조선을 떠도는 ㅁㄴㄹ 후손들에 대한 예우를 제안하였다.

06 (자)와 (차)에서 ㅎㅅ은 실리를, ㅇㅇ ㄷㅈ은 명분을 중시한다는 점에서 갈등하고 있다.

인물·사건

07 윗글에서 작가가 이완 대장을 등장시킨 의도로 볼 수 없는 것은?

① 친명 정책의 허구성을 비판하기 위해서
② 변화하려는 관료층의 노력을 보여 주기 위해서
③ 무능하고 명분만 추구하는 집권층을 비판하기 위해서
④ 인물들 간의 대화를 통해 주제 의식을 강조하기 위해서
⑤ 실존 인물을 등장시켜 사건 전개에 사실성을 부여하기 위해서

인물·사건

08 윗글에서 이완 대장이 허생의 제안을 거절한 근본적인 이유로 가장 적절한 것은?

① 상대를 질책하는 허생의 제안 방식이 못마땅했기 때문에
② 허생이 자신만의 사리사욕을 챙기고 있다고 생각했기 때문에
③ 허생의 제안이 시대의 흐름과 동떨어진 방식이라고 판단했기 때문에
④ 허생의 제안이 문제의 원인을 잘못 판단하고 있다고 생각했기 때문에
⑤ 허생의 제안이 급진적이어서 지배 계층의 지지를 얻을 수 없다고 여겼기 때문에

주제

09 윗글을 통해 짐작할 수 있는 당시 사회의 모습이 아닌 것은?

① 사대부들은 권위와 체면을 중시했다.
② 지배층은 실질적인 개혁 의지가 없었다.
③ 조정에서는 명나라를 배척하고자 하였다.
④ 인재 등용이 올바르게 이루어지지 않았다.
⑤ 조선으로 망명한 옛 명나라의 후손들이 있었다.

수능형 주제

10 윗글의 허생이 비판할 만한 인물로 적절하지 않은 것은?

① 국가적인 실리보다 국제적인 명분을 중시하는 외교관
② 공동체 의식 없이 개인적인 부의 축적에만 관심 있는 권력자
③ 회의에서 자신의 주장이 받아들여지지 않자 난색을 표하는 토론자
④ 뛰어난 능력을 지녔지만 학벌이 좋지 않다며 지원자를 탈락시킨 기업가
⑤ 사회적 문제에 대한 실천적 대안을 알면서도 위신 때문에 나서지 않는 행정가

허생전 ④

독해쌤 속닥속닥

◆ 허생은 청나라와의 교류를 통해 실력을 기른 후 청나라에게 당한 병자호란의 치욕을 씻을 수 있다고 말하고 있어요. 주체적인 역량을 기르기 위해서는 허례허식에서 벗어나 실용적인 태도를 지녀야 한다는 작가의 의식이 담겨 있어요.

◆ 번어기는 일찍이 연나라에 망명한 뒤 진나라가 이를 빌미로 연나라에 쳐들어오자 자신의 목을 주어 진나라에 원수를 갚으려 했어요. 한편 무령왕은 전국 시대 때 조나라의 왕으로, 나라를 강성하게 하기 위해 오랑캐의 제도를 받아들인 인물이에요. 허생은 목표를 이루기 위해 살신성인한 인물들의 사례를 들어 말로만 북벌론을 외치는 사대부들을 비판하고 있어요.

카 "이것도 어렵고 저것도 어렵다니, 대체 어떤 일이면 가능하단 말이오? 좋소이다, 아주 쉬운 일이 있으니 당신이 한번 해 보겠소이까?" / "원컨대 말씀해 주시오."

"대체로 천하에 큰 뜻을 떨치고자 한다면 먼저 천하의 호걸들과 접촉하여 결탁하지 않으면 안 되오. 또한 남의 나라를 치고자 한다면 먼저 첩자를 이용하지 않고서는 성공할 수 없지요. 지금 만주(滿洲)의 무리들이 갑자기 천하의 주인이 되었으니, 그들은 예부터 중국인들과 친하지 못했소. 그리고 조선이 다른 나라에 앞서 항복했으니 저들은 반드시 우리를 믿을 것이오. 이제 우리가 그들에게 '우리의 자제(子弟)를 보내어 학문도 배우거니와 벼슬도 하여 당(唐), 원(元)의 고사(故事)처럼 하고, 상인들도 자유롭게 출입하도록 해 주십시오.'라고 청한다면 그들은 우리의 친절을 기뻐하며 허락할 것이 분명하오. 그러면 우리는 자제들을 가려 뽑아, 변발(辮髮)하고 호복(胡服)을 입혀 들여보내면 되지요. 지식층은 빈공과(賓貢科)를 보게 하고 일반 백성들은 멀리 강남 땅에까지 장사를 가서, 그 허실을 염탐하고 그 고장 호걸들과 친분을 맺는 것이오. 그렇게 한다면 천하를 도모할 수 있고 과거의 치욕도 씻을 수 있지 않겠소? 만약 주씨(朱氏)를 구하지 못한다 해도 천하의 제후를 거느릴 만한 인물을 하늘에 추천한다면, 성공하면 중국의 스승이 되는 것이요, 실패해도 백구(伯舅)의 나라는 잃지 않을 것이오."

- 호걸: 지혜와 용기가 뛰어나고 기개와 풍모가 있는 사람
- 변발(辮髮): 남자의 머리를 뒷부분만 남기고 나머지 부분을 깎아 뒤로 길게 땋아 늘임
- 호복(胡服): 오랑캐, 즉 청나라의 옷차림
- 빈공과(賓貢科): 외국인에게 보게 했던 과거 시험
- 염탐하고: 몰래 남의 사정을 살피고 조사함
- 주씨(朱氏): 명나라 왕족
- 백구(伯舅): 성이 다른 제후를 존경하여 이르던 말

이 대장이 얼이 빠진 듯 듣고 있다가 말하였다. / "사대부들이 모두 몸을 삼가고 예법을 숭상하고 있으니, 누가 능히 변발을 하고 호복을 입으려 하겠습니까?"

위기 | 허생의 세 가지 제안과 이를 거절하는 이완 대장

절정

타 허생이 크게 꾸짖기를, / "이른바 ⓐ사대부라는 것들이 대체 무엇하는 것들이야! 오랑캐의 땅에 태어나서 스스로 사대부라 칭하니 염치없지 않은가! 게다가 옷은 흰옷만 입으니 이것이야말로 상복(喪服)이 아닌가. 또 머리를 묶어서 상투를 트니 이것은 남쪽 오랑캐들의 몽치 상투가 아닌가. 이러고도 어찌 예법을 논한단 말인가! ⓑ번어기(樊於期)는 원한을 갚기 위해 자신의 머리도 아까워하지 않았고, ⓒ무령왕(武靈王)은 나라를 강하게 하기 위해 호복을 입는 것도 부끄러워하지 않았다. 지금 명나라의 원수를 갚고자 하는 마당에, 겨우 ⓓ머리털 자르는 것을 애석해한단 말인가? 그뿐만 아니라 장차 말을 타고 검을 휘두르며 창으로 찌르고 활을 쏘고 돌을 던져야 할 판국인데, 그 넓은 소매를 자르기는커녕 도리어 ⓔ예의를 논해? 내가 지금 세 가지를 말했는데, 너는 그중 한 가지도 제대로 못 하면서 어떻게 스스로 믿음직한 신하라고 자처한단 말이냐! 그러고도 믿음직한 신하라고 우겨? 너 같은 자는 목을 베어야 해!"

- 상투: 장가든 남자가 머리털을 끌어 올려 정수리 위에 틀어 감아 맨 것

라고 외치고는, 좌우를 둘러보며 칼을 찾아 찔러 죽이려고 하였다. 이 대장이 크게 놀라 뒷문을 박차고 뛰어나가 도망쳐 버렸다.

절정 | 명분만을 중시하는 집권층의 행태에 격분하여 이완 대장을 크게 꾸짖는 허생

결말

파 다음날 다시 허생의 집을 찾았으나, 집은 텅 비어 있고 허생은 이미 떠나고 없었다.

결말 | 허생의 잠적

확인 문제

[01~03] 다음 설명이 맞으면 ○, 틀리면 ×표 하시오.

01 이 작품은 고전 소설의 특징인 권선징악의 결말 구조를 보이고 있다. (○, ×)

02 이 작품에서 허생은 비판을 받는 인물에서 비판을 하는 인물로 설정이 바뀌었다. (○, ×)

03 (타)에서 허생은 특정한 인물들의 사례를 들어 상대방의 태도상의 문제점을 지적하고 있다. (○, ×)

[04~06] 다음 빈칸에 들어갈 알맞은 말을 쓰시오.

04 [ㅇ][ㅇ]은 당시 무능하고 보수적인 집권 세력을 대표하는 인물이다.

05 (카)에서 허생은 이완 대장에게 북벌을 위해 [ㅊ][ㄴ][ㄹ]와 교류할 것을 제안하고 있다.

06 신분 질서가 엄격했던 조선 시대에 벼슬이 없는 허생이 지위가 높은 이완을 크게 꾸짖는 설정은 무능한 [ㅅ][ㄷ][ㅂ]에 대한 노골적인 비판과 허생의 비범함을 부각시키기 위한 작가의 의도로 볼 수 있다.

실력 문제

주제

07 (카)~(타)에서 허생이 비판하고자 한 내용을 〈보기〉에서 모두 고른 것은?

> **보기**
> ㉠ 청을 정벌하겠다는 북벌론의 허구성
> ㉡ 한 나라를 통치하는 지배 계층의 무능함
> ㉢ 명분만을 내세우는 사대부들의 허례허식
> ㉣ 도적들이 판치는 나라의 허술한 치안 문제
> ㉤ 매점매석이 가능할 정도로 취약한 경제 구조

① ㉠, ㉡, ㉢ ② ㉡, ㉢, ㉣
③ ㉢, ㉣, ㉤ ④ ㉠, ㉡, ㉢, ㉤
⑤ ㉡, ㉢, ㉣, ㉤

서술

08 (파)와 같은 결말에 대한 설명으로 적절하지 않은 것은?

① 새로운 사건이 발생할 것임을 예고한다.
② 여운을 남겨 독자의 상상력을 자극한다.
③ 허생의 주장이 현실적으로 받아들여질 수 없음을 암시한다.
④ 일반적인 고전 소설과는 다른 결말 처리로 독자의 흥미를 끈다.
⑤ 설화적 분위기를 조성하여 허생의 범상치 않은 면모와 신비한 행적을 부각시킨다.

배경·소재

09 ⓐ~ⓔ 중, 성격이 유사한 것끼리 바르게 묶인 것은?

①	ⓐ, ⓑ, ⓒ	ⓓ, ⓔ
②	ⓐ, ⓑ, ⓓ	ⓒ, ⓔ
③	ⓐ, ⓓ, ⓔ	ⓑ, ⓒ
④	ⓑ, ⓒ, ⓓ	ⓐ, ⓔ
⑤	ⓑ, ⓓ, ⓔ	ⓐ, ⓒ

주제

10 윗글에 나타난 허생의 주장으로 볼 수 없는 것은?

① 형식에 얽매이지 말고 실리를 추구해야 한다.
② 대의를 위해서는 청나라의 복식도 수용할 수 있어야 한다.
③ 청나라의 문물을 받아들이고 경제적인 교류를 해야 한다.
④ 전통적인 예법을 지키며 나라를 강하게 하기 위해 힘써야 한다.
⑤ 청나라와의 인적 교류를 통해 청나라의 실상을 파악해야 한다.

작품 전체

발단✲	전개✲	위기✲	절정✲	결말✲
가난하고 무능한 선비인 ❶[ㅎ][ㅅ]은 돈을 벌어오지 못한다는 아내의 질책에 글공부를 그만두고 집을 나감	⇒ 허생은 변씨에게 돈을 빌려 상품을 매점매석하여 큰돈을 벌고, 이후 이상국 건설에 대한 시험을 마치고 돌아와 변씨에게 돈을 갚음	⇒ 변씨의 주선으로 허생을 만난 이완 대장은 나랏일을 도와 달라 부탁하지만, 허생의 세 가지 현실 대응책을 받아들이기 어려워함	⇒ 허생은 ❷[ㅅ][ㄷ][ㅂ]들의 허례허식과 조정의 탁상공론을 비판하고 이완 대장을 질책함	⇒ 이튿날 허생의 집을 다시 찾았으나, 집은 비어 있고 허생은 종적을 감춤

✲: 교재 수록 부분

작품 압축

허생의 이중적 재물관 및 계급 의식의 한계

공적인 차원		사적인 차원
실제로 이익을 추구하여 백성들을 구제함		재물을 정신을 괴롭히는 대상으로 봄

계급 의식의 한계	상업을 중시하기는 하나 자신을 ❸[ㅈ][ㅅ][ㅊ]와 같이 취급한 데 대해 역정을 내고 재물을 무시하는 모습에서 계급적 한계를 엿볼 수 있음

허생의 세 가지 제안과 그 의미

제안	의미
적극적으로 인재를 등용할 것	올바른 인재 등용이 이루어지지 않는 현실 비판
기득권의 재산을 몰수하고 명나라의 후손들을 우대할 것	친명배청의 명분만을 추구하는 ❹[ㅈ][ㄱ][ㅊ]의 모순 비판
청나라와 정치적·경제적 교류를 할 것	북벌론의 허구성 비판, 조선의 실리 추구 촉구

⇓

- 실리보다 명분을 중시하는 사대부의 태도 비판
- 북벌을 주장하면서도 기득권을 버리지 못하는 사대부의 모순적인 태도 비판

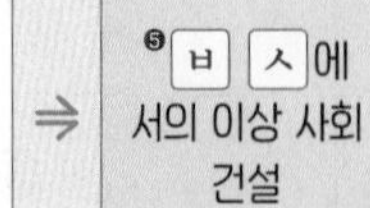

'조그만 시험'의 의미

- 농업을 통한 자급자족
- 해외 무역을 통한 부의 축적
- 나라의 치안 해결과 덕치주의의 실현

⇒ ❺[ㅂ][ㅅ]에서의 이상 사회 건설

결말 구조의 의미

- ❻[ㅅ][ㅎ][ㅈ] 결말을 통해 허생의 범상치 않은 면모와 신비한 행적을 부각함
- 미완의 결말 구조로 사건의 미해결에 따른 여운을 남기며 독자의 상상력을 자극함

암시적 결말을 통해 허생의 주장이 당시에는 현실적으로 수용하기 어려운 급진적인 것이었음을 드러냄

어휘력 테스트

1 제시된 뜻과 예문을 참고하여 다음 초성에 해당하는 단어를 괄호 안에 써 보자.

(1) ㅎ ㄱ : 지혜와 용기가 뛰어나고 기개와 풍모가 있는 사람

예 장안의 ( )이 모두 모여 힘과 용기를 겨루었다.

(2) ㅎ ㄱ : 재앙을 일으키는 근본 원인

예 무심코 한 말이 ( )이 되어 그는 친구와 싸우게 되었고 결국에는 절교하게 되었다.

(3) ㅈ ㅅ : 임금의 친족

예 왕이 승하하신 뒤에 신왕을 지정할 권리는 ( )의 어른 되는 대왕대비가 가지게 될 것이다.

2 다음 단어를 활용하기에 적절한 문장을 찾아 바르게 연결해 보자.

(1) 구제하다 •

(2) 염탐하다 •

(3) 기이하다 •

• ㉠ 정민이는 항상 ( )한 옷차림을 하여 사람들의 시선을 끌었다.

• ㉡ 산사태로 매몰된 사람들을 ( )하는 장면이 텔레비전 화면을 통해 생생하게 보도되었다.

• ㉢ 그들은 적의 정세를 ( )하다가 경계가 소홀해진 틈을 타서 사방에서 일제히 공격했다.

독해쌤과 함께하는 감상 넓히기

사회 현실의 문제점을 다룬 작품

이번에 감상한 「허생전」과 같이 사회 제도의 문제점을 인식하고, 기존의 제도에 대해 비판적 사고를 드러낸 작품들이 많아요. 작품에 나타난 당시 사회의 문제점이 무엇인지 살펴보고, 이에 대한 작가의 인식과 태도는 어떻게 드러나 있는지 감상해 볼까요?

홍길동전_허균

우리나라 한글 소설의 효시로, 홍길동이라는 서자를 주인공으로 내세워 적서 차별, 탐관오리의 부정부패 등 당시의 사회상을 비판하면서 이상국 건설에 대한 염원을 드러낸 작품입니다.

배비장전_작자 미상

위선적 양반인 배 비장이 방자에 의해 농락을 당하는 내용의 고전 소설로, 양반 계층의 위선을 해학적으로 그려 내는 동시에 판소리계 소설의 특징을 잘 드러낸 작품입니다.

홍계월전 ① _ 작자 미상

조선 시대에 여성은 사회적 활동에 많은 제약을 받았답니다. 당대의 여성들 중에 사회적 활동에 대한 욕구를 지닌 사람들이 없었을까요? 아마도 적지 않았을 듯합니다. 이러한 여성들은 억압된 욕망을 문학을 통해 간접적으로 해소하기도 했어요. 이 작품의 주인공인 홍계월은 남성보다 더욱 우월한 능력을 보이는 인물이에요. 이러한 그녀의 능력과 활약상에 초점을 맞추어 작품을 감상해 볼까요?

독해쌤의 감상 질문

1. 인물·사건 이 작품에 나타난 등장인물들의 관계는 어떠한가요?
2. 배경·소재 이 작품에서 주인공이 남장을 하는 상황을 통해 알 수 있는 당시 사회의 모습은 무엇인가요?
3. 서술 이 작품에 나타난 구성 방식은 무엇인가요?
4. 주제 이 작품의 여성 영웅 소설로서의 의의는 무엇인가요?

발단

가 각설. 대명(大明) 성화 연간에 형주(荊州) 구계촌(九溪村)에 한 사람이 있으되, 성은 홍(洪)이요 이름은 무라. ㉠세대 명문거족(名門巨族)으로 소년 급제하여 벼슬이 이부시랑에 있어 충효 강직하니, 천자(임금) 사랑하사 국사를 의논하시니, 만조백관(조정의 모든 벼슬아치)이 다 시기하여 모함하여, 죄 없이 벼슬을 빼앗기고 고향에 돌아와 농업에 힘쓰니, 가세는 부유하나 슬하에 일점혈육이 없어 매일 슬퍼하더라. 하루는 부인 양씨(梁氏)와 더불어 탄식하며 말하기를,

"나이 사십에 아들이든 딸이든 자식이 없으니, 우리 죽은 후에 누구에게 후사를 전하며 지하에 돌아가 조상을 어찌 뵈오리오." / 부인이 슬피 울며 말하기를,

[A] "불효삼천(不孝三千)(삼천 가지 불효 중에서 자식이 없는 것이 가장 큰 불효임을 이르는 말)에 무후 위대(無後爲大)라 하오니, 첩이 귀한 가문에 들어온 지 이십여 년이라. 한낱 자식이 없사오니, 어찌 상공을 뵈오리까. 원컨대 상공은 다른 가문의 어진 숙녀를 취하여 후손을 보신다면, 첩도 칠거지악(예전에, 아내를 내쫓을 수 있는 이유가 되었던 일곱 가지 허물)을 면할까 하나이다."

시랑이 양씨를 위로하며 말하기를,

"이는 다 내 팔자라. 어찌 부인의 죄라 하리오. 차후(지금부터 이후)는 그런 말씀 마시오." / 하더라.

나 이때는 추구월(음력 9월의 가을철을 이르는 말) 보름이라. 부인이 시비(侍婢)(계집종)를 데리고 망월루에 올라 월색(달에서 비쳐 오는 빛)을 구경하더니 홀연 몸이 곤하여 난간에 의지하니, 비몽간(非夢間)에 ㉡선녀가 내려와 부인께 재배(再拜)(두 번 절함)하고 말하기를, / "소녀는 상제(上帝)의 시녀옵더니, 상제께 득죄하고 인간에 내치시어 갈 바를 모르더니, ㉢세존(世尊)('석가모니'의 다른 이름. 세상에서 가장 존귀한 존재라는 뜻임)이 부인 댁으로 가라 지시하옵기로 왔나이다."

하고 품에 들거늘 놀라 깨달으니 필시 태몽이라. 부인이 크게 기뻐하여 시랑을 청하여 꿈에 나타난 일을 이야기하고 귀한 자식 보기를 바라더니, 과연 그달부터 태기(아이를 밴 기미) 있어 열 달이 차, 하루는 집 안에 향취 진동하며 부인이 몸이 곤하여 침석에 누웠더니 아이를 탄생하니 여자라. 선녀 하늘에서 내려와 옥병을 기울여 아기를 씻겨 누이고 말하기를,

"부인은 이 아기를 잘 길러 후복(厚福)을 받으소서."

하고 문을 열고 나가며 말하기를, / "오래지 아니하여서 뵈올 날이 있사오리다."

하고 문득 떠나거늘, 부인이 시랑을 청하여 아이를 보이니, 얼굴이 도화(桃花) 같고 향내 진동하니 진실로 월궁항아(月宮姮娥)(전설에서, 달에 있는 궁에 산다는 선녀. 견줄 만한 사람이 없을 정도로 아름다운 여자를 비유적으로 이르는 말)더라. 기쁨이 측량 없으나 남자 아님을 한탄하더라. 이름을 계월(桂月)이라 하고 장중보옥(掌中寶玉)(손안에 있는 보배로운 구슬이란 뜻으로, 귀하고 보배롭게 여기는 존재를 비유적으로 이르는 말)같이 사랑하더라.

다 계월이 점점 자라나매 얼굴이 화려하고 또한 영민한지라. 시랑은 계월이 행여 수명이 짧을까 하여 곽 도사에게 청하여 계월의 상(相)을 보이니, 도사가 말하기를,

㉣"이 아이 상을 보니 다섯 살이 되는 해에 부모를 이별하고, 십팔 세에 부모를 다시 만

나 공후작록(公侯爵祿)을 올릴 것이오, 명망이 천하에 가득할 것이니 가장 길하도다."
높은 지위에 오른다는 말

시랑이 그 말을 듣고 놀라 말하기를, / "명백히 가르치소서."

도사 말하기를, / "그 밖에는 아는 일이 없고 천기를 누설치 못하기로 대강 설화하나이다."

하고 하직하고 가는지라. 시랑이 도사의 말을 듣고 도리어 듣지 않은 것만 못하다 여기고, 부인을 대하여 이 말을 이르고 염려 무궁하여 계월에게 남복(男服)을 입혀 초당에 두고 ⓜ글을 가르치니 한 번 보면 다 기억하는지라.

발단 | 계월이 태어나고, 계월의 미래에 대해 도사가 예언함

[01~02] 다음 설명이 맞으면 ○, 틀리면 ×표 하시오.

01 계월은 천상계의 인물이었으나 죄를 짓고 인간계에서 태어났다. (○, ×)

02 홍무는 나이 사십에도 자식이 없는 것을 부인의 탓이라고 여겼다. (○, ×)

[03~04] 다음 빈칸에 들어갈 알맞은 말을 쓰시오.

03 선녀가 나오는 양씨 부인의 ㅌㅁ을 통해 주인공 계월의 탄생을 암시하고 있다.

04 '얼굴이 도화(桃花) 같고 향내 진동하니 진실로 월궁항아(月宮姮娥)더라'는 계월의 ㅇㅁ를 통해서 계월이 비범한 인물임을 나타내고 있다.

서술

05 윗글에 대한 설명으로 가장 적절한 것은?

① 서술자가 개입하여 과거 사건을 압축적으로 제시하고 있다.
② 대립적인 공간을 설정하여 인물 간의 갈등을 부각하고 있다.
③ 초월적 존재와의 대화를 통해 인물의 고뇌가 드러나고 있다.
④ 요약적 서술을 통해 인물의 내력에 관한 정보를 제시하고 있다.
⑤ 시간의 흐름을 역전시켜 사건들 간의 인과 관계를 밝히고 있다.

인물·사건

06 윗글의 내용과 일치하지 않는 것은?

① 홍무는 자신을 시기하는 신하들의 모함을 받아 벼슬을 빼앗겼다.
② 곽 도사는 계월이 높은 벼슬에 올라 이름을 널리 떨칠 것이라고 예언했다.
③ 홍무는 첩을 들이라는 양씨 부인의 청을 거절하고 양씨 부인을 위로해 주었다.
④ 선녀는 홍무와 양씨 부인이 훗날 계월에 의해 복을 누릴 수 있다고 말해 주었다.
⑤ 홍무는 계월이 남자 못지않게 가문을 빛낼 것이라고 믿으며 딸을 얻은 것에 만족했다.

배경·소재

07 [A]를 통해 알 수 있는 당시의 시대 상황을 골라 바르게 묶은 것은?

ㄱ. 시부모를 잘 섬기는 것은 중요하였다.
ㄴ. 자식을 낳지 못하는 것은 큰 불효였다.
ㄷ. 일부다처(一夫多妻) 제도가 존재하였다.
ㄹ. 서자는 적자와 같은 대우를 받지 못하였다.

① ㄱ, ㄴ ② ㄱ, ㄷ ③ ㄱ, ㄹ
④ ㄴ, ㄷ ⑤ ㄴ, ㄹ

인물·사건 + 서술

08 ㉠~㉤에 대한 설명으로 적절하지 않은 것은?

① ㉠: 주인공이 고귀한 혈통의 딸로 태어남을 의미한다.
② ㉡: 주인공의 비정상적인 출생을 나타낸다.
③ ㉢: 주인공이 천상계에서 신분이 높았다는 것을 드러낸다.
④ ㉣: 주인공이 앞으로 시련을 겪게 될 것임을 암시한다.
⑤ ㉤: 유년 시절에 주인공의 비범함을 보여 준다.

홍계월전 2

중략 부분 줄거리 장사랑의 난으로 계월은 부모와 헤어지고 여공에게 구조된다. 남자아이로 오해를 받은 계월은 평국으로 이름을 고치고, 여공의 아들 보국과 함께 공부하여 과거에 급제한다. 이후 서달의 난이 일어나자 천자의 명으로 계월과 보국은 전쟁에 출정한다.

독해쌤 속닥속닥

◆ (라)를 보면 서달이 반란을 일으키자 계월과 보국은 전쟁에 출정하게 돼요. 계월은 벽파도에서 서달을 물리치는데, 이런 계월의 모습에서 씩씩하고 늠름한 영웅적 면모가 잘 나타나고 있어요. 이렇게 주인공의 군사적 활약상을 주요 내용으로 하는 소설들을 군담 소설이라고 이르기도 해요.

◆ 계월이 어릴 적 헤어졌던 부모와 우연히 다시 만나게 되었네요. 부모와의 재회는 우연적으로 이루어지는데, 이러한 사건 전개는 고전 소설에서 자주 나타난다고 볼 수 있어요.

전개

라 ㉠원수가 벽파도에 다다라 배를 강변에 매고 진을 치며 호령하기를,

"서달 등을 바삐 잡으라."

하니 제장이 일시에 고함하고 벽파도를 둘러싸니 서달이 하릴없어 자결하고자 하더니 원수 군사에게 잡혔는지라 원수 장대에 높이 앉아 서달 등을 꿇리고 호령하기를,

"이 도적을 차례로 군문 밖에 내어 베라."

하니 무사 일시에 달려들어 철통을 먼저 잡아내어 베고 그 남은 제장은 차례로 베니라.

마 이때, 군졸이 원수께 여쭈오되,

"어떤 사람이 여인 수인을 데리고 산중에 숨었기로 잡아 대령하였나이다."

하거늘, 원수 잠깐 머무르고 그 사람을 잡아들이라 하니 무사 결박(몸이나 손 등을 움직이지 못하도록 묶음)하여 대하에 꿇리고 죄목을 물을새, 이 사람이 넋을 잃었더라. 원수 이르기를,

"너희를 보니 대국 복색이라 적병이 너희를 응하여 동심합력(同心合力)(마음을 같이하여 힘을 합침)하였단다. 바로 아뢰라." / 이에 시랑이 황급하여 정신을 진정하여 아뢰기를,

"소인은 전일 대국에서 시랑 벼슬하옵다가 소인 참조에 고향에 돌아가 농업을 일삼다가 장사랑 난에 잡혀 이리이리되와 이곳으로 정배(定配)(죄인을 지방이나 섬으로 보내 정해진 기간 동안 그 지역 내에서 감시를 받으며 생활하게 하던 일) 온 죄인이오니 죽어 마땅하여이다."

원수 이 말을 듣고는, / "네 천자의 성은을 배반하고 역적 장사랑에게 부탁하였다가 성상이 어지사 너를 죽이지 아니하시고 이곳으로 정배하시니 그 은혜를 생각하면 백골난망이거늘 이제 또 적의 무리에 내응(內應)(내부에서 몰래 적과 통함)이 되었다가 이렇듯 잡혔으니 네 어찌 변명하리오." / 잡아내어 베라 하니 양 부인이 울며 말하기를,

"애고 이것이 어인 일인가, ㉡계월아. 너와 함께 강물에 빠져 그때 죽었다면 이런 욕을 면할 것을 하늘이 미워 여기사 모진 목숨 살았다가 이 거동을 보는도다."

하며 기절하거늘, 원수 이 말을 듣고 문득 선생의 이르던 말을 생각하고 크게 놀라 좌우를 다 치우고 앞에 가까이 앉히고 가만히 묻기를,

"아까 들으니 계월과 함께 죽지 못함을 한하니 계월은 뉘며 그대 성은 뉘라 하느뇨?"

하니 부인이,

"소녀는 대국 형주 땅 구계촌에 사옵고 양 처사의 여식이오며 가군은 홍시랑이옵고 저 계집은 시비 양윤이요, 계월은 소녀의 딸이로소이다."

하며 전후 수말(일의 시작과 끝)을 낱낱이 다 아뢰니 원수 이 말을 듣고 정신이 아득하여 세상사가 꿈 같은지라. 급히 뛰어내려 부인을 붙들고 통곡하며 말하기를,

"어머님, 제가 물에 들던 계월이로소이다."

하며 기절하니 부인과 시랑이 이 말을 듣고 서로 붙들고 통곡 기절하니 천여 명 제장과 팔십만 대병이 이 광경을 보고 어쩐 일인지 알지 못하고 서로 돌아보며 공동(共同)하여 혹 눈물을 흘리며 천고에 없는 일이라 하며 영 내리기를 기다리더라.

◆ (바)에서 계월은 장사랑의 난으로 부모와 헤어진 이후부터 대과에 합격하고 대원수가 되어 서달의 난을 진압하기까지의 과정을 부모에게 요약적으로 이야기하고 있어요.

바 ㉢보국은 이왕 ㉣평국이 부모 잃은 줄로 아는지라, 원수 정신을 진정하여 부모를 장대에 모시고 여쭈오되,

"그때 물에 떠가다가 무릉포 여공을 만나 건져 집으로 돌아가 친자식같이 길러 그 아들 보국과 어진 선생 밑에서 함께 학문을 배우고 선생의 덕으로 황성에 올라가 둘 다 대과에 급제하여 한림학사로 있다가 서달이 난을 일으켜 소자는 ㉤대원수 되고 보국은 중군이 되어 이번 싸움에 적진을 할새, 서달이 도망하여 이곳으로 오옵기에 잡으러 왔다가 천행으로 부모를 만났나이다."

하며 전후 수말을 낱낱이 다 고하니, 시랑과 부인이 듣고 고생하던 말을 일일이 다 설화하며 슬피 통곡하니, 산천초목이 다 눈물을 머금은 듯하더라.

전개 | 계월은 서달의 난을 진압하고 부모와 재회함

[01~02] 다음 설명이 맞으면 ○, 틀리면 ×표 하시오.

01 계월은 여공의 집에서 보국과 함께 공부하고 과거에 급제했다. (○, ×)

02 계월 휘하의 병졸들은 계월이 부모를 만난 것을 알고 함께 기뻐했다. (○, ×)

[03~04] 다음 빈칸에 들어갈 알맞은 말을 쓰시오.

03 계월이 시랑에게 천자의 성은을 배반했다고 말한 것은 유교적 [ㅊ][ㅇ] 사상이 반영된 것으로 볼 수 있다.

04 이 작품은 비범한 인물이 전쟁에 나가 용맹을 떨쳐 나라를 구하는 서사를 갖고 있다는 점에서 [ㄱ][ㄷ] 소설에 해당한다.

실력 문제

인물·사건 + 서술

05 **(마)에 나타나는 고전 소설의 특징으로 가장 적절한 것은?**

① 행복한 결말 ② 사건의 우연성
③ 사건의 전기성 ④ 처첩 간의 갈등
⑤ 탐관오리의 횡포

인물·사건

06 **윗글의 내용과 일치하지 않는 것은?**

① 계월 군대가 벽파도를 포위하자 서달은 자결하고자 했다.
② 보국은 계월이 어렸을 적에 부모를 잃은 것으로 알고 있었다.
③ 시랑은 장사랑 난과 관련하여 자신에게 죄가 있다고 생각했다.
④ 양씨 부인은 계월이 물에 빠졌으나 죽지 않고 살아 있다고 믿었다.
⑤ 계월은 시랑과 합심했다는 적병의 말을 믿고 시랑을 벌하고자 했다.

인물·사건

07 **사건의 전개상 ㉠~㉤ 중, 지칭하는 인물이 다른 것은?**

① ㉠ ② ㉡ ③ ㉢ ④ ㉣ ⑤ ㉤

수능형

인물·사건

08 **다음 중 〈보기〉의 밑줄 친 인물에 해당하는 것은?**

보기

영웅 소설에서 주인공은 어려서 고난과 시련을 겪게 되는데, 조력자의 도움으로 역경을 극복하고 자신의 능력을 기르게 된다.

① 서달 ② 군졸 ③ 천자
④ 여공 ⑤ 장사랑

홍계월전 ③

위기

사 평국이 전쟁에 다녀온 후로 몸이 절로 피곤하여 병이 매우 깊어져 집안사람들이 놀라 밤낮으로 약으로 치료하더니 천자께서 이 일을 들으시고 매우 놀라 명의를 급히 보내어,

㉠"병세를 자세히 보고 오라. 만일 위태로우면 짐이 가 보리라."

하시고 어의를 보내시니 어의가 천자의 명령을 받들어 평국의 침소에 가 병세를 진맥하니 병세가 위중하지 않으므로 속히 약을 가르쳐 주어 쓰라 하고 돌아와 천자께 아뢰기를,

(어의: 궁궐 내에서, 임금이나 왕족의 병을 치료하던 의원)

"병세를 보니 위중하지 아니하기에 빨리 듣는 약을 가르쳐 주어 쓰라 하고 왔사오나 또한 ㉡괴이한 일이 있으니 수상하옵니다." / 이에 천자께서 놀라 묻기를,

"무슨 연고가 있는고?" / 어의가 땅에 엎드려 아뢰기를,

(연고: 일의 까닭)

"평국의 맥을 보오니 남자의 맥이 아니오니 이상하옵니다."

천자께서 그 말을 들으시고 이르기를, / "평국이 여자라면 어찌 전장에 나가 적병 십만 군을 사멸하고 왔으리오? 평국의 얼굴이 복숭아 빛이요, 몸이 가냘프고 약하므로 혹 미심쩍은 점이 있거니와 아직은 누설하지 마라."

하시고 내시로 하여금 자주 문병하시니라.

이때 평국은 병세가 차차 나으매 생각하되,

'어의가 나의 맥을 짚었으니 나의 본색이 탄로 날지라. ㉢이제는 할 수 없이 여자 옷으로 바꿔 입고 규중에 몸을 감추어 세월을 보내는 것이 옳다.'

하고, 즉시 [남복]을 벗고는 여복으로 갈아입고서 ㉣부모를 뵈어 흐느끼니 두 뺨에 두 줄기 눈물이 줄줄 흐르거늘 이에 부모도 눈물을 흘리며 위로하더라.

◆ 조선 시대는 남성 중심의 유교 질서로 이루어진 사회였어요. 이런 시대 상황에서는 여성이 사회 활동을 할 수가 없었죠. 따라서 여성 영웅 소설에서 주인공(여성)은 주로 남장을 하고 영웅적인 활약상을 펼치곤 한답니다. 그러나 남장을 벗는 순간 다시 여성의 지위로 돌아와 기존 질서와 갈등을 겪게 되기 때문에 남장은 여성의 지위를 변화시키는 근본적인 해결책은 될 수 없었어요.

위기 어의로 인해 계월의 신분이 밝혀지고, 계월은 여자의 신분으로 살기로 결심함

중략 부분 줄거리 천자의 주선으로 보국과 평국(계월)은 혼인을 올리지만 보국은 자신보다 평국이 높은 벼슬에 있다는 점 때문에 갈등을 한다. 이때 남관장이 오왕과 초왕이 전쟁을 일으켰다고 천자께 장계를 올린다.

(장계: 왕명을 받고 지방에 나가 있는 신하가 자기 관하의 중요한 일을 왕에게 신고하던 일. 또는 그런 문서)

절정 1

아 천자 보시고 크게 놀라 조정 관리들과 의논한대 우승상 명연태 아뢰기를,

"이 도적은 좌승상 평국을 보내야 막을 수 있으니 급히 평국을 부르소서."

천자 들으시고 한참 후에,

"평국이 전일은 출세하였기로 불렀거니와 지금은 규중처자라 어찌 불러 전장에 보내리오."

하신대, 조정 관리들이 아뢰기를,

"평국이 지금 규중에 처하오나 이름이 조야에 있사옵고 또한 작록을 거두지 아니하였사오니 어찌 규중에 있다 하여 꺼리오리까?"

(조야: 조정과 민간을 통틀어 이르는 말 / 작록: 관직과 직위, 봉록을 아울러 이르는 말)

천자 마지못하여 급히 평국을 부르시니라.

◆ (아)에서 오나라와 초나라의 반란으로 국가가 위기에 처하자 신하들은 다시 평국(계월)을 전장에 내보내자고 천자에게 제안을 하고 있어요. 이런 신하들의 모습에서 당시 남성 중심 사회의 무능함을 엿볼 수 있어요.

자 이때 평국이 규중에 홀로 있어 매일 시비를 데리고 장기와 바둑으로 세월을 보내더니 사관이 와서 천자께서 부르신다는 명을 전하거늘, ㉤평국이 놀라 급히 여복을 벗고 조복으로 사관을 따라 천자의 앞에 엎드리니 천자 기뻐하사 이르기를,

"경이 규중에 처한 후로 오래 보지 못하여 밤낮으로 사모하더니 이제 경을 보니 기쁘기 측량 없거니와 짐이 덕이 없어 지금 오, 초 두 나라가 반란을 일으켜 남관을 넘어 황성

을 범하고자 한다 하니 경은 스스로 일을 처리하여 사직(社稷)을 안보하게 하라."

하신대 평국이 엎드려 아뢰기를,

"신첩 외람되게 폐하를 속이옵고 공후작록이 높아 영화로 지내옵기 황공하오되 죄를 용서해 주시고 신첩을 매우 사랑하시오니 신첩이 비록 어리석으나 힘을 다하여 폐하의 성은을 만분의 일이나 갚고자 하오니 폐하께서는 근심하지 마옵소서."

절정 1 오왕과 초왕이 반란을 일으키자 신하들은 계월을 전장에 보내자고 제안하고 천자는 신하들의 제안을 받아들임

[01~03] 다음 설명이 맞으면 ○, 틀리면 ×표 하시오.

01 어의는 천자의 명에 따라 평국을 진찰하고 병이 위중하다고 판단했다. (○, ×)

02 천자는 평국의 맥이 남자의 맥이 아니라는 어의의 보고를 듣고 평국이 여자라고 확신했다. (○, ×)

03 작록을 거두지 아니하였다는 것은 평국이 여자임에도 그녀의 벼슬이 바뀌지 않았음을 의미한다. (○, ×)

[04~05] 다음 빈칸에 들어갈 알맞은 말을 쓰시오.

04 여자임이 밝혀진 평국은 [ㅊ][ㅈ]의 주선으로 보국과 혼인을 올린다.

05 천자는 [ㅈ][ㄱ]를 통해 오왕과 초왕이 반란을 일으켰다는 것을 알게 된다.

배경·소재

06 다음 중 '남복'의 역할로 적절한 것을 모두 고른 것은?

> ㄱ. 평국이 천상계의 인물임을 짐작하게 한다.
> ㄴ. 평국이 비범한 능력을 지닌 인물임을 암시한다.
> ㄷ. 평국이 자신의 신분을 감출 수 있는 역할을 한다.
> ㄹ. 평국이 사회 활동을 할 수 있게 하는 기능을 한다.

① ㄱ, ㄴ ② ㄱ, ㄷ ③ ㄱ, ㄹ
④ ㄴ, ㄷ ⑤ ㄷ, ㄹ

인물·사건

07 ㉠~㉤에 대한 이해로 적절하지 <u>않은</u> 것은?

① ㉠: 천자가 평국을 매우 아낀다는 사실을 알 수 있다.
② ㉡: 어의가 평국에게서 여성의 맥을 느꼈음을 알 수 있다.
③ ㉢: 평국은 자신의 신분이 밝혀지면 어쩔 수 없이 여자로 살아가야 한다고 생각하고 있다.
④ ㉣: 평국은 과거에 급제하고 전장에서 공을 세우는 등 예전과 같은 삶을 살 수 없게 되어 서러움을 느끼고 있다.
⑤ ㉤: 평국은 천자가 자신을 등용할 것임을 미리 알고 준비하고 있었음을 알 수 있다.

수능형 주제

08 윗글을 감상한 내용으로 적절하지 <u>않은</u> 것은?

① 평국이 규중처자라 전장에 보내기 어렵다는 천자의 말을 통해 당시 여성의 활동에 대한 사회적 제약이 있었음을 짐작할 수 있군.
② 신하들이 국가의 위기를 해결할 인물로 평국을 적극적으로 추천한 것은 여성임에도 불구하고 평국의 능력을 인정한 것으로 볼 수 있군.
③ 공을 세웠음에도 불구하고 평국이 여자의 신분임이 드러나 여자로 살기로 결심한 것은 당시 사회의 현실적 제약에 부딪친 것이라고 볼 수 있군.
④ 평국이 남장을 하고 전장에서 큰 공을 세운 것은 남성 중심 사회에서 여성이 사회에 진출할 수 있는 근본적인 해결책을 제시한 것으로 볼 수 있군.
⑤ 천자가 평국에게 오왕과 초왕이 일으킨 전란을 진압해 사직을 지키라고 명한 데서 평국이 자신의 능력으로 난관을 극복할 수 있는 기회를 갖게 되었음을 확인할 수 있군.

홍계월전 ④

중략 부분 줄거리 오왕과 초왕의 반란을 진압하기 위해 평국은 원수로, 보국은 부하인 중군으로 다시 출정한다. 황성에 있는 천자가 위험해지자 평국은 황성으로 가서 천자를 구한다.

절정 2

차 이때 천자 보국의 소식 몰라 염려하시거늘 원수가 아뢰길,

"신이 보국을 데려오리다."

하고 이날 떠나려 하니 문득 중군 보국이 ㉠장계를 올렸거늘, 하였으되,

'원수가 황성을 구하러 간 사이에 소신이 한번 북을 쳐 오, 초 두 왕의 항복을 받았나이다.'

천자, 원수를 보시고 왈,

"이제는 오, 초 두 왕을 사로잡았다 하니 이런 기별을 듣고 어찌 앉아서 맞으리오."

하시고 천자가 여러 신하를 거느리고 거동하사, 평국은 선봉이 되고 천자는 스스로 중군이 되어 좌우에 옹위하여 보국의 진으로 갈새, 선봉장 평국이 갑옷과 투구를 갖추고 ㉡백총마를 타고 ㉢깃발을 잡아 앞에 나가니라.

거동: 몸을 움직임. 또는 그런 짓이나 태도
옹위: 좌우에서 부축하여 지키고 보호함
진: 군사들이 대열을 이루고 있는 곳

이적에 보국이 오, 초 두 왕을 앞에 세우고 황성으로 향하여 올새, 바라보니 한 장수가 모래벌판에 들어오거늘, 살펴보니 깃발과 칼 빛은 원수의 칼과 깃발이로되 말은 준총마가 아니어늘, 보국이 의심하여 한편으로 진을 치며 생각하되 '적장 맹길이 복병(伏兵)을 하고 원수의 모양을 본받아 나를 유인함이라' 하고 크게 의심하거늘, 천자 그 거동을 보시고 평국을 불러 왈,/ "보국이 원수를 보고 적장인가 하여 의심하는 듯하니 원수는 적장인 체하고 중군을 속여 오늘 재주를 시험하여 짐을 구경시키라."

복병: 적을 기습하기 위하여 적이 지날 만한 길목에 군사를 숨김. 또는 그 군사

하시니, 원수가 아뢰길, / "폐하 하교 신의 뜻과 같사오니 그리하사이다."

하고 갑옷 위에 ㉣검은 군복을 입고 모래벌판에 나가서 깃발을 높이 들고 보국의 진으로 향하니 보국이 적장인 줄 알고 달려들거늘 평국이 곽 도사에게 배운 ㉤술법을 베푸니, 눈 깜짝할 사이에 태풍이 일어나며 검은 구름 안개 자욱하여 지척(咫尺)을 분별치 못할러라. 보국이 어떻게 할 줄 몰라 겁을 먹고 당황하더니 평국이 고함하고 달려들어 보국의 창검을 빼앗아 손에 들고 목을 잡아 공중에 들고 천자가 계신 곳으로 갈새, 이때 보국이 평국의 손에 달려오며 소리를 크게 하여 원수를 불러 왈,

"평국은 어데 가서 보국이 죽는 줄을 모르는고?"

하며 우는 소리에 부대 안이 요란하니, 원수가 이 말을 듣고 웃으며 왈,

"네 어찌 평국에게 달려오며 평국은 무슨 일로 부르느뇨?"

하며 박장대소하니, 보국이 그 말을 듣고 정신을 차려 보니 과연 평국이거늘, 슬픔은 간데없고 도리어 부끄러워 눈물을 거두더라.

천자가 크게 웃으시고 보국의 손을 잡으시고 위로 왈,

"중군은 원수에게 욕봄을 조금도 마음에 두지 말라. 원수 자의로 함이 아니라 짐이 경등의 재주를 보리라 하고 시킨 바라. 지금은 전장으로 하여금 욕을 보았으나 평정 후 돌아가면 예로써 중군을 섬길 것이니 부부의 의를 상하지 말라."

하시고 재주를 칭찬하시고 보국을 위로하시니 보국이 그제야 웃고 여쭈어 왈,

"하교 지당하여이다."

하교: 임금이 명령을 내림. 또는 그 명령

◆ 평국과 보국이 대결할 때 평국은 곽 도사에게 배운 술법으로 보국을 제압하는데, 이때 갑자기 태풍이 일어나고 검은 구름, 안개가 자욱해지는 비현실적인 상황이 나타나고 있어요. 현실에서 일어날 수 없는 비현실적인 상황이나, 앞부분에서 계월이 헤어진 부모를 전장에서 우연히 재회하는 등의 우연적 요소들은 모두 고전 소설에서 흔히 나타나는 특징이에요.

◆ 천자는 보국에게 평국이 전쟁이 진정된 후에 다시 예로서 보국을 섬길 것이라고 말하고 있어요. 이는 당시 가부장적인 시대 상황을 반영한 것으로 볼 수 있답니다.

카 하고 행군하여 황성으로 향할 새, 오, 초 두 왕에게 행군 북을 지우고 무사로 하여금 울리며 평원광야에 덮여 별사곡을 지나 황성에 다다라 종남산하에 들어가, 천자 황화정에 자리 잡으시고 무사를 대령하여 오, 초 두 왕을 결박하여 계단 아래에 꿇리고 꾸짖어 왈,

"너희 등이 반역하여 황성을 침범하다가 하늘이 무심치 아니하사 너희를 잡았으니 너희를 다 죽여 일국에 빛내리라."

하시고 무사를 명하여 문밖에 내여 목을 베어 뭇사람(많은 사람)에게 보이더라.

철정 2 보국과 함께 전장에 출전한 계월은 위기에 빠진 천자를 구함

확인 문제

[01~02] 다음 설명이 맞으면 ○, 틀리면 ×표 하시오.

01 평국이 전장에 나가 위기에 빠진 천자를 구하게 되는데, 이는 영웅의 일대기 구조에서 '위기의 극복'에 해당한다고 볼 수 있다. (○, ×)

02 천자가 보국에게 평국이 '평정 후 돌아가면 예로써 중군을 섬길 것'이라고 말하는데, 이는 당시 남성 중심 사회에 대한 거부를 드러낸 것이다. (○, ×)

[03~04] 다음 빈칸에 들어갈 알맞은 말을 쓰시오.

03 보국은 백총마를 탄 평국이 적장 ㅁㄱ일 수 있다고 의심했다.

04 보국은 목숨이 위태롭다고 느꼈을 때 ㅍㄱ을 찾은 것에 대해 부끄러움을 느꼈다.

실력 문제

서술

05 윗글에 대한 설명으로 적절하지 않은 것은?

① 시간의 흐름에 따라 이야기를 진행하고 있다.
② 비현실적 요소를 활용하여 사건을 전개하고 있다.
③ 인물 간의 대결을 통해 긴장된 분위기를 조성하고 있다.
④ 서술자가 인물의 심리 상태를 직접적으로 서술하고 있다.
⑤ 서술자가 개입하여 인물의 과거 행동에 대해 논평하고 있다.

배경·소재

06 ㉠~㉤에 대한 이해로 적절하지 않은 것은?

① ㉠: 반란을 진압했다는 소식을 담고 있어 천자를 기쁘게 하고 있다.
② ㉡: 보국으로 하여금 평국의 군대를 적군으로 오해하는 빌미를 제공하고 있다.
③ ㉢: 평국의 군대임을 알아볼 수 있는 표식이 되어 있다.
④ ㉣: 대결이 끝나자마자 보국이 평국을 알아볼 수 있게 해 주고 있다.
⑤ ㉤: 보국을 당황시키고 겁을 먹게 만들고 있다.

수능형 인물·사건

07 윗글의 사건을 〈보기〉와 같이 정리할 때, 그 내용으로 가장 적절한 것은?

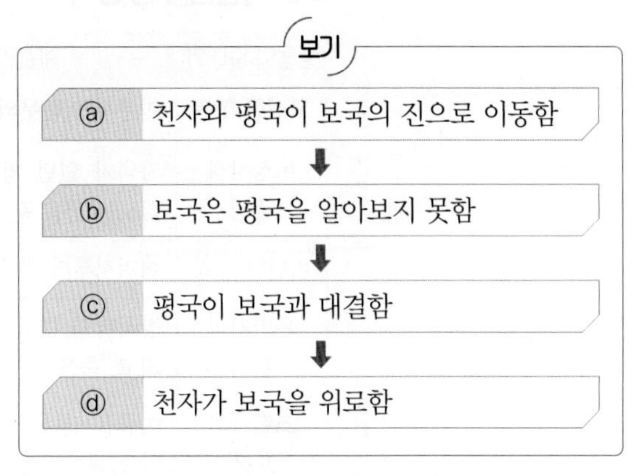
보기

ⓐ 천자와 평국이 보국의 진으로 이동함
↓
ⓑ 보국은 평국을 알아보지 못함
↓
ⓒ 평국이 보국과 대결함
↓
ⓓ 천자가 보국을 위로함

① ⓐ는 보국의 소식을 알지 못해 한 행동이다.
② ⓑ에서 보국과 평국은 서로 다른 사람이라고 오해하는 계기가 된다.
③ ⓒ는 평국이 자신의 능력을 과시하기 위해 천자에게 먼저 제안한 것이다.
④ ⓒ에서 평국은 보국에게 창검을 빼앗긴다.
⑤ ⓓ의 과정에서 보국은 ⓒ의 전말을 알게 된다.

작품 전체

발단✵	전개✵	위기✵	절정✵	결말
어릴 때 ❶ㅂㅁ와 헤어진 계월은 여공의 도움으로 살아나, 보국과 함께 성장함	서달이 침입하자 계월은 ❷ㅂㄱ과 함께 전쟁에 나가 공을 세우고 부모와 재회함	계월이 ❸ㅇㅈ임이 밝혀지나 천자에게 용서를 받고, 보국과 혼인한 후 갈등을 겪음	반란을 진압하기 위해 계월은 다시 전쟁에 출정하고, 적장 맹길을 죽이고 천자의 목숨을 구함	보국은 두 번의 위기에서 공을 세운 계월의 능력을 인정하고, 두 사람은 행복하게 삶

✵: 교재 수록 부분

작품 압축

이 작품의 등장인물

계월	⇔	보국
• 우월한 능력을 바탕으로 ❹ㅇㅇ적 면모를 발휘함 • 사회적 지위가 보국보다 높음		• 계월에 비해 능력이 부족함 • 남존여비 사상과 가부장적 가치관을 지님

'남장'에 반영된 사회상

남장을 한 계월
- 대과에 급제함
- ❺ㅇㅅ가 되어 뛰어난 능력을 펼침

⇒

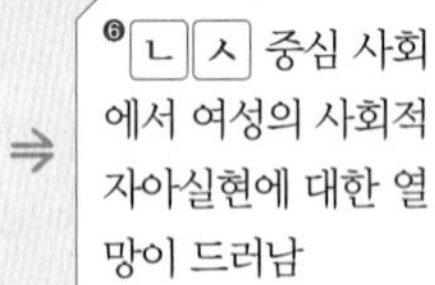
❻ㄴㅅ 중심 사회에서 여성의 사회적 자아실현에 대한 열망이 드러남

인물·사건 / 배경·소재 / 서술 / 주제

이 작품의 구성 방식

영웅의 일대기	계월의 일대기
고귀한 혈통	이부시랑 홍무의 딸로 태어남
비정상적 출생	자녀가 없던 양씨가 ❼ㅅㄴ가 나오는 꿈을 꾼 후 계월을 낳음
비범한 능력	어려서부터 대단히 총명함
유년기의 위기	장사랑의 반란으로 부모와 헤어지고, 죽을 위기에 처함
조력자의 도움	여공을 만나 목숨을 건지고 보국과 함께 양육됨
성장 후의 위기	• 국란이 잦고, 여자임이 탄로 남 • 첩 영춘을 죽이고 보국과 갈등함
위기 극복과 행복한 결말	• 천자가 ❽ㄱㅇ을 용서함 • 계월이 출정하여 적을 물리침 • 보국이 계월의 능력을 인정함으로써 갈등이 해소됨

여성 영웅 소설로서의 의의

계월은 조선 시대의 여성들을 억압했던 규범이나 제도에 대해 저항하는 인물이다. 계월이 여성의 몸으로 입신출세하고 남성인 보국보다 큰 활약을 펼치는 것은 기존의 ❾ㄴㅈㅇㅂ 사상에 대한 반발이자, 남녀평등 사상을 구현하고 여권 신장을 갈망한 당시 여성들의 의식이 반영된 것이라 할 수 있다.

계월
- 여성의 몸으로 입신출세함
- 위기에 처한 나라를 구함
- 천자의 인정을 받고 영웅이 됨

조선 사회의 남존여비 사상에 반발하던 사회 분위기의 반영

어휘력 테스트

1 다음 〈보기〉의 뜻을 참고하여 십자말풀이를 완성해 보자.

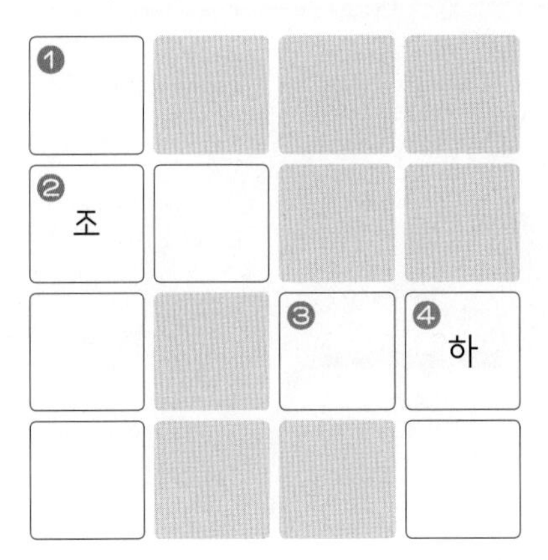

보기

가로

❷ 조정과 민간을 통틀어 이르는 말

❸ 황제나 황후에 대한 경칭

세로

❶ 조정의 모든 벼슬아치

❹ 먼 길을 떠날 때 웃어른께 작별을 고하는 것

2 제시된 뜻과 예문을 참고하여 다음 초성에 해당하는 단어를 괄호 안에 써 보자.

(1) ㄱ ㅂ : 몸이나 손 등을 움직이지 못하도록 묶음

예 포졸은 오랏줄로 죄수를 (   )하였다.

(2) ㄱ ㄷ : 몸을 움직임. 또는 그런 짓이나 태도

예 주인은 손님의 (   )이 무척 수상스러워 계속 지켜보았다.

(3) ㅎ ㄱ : 임금이 명령을 내림. 또는 그 명령

예 성종은 숙의 윤씨로 왕비를 삼고 왕자로 왕세자를 책봉한다는 (   )를 내리셨다.

독해쌤과 함께하는 감상 넓히기

뛰어난 여성의 능력이 발휘되는 모습을 그린 작품

이번에 감상한 「홍계월전」의 계월과 같이 능력이 뛰어난 여성이 활약하여 국란을 이겨 내거나 남성 중심 사회에서 여성의 능력을 발휘하는 모습이 나타난 작품들이 많아요. 「박씨전」과 「이춘풍전」에 제시된 여성의 활약상을 살펴보고, 사회적 활동이 억압되었던 시대에 여성들의 욕망이 어떻게 투영되어 있는지 「홍계월전」의 계월의 모습과 비교하면서 감상해 볼까요?

박씨전_ 작자 미상

병자호란이라는 역사적 사건을 배경으로 하여, 가상의 인물인 박씨 부인의 활약상을 다룬 영웅 소설입니다. 초인적인 능력을 지닌 박씨는 전쟁에서 적을 크게 물리치는데, 이를 통해 여성도 남성 못지않게 국란을 타개할 수 있는 능력을 갖추고 있음을 보여 주는 작품입니다.

이춘풍전_ 작자 미상

이춘풍이라는 인물을 통해 가부장적인 남성 중심의 사회를 풍자하고, 이춘풍 처의 활약을 통해 여성의 능력을 부각한 풍자 소설입니다. 이춘풍 처의 모습에서 여성의 지위와 역할에 대해 새로운 인식이 싹튼 조선 후기의 사회상을 엿볼 수 있는 작품입니다.

극/수필

작품명	전국 연합	수능, 모평	중등 교과서	고등 교과서
[실전 01] 소	○	○	○	○
[실전 02] 봉산 탈춤	○	○		○
[실전 03] 은전 한 닢		○	○	○
[실전 04] 미안합니다	○		○	○
[실전 05] 어부	○	○		

‘극’ 감상 스킬

극 역시 소설과 마찬가지로, **‘누가/무엇을’**은 인물과 사건에 대한 것이고 **‘어떻게’**는 주제를 드러내기 위해 작가가 고민한 방법들, 즉 배경이나 소재 등을 파악하는 거야. 여기서는 극의 특성인 형상화 방식을 파악하는 것도 포함되어 있지. **‘왜’**는 작가가 이 요소들을 등장시키고 고민한 이유에 해당하는, 즉 독자에게 전달하고 싶은 바인 주제를 파악하는 것이지. 그렇다면 극 속에서 ‘누가/무엇을’, ‘어떻게’, ‘왜’는 구체적으로 어떻게 파악할 수 있을까? 아래 제시된 ‘극’ 감상 스킬을 살펴보자.

구분	요소	내용		
‘누가/무엇을’	① 인물·사건	[사건/인물의 처지, 상황] • 사건에 나타난 인물의 처지와 상황을 파악하라.	[인물의 심리, 태도] • 인물의 말과 행동을 통해 인물의 심리와 태도를 파악하라.	[갈등 양상] • 인물 간의 갈등 양상과 그 해결 과정을 파악하라.
+				
어떻게	② 배경·소재	[배경의 의미와 기능] • 시간과 공간, 시대적 상황이 나타난 부분을 찾아 작품의 배경과 그 기능을 파악하라.	[소재의 의미와 기능] • 사건 전개나 주제에 영향을 미치는 소재를 찾아 그 의미와 기능을 파악하라.	
	+			
	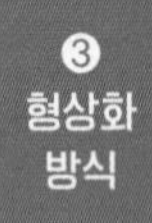③ 형상화 방식	[형상화 방식] • 제시된 부분을 연극이나 영화로 형상화하기 위한 방법을 파악하라.	[형상화 방식의 효과] • 형상화 방식으로 얻을 수 있는 효과를 파악하라.	
⇓				
왜	④ 주제	[창작 의도, 주제] • ‘인물·사건’, ‘배경·소재’, ‘형상화 방식’을 통해 파악한 내용을 종합하여 작품의 창작 의도 및 주제를 파악하라.		

1 형상화 방식을 파악하라!

• **형상화 방식**: 희곡이나 시나리오를 바탕으로 연극이나 영화를 제작하기 위해 구상한 다양한 연출 방식을 의미한다.

– 희곡 형상화 요소: 배우들의 연기와 복장, 무대 장치와 조명, 소품, 효과음, 배경 음악 등이 포함됨

– 시나리오 형상화 요소: 희곡의 형상화 요소들과 더불어 장면의 배경, 촬영 기법, 특수 효과 등이 포함됨

2 형상화 방식의 효과를 파악하라!

극에 쓰이는 다양한 형상화 방식은 관객에게 작품의 내용과 주제를 보다 생동감 있게, 효과적으로 전달하기 위해 쓰인다.

감상 IN 스킬

◆ 희곡은 무대 위에서 배우가 현재의 상황을 연기한다는 점이 큰 특징이다. 따라서 실제 무대를 떠올리며 무대 장치나 조명, 각종 소품을 어떻게 효과적으로 사용하는지 살펴봐야 한다.

◆ 시나리오의 가장 큰 특징은 장면과 장면의 연결로 구성되어 있다는 점이다. 이 연결 방식에 따라 동일한 작품도 전혀 다르게 형상화될 수 있으므로 장면의 전환, 시나리오 용어들을 살펴보며 효과를 예상해 봐야 한다.

'수필' 감상 스킬

수필은 글쓴이의 경험이 담긴 글로, 다른 갈래와는 달리 글쓴이의 개성과 관점이 잘 드러나. 수필 속의 **'누가/무엇을'**은 글쓴이에 대한 것이고, **'어떻게'**는 글쓴이의 가치관을 효과적으로 드러내기 위해 고민한 방법들, 즉 표현상의 특징 등을 파악하는 거야. **'왜'**는 글쓴이가 독자에게 전달하고 싶은 바인 창작 의도와 주제를 파악하는 것이지. 그렇다면 수필 속에서 '누가/무엇을', '어떻게', '왜'는 구체적으로 어떻게 파악할 수 있을까? 아래 제시된 '수필' 감상 스킬을 살펴보자.

'누가/무엇을'	❶ 글쓴이	[글쓴이의 경험] • 글쓴이가 경험한 대상이나 상황을 파악하라.	[글쓴이의 관점, 태도] • 글쓴이가 대상과 상황에 대해 어떤 관점 및 태도를 보이고 있는지 파악하라.

+

어떻게	❷ 표현	[표현상의 특징] • 글쓴이의 가치관을 효과적으로 드러내기 위한 전개 방식, 문체, 수사법(비유법, 강조법, 변화법) 등 표현상의 특징을 찾아라.	[표현상의 효과] • 표현상의 특징이 작품에서 지니는 효과를 파악하라.

⇓

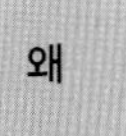

왜	❸ 주제	[창작 의도, 주제] • '글쓴이의 경험', '글쓴이의 관점, 태도', '표현'을 종합하여 '글쓴이의 깨달음', 즉 작품의 주제를 파악하라.

1 글쓴이의 관점 및 태도를 파악하라!

• **수필의 특징**: 수필은 글쓴이가 일상생활, 자연 등에서 경험하거나 생각한 내용을 자유로운 형식으로 표현한 산문 형식의 글이다. 따라서 다른 갈래에 비해 글쓴이의 관점이나 태도가 보다 직접적으로 드러난다는 특징이 있다.

• **글쓴이의 관점 및 태도**: 글쓴이의 관점은 글쓴이가 대상이나 상황에 대해 지니고 있는 시각이나 입장을 말한다. 그리고 글쓴이의 태도는 글쓴이가 대상이나 상황에 대해 보이는 반응을 말한다. 수필에 드러난 글쓴이의 관점 및 태도를 통해 글쓴이의 가치관이나 세계관 등을 짐작할 수 있다.

2 글쓴이의 문체를 파악하라!

• **문체**: 수필은 글쓴이의 경험을 솔직하고 자유롭게 쓴 글이기 때문에 글쓴이 고유의 특성이 잘 드러난다. 특히 문체는 작품의 개성을 드러내는 데 중요한 역할을 하며, 문체에 따라 글의 느낌이 달라진다.

– 간결체: 짧고 간결한 문장으로 내용을 명쾌하게 표현하는 문체

– 만연체: 많은 어구를 이용하여 반복·부연·수식·설명함으로써 문장을 장황하게 표현하는 문체

– 건조체: 문장 서술에서, 비유나 수사가 없거나 적은 문체

감상 IN 스킬

◆ 글쓴이의 다양한 관점과 태도로 자주 언급되는 용어는 다음과 같다. 글쓴이의 태도를 알아보기 위해서는 아래의 용어들을 참고하여 판단해 본다.

– 예찬적: 훌륭하거나 좋거나 아름답다고 찬양하는 태도

– 비판적: 현상의 옳고 그름을 판단하여 밝히거나 부정적 대상을 지적하는 태도

– 성찰적: 지나간 말을 되돌아보며 자기 마음을 살피고 반성하는 태도

– 관조적: 고요한 마음으로 사물이나 현상을 관찰하거나 비추어 보는 태도

– 회고적: 글쓴이 혹은 선인들의 삶을 추억하고 회상하는 태도

소 ① _유치진

자신에게 가장 소중한 것을 누군가에게 빼앗긴다면 얼마나 절망적일까요? 이 작품에서 국서는 자식보다 더 소중한 소를 빼앗기는데요. 작품을 읽으면서 누가, 왜 국서에게서 소중한 소를 빼앗아 가는지 파악하며 작품을 감상해 볼까요?

독해쌤의 감상 질문

1. 인물·사건 • 이 작품에 등장하는 인물들은 어떤 성격을 지니고 있나요?
   • 소를 둘러싼 각 인물들의 입장과 이로 인한 갈등 양상은 어떠한가요?
2. 형상화 방식 이 작품에서는 일제 강점기의 현실을 어떤 방식으로 보여 주고 있나요?
3. 주제 이 작품에 그려져 있는 일제 강점기 농촌의 모습은 어떠한가요?

발단

가 국서: (㉠) 이놈 개똥아! 오늘같이 바쁜 날에 너는 어디를 쏘다니니. 없는 돈에 삯꾼 얻어서 일허는 것을 보구. 그래 사대육신 성헌 놈들이 왜 그렇게 빈둥거리고 노느냐 말이야? 이놈, **성 녀석**은 또 어디 갔니?

삯꾼: 삯을 받고 임시로 일하는 일꾼
사대육신: 두 팔, 두 다리, 머리, 몸뚱이라는 뜻으로, 온몸을 이르는 말

개똥이: (㉡) 못 봤수, 나는.

국서: 에이 죽일 놈들! 자식들 있다는 보람이 어디 있어! 그저 삼신 할머니의 잘못이야. 이 따위를 자식이라구 점지해 주신 **삼신 할머니가 아예 미쳤어!**

개똥이: 아버지, 그렇게 부아만 내지 마시구 내게 노자를 만들어 주. 나같이 배 타고 돌아다니는 놈을 붙들고 농사를 지으라니 될 말이오. 여기서 이냥 놀기만 해두 갑갑해 죽겠는데.

부아: 노엽거나 분한 마음
노자: 먼 길을 떠나 오가는 데 드는 비용

국서: 이놈아, 네가 아무리 뱃놈이기로서니 애비가 바빠서 이러는데 좀 거들어 주었다구 뼉다귀가 뿌러질 게 뭐냐?

나 개똥이: (㉢) …… 저 이것 봐요 아버지. 우리 집 소, 그만 팔아서 나 노자해 주. 네? 나 만주 가서 돈 많이 벌어 가지구 올게. 일천오백 냥(30원)만 있으면 돼요.

국서: (㉣) 뭐? 소를 팔어? 원, 이 지각 없는 자식 놈의 소리 좀 들어 보게. 이놈아, 우리 소는 저래 봬도 딴 데 있는 그런 너절한 소하고는 씨가 다르다. 너두 알지? 우리 집 소의 사촌의 아버지의 큰형님뻘 되는 소가, 그러니까 우리 소의 사촌의 큰아버지뻘 되는 소지, 그 소가 읍내 공진회에 나가서 도 장관 나리한테서 일등상을 받았어. 정신 채려라! 일등상이야. 그런 내력 있는 소를 함부로 팔아? …… 그 소가 우리 집에서 그저 밭이나 갈고 이웃에 불려 가서 품앗이나 들고 하니까 그저 이놈이 업수이 여겨서.

너절한: 하찮고 시시한
공진회: 각종 산물이나 제품들을 한곳에 많이 모아 놓고 품평하고 전시하는 모임
품앗이: 힘든 일을 서로 거들어 주면서 품을 지고 갚고 하는 일

개똥이: 아버지, 요즘 만주만 가면 돈벌이가 참 많대요, 이때가 바로 물땝니다.

[A] 국서: 흥, 이놈아, 건성으로 돈이 사람을 따르는 줄 알아서는 안 돼. 너 따위 배 타러 다니는 놈이 그렇게 대가리에다가 지꾼지 뭔지를 처바르고 게다가 비단조기까지 잡숫고 그래 가지고두 돈을 벌어? 당최 그런 생각일랑 염두에두 두지 말고 뒷길에 가서 소 마구간이나 치워라. 그리고 성 녀석 만나거든 어서 타작마당으로 오라구 그래.

개똥이: (㉤) 아버지, 그렇지만.

국서: 얼른, 이놈아! **시키는 대로 좀 고분고분히** 해라!

개똥이는 하는 수 없는 듯이 집 뒤로 나간다.

발단 국서는 소를 자식들보다 애지중지하고 개똥이는 소를 팔자고 조름

[01~02] 다음 설명이 맞으면 ○, 틀리면 ×표 하시오.

01 개똥이는 자신의 목적을 이루기 위해 소를 팔고 싶어 한다. (○, ×)

02 이 작품은 일제 강점기 농촌의 현실을 사실적으로 그린 시나리오이다. (○, ×)

[03~05] 다음 빈칸에 들어갈 알맞은 말을 쓰시오.

03 개똥이는 ㅁㅈ에 가면 돈을 많이 벌 수 있다는 허황된 생각에 빠져 있다.

04 국서는 ㅅ에 대한 각별한 애정과 자부심을 가지고 있어서 개똥이의 말을 묵살하고 있다.

05 국서는 아들들이 성실하게 ㄴㅅ일을 하기 바라지만, 그렇지 않은 상황 때문에 불만스러워한다.

형상화 방식

06 윗글에 대한 설명으로 가장 적절한 것은?

① 선인과 악인의 대립을 통해 주제를 강조하고 있다.
② 사건의 극적 전환으로 인물들의 갈등을 해소하고 있다.
③ 비속어를 통해 인물의 성격과 감정을 드러내고 있다.
④ 상황에 어울리지 않는 인물의 말과 행동을 통해 웃음을 유발하고 있다.
⑤ 상황이 유사한 장면을 반복적으로 제시하여 사건의 의미를 부각하고 있다.

형상화 방식

07 ㉠~㉤에 들어갈 지시문으로 적절하지 않은 것은?

① ㉠: 못마땅한 표정으로
② ㉡: 퉁명스럽게
③ ㉢: 눈치를 보며 조심스럽게
④ ㉣: 호탕하게 웃으며
⑤ ㉤: 다급하게

인물·사건

08 [A]에 나타난 '국서'의 태도로 가장 적절한 것은?

① 아들의 관심을 다른 곳으로 돌려 아들이 다른 생각을 하지 못하도록 유도하고 있다.
② 아들의 잘못된 생각과 행동을 강조하면서 아들의 제안을 원천적으로 차단하고 있다.
③ 자신의 처지가 더 딱하다는 것을 근거로 아들의 요청을 우회적으로 거절하고 있다.
④ 아들이 대답하기 힘든 질문을 하여 아들의 생각이 잘못되었음을 스스로 깨닫게 하고 있다.
⑤ 아들이 하고 싶어 하는 말을 먼저 꺼내 아들이 더 이상 다른 말을 하지 못하게 상황을 이끌고 있다.

수능형 주제

09 〈보기〉를 참고하여, 윗글을 감상한 내용으로 적절하지 않은 것은?

보기

이 작품은 1930년대 일제 강점기를 배경으로 하여 가난에 시달리는 농촌의 모습을 고발한 희곡이다. (가)~(나)에서는 보수적이고 권위적인 구세대와 이와 갈등하는 신세대의 모습이 드러나는데, 이 갈등에는 우리 농촌을 더 궁핍하게 만든 일제의 수탈 정책이 그 근본적인 원인으로 작용하고 있다. 수탈 정책으로 땅값을 높여 세금을 많이 거두어들이면서 지주는 많은 세금을 소작인에게서 충당하려 하였고, 이로 인해 소작인들의 삶은 더욱 피폐해졌다. 이 작품은 작가의 날카로운 시선으로 이러한 농촌의 모순과 부조리를 잘 보여 주고 있으며, 희극적 요소들을 통해 농촌의 비극적인 상황을 효과적으로 형상화하고 있다.

① 국서와 개똥이가 갈등하는 표면적인 이유는 '성녀석'에 대한 입장 차이 때문이군.
② 개똥이가 만주로 떠나려고 하는 것은 가난에 시달리는 농촌에서 벗어나기 위한 것이군.
③ 국서와 개똥이가 갈등하게 된 원인에는 근본적으로 일제의 수탈 정책이 관련되어 있겠군.
④ 아들의 말을 무시하며 '시키는 대로 좀 고분고분히' 하라고 호통치는 국서는 권위적인 구세대군.
⑤ '개똥이'와 같은 우스꽝스런 이름과 '삼신 할머니가 아예 미쳤어'와 같은 해학적 대사를 통해 희극적 요소가 드러나는군.

전개

다 마름: …… 그러면 저 볏섬은 오늘 저녁나절까지 신작로 돌다리께에 있는 논임자 곡간으로 내어다 두게. / 국서: 네.

마름: 그러면 한 번 더 일러두고 갈 테니 잘 명심해 두게! 작년치 떨어진 게 두 섬 여섯 말, 재작년치 떨어진 게 석 섬 두 말, 도합 닷 섬 여덟 말이 떨어졌는데 그중에서 금년에 와서 갚어진 것을 덜면 꼭 넉 섬 일곱 말이 떨어져 있단 말야!

말똥이: (옆에서 듣고 섰다가 퉁명스럽게) 그걸 어째야 한단 말요?

마름: 금명간에 다 해다 갚으란 말야! 이눔이 왜 어른 말하는 데 쌍지팽이를 짚고 나서? 원 버르장머리 없게. …… 국서 잘 듣게. 대관절 이번 봄부터 내가 몇 번을 타일른 줄 알어? 명년부터서는 새로 농지령이란 게 실시된다구. …… 그런 게 되면 실상 작인들은 살기가 좀 나아져. 그렇지만 그 대신 이번 추수까지에는 여태 묵은 것은 다 맡겨 놔야지. 그렇잖으면 내년에 가서 피차에 귀찮스럽게 된단 말야. 도지가 묵었느니, 떨어졌느니 허구 법정에 내걸더래도 말썽스럽게 되거든!

- 금명간: 오늘이나 내일 사이
- 쌍지팽이를 짚고 나서: 어떤 일에 대하여 적극적으로 반대하거나 간섭하여 나서
- 작인: 다른 사람의 농지를 빌려 농사를 짓고 그 대가로 사용료를 지급하는 사람
- 농지령: 1934년에 공포된 농지법 – 소작 폐해의 근원을 없애고 소작 문제를 해결할 목적으로 만들어짐
- 도지: 남의 논밭을 빌려서 부치고 논밭을 빌린 대가로 해마다 내는 벼

국서: 그러니까 나도 여태 여쭌 게 아닙니까? 보시다시피 우리는……

마름: 지금 와서 그런 소릴 해두 소용없다니까! 나는 그저 논임자가 하라는 대로 허는 사람이야. 만일 이번에 묵은 것을 못 갖다 갚으면 좋지 못한 일이 한두 가지가 아니야. 사정없이 딱 잘라서 최후 결단을 지어 버리고 말 거란 말야! 잘 알아 생각해!

말똥이: 아니 뼈가 빠지게 농사지어 놓은 것 막 다 가져갔죠. 그러구 그게 무슨 말유? 올해가 풍년이래두 우리 집에 어디 쌀 한 톨 남었나 봐요! 막 뒤져 봐요!

국서: ……이눔 말똥아!

마름: 이 망할 자식 보게. 늙은 사람 앞에 막 삿대질을 허구 이눔이 덤비지! 에잇, 고약한 눔 같으니! (지팡이로 때린다.)

말똥이: (악을 쓰고) ……아버지 좀 놔요. 노……농지령이란 건 뭐야요? 그저 사람을 골릴려구! 최후 결단을 하면 어쩔 테야요? 어디 할 대루 해 봐요! 흥! 할래야 할 거나 있어야 말이지…….

국서: (말리다가 못해 말똥이를 헛간 밖으로 끌어낸다.) 저리 나가! 이눔, 버릇없어!

마름: 이런 분할 일이 있나! 그럼 못할 거라구! 두고 봐! 기둥이라두 빼어 가고 솥이라두 떼어 갈 테니까. …… 흥 저눔의 소는 못 몰고 갈 줄 아나?

국서: 소를요? 아닙니다. 저 소는 저래 봬두 도 장관 나으리한테서 일등상 받은.

마름: 일등상이 뭐야! 도 장관은 다 뭐야!

처: ……에그 살려 주십시오. 그저 저놈이 미련스럽구 철이 덜 나서 그렇습네다. 네? 제발.

마름: 놔요! 놔! 붙들지 말우. 참 사람 분해 죽을 일이야……. (애원하는 국서 처를 뿌리치고 마름은 나가 버린다. 말똥이는 헛간 문 곁에 기대섰다.)

국서: (말똥이를 보고) 에끼 빌어먹을!

말똥이: (슬슬 피하며) 내가 뭘 잘못했우? 백주에 그래. (퇴장해 버린다.)

- 백주: 대낮

전개 | 농지령 때문에 마름은 밀린 도지를 한꺼번에 받으려 하고 국서네는 마름에게 줄 도지가 없어 갈등함

독해쌤 속닥속닥

◆ 마름은 다음 해부터 새로 시행될 농지령 때문에 밀린 도지를 한꺼번에 받아내려고 하고 있어요. 농지령이 시행되면 소작인들은 처지가 더 나아지겠지만, 지주는 밀린 도지를 받지 못하고 골치 아픈 일이 생길까 봐 대비하는 것이지요. 하지만 농민의 소작권을 확립하기 위해 만들어졌던 농지령은 실제로 시행될 수도 없었고, 오히려 소작인 선정을 엄격하게 만들어 빈약한 소작인은 점차 밀려나고 말았어요. 결국 농지령의 시행으로 지주의 이익은 더 늘어났고 소작인들은 더 살기 힘들어졌다고 해요.

◆ 국서의 맏아들인 말똥이의 대사를 통해 일제 강점기 농촌의 현실을 파악할 수 있어요. 열심히 농사를 지어 봤자 결국에는 지주에게 소작료로 다 빼앗기는 상황은 당시 지주들의 횡포와 소작인들의 열악한 환경을 드러낸다고 볼 수 있어요.

확인 문제

[01~03] 다음 설명이 맞으면 ○, 틀리면 ×표 하시오.

01 (다)에서는 도지를 둘러싼 계층 간의 갈등이 드러난다. (○, ×)

02 마름은 냉정하지만 상황 파악을 하지 못하는 어리석은 인물이다. (○, ×)

03 국서네 가족은 모두 마름에게 낮은 자세를 취하며 자신들의 사정을 헤아려 봐주기를 애원하고 있다. (○, ×)

[04~05] 다음 빈칸에 들어갈 알맞은 말을 쓰시오.

04 'ㄴㅈㄹ'이라는 말을 통해 이 작품이 일제 강점기를 배경으로 하고 있음을 알 수 있다.

05 "뼈가 빠지게 농사지어 놓은 것 막 다 가져갔죠."라는 말똥이의 대사에서 가혹하게 수탈당하는 ㅅㅈㅇ의 현실이 드러난다.

실력 문제

인물·사건

06 윗글을 읽고 알 수 있는 내용으로 적절하지 <u>않은</u> 것은?

① 국서는 소는 가지고 있지만 땅은 빌려서 농사를 짓고 있다.
② 마름은 명년의 상황을 대비하여 밀린 도지를 다 받으려 한다.
③ 마름은 도지를 빌미로 국서네 재산을 무엇이든 빼앗아 가려 한다.
④ 국서네는 농사에 소홀했기 때문에 풍년이지만 집에 양식이 없다.
⑤ 마름은 논임자의 지시를 받아 국서에게 도지를 갚으라고 압박하고 있다.

인물·사건

07 '마름'에 대한 설명으로 가장 적절한 것은?

① 상대방의 입장을 고려하며 배려하고 있다.
② 앞으로 일어날 상황을 말하며 위협하고 있다.
③ 사회적 지위를 이용하여 위기를 모면하고 있다.
④ 법적인 근거를 내세워 상황을 논리적으로 대응하고 있다.
⑤ 다른 사람의 힘을 빌려 부당한 현실에 맞서 싸우고 있다.

수능형

인물·사건 + 형상화 방식

08 〈보기〉를 읽고, 윗글에 대해 보인 반응으로 적절하지 <u>않은</u> 것은?

보기

이 작품은 사실주의 경향을 보여 주는 장막극이다. 사실주의 극은 여러 가지 연극적인 장치들을 통해 사건이 일어나는 무대를 현실인 것처럼 만든다. 이 작품에서는 치밀하게 짜인 인물의 대화 상황과 행동, 일상적인 구어체와 비속어, 시대적 배경을 암시하는 어휘 등을 활용하여 당시 농촌 사회의 구체적 실상이나 계층 간 지배 관계, 그 이면에 숨겨진 갈등을 실감 나게 보여 주고 있다.

① '헛간', '소' 등은 무대를 현실인 것처럼 만들어 주는 연극적 장치들이군.
② '버릇없어!'라며 말똥이를 억지로 끌어내는 국서의 행동을 통해 계층 간의 갈등을 구체적으로 그려 내고 있군.
③ 마름에게 쩔쩔매는 국서와 살려 달라고 애걸하는 처의 모습을 통해 농촌 사회의 지배 관계를 보여 주고 있군.
④ 말똥이를 지팡이로 때리는 마름의 행동과 비속어의 사용을 통해 인물 간의 갈등 상황을 실감 나게 형상화하고 있군.
⑤ '농지령', '작인', '도지' 등 시대적 배경을 알게 해 주는 말을 사용하여 당시 농촌 사회의 구체적인 실상을 반영하여 드러내고 있군.

소 ③

중략 부분 줄거리 맏아들 말똥이는 빚 때문에 팔려 가게 된 이웃집 처녀 귀찬이와의 결혼을 위해 소를 팔자고 조르고, 국서네는 결국 소를 팔아 귀찬이네 빚을 갚아 주기로 한다. 이에 개똥이는 몰래 소를 팔아 떠날 궁리를 한다. 한편 소장수에게 이미 자기네 소가 팔렸다는 말을 들은 국서는 개똥이가 다른 소장수에게 소를 팔았다고 의심을 한다. 동생 때문에 결혼을 못 할 수도 있다는 생각에 화가 난 말똥이는 개똥이를 때리고, 개똥이는 소를 팔려고 했지만 실패했다고 말함으로써 개똥이에 대한 오해가 풀린다. 이때 마름이 또 다른 소장수와 함께 나타나 밀린 도지 대신 소를 끌고 간다고 말한다. 빚을 갚지 못한 귀찬이는 결국 일본으로 팔려 가고, 국서는 소를 되찾기 위해 마름과 지주를 상대로 재판을 알아본다.

독해쌤 속닥속닥

◆ 중략된 장면에서는 이 작품의 또 다른 갈등 양상이 드러나요. 바로 첫째 아들 말똥이와 둘째 아들 개똥이의 갈등인데요, 소가 이미 팔렸다는 소식을 듣고 말똥이는 개똥이가 만주로 갈 노자를 마련하기 위해 몰래 소를 팔아 버렸다고 오해를 해요. 동생 때문에 자신이 결혼을 못 할 수도 있다는 생각에 화가 난 말똥이는 개똥이에게 폭력을 행사한답니다. 결국 이 작품에 드러난 갈등은 모두 소를 둘러싸고 벌어지고 있다고 볼 수 있어요.

하강

라 국진: 좌우간 대서소에 가서 이번 일이 일어난 내력을 제가 자세히 말했지요. 그랬더니 거기서 그 시비곡절을 잘 따져 주는데, 그럴 법하더군요. 즉, 거기서는 이렇게 말합디다. 지금 재판을 걸기만 한다면 우리 소원대로 우리 집 소는 재깍 찾아낼 수가 있답니다.

(대서소: 남을 대신하여 관청 행정이나 법률 행위에 필요한 서류를 작성하는 일을 하는 곳 / 시비곡절: 옳고 그르고 굽고 곧음)

국서: ㉠암, 그렇고 말고. 단번에 찾아낼 수 있는 거지. 그래서?

국진: 하지만 뒷일이 까다롭답니다. 그때에는 논임자 편에서 그저 있지는 않을 거라니까. ㉡만일 그쪽에서 받으려는 묵은 도지를 두고 집행을 한번 텅 부치는 날이면 참 큰일난대요. 우리 이 집이며 집터 같은 것은 단번에 날아가 버리고 우리는 그야말로 화전이나 파먹지 않으면 안 될 신세가 돼 버릴 거래요. 그리고 소 한 마리 찾아내는 데 경치게도 웬 비용은 그렇게 듭니까? 우선 대서비 없어서는 안 될 거고, 그 외에 읍내에 왔다갔다 하는 차비며 증인 서 주는 동리 사람들한테 그래도 막걸리잔은 받아 줘야죠……. ⓐ이렇게 잔잔한 비용을 통 따져 보는 데 되레 재판 한 번 거는 비용이 소 값보다 많을 것 같습니다.

(화전: 주로 산간 지대에서 풀과 나무를 불살라 버리고 그 자리를 파 일구어 농사를 짓는 밭 / 경치게도: 아주 심한 상태를 못마땅하게 여겨 이르게도)

처: ㉢그러면 혹 떼러 갔다가 되레 혹 붙이고 오는 짝이 되게요?

국진: 그러기에 말입니다. 나도 맨 첫 번은 멋도 모르고 그저 재판만 걸어 줍시다 하고 조르다가 나중에 이런 말을 듣고 놀랬어요. 그리고 손해 가는 것은 어디 그것뿐입디까? 결국 논까지 떼이게 되지요. 그렇게 되면 내년부터 우리는 뭘 갈아 먹고 삽니까?

국서: ㉣그렇지만 이 사람! 그 소의 사촌의 아버지의 큰형은 도 장관 나으리께 일등상을 받지 않았나? 그런 내력 있는 소를 그저 빼앗기고 있어! 원 사람이 분해 죽을 일이야! 그리고 이 사람 동리서는 모두 증인으로 법정에 나서 주려고 그런다. 아까 문 서방도 나서겠다고 그랬어.

국진: 그렇지마는 형님, 더구나 이번 일만은 성미대로 했다가는 큰일나겠습니다.

(성미: 성질, 마음씨, 비위, 버릇 따위를 통틀어 이르는 말)

국서: 그래서 읍에서 넌 어쩌고 왔어?

국진: 논임자를 찾아갔지요. 그래 그만 거기서 화해를 붙여 버렸습니다.

국서: 화해를?

국진: 네. 논임자 편에서 팔아먹은 소에 대해서는 우리는 앞으로 이의 없기로 하고, 그 대신 그쪽에서는 우리가 갚아야 할 도지를 안 받기로 했습니다.

국서: ㉤그러니까 소하고 도지를 서로 탕감해 버린 셈이로구나.

국진: 그리고 게다가 또 내년부터 여태 부치던 논을 우리가 도로 부치게 했어요.

◆ 마름은 소작료와 도지를 핑계로 국서의 소를 빼앗아 가고, 국서는 자신의 소를 되찾기 위해 재판을 하려고 해요. 동생 국진은 형을 대신하여 재판 절차를 알아보지만, 상황이 여의치 않자 재판을 포기하게 돼요. 그리고 논임자를 만나 밀린 도지를 소로 대신 갚기로 타협을 해요. 소를 빼앗기고도 재판조차 하지 못하는 국서네 모습을 통해 당시 지주의 수탈로 인한 소작인들의 피폐한 삶을 짐작할 수 있어요.

하강 국서는 소를 되찾기 위해 재판을 하려 하지만 좌절되고 밀린 도지를 소로 갚기로 함

확인 문제

[01~03] 다음 설명이 맞으면 ○, 틀리면 ×표 하시오.

01 국진은 상황 설명을 통해 타협이 필요하다고 국서를 설득하고 있다. (○, ×)

02 논임자는 국서의 소가 과거 훌륭한 소의 후손이기 때문에 자신의 손에 넣고자 노력하였다. (○, ×)

03 이 작품을 통해 지주의 수탈로 인해 가난하게 살아가는 농민들의 비참한 모습을 확인할 수 있다. (○, ×)

[04~05] 다음 빈칸에 들어갈 알맞은 말을 쓰시오.

04 국진은 국서를 찾아와 ㅈㅍ을 포기할 수밖에 없는 이유를 설명하였다.

05 국서는 소를 포기하는 대신 ㄷㅈ를 탕감하고 ㄴ도 다시 부치게 되었다.

주제

06 윗글을 읽고 알 수 있는 당시 현실의 모습으로 가장 적절한 것은?

① 소를 매매하려면 땅 주인의 허락을 받아야 했다.
② 땅 주인의 횡포에 대응하기 위해 소작인들이 조직을 만들었다.
③ 소작인은 억울한 일을 당해도 법적으로 해결하기가 쉽지 않았다.
④ 화전을 마음대로 경작할 수 있게 되면서 농민들의 생활이 나아졌다.
⑤ 땅 주인과 소작인의 갈등을 해결하기 위해 중재를 해 주는 관청이 있었다.

인물·사건

07 '국진'에 대한 설명으로 가장 적절한 것은?

① 융통성이 없고 고집이 센 인물이다.
② 대상에 대해 강한 집착을 보이는 인물이다.
③ 자신의 입장만을 주장하는 권위적인 인물이다.
④ 현실적인 대안을 제시하는 합리적인 인물이다.
⑤ 문제 상황에 대해 적극적으로 해결하기보다는 회피하는 인물이다.

형상화 방식

08 ㉠~㉤에 대해 연기자에게 지시한 내용으로 적절하지 않은 것은?

① ㉠: 무릎을 탁 치며 기대감이 드러나는 말투로 연기해 주세요.
② ㉡: 눈을 부릅뜬 사나운 표정으로 상대방을 위협하듯이 말해 주세요.
③ ㉢: 어처구니없다는 표정을 지으며 걱정스러운 어조로 말해 주세요.
④ ㉣: 목소리를 조금 높이며 분한 마음이 드러나도록 연기해 주세요.
⑤ ㉤: 원통함과 절망감이 드러나도록 깊은 한숨을 쉬며 힘없이 말해 주세요.

인물·사건 + 어휘

09 ⓐ를 들은 국서의 심리 상태를 나타낸 것으로 가장 적절한 것은?

① 소를 빼앗긴 국서는 마른하늘에 날벼락을 맞은 것 같아 놀랐을 거야.
② 국서는 코가 꿰인 것처럼 마름에게 자신의 약점이 단단히 잡혔다며 괴로워했을 거야.
③ 가난이 소 아들이라고 소를 빼앗긴 국서는 자신의 처지가 한탄스러웠을 것 같아.
④ 소를 되찾기 위해 재판을 하고자 한 국서는 배보다 배꼽이 더 큰 상황이 안타까웠을 거야.
⑤ 갑갑한 놈이 송사한다고 국서는 자기가 소송 절차에 대해 직접 알아보지 않은 것에 대해 후회할 거야.

작품 전체

발단✯	전개✯	절정	하강✯	대단원
국서는 ❶[ㅅ]를 애지중지하지만 둘째 아들인 개똥이는 만주로 떠나기 위해 소를 팔자고 조름	농지령 때문에 ❷[ㅁ][ㄹ]과 국서네는 갈등을 하고, 말똥이는 귀찬이와 결혼하고자 함	국서는 소가 이미 팔렸다는 말을 듣고 개똥이를 의심하지만 오해가 풀리고, 마름이 와서 소를 끌고 감	빚을 갚지 못한 귀찬이는 일본으로 팔려 가고 ❸[ㄱ][ㅅ]는 소를 되찾기 위해 재판을 하려 하지만 좌절됨	말똥이는 지주의 곳간에 불을 질러 주재소에 잡혀가고, 개똥이는 고향을 떠나야겠다고 다짐함

✯: 교재 수록 부분

작품 압축

등장인물의 성격

인물	성격
국서	성실하지만 자식들에게 자신의 뜻만 주장함. 고집스럽고 권위적임
말똥이	❹[ㄱ][ㅊ][ㅇ]와 결혼하고 싶은 마음에 농사일을 거부함으로써 현실에 대해 소극적인 저항을 함
개똥이	만주로 가면 큰돈을 벌 수 있다는 허황된 생각을 함
마름	소작인들의 사정은 무시한 채 지주의 지시만 따름. 냉정하고 비열함
국진	형 국서를 위해 현실적인 해결 방법을 제안하고 설득하는 합리적인 성격임

'소'를 둘러싼 갈등의 양상

- 국서: 긍지와 애정의 대상으로, 농사의 기반인 소중한 자산
- 마름: 밀린 도지의 대가로 빼앗아야 하는 대상
- ❺[ㄱ][ㄸ][ㅇ]: 만주로 가서 큰돈을 벌기 위한 자금
- 말똥이: 귀찬이와의 결혼을 위한 밑천

→ 소

인물·사건 / 형상화 방식 / 주제

사실주의 극으로서의 특징

- 1930년대 농촌을 배경으로 하여 지주·마름과 소작인 사이의 계층적 갈등을 다룸
- 비속어와 ❻[ㅂ][ㅇ]을 사용함

⇓

❼[ㅇ][ㅈ] [ㄱ][ㅈ][ㄱ] 현실의 모순과 부조리를 사실적으로 보여 줌

작품에 반영된 시대상과 주제

작품에 드러나는 시대상

- 열심히 농사를 짓고 풍년이 되어도 ❽[ㅅ][ㅈ][ㅇ]에게는 남는 것이 없음
- 지주와 마름은 ❾[ㄷ][ㅈ]를 명목으로 소작인의 재산을 거리낌 없이 빼앗아 감
- 가난 때문에 딸을 일본인에게 팖

⇓

주제

일제 강점기의 ❿[ㄴ][ㅊ]의 비참한 현실

어휘력 테스트

1 다음 단어를 활용하기에 적절한 문장을 찾아 바르게 연결해 보자.

(1) 부아 •　　• ㉠ 농번기가 되면 아버지와 이웃들은 마을 (　　　　)를 다녔다.

(2) 품앗이 •　　• ㉡ 대부분의 대학들은 (　　　　) 합격자 발표를 할 예정이라고 발표하였다.

(3) 금명간 •　　• ㉢ 사람 마음을 상하게 해 놓고 아무렇지 않다는 듯 웃으며 인사하는 그를 보니 (　　　　)가 치밀었다.

2 제시된 뜻과 예문을 참고하여 다음 초성에 해당하는 단어를 괄호 안에 써 보자.

(1) ㅅ ㄲ : 품삯을 받고 임시로 일하는 일꾼

예 기껏 농사를 지어 보았자 (　　　　)에게 품삯을 주기도 힘들다.

(2) ㅅ ㅂ ㄱ ㅈ : 옳고 그르고 굽고 곧음

예 이 일의 (　　　　)을 분명히 하지 않으면 후환이 있을 것이다.

(3) ㅌ ㄱ : 빚이나 요금, 세금 따위의 물어야 할 것을 서로 비겨 줌

예 농민들은 집회를 열고 농가의 부채를 (　　　　)해 달라고 요구하였다.

독해쌤과 함께하는 감상 넓히기

가난한 소작인의 모습을 보여 주는 작품

이번에 감상한 「소」와 같이 농촌을 배경으로 하여 가난하게 살아가는 소작인의 모습을 다룬 작품들이 많아요. 이 작품은 「소」를 매개로 하여 수탈당하는 소작인의 모습을 보여 주고 있지만, 친일 지주 계층인 중들의 횡포로 고통받는 소작인들의 모습이나 일제 수탈로 인해 몰락해 가는 소작인 가족의 모습을 그려 낸 작품들도 있어요. 이러한 작품들을 더 감상해 볼까요?

사하촌_김정한

일제 강점기의 대표적인 농민 소설로, 사하촌이라는 마을에서 저수지 물길의 문제를 두고 벌어지는 친일 지주 계층인 중들과 소작인 사이의 갈등, 가뭄과 지주의 횡포로 고통에 시달리는 농민들의 현실을 다룬 작품입니다.

토막_유치진

1920년대의 농촌을 배경으로 일제 강점기의 현실을 고발한 희곡입니다. 최명서와 강경선이라는 가난한 농민 가족을 중심으로, 일제 수탈로 인해 가난에 허덕이는 소작인의 비참한 모습과 몰락 과정을 그려 낸 작품입니다.

봉산 탈춤 ① _작자 미상

여러분, 혹 마당극이나 탈놀이와 같은 민속극, 또는 연극 무대 위에서 펼쳐지는 현대극 등을 관람해 본 경험이 있나요? 민속극과 현대극은 모두 극에 해당하지만 차이가 있어요. 「봉산탈춤」과 같은 민속극은 현대극과 달리 공연하는 곳이 곧 무대가 되고 객석과 무대의 구분이 없어요. 또 관객이 극에 적극적으로 참여할 수 있답니다. 이와 같은 민속극의 특징을 살펴보면서 작품을 감상해 볼까요?

독해쌤의 감상 질문

1. 인물·사건 • 이 작품에 등장하는 말뚝이와 양반 삼 형제의 특징은 무엇인가요?
   • 이 작품에서 취발이의 역할과 등장인물의 말을 통해 짐작할 수 있는 당시의 사회상은 무엇인가요?
2. 형상화 방식 이 작품에 반복되는 재담 구조와 이를 통해 얻을 수 있는 효과는 무엇인가요?
3. 주제 이 작품에서 특정 대상을 풍자하며 전달하고자 하는 주제는 무엇인가요?

인물 등장

가 **제6과장 양반춤**

(현대극의 막이나 판소리의 마당에 해당하는 말)

말뚝이: (벙거지를 쓰고 채찍을 들었다. 굿거리장단(풍물놀이에 쓰이는 느린 4박자의 장단)에 맞추어 양반 삼 형제를 인도하여 등장)

양반 삼 형제: 말뚝이 뒤를 따라 굿거리장단에 맞추어 점잔을 피우나, 어색하게 춤을 추며 등장. 양반 삼 형제 맏이는 ㉠샌님[生員], 둘째는 ㉡서방님[書房], 끝은 ㉢도련님[道令]이다. 샌님과 서방님은 흰 창옷에 관(검은 머리카락이나 말총으로 엮어 만든 쓰개)을 썼다. 도련님은 남색 쾌자(소매가 없고 등솔기가 허리까지 트인 옛 전투복)에 복건을 썼다. 샌님과 서방님은 언청이며(샌님은 언청이 두 줄, 서방님은 한 줄이다.) 부채와 장죽을 가지고 있고, 도련님은 입이 삐뚤어졌고 부채만 가졌다. 도련님은 일절 대사는 없으며, 형들과 동작을 같이하면서 형들의 면상을 부채로 때리며 방정맞게 군다.

인물 등장 | 말뚝이와 양반 삼 형제의 등장

재담

나 말뚝이: (가운데쯤에 나와서) 쉬이. (음악과 춤 멈춘다.) 양반 나오신다아! 양반이라고 하니까 노론(老論), 소론(少論), 호조(戸曹), 병조(兵曹), 옥당(玉堂)(홍문관의 부제학, 교리(校理), 부교리, 수찬(修撰), 부수찬 따위를 통틀어 이르는 말)을 다 지내고 삼정승(三政丞), 육판서(六判書)를 다 지낸 퇴로 재상(退老宰相)으로 계신 양반인 줄 알지 마시오. ⓐ개잘량이라는 '양' 자에 개다리소반이라는 '반' 자 쓰는 양반이 나오신단 말이오.

양반들: 야아, 이놈, 뭐야아!

말뚝이: 아, 이 양반들, 어찌 듣는지 모르갔소. 노론, 소론, 호조, 병조, 옥당을 다 지내고 삼정승, 육판서 다 지내고 퇴로 재상(늙어서 벼슬에서 물러남)으로 계신 이 생원네 삼 형제분이 나오신다고 그리 하였소.

양반들: (합창) 이 생원이라네. (굿거리장단으로 모두 춤을 춘다. 도령은 때때로 형들의 면상을 치며 논다. 끝까지 그런 행동을 한다.)

다 생 원: 쉬이. (춤과 장단 그친다.) 말뚝아.

말뚝이: 예에.

생 원: 이놈, 너도 양반을 모시지 않고 어디로 그리 다니느냐?

말뚝이: 예에, 양반을 찾으려고 찬밥 국 말어 일조식(日早食)하고(일찍 아침을 먹고), 마구간에 들어가 노새 원님을 끌어다가 등에 솔질을 솰솰 하여 말뚝이님 내가 타고 서양(西洋) 영미(英美), 법덕(法德)(프랑스와 독일), 동양 삼국 무른 메주 밟듯(여러 곳을 빠짐없이 골고루 돌아다님을 비유적으로 이르는 말) 하고, 동은 여울이요 서는 구월이라, 동여울 서구월 남드리 북향산 방방곡곡(坊坊曲曲) 면면촌촌(面面村村)이, 바위 틈틈이 모래 쨈쨈이, 참나무 결결이 다 찾아다녀도 샌님 비뚝한 놈도 없습니다.

[01~03] 다음 설명이 맞으면 ○, 틀리면 ×표 하시오.

01 이 작품은 황해도 봉산 지방에서 전해지는 탈춤으로, 가면극에 해당한다. (○, ×)

02 말뚝이는 당시 서민 계층을 대표하는 인물로 양반을 풍자하는 역할을 한다. (○, ×)

03 (다)의 '샌님 비뚝한 놈도 없습니다.'로 보아, 말뚝이는 양반을 무시하는 거만한 성격임을 알 수 있다. (○, ×)

[04~07] 다음 빈칸에 들어갈 알맞은 말을 쓰시오.

04 (나)로 볼 때, 재담은 '[ㅅ][ㅇ]'라는 말로 시작해서 등장인물들이 함께 추는 '[ㅊ]'으로 마무리된다.

05 이 작품의 재담 구조는 '양반의 위엄 → 말뚝이의 [ㅈ][ㄹ] → 양반의 [ㅎ][ㅌ] → 말뚝이의 변명 → 양반의 안심'으로 이루어져 반복된다.

06 [ㅂ][ㄱ][ㅈ]와 [ㅊ][ㅉ]은 말뚝이의 신분이 마부임을 나타낸다.

07 (다)에서 말뚝이는 양반을 '[ㄴ][ㅅ] [ㅇ][ㄴ]'으로 표현하고 자신을 '말뚝이님'이라고 표현하여 양반을 조롱하고 있다.

인물·사건

08 윗글을 바탕으로 ㉠~㉢에 대해 이해한 내용으로 적절하지 않은 것은?

① ㉠~㉢은 당시의 양반 계층을 대표한다.
② ㉠~㉢은 말뚝이의 조롱을 깨닫지 못한다.
③ ㉠~㉢은 위선적인 인물로 풍자의 주체에 해당한다.
④ ㉠~㉢은 신체상의 결함을 지니고 있으며 우스꽝스럽게 행동한다.
⑤ ㉢은 ㉠, ㉡과 다른 복색을 하고 있으며 버릇없는 행동을 하고 있다.

형상화 방식

09 윗글의 갈래적 특성에 대해 토의한 결과로 적절하지 않은 것은?

	토의 주제	토의 결과
①	전체 구성은 어떠한가?	각 과장이 단일한 주제 아래 인과적으로 연결된다.
②	공연 장소는 어디인가?	특별한 무대 장치 없이 마당에서 공연된다.
③	관객의 참여는 가능한가?	관객이 극에 능동적으로 참여할 수 있다.
④	시·공간의 제한은 없는가?	극 중 시·공간을 자유롭게 선택하거나 변화시킬 수 있다.
⑤	공연 전략은 무엇인가?	몸짓, 춤, 재담과 해학적인 표현을 활용한다.

수능형 　형상화 방식 + 주제

10 다음 ㉮~㉴ 중, 발상과 표현 면에서 ⓐ와 가장 유사한 것은?

> 샌님: ㉮야라야히, 듣거라! 날이 저물었으니 사처를 하나 정해라!
> 말뚝이: 에―잇, 사처를 하나 정하랍신다.
> (채찍을 어깨에 메고 빈정대는 투로 말하며 앞쪽으로 걸어 나오면서) 제기럴 ㉯우리 집 샌님인지, 댄님인지, 졸님인지 하는 저런 녀석이(힐끗 쳐다보며) 날 부르기를 말뚝아, 꼴뚝아, 메뚝아, 깍뚝아 하고, ㉰오뉴월 장마통에 나막신 찾듯이 막 불러 제끼더니만, 겨우 사처를 하나 정하라구? (채찍을 내려 흔들며) ㉱하기야 장님이 개천 나무라면 소용 있나? 내가 제 집에서 종노릇 해 먹고 사는 형편이니 사처를 하나 정하는 수밖에 없지. 내 그럼 사처를 하나 정하는데! (불림으로) ㉴나비야 나비야 청산 가자 호랑나비야 너도 가자, 얼싸 절싸, 얼싸 절싸!
>
> – 「송파 산대놀이」

① ㉮ 　② ㉯ 　③ ㉰
④ ㉱ 　⑤ ㉴

봉산 탈춤 ②

독해쌤 속닥속닥

◆ (라)에서 말뚝이는 채찍으로 원을 그은 후 양반들이 묵을 집이라고 하고 있어요. 여기서 특별한 무대 장치가 없는 민속극의 특징이 나타난답니다. 그리고 말뚝이는 양반들의 새처를 마구간의 모습으로 표현하면서 양반들을 조롱하고 있어요. 기분이 상한 양반의 호통에 말뚝이는 양반의 새처를 보석 등이 장식된 화려한 곳으로 묘사하며 변명하고 있는데, 이를 통해 양반들의 사치와 부도덕성을 비판하고 있답니다.

라 생 원: 네 이놈, 양반을 모시고 나왔으면 새처(손님이 길을 가다가 묵는 집)를 정하는 것이 아니고 어디로 이리 돌아다니느냐?

㉮ 말뚝이: (채찍을 가지고 원을 그으며 한 바퀴 돌면서) 예에, 이마만큼 터를 잡고 참나무 울장(울타리에 박은 말뚝)을 드문드문 꽂고, 깃을 푸근푸근히 두고, 문을 하늘로 낸 새처를 잡아놨습니다.

생 원: 이놈, 뭐야!

㉯ 말뚝이: 아, 이 양반, 어찌 듣소. 자좌오향(子坐午向)(정북(正北) 방향을 등지고 정남향을 바라보는 방향)에 터를 잡고 난간 팔자(八字)로 오련각(五聯閣)과 입 구(口)자로 집을 짓되, 호박주초(琥珀柱礎)(주추. 기둥 밑에 괴는 돌 따위의 물건)에 산호(珊瑚) 기둥에 비취 연목(翡翠椽木)(서까래)에 금파(金波) 도리(서까래를 받치기 위하여 기둥 위에 건너지르는 나무)를 걸고 입 구자로 풀어 짓고, 쳐다보니 천판자(天板子)요, 내려다보니 장판방(壯版房)이라. 화문석(花紋席)(꽃의 모양을 놓아 짠 돗자리) 칫다 펴고 부벽서(付壁書)(종이 따위에 써서 벽에 붙이는 글이나 글씨)를 바라보니 동편에 붙은 것이 담박영정(澹泊寧靜) 네 글자가 분명하고, 서편을 바라보니 백인당중유태화(百忍堂中有泰和)가 완연히 붙어 있고, 남편을 바라보니 인의예지(仁義禮智)가, 북편을 바라보니 효제충신(孝悌忠臣)이 분명하니, 이는 가위(한마디의 말로 이르자면. 또는 그런 뜻에서 참으로) 양반의 새처방이 될 만하고, 문방제구(文房諸具) 볼작시면 용장봉장, 궤, 두지, 자개 함롱(函籠)(옷을 넣는, 큰 함처럼 생긴 농), 반닫이, 샛별 같은 놋요강, 놋대야 받쳐 요기 놓고, 양칠간죽, 자문죽을 이리저리 맞춰 놓고, 삼털 같은 칼담배(거칠게 썬 담배)를 저 평양 동푸루 선창에 돼지 똥물에다 축축 축여 놨습니다.

생 원: 이놈 뭐야!

말뚝이: 아, 이 양반, 어찌 듣소, 쇠털 같은 담배를 꿀물에다 축여 놨다 그리 하였소.

양반들: [A]

재담 양반에 대한 재담을 통한 말뚝이의 양반 조롱

◆ (마)에는 양반들이 자신들의 학식을 과시하기 위해 시조를 읊고 있어요. 그런데 지체 높은 양반이 지은 시조라고 하기에는 많이 부족해 보이고, 하인인 말뚝이가 부르는 민요보다 나을 것이 없어요. 이를 통해 양반들의 허세를 풍자하고 있답니다.

◆ (바)에서도 양반들의 글자 놀이가 이어지고 있어요. 생원은 의미 없는 지명을 나열하고, 서방은 평민들의 생활과 관련된 용어를 나열하고 있네요. 제대로 한시도 짓지 못하면서 서로 칭찬하는 양반들의 모습은 무식함을 드러내며 웃음을 유발해요. 즉, 양반들의 무지를 비판한다고 볼 수 있어요.

글자 놀이

마 생 원: 쉬이. (음악과 춤을 멈춘다.) 여보게, 동생. 우리가 본시 양반이라, 이런 데 가만히 있자니 갑갑도 하네. 우리 시조(時調) 한 수씩 불러 보세.

서 방: 형님, 그거 좋은 말씀입니다.

양반들: (시조를 읊는다.) "……반 남아 늙었으니 다시 젊지는 못하리라……." 하하. (하고 웃는다. 양반 시조 다음에 말뚝이가 자청하여 소리를 한다.)

말뚝이: "낙양성 십리허에, 높고 낮은 저 무덤에……."

바 생 원: 다음은 글이나 한 수씩 지어 보세.

서 방: 그럼, 형님이 먼저 지어 보시오. / 생 원: 그러면 동생이 운자(韻字)(한시의 운으로 다는 글자)를 내게.

서 방: 예, 제가 한 번 내 드리겠습니다. '산' 자, '영' 잡니다.

생 원: 아, 그것 어렵다. 여보게, 동생. 되고 안 되고 내가 부를 터이니 들어 보게. (영시조로) "울룩줄룩 작대산(作大山)하니, 황천풍산(黃川豊山)에 동선령(洞仙嶺)이라."

서 방: 하하. (형제, 같이 웃는다.) 거 형님, 잘 지었습니다. / 생 원: 동생, 한 구 지어 보세.

서 방: 그럼 형님이 운자를 하나 내십시오. / 생 원: '총' 자, '못' 잘세.

서 방: 아, 그 운자 벽자(僻字)로군. (한참 낑낑거리다가) 형님, 한마디 들어 보십시오. (영시조로) "짚세기 앞총은 헝겊총하니, 나막신 뒤축에 거멀못이라."

벽자(僻字): 흔히 쓰지 않는 까다로운 글자

확인 문제

[01~03] 다음 설명이 맞으면 ○, 틀리면 ×표 하시오.

01 (라)에서 말뚝이가 채찍으로 그린 원은 양반들의 새처로, 특별한 무대 장치가 없는 민속극의 특징이 나타난다. (○, ×)

02 (라)에서 화려하게 장식된 양반의 거처는 겉치레를 중시하는 당대 양반의 사치스러운 생활을 보여 준다. (○, ×)

03 (마), (바)의 글자 놀이를 통해 학식과 교양을 갖춘 양반들이 유식함을 견주며 서로 경쟁하는 세태가 나타난다. (○, ×)

실력 문제

형상화 방식

04 〈보기〉를 바탕으로 [A]에 들어갈 내용에 대한 학생들의 대화로 적절하지 않은 것은?

> **보기**
>
> 이 작품에서는 비슷한 구조의 재담이 반복되는데, 말뚝이가 양반을 조롱하여 갈등이 형성되고, 양반들의 호통으로 갈등이 고조되다가 말뚝이의 변명으로 양반들이 안심하면서 갈등이 해소되고 화해의 춤을 추는 것으로, 흥을 돋우면서 마무리된다.

① 갑: 말뚝이의 변명에 양반들이 안심하면서 재담이 마무리되는 부분이겠군.
② 을: 하나의 재담이 끝남과 동시에 새로운 재담의 시작을 알려 관객의 주의를 집중시키겠네.
③ 병: 여기에는 장단에 맞춰 양반들이 춤을 추는 모습이 제시되겠군.
④ 정: 이때 양반들이 추는 춤은 극을 신명 나게 만드는 역할을 할 거야.
⑤ 무: 춤은 흥을 돋우면서 말뚝이와 양반들의 갈등이 일시적으로 해소됐음을 알리는 거야.

인물·사건

05 (라)의 '말뚝이'의 말(㉮, ㉯)에 담긴 의도를 파악한 것으로 가장 적절한 것은?

	㉮	㉯
①	양반의 위신을 떨어뜨림	양반의 권위에 굴복하여 순종함
②	양반의 허영을 들추어냄	양반을 마소에 빗대어 야유함
③	양반의 부도덕성을 폭로함	자신의 직분을 다하는 양반을 치켜세움
④	양반을 가축으로 비하함	양반의 호사로운 생활을 비판함
⑤	위엄을 세우려는 양반을 비웃음	양반의 호화로운 삶을 부러워함

수능형

인물·사건 + 형상화 방식 + 주제

06 〈보기〉를 바탕으로 윗글을 감상한 내용으로 적절하지 않은 것은?

> **보기**
>
> 우리나라의 전통 가면극은 양반과 서민이 함께 즐겼기 때문에 양반 언어와 서민 언어가 어우러져 사용되었다. 또한 가면극은 양반 풍자와 같은 주제 의식을 담고 있었는데, 비판의 대상인 양반을 하층민뿐만 아니라 양반 스스로가 풍자하기도 하였다. 이처럼 가면극은 가면의 힘을 빌려 현실에서 일어나기 어려운 일들을 실현함으로써 양반 계층에 가졌던 하층민의 울분을 해소하는 구실을 하였다.

① 일상어, 비속어와 함께 한자어를 사용한 것은 여러 계층의 관객을 고려한 것이겠군.
② 양반들의 화려한 새처나 양반들이 하는 놀이에는 당시 현실에 대한 비판적 인식이 깔려 있겠군.
③ 말뚝이가 양반에게 호통을 치는 장면에서 관객 중 하층민은 양반에게 가졌던 울분이 풀렸겠군.
④ 말뚝이뿐만 아니라 양반들 스스로의 말과 행위를 통해서도 양반에 대한 풍자가 이루어지고 있군.
⑤ 양반을 조롱하는 말뚝이의 모습은 당시 현실에서 일어나기 어려운 일이었지만, 가면극이기 때문에 가능한 것이었겠군.

독해쌤 속닥속닥

◆ (사)에는 한자의 자획을 나누고 합하여 맞히는 파자 놀이를 하는 모습이 나타나 있네요. 그런데 생원과 서방이 하는 파자 놀이는 한자를 잘 모르는 어린아이들이 즐기는 수수께끼 수준으로 보이는데, 앞의 시조 읊기나 운자 놀이와 마찬가지로 양반들의 무식함이 드러나고 있어요.

사 생 원: 아, 그놈 문장(文章)이로구나. 운자(韻字)를 내자마자 지어 내는구나. 자알 지었다. 그러면 이번엔 파자(破字)나 하여 보자. 주둥이는 하얗고 몸뚱이는 알락달락한 자가 무슨 자냐?

파자(破字): 한자의 자획을 풀어 나누거나 합하여 하는 놀이

서 방: (한참 생각하다가) 네에, 거 운고옥편(韻考玉篇)에도 없는 자인데, 그것 참 어렵습니다. 그 피마자(蓖麻子)라고 하는 자가 아닙니까?

운고옥편(韻考玉篇): 한자의 운자를 분류하여 풀어 놓은 사전

생 원: 아, 거 동생 참 용할세.

서 방: 형님, 내가 그럼 한 자 부르라우?

생 원: 부르게.

서 방: 논두렁에 살피 짚고 섰는 자가 무슨 잡니까?

생 원: (한참 생각하다가) 아, 그것 참 어려운 잘세. 그것은 논 임자가 아닌가?

서 방: 하하, 그것 형님 잘 맞췄습니다. (이러는 동안에 취발이 살짝 들어와 한편 구석에 서 있다.)

글자 놀이 | 시조 읊기, 운자 놀이, 파자 놀이 등을 통해 드러나는 양반의 허위의식과 무지

취발이 잡아들이기

◆ (아)에는 취발이라는 새로운 인물이 등장하고 있어요. 조선 후기의 시대 상황과 연관 지을 때, 취발이는 조선 후기에 경제력을 바탕으로 급속하게 성장한 신흥 상인 계층을 대표하는 인물로 볼 수 있어요. 이런 취발이가 국고 횡령의 부정을 저지르고, 양반이 쓴 전령 한 장으로 잡히게 돼요. 이를 통해 양반의 권위가 강했던 당시 시대상을 짐작할 수 있답니다. 또한 취발이를 함부로 대하는 생원을 통해 백성들에 대한 양반의 횡포를 폭로하고 있어요.

아 생 원: 이놈, 말뚝아. / 말뚝이: 예에.

생 원: 나랏돈 노랑돈 칠 푼 잘라먹은 놈, 상통이 무르익은 대초빛 같고, 울룩줄룩 배미 잔등 같은 놈을 잡아들여라.

상통: 얼굴을 속되게 이르는 말

말뚝이: 그놈의 심(힘)이 무량대각(無量大角)이요, 날램이 비호(飛虎) 같은데, 샌님의 전령(傳令)이나 있으면 잡아 올는지 거저는 잡아 올 수 없습니다.

심(힘)이 무량대각(無量大角): 정도를 헤아릴 수 없을 만큼 힘이 세다는 뜻

전령(傳令): 명령이나 훈령, 고시 따위를 전하여 보냄. 또는 그 명령이나 훈령, 고시

생 원: 오오, 그리하여라. 옜다, 여기 전령 가지고 가거라. (종이에 무엇을 써서 준다.)

말뚝이: (종이를 받아 들고 취발이한테로 가서) 당신 잡히었소.

취발이: 어데, 전령 보자.

말뚝이: (종이를 취발이에게 보인다.)

취발이: (종이를 보더니 말뚝이에게 끌려 양반의 앞에 온다.)

말뚝이: (취발이 엉덩이를 양반 코앞에 내밀게 하며) 그놈 잡아들였소.

생 원: 아, 이놈 말뚝아. 이게 무슨 냄새냐?

말뚝이: 예, 이놈이 피신(避身)을 하여 다니기 때문에, 양치를 못하여서 그렇게 냄새가 나는 모양이외다.

생 원: 그러면 이놈의 모가지를 뽑아서 밑구녕에다 갖다 박아라.

◆ (자)에서는 말뚝이의 말을 통해 물질을 중시(황금만능주의)했던 당시의 사회상과 뇌물 상납이 만연했던 부패한 사회상을 드러내고 있어요. 아울러 말뚝이는 양반들의 탐욕과 위선을 폭로하는 역할을 담당하고 있답니다.

자 말뚝이: 샌님, 말씀 들으시오. 시대(時代)가 금전이면 그만인데, 하필 이놈을 잡아다 죽이면 뭣 하오? 돈이나 몇백 냥 내라고 하야 우리끼리 노나 쓰도록 하면, 샌님도 좋고 나도 돈냥이나 벌어 쓰지 않겠소? 그러니 샌님은 못 본 체하고 가만히 계시면 내 다 잘 처리하고 갈 것이니, 그리 알고 계시오. (굿거리장단에 맞추어 일제히 어울려서 한바탕 춤추다가 전원 퇴장한다.)

취발이 잡아들이기 | 취발이를 잡아들이며 금전으로 타협하고자 하는 양반들의 부패 풍자

확인 문제

[01~04] 다음 설명이 맞으면 ○, 틀리면 ×표 하시오.

01 (사)에서 서로를 칭찬하는 생원과 서방의 모습을 통해 양반들의 학식이 뛰어남을 알 수 있다. (○, ×)

02 (사)에서 생원과 서방은 한자를 자획으로 나누거나 합해 새로운 의미를 만드는 파자 놀이를 제대로 하고 있다. (○, ×)

03 (아)에 등장하는 취발이는 세력이 막강한 인물이지만 양반보다는 신분이 낮다. (○, ×)

04 (아)에서 취발이는 부정한 방법으로 재물을 축적한 인물이며, 양반들과 마찬가지로 조롱과 풍자의 대상이 된다. (○, ×)

[05~07] 다음 빈칸에 들어갈 알맞은 말을 쓰시오.

05 (사)에서 새로운 인물인 [ㅊ][ㅂ][ㅇ]의 등장은 새로운 사건 전개를 암시한다.

06 [ㅈ][ㄹ]은 말뚝이가 취발이를 잡아 오기 위해 양반에게 요구한 것으로 당대 양반의 권위를 상징한다.

07 취발이의 [ㅇ][ㄷ][ㅇ]를 양반 코앞에 내밀게 하는 말뚝이의 행동에는 양반의 권위를 인정하지 않는 의도가 담겨 있다.

실력 문제

인물·사건

08 윗글의 '취발이'에 대한 설명으로 적절하지 않은 것은?

① 힘이 세고 날렵하다.
② 국고를 횡령한 죄가 있다.
③ 양반들 비리의 대상이 된다.
④ 양반에게 복종하는 모습을 보인다.
⑤ 사회적 지위가 낮은 서민 계층을 대표한다.

인물·사건 + 주제

09 (사)에서 풍자하는 내용으로 가장 적절한 것은?

① 양반의 무식과 허세
② 양반의 허례허식과 풍류
③ 현실과 동떨어진 양반의 생활
④ 양반의 현학적인 말투와 태도
⑤ 양반의 자기 과시와 권위적 성격

배경·소재

10 (아)~(자)를 통해 알 수 있는 당시의 사회상으로 적절하지 않은 것은?

① 황금만능주의가 널리 퍼져 있었다.
② 뇌물에 의한 부정부패가 만연하였다.
③ 백성들에 대한 양반들의 횡포가 있었다.
④ 경제력을 갖춘 신흥 상인 계층이 등장했다.
⑤ 백성들이 살기가 어려워져 민심이 흉흉했다.

수능형

인물·사건 + 형상화 방식 + 주제

11 윗글을 읽고 학생들이 실제 공연을 계획하면서 구상한 내용으로 적절하지 않은 것은?

① 연우: 탈은 등장인물의 성격을 간접적으로 드러내는 역할을 하므로 양반탈은 대상의 부정적 면모가 잘 드러나면서 웃음을 유발할 수 있게 제작해야겠군.
② 혜인: 무대는 관객과 인물, 악공이 함께 소통할 수 있는 곳이어야 하므로 운동장과 같은 열린 공간에 마련하는 것이 좋겠군.
③ 종호: 모든 재담에서 말뚝이의 조롱을 통해 양반에 대한 풍자가 이루어지므로, 말솜씨가 뛰어난 사람에게 말뚝이 역할을 맡겨야겠군.
④ 세현: 등장인물들이 모두 함께 어우러져 추는 춤은 갈등 해소의 의미를 담고 있으므로, 악공들에게 흥겨움을 살려 연주해 달라고 해야겠군.
⑤ 대석: 각 재담이나 과장이 마무리될 때는 등장인물 모두가 한 공간에서 한바탕 춤을 추는 것으로 구성해야겠군.

작품 전체

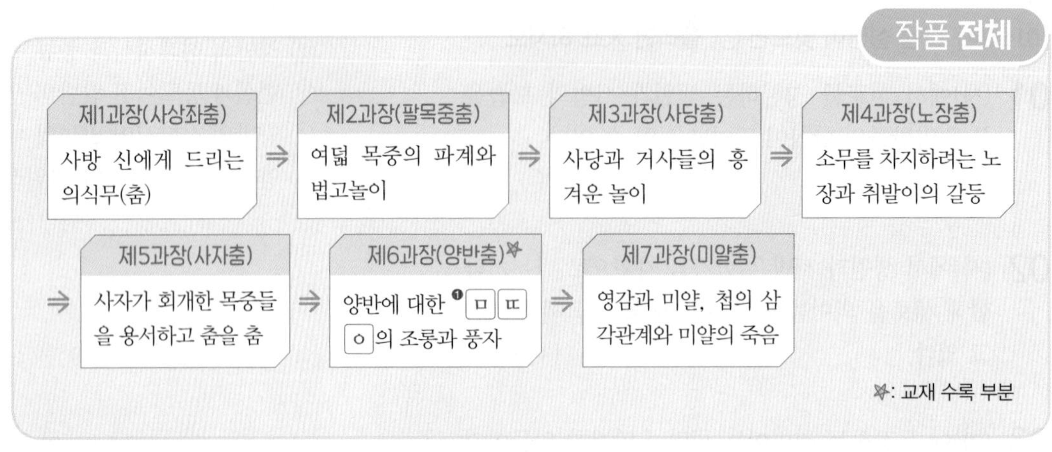

✻: 교재 수록 부분

작품 압축

주요 등장인물의 특성

말뚝이		양반 삼 형제
• 양반을 모시는 하인 • 겉으로는 양반에게 복종하는 듯하지만, 실제로는 양반을 조롱하고 ❷ㅂ ㅍ함	⇔	• 신체 결함이 있으며 우스꽝스럽고 방정맞게 행동함 • 권위 의식과 허위의식이 가득함 • ❸ㅍ ㅈ의 대상으로 희화화됨
⇓		⇓
당시 서민 계층을 대표함		무능하고 어리석은 ❹ㅇ ㅂ 계층을 대표함

'취발이'의 역할 및 당시의 사회상

취발이

- 나랏돈 노랑돈 칠 푼 잘라 먹음: 국고 횡령의 부정을 저지름
- 힘이 세고 날램: 능력이 있음
- 양반의 전령에 잡힘: 양반보다 신분이 낮음

→ 조선 후기 신흥 ❺ㅅ ㅇ 계층

⇓

양반이 취발이를 잡아들여 금전적 이익을 취하려 함

⇓

당시의 사회상	• 양반들이 횡포를 부림 • 부패와 ❻ㅎ ㄱ만능주의가 만연함

인물·사건 / 형상화 방식 / 주제

제6과장의 재담 구조

제6과장 '양반춤'은 재담마다 다음과 같이 일정한 재담 구조가 반복된다. 말뚝이의 조롱을 깨닫지 못하고 변명을 곧이곧대로 믿는 양반들의 모습을 반복적으로 제시해 양반 계층의 어리석음을 풍자한다.

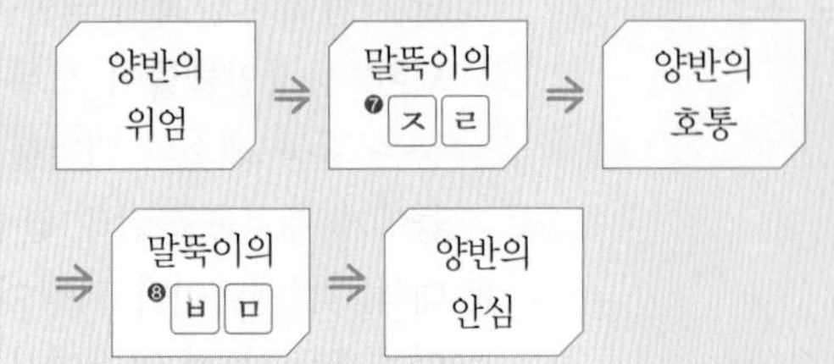

'글자 놀이'에 나타난 주제 의식

양반 삼 형제의 '글자 놀이'	
시조 읊기	유식함을 과시하려고 읊은 시조의 수준이 '말뚝이'의 민요와 차이가 없음
운자 놀이	아무런 의미 없이 지명이나 평민들의 생활 용어를 나열해 운자만 맞춤
파자 놀이	원래의 파자 놀이가 아닌 서민들이 하는 단순한 수수께끼에 불과함

⇓

양반들의 허세와 ❾ㅁ ㅅ함이 드러남

어휘력 테스트

1 다음 괄호 안에 들어갈 단어를 〈보기〉에서 골라 써 보자.

보기
호사　　만연　　흉흉

(1) 고향에 전염병이 (　　　　)해 방문할 수가 없었다.

(2) 세상이 (　　　　)할수록 내 처신에 신경 써야 한다.

(3) 진수는 (　　　　)와 낭비로 부모님께 물려받은 재산을 모두 날리고 말았다.

2 다음 단어의 뜻을 참고하여 끝말잇기를 완성해 보자.

□학	학□	□상
학식이 있음을 자랑하여 뽐냄	배워서 얻은 지식 또는 학문과 식견을 통틀어 이르는 말	같은 음식이나 사물이 되풀이되어 물리거나 질림

□자	통□	상□
소매가 없고 등솔기가 허리까지 트인 옛 전투복(옷)	아주 즐겁고 시원하여 유쾌함	'얼굴'을 속되게 이르는 말

독해쌤과 함께하는 감상 넓히기

지배층에 대한 풍자나 비판을 담은 작품

이번에 감상한 「봉산 탈춤」과 같이 지배층의 부정적인 면모를 풍자한 작품들이 많아요. 이 작품에서는 양반들의 무식과 무능, 허위의식 등을 풍자하고 있는데, 조선 후기의 소설이나 시조 등 다양한 갈래에서도 이러한 주제 의식을 다룬 작품들이 많답니다. 이러한 작품들을 더 감상해 볼까요?

양주 별산대놀이 _ 작자 미상

경기도 양주 지방에서 전승되어 온 전통 가면극으로, 전체 8과장으로 구성되어 있으며 파계승에 대한 풍자, 양반에 대한 풍자, 서민 생활의 애환 등을 담고 있는 작품입니다. 특히 제7과장에서 하인 말뚝이가 샌님, 서방님, 도련님을 모시고 나와 친구 쇠뚝이와 함께 위선적이고 권위주의적인 양반들을 신랄하게 풍자한답니다.

두터비 파리를 물고~ _ 작자 미상

자신의 천적인 송골매를 발견한 두꺼비가 두엄 더미 아래로 황급히 뛰어내리다 자빠지고 변명하는 모습을 해학적으로 표현한 사설시조입니다. 두꺼비로 상징되는 지배층의 허장성세와 약자에게 강하고 강자에게 약한 세태를 풍자한 작품입니다.

은전 한 닢 _ 피천득

여러분도 무언가를 이루기 위해 노력하고 성취한 경험이 있지요? 이 작품도 갖은 노력 끝에 은전 한 닢을 얻고 감격해하는 한 거지의 모습을 그리고 있어요. 작품을 읽으며 늙은 거지의 행동을 긍정적·부정적 관점에서 평가해 보면서 감상해 볼까요?

독해쌤의 감상 질문

1. 글쓴이 · 늙은 거지를 바라보는 '나'의 태도는 어떠한가요?
   · 은전 한 닢을 얻는 과정에서 엿볼 수 있는 거지의 면모는 어떠한가요?
2. 표현 이 작품의 표현상 특징과 효과는 무엇인가요?
3. 주제 이 작품을 통해 글쓴이가 궁극적으로 말하고자 하는 바는 무엇인가요?

처음

가 예전 상해에서 본 일이다. 늙은 거지 하나가 전장(錢莊)에 가서 떨리는 손으로 일 원짜리 은전 한 닢을 내놓으면서,

(전장(錢莊): 중국에서, 환전을 업으로 하던 상업 금융 기관)

"황송하지만 이 돈이 못 쓰는 것이나 아닌지 좀 보아 주십시오." / 하고 그는 마치 선고를 기다리는 죄인과 같이 전장 사람의 입을 쳐다본다. 전장 주인은 거지를 물끄러미 내려다보다가, 돈을 두들려 보고 / '하—오(좋소).' / 하고 내어 준다. 그는 "하—오."라는 말에 기쁜 얼굴로 돈을 받아서 가슴 깊이 집어넣고 절을 몇 번이나 하며 간다. 그는 뒤를 자꾸 돌아보며 얼마를 가더니 또 다른 전장을 찾아 들어갔다. 품속에 손을 넣고 한참 꾸물거리다가 그 은전을 내어 놓으며, / "이것이 정말 은으로 만든 돈이오니까?" / 하고 묻는다. 전장 주인도 호기심 있는 눈으로 바라보더니, / "이 돈을 어디서 훔쳤어?"

거지는 떨리는 목소리로 / "아닙니다, 아니에요." / "그러면 길바닥에서 주웠다는 말이냐?"

"누가 그렇게 큰 돈을 빠뜨립니까? 떨어지면 소리는 안 나나요? 어서 도로 주십시오."

거지는 손을 내밀었다. 전장 사람은 웃으면서 '하—오.' 하고 던져 주었다.

처음 | '나'는 상해에서 여러 전장을 돌아다니며 은전의 진위 여부를 확인하는 거지를 목격함

중간

나 그는 얼른 집어서 가슴에 품고 황망히 달아난다. 뒤를 흘끔흘끔 돌아다보며 얼마를 허덕이며 달아나더니 별안간 우뚝 선다. 서서 그 은전이 빠지지나 않았나 만져 보는 것이다. 거친 손가락이 누더기 위로 그 돈을 쥘 때 그는 다시 웃는다. 그리고 또 얼마를 걸어가다가 어떤 골목 으슥한 곳으로 찾아 들어가더니 벽돌담 밑에 쪼그리고 앉아서 돈을 손바닥에 놓고 들여다보고 있었다. 그가 어떻게 열중해 있었는지 내가 가까이 선 줄도 모르는 모양이었다. / "누가 그렇게 많이 도와줍디까?"

(황망히: 마음이 몹시 급하여 당황하고 허둥지둥하는 면이 있게)

하고 나는 물었다. 그러자 그는 내 말소리에 움찔하면서 손을 가슴에 숨겼다. 그러고는 떨리는 다리로 일어서서 달아나려고 했다.

"염려 마십시오, 뺏어가지 않소." / 하고 나는 그를 안심시키려 하였다.

중간 | '나'는 골목에서 은전 한 닢을 들여다보는 데에 열중한 거지와 대면함

끝

다 한참 머뭇거리다가 그는 나를 쳐다보고 이야기를 하였다.

"이것은 훔친 것이 아닙니다. 길에서 얻은 것도 아닙니다. 누가 저 같은 놈에게 일 원짜리를 줍니까? 각전(角錢) 한 닢을 받아 본 적이 없습니다. 동전 한 닢 주시는 분도 백에 한 분이 쉽지 않습니다. 나는 한 푼 한 푼 얻은 돈에서 몇 닢씩 모았습니다. 이렇게 모은

(각전(角錢): 예전에, 일 전이나 십 전 따위의 잔돈을 이르던 말)

돈 마흔여덟 닢을 각전 닢과 바꾸었습니다. 이러기를 여섯 번을 하여 겨우 이 귀한 '다양[大洋]' 한 푼을 갖게 되었습니다. 이 돈을 얻느라고 여섯 달이 더 걸렸습니다."

그의 뺨에는 눈물이 흘렀다. 나는 / "왜 그렇게까지 애를 써서 그 돈을 만들었단 말이오? 그 돈으로 무얼 하려오?" / 하고 물었다.

그는 다시 머뭇거리다가 대답했다. / "이 돈 한 개가 갖고 싶었습니다."

끝 | '나'는 거지로부터 은전 한 닢을 얻기까지의 내력에 대해 들음

확인 문제

[01~03] 다음 설명이 맞으면 ○, 틀리면 ×표 하시오.

01 이 작품은 '나'가 상해에서 목격한 일을 사실대로 쓴 수필이다. (○, ×)

02 이 작품은 '나'와 늙은 거지의 갈등을 중심으로 사건이 전개된다. (○, ×)

03 늙은 거지는 동전 마흔여덟 닢을 각전 한 닢으로 바꾸는 과정을 여섯 번 되풀이하여 은전 한 닢을 얻었다. (○, ×)

[04~05] 다음 빈칸에 들어갈 알맞은 말을 쓰시오.

04 늙은 거지는 애써 얻은 은전이 [ㅈ][ㅉ]가 아닐까 봐 불안해하고 있다.

05 (다)에서 '[ㄷ][ㅇ] [ㅎ] [ㅍ]'은 '삶의 목표'나 '인간의 집착과 소유욕'을 의미한다.

표현

06 윗글에 대한 설명으로 적절하지 않은 것은?

① 대조적인 성격의 두 인물을 대비하여 주제를 강조하고 있다.
② 인물 간의 대화를 중심으로 전개하여 현장감을 주고 있다.
③ 간결한 문장을 사용하여 속도감 있게 글을 전개하고 있다.
④ 글쓴이의 해석이나 생각을 배제하고 객관적인 관점에서 서술하고 있다.
⑤ 글쓴이가 자신의 경험을 회고하는 방식을 통해 사실감을 드러내고 있다.

주제 + 어휘

07 윗글에 나타난 '늙은 거지'의 모습을 평가한 내용으로 가장 적절한 것은?

① 은전 한 닢을 훔친 일을 전장 주인에게 들킬까 봐 '노심초사(勞心焦思)'하는군.
② '고진감래(苦盡甘來)'라더니 오랜 기다림과 고생 끝에 은전 한 닢을 얻고 기뻐하는군.
③ 구걸로 모은 각전 여섯 닢을 대양 한 푼과 바꾸다니 '소탐대실(小貪大失)'하는 격이군.
④ '백년하청(百年河淸)'이라고 아무리 어려운 일이라도 끊임없이 노력하면 반드시 이루어지는군.
⑤ 은전 한 닢을 얻고도 만족할 줄 모르는 걸 보니 '안분지족(安分知足)'의 자세가 필요한 사람이군.

주제

08 다음은 윗글을 읽은 학생이 쓴 감상문이다. 감상 내용 중 적절하지 않은 것은?

> 일반적인 수필과 달리 ① 이 작품은 글쓴이의 소감이나 논평 없이 경험담만을 제시하여 독자 스스로 작품의 주제를 파악하도록 이끈다. 각고의 노력 끝에 은전 한 닢을 얻고 감격의 눈물을 흘리는 거지의 모습에 주목한다면 ② '소망을 이루려는 노력과 성취의 기쁨'이 이 작품의 주제라고 할 수 있다. 그러나 ③ '은전이 가짜일까, 은전을 빼앗기거나 잃어버릴까 불안해하는 거지의 모습을 고려한다면 ④ '물질 만능주의에 대한 경계'를 이 작품의 주제로 생각해 볼 수 있다. 왜냐하면 ⑤ 수단에 불과한 돈에 집착하는 거지의 모습은 인간의 그릇된 소유욕이 얼마나 어리석은 것인지를 일깨워 주기 때문이다.

작품 전체

처음	중간	끝
'나'는 ❶ [ㅅ][ㅎ]에서 여러 전장을 돌아다니며 은전의 진위 여부를 확인하는 거지를 목격함	'나'는 골목에서 은전 한 닢을 들여다보는 데에 열중한 거지와 대면함	'나'는 거지로부터 ❷ [ㅇ][ㅈ][ㅎ][ㄴ]을 얻기까지의 내력에 대해 들음

작품 압축

■ 늙은 거지에 대한 '나'의 태도

늙은 거지		'나'
• 여러 전장을 돌아다니며 은전의 진위 여부를 확인함 • 온갖 고생 끝에 은전 한 닢을 겨우 얻고 ❸ [ㅁ][ㅈ][ㄱ]을 느낌	관찰 ⇐	• 상해에서 우연히 만난 늙은 거지의 행동에 호기심을 느낌 • 거지로부터 은전 한 닢을 갖게 된 과정과 이유를 들음

⇓

'나'는 관찰자의 시선에서 ❹ [ㄱ][ㄱ][ㅈ]인 태도로 늙은 거지의 행동, 표정 등을 서술함

■ '은전 한 닢'을 얻은 과정에 나타난 거지의 면모

과정	
	① 구걸로 얻은 돈에서 몇 닢씩을 모음 ② 동전 48닢을 각전 1닢과 바꿈 ③ 여섯 달 동안 동전 48닢을 각전 1닢으로 바꾸는 과정을 6번 되풀이함 ④ 각전 6닢을 바꿔 대양 한 푼을 갖게 됨

⇓

면모		
	긍정적	자신의 ❺ [ㅅ][ㅁ]을 이루기 위해 노력하여 삶의 목표를 달성함
	부정적	맹목적인 ❻ [ㅈ][ㅊ]으로 인간의 어리석음을 보여 줌

글쓴이

표현 주제

■ 이 작품의 표현상 특징

표현상 특징
• 과거의 경험을 ❼ [ㅎ][ㅅ]하는 형식을 취해 독자의 신뢰감과 흥미를 유발함 • ❽ [ㄷ][ㅎ] 형식을 사용하여 현장감을 살리고 콩트와 같은 소설적 구성을 취함 • 글쓴이의 소감이나 논평 없이 글을 끝맺음으로서 ❾ [ㅇ][ㅇ]을 주고 독자의 상상력을 자극함

■ 이 작품의 주제

이 작품은 인물의 대사만으로 결말을 처리해 주제를 함축적으로 전달한다. 따라서 은전 한 닢을 얻기 위해 노력한 거지의 행동을 어떻게 평가하느냐에 따라 작품의 주제를 달리 해석할 수 있다.

은전 한 닢을 얻기 위한 거지의 행동

긍정적 평가	부정적 평가
소망을 이루려는 노력과 ❿ [ㅅ][ㅊ]의 기쁨	⓫ [ㅅ][ㅇ][ㅇ]이나 무의미한 집착에 대한 경계

어휘력 테스트

1 다음 괄호 안에 들어갈 단어를 〈보기〉에서 골라 써 보자.

보기

소탐대실　　백년하청　　노심초사

(1) 그는 거짓말이 들통날까 봐 (　　　　)했다.

(2) 조직의 경영에서는 (　　　　)을 경계해야 한다.

(3) 그에게 양심을 지키며 살길 기대하는 건 (　　　　)인 것인가?

2 다음 단어의 뜻을 참고하여 끝말잇기를 완성해 보자.

서□	□각	각□
글을 시작하는 첫머리	뛰어난 학식이나 재능을 비유적으로 이르는 말	예전에, 일 전이나 십 전 따위의 잔돈을 이르던 말

□장	장□	□□히
중국에서, 환전을 업으로 하던 상업 금융 기관	'매우 길고 번거롭다'라는 뜻을 지닌 '장○하다'의 어근	마음이 몹시 급하여 당황하고 허둥지둥하는 면이 있게

독해쌤과 함께하는 감상 넓히기

서사적 성격을 띤 수필 작품

이번에 감상한 「은전 한 닢」과 같이 인물, 사건, 배경을 갖춘 서사적 성격의 수필 작품들이 있어요. 일반적인 서정적 수필과 달리 글쓴이의 주관을 개입시키지 않고 담담하게 사건을 서술하는 방식을 취한답니다. 이러한 작품들을 더 감상해 볼까요?

피딴 문답_김소운

두 인물의 대화를 중심으로 이야기가 전개되는 서사적 성격의 수필로, 오랜 시간 겨 속에 묻혀 있어야 좋은 안주감이 되는 피딴을 소재로 하여 자기 완성을 위한 수련과 원숙함의 중요성을 일깨우고 있는 작품입니다.

구두_계용묵

글쓴이의 직접 체험을 서사적 줄거리로 구성하여 서술한 수필로, 구두에 박힌 쇠로 된 징 소리 때문에 앞서가던 여자가 놀라 달아난 일을 소재로 하여 현대 사회의 왜곡된 인간관계에 대해 비판적인 시각을 드러낸 작품입니다.

미안합니다 ① _장영희

여러분은 살면서 누군가에게 무턱대고 화를 내거나 다투어 상대에게 상처를 준 경험이 있나요? 이런 경우 '미안합니다'라는 사과의 말이 문제 상황을 원만히 해결하는 방법이 될 것입니다. 이 작품 역시 글쓴이가 느낀 사과의 효력에 대해 전달하고 있는데요, 글쓴이의 경험과 깨달음은 무엇일지 살펴보며 감상해 볼까요?

독해쌤의 감상 질문

1. 글쓴이 • 이 작품에 등장하는 '나', '아버지', '경비원'의 특징은 무엇인가요?
   • 사과를 해야 하는 상황에서 '나'와 '아버지, 경비원'의 태도에는 어떤 차이가 있나요?
2. 표현 이 작품의 서술상 특징은 무엇인가요?
3. 주제 글쓴이가 아버지와 경비원의 일화를 통해 얻은 깨달음은 무엇인가요?

앞부분 줄거리 서양인에 비해 우리나라 사람들은 '고맙다', '미안하다'라는 말에 인색한데, '나' 역시 패배를 인정하고 싶지 않은 경쟁 심리, 자존심, 열등의식 등의 이유로 '미안해'라는 말을 하는 데 어려움을 느껴 왔음을 고백한다.

중간 1

가 지난주, 19세기 미국 소설 강의 시간에, 나는 한 학생에게 '주홍 글씨(The Scarlet Letter)'의 첫 장면을 읽도록 시켰다.

"김영수, 23페이지 첫째 단락을 읽어 보세요."

그러나 아무 반응이 없었다. 그래서 다시 되풀이했다. / "23페이지 첫째 문단 말이야."

또다시 한동안 침묵이 흘렀다. 그러더니 갑자기 영수가 아닌 서훈이가 책을 읽기 시작하는 것이었다.

처음에는 단지 의아해했지만 가만히 생각하니 은근히 부아(노엽거나 분한 마음)가 치밀었다. 학기 시작하고 두어 달이 지났으니 모든 학생들의 이름을 기억하고 있고, 학생들 또한 내가 자기들의 이름을 기억한다는 사실을 알고 있었다. 그런데 어떻게 내가 호명한 영수가 아닌 서훈이가 책을 읽을 수 있단 말인가? 그것은 나에 대한 반항이거나 한 걸음 더 나아가 모욕이라는 생각까지 들었다. 나는 화를 눌러 참고 책을 다 읽을 때까지 기다렸다. 그리고 냉담하게 말했다. / "지금 책 읽은 학생이 김영수예요?"

나는 정색(얼굴에 엄정한 빛을 나타냄. 또는 그런 얼굴빛)을 하고 선생으로서의 위엄과 자존심을 건드린 두 사람을 노려보았다.

"자기 이름들도 몰라요? 결석한 친구 대신 대리(남을 대신하여 일을 처리함. 또는 그런 사람) 대답하는 학생들이 있다더니 그렇게 하는 것이 아예 버릇이 돼서 이젠 친구 이름을 자기 이름인 줄로 착각할 정도인가?"

나는 야유(남을 빈정거려 놀림. 또는 그런 말이나 몸짓)까지 했다.

반 전체가 (　　㉠　　) 고요했다. 영수와 서훈은 고개를 떨구고 있었다. 시간을 더 이상 허비할 수 없어서 강의를 계속했지만, 수업이 끝나고도 기분이 썩 좋지 않았다.

나 그리고 오후에 퇴근 준비를 하고 있는데, 학생 하나가 찾아와 진상(일의 사정이나 상황을 말함)을 알려 주었다. 김영수는 아주 심각한 말더듬이 증세를 갖고 있고, 그 증세는 사람들 앞에서 말하거나 읽거나 하는 스트레스 상황에서는 더욱 악화된다는 것이었다. 그러니 아까 갑자기 말문이 막혀 책을 읽을 수도, 그렇다고 말을 더듬어서 못 읽겠다고 설명할 수도 없는 처지였을 것이고, 그 사정을 잘 아는 서훈이가 당황하는 친구를 도와주려고 대신 읽었다는 것이다. 이야기를 듣고 나서, 나는 정말이지 쥐구멍에라도 숨고 싶은 심정이었다. 어렸을 때 나도 한때 말더듬이 비슷한 증세가 있었기 때문에 영수가 느꼈을 충격과 고뇌(괴로워하고 번뇌함), 그리고 수업 시간 이후의 기분을 잘 알 수 있었다.

확인 문제

[01~04] 다음 설명이 맞으면 ○, 틀리면 ×표 하시오.

01 이 작품은 사회적인 문제를 담고 있는 논리적이고 객관적인 성격의 중수필이다. (○, ×)

02 서훈이가 영수를 대신하여 책을 읽은 이유는 영수가 미리 부탁했기 때문이다. (○, ×)

03 '나'는 서훈이에게서 영수의 처지를 들은 후 영수의 상황을 이해하는 모습을 보이고 있다. (○, ×)

04 영수는 심각한 말더듬이 증세가 있어서 자신이 책을 읽을 수 없는 상황임을 '나'에게 설명할 수 없었다. (○, ×)

[05~06] 다음 빈칸에 들어갈 알맞은 말을 쓰시오.

05 '나'는 서훈이의 행동을 자신에 대한 ㅂㅎ, 더 나아가 ㅁㅇ이라고 오해하고 있다.

06 한 학생으로부터 사건의 ㅈㅅ을 듣고 영수의 사정을 알게 된 '나'는 쥐구멍에라도 숨고 싶은 마음이 들었다.

실력 문제

글쓴이

07 윗글의 '나'에 대한 이해로 적절하지 <u>않은</u> 것은?

① 대학에서 영문학을 가르친다.
② 남에게 미안하다는 말을 잘 하지 못한다.
③ 선생으로서의 위엄과 자존심을 중시한다.
④ 권위 의식이 강하고 학생들에 대한 관심이 부족하다.
⑤ 어렸을 적에 말더듬이 비슷한 증세를 겪은 적이 있었다.

표현

08 윗글에 대한 설명으로 가장 적절한 것은?

① 체험이 담긴 일화를 제시하여 독자의 흥미를 끌고 있다.
② 감정의 노출 없이 객관적이고 담담하게 사건을 전개하고 있다.
③ 현상에 대한 일반인들의 통념을 제시한 후 그 통념을 바로잡고 있다.
④ 하나의 현상에 대한 다양한 견해를 제시하여 화제를 이끌어 내고 있다.
⑤ 개별적인 사실을 열거한 후 하나의 일반화된 원리를 이끌어 내고 있다.

어휘

09 ㉠에 들어갈 관용 표현으로 가장 적절한 것은?

① 쥐 잡듯 ② 쥐 죽은 듯
③ 쥐도 새도 모르게 ④ 쥐 본 고양이 같이
⑤ 쥐 초 먹은 것 같이

수능형 글쓴이 + 표현

10 윗글의 사건 전개 과정을 〈보기〉와 같이 정리할 때, 이에 대한 설명으로 적절하지 <u>않은</u> 것은?

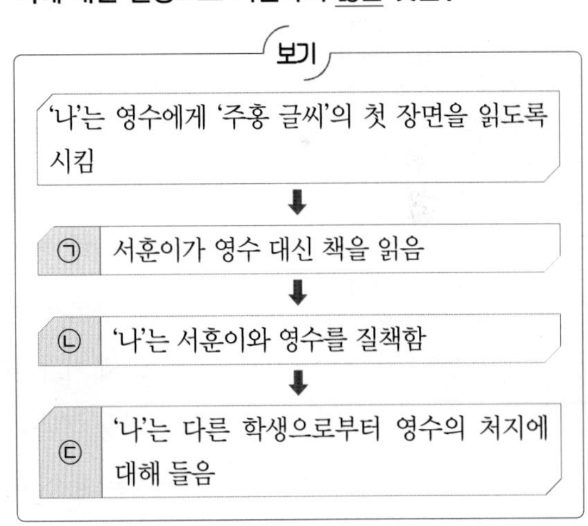

① ㉠은 영수에게 말더듬이 증세가 있다는 사실을 알고 있던 서훈이가 영수를 도와주기 위해 한 행동이다.
② ㉠의 상황에 대해 '나'는 이상하게 여기다 서훈이와 영수가 자신을 얕본다고 생각해 화가 났다.
③ ㉡에서 '나'는 서훈이의 책 읽기를 제지하면서 차갑고 매서운 눈길로 서훈이와 영수를 질책하였다.
④ ㉢에서 '나'는 자신이 서훈이와 영수를 오해했음을 깨닫고 부끄러움을 느꼈다.
⑤ ㉢에서 오해를 푼 '나'는 영수가 받았을 상처와 기분에 공감하였다.

미안합니다 ②

독해쌤 속닥속닥

◆ 앞부분 줄거리에서 알 수 있듯이 글쓴이는 여러 가지 이유로 미안하다는 말을 하지 못하는 인물이에요. (다)에는 이러한 글쓴이의 특성이 잘 드러나 있어요. 영수의 처지를 알고 영수에게 미안함을 느끼지만 사과하지 않아도 되는 온갖 구실들을 떠올리며 마음의 안정을 찾고 있는 글쓴이의 모습에서 이를 확인할 수 있지요.

다 미안하다고 해야겠다. 나는 속으로 생각했다. 하지만 어떻게? 영수에게 수업 후에 오라고 할까? 그러면 영수가 더 부끄러워하지 않을까? 아니면 삐삐 번호를 알아내어 내게 전화하라고 할까? 하지만 말더듬이 증상은 전화로 말할 때 더 심각해지니까 그것도 별로 좋은 생각이 아닌 듯하다. / 그렇다면 어떻게 사과를 할까. 이런저런 궁리를 하다가 가만히 생각해 보니, 정말로 내가 사과해야 하는 상황인가에 대해 의구심이 일어났다. 요컨대 그게 정말 내 잘못이었는가 말이다. 영수에게 그런 문제가 있다는 것을 나는 모르지 않았는가? 학기 시작할 때 미리 자기에게 이러이러한 문제가 있으니 호명하지 말아 달라고 한마디라도 해 줬으면 어련히 알아서 했을까 말이다.

(궁리: 마음속으로 이리저리 따져 깊이 생각함. 또는 그런 생각 / 의구심: 믿지 못하고 두려워하는 마음)

게다가 선생 체면에 학생에게 그런 말 했다고 해서 사과할 필요까지 있겠는가. 그리고 지금쯤은 영수도 다 잊어버리고 있을지도 모르는데 괜히 사과해서 오히려 긁어 부스럼이 될 수도 있다. / 영수에게 '미안해'라고 말할 필요가 없을 만한 ㉠온갖 구실들을 발견하고 나니 그제야 마음이 편해졌고, 오히려 사과하려고 생각했던 내가 어리석게까지 여겨졌다. 그리고 이 바쁜 와중에 그런 생각까지 하고 있다니, 쓸데없는 시간 낭비라고 결론짓고 그냥 잊어버렸다.

(체면: 남을 대하기에 떳떳한 도리나 얼굴)

중간 1 강의 시간에 영수와 서훈이에 관해 오해한 일과 그에 대해 사과하지 않은 '나'

중간 2

◆ (라)에서는 두 번째 일화가 제시되고 있어요. 첫 번째 일화에 나타난 글쓴이와 달리 이 일화에 등장하는 아버지나 경비원은 미안하다는 말을 해야 하는 상황에서 서로 자신의 잘못을 인정하며 상대방에게 '미안합니다, 죄송합니다'라는 말을 반복하고 있어요. 이런 인물들의 태도로 인해 두 사람은 갈등을 원만하게 해결하고 있어요.

라 하지만 오늘 나는 '미안합니다'라는 말, 아니 그 말의 위력에 대해서 다시 생각해 봐야만 했다. / 저녁때 아버지가 오피스텔에 있는 나를 데리러 차를 갖고 오셨다.

(위력: 위대한 힘)

아버지와 만나기로 한 약속 시간보다 조금 늦게 나갔는데, 건물 뒤편에 있는 주차장 경비원이 아버지에게 현관 가까이에 차를 댔다고 소리를 지르고 있었다. 아버지는 계속 허리를 굽히면서 사과하고 계셨다.

"미안합니다. 잠깐만 있을 겁니다. 제가 기다리고 있는 사람이 곧 나올 겁니다."

그러나 아버지 연세쯤 되어 보이는 경비원은 심하게 아버지를 힐책하였다.

(힐책하였다: 잘못된 점을 따져 나무랐다.)

"아, 글쎄 기다리려면 저기 주차장 안에 차를 대고 기다리란 말예요! 왜 하필이면 현관 앞에 차를 대냐고요." / "미안합니다. 조금만."

아버지는 계속 '미안합니다'를 반복하고 계셨다. 물론 차를 현관 근처에 대는 것은 금지되어 있지만, 경비원에게 머리를 조아리는 아버지의 모습을 보자 너무 자존심 상하고 화가 나서 나는 경비원을 한번 흘끗 쳐다보고는 차에 올라탔다. 경비원은 잠시 나와 목발을 번갈아 가며 쳐다보았다. 그러고는 아버지에게 깊이 머리를 숙이더니,

(조아리는: 애원하느라고 이마가 바닥에 닿을 정도로 머리를 자꾸 숙이는)

"아이구, 정말 죄송합니다. 왜 이분을 기다리고 있다고 말씀해 주시지 그랬어요. 만약 그랬다면 아무 말도 하지 않았을 텐데요. 이분이라면 몸이 불편하시니까 여기 대셔야지요. 이분을 자주 봬요."

말을 하는 와중에도 그는 중간중간 "미안합니다, 죄송합니다."라는 말을 여러 번 되풀이했다. / 아버지는 또 아버지대로 "괜찮습니다. 제가 잘못한 건데요. 죄송합니다."라고 사과했고, 두 사람은 서로에게 인사하고 헤어졌다. 차가 떠날 때 경비원은 손까지 흔들며 우리들을 배웅해 주었다.

(와중: 일이나 사건 따위가 시끄럽고 복잡하게 벌어지는 가운데)

[01~03] 다음 설명이 맞으면 ○, 틀리면 ×표 하시오.

01 '나'는 자신의 오해로 상처를 받은 영수에게 미안함을 느낀다. (○, ×)

02 '나'는 평소에 '미안합니다'라는 말의 위력에 대해 잘 알고 있었다. (○, ×)

03 이 작품에서는 두 가지 일화를 통해 장애인에 대한 배려의 필요성을 강조하고 있다. (○, ×)

[04~05] 다음 빈칸에 들어갈 알맞은 말을 쓰시오.

04 이 작품에서는 '나'와 아버지의 ㄷㅂ되는 모습을 통해 교훈적인 주제를 전달하고 있다.

05 (라)에서 'ㅁㅂ'은 글쓴이의 처지를 단적으로 드러내면서 경비원이 아버지의 상황을 이해하게 되는 계기가 된다.

글쓴이

06 (다)와 (라)를 읽은 독자의 반응으로 적절하지 <u>않은</u> 것은?

① 경비원은 사회적 약자를 배려할 줄 아는 마음씨를 지닌 인물이군.
② '나'는 영수에게 미안한 마음을 느끼고 어떻게 사과해야 할지를 고민하였군.
③ 경비원은 주차 관리 규정을 지키지 않은 아버지를 못마땅하게 여기고 있었군.
④ '나'는 경비원에게 고개를 숙여 사과하는 아버지의 모습을 보며 자존심이 상하였군.
⑤ 아버지가 현관 가까이에 차를 댄 이유는 딸이 중요한 약속 시간에 늦었기 때문이었군.

글쓴이

07 ㉠에 해당하는 내용을 모두 골라 바르게 묶은 것은?

ⓐ 선생 체면에 학생을 꾸짖은 일로 사과할 필요까지는 없다.
ⓑ 나는 영수에게 말더듬이 증세가 있다는 사실을 알지 못했다.
ⓒ 수업 후 나를 찾아오라고 하면 영수가 더 부끄러워할 것이다.
ⓓ 말더듬이 증상은 전화로 말할 때 더 심각해지므로 전화 통화는 좋은 방법이 아니다.
ⓔ 영수가 잊어버리고 있었을 수도 있는데 공연히 사과하는 것은 쓸데없는 일이 될 수 있다.

① ⓐ, ⓑ, ⓔ ② ⓐ, ⓒ, ⓓ ③ ⓑ, ⓒ, ⓔ
④ ⓑ, ⓓ, ⓔ ⑤ ⓒ, ⓓ, ⓔ

주제

08 '아버지'와 '경비원'의 공통점으로 가장 적절한 것은?

① 자신의 잘못을 인정하는 태도를 보인다.
② 어떤 상황에서도 평정심을 잃지 않는다.
③ 원리 원칙만을 강조하며 융통성이 없다.
④ 남의 비위를 맞추느라 비굴하게 행동한다.
⑤ 상대방의 처지를 이해하지 못하고 본인의 입장만 내세운다.

수능형 주제

09 윗글의 '나'에게 할 수 있는 조언으로 가장 적절한 것은?

① '용서는 과거를 변화시킬 수 없으나 미래를 푼푼하게 만든다.'라는 말이 있지요. 서훈이와 영수의 잘못을 덮어 주는 건 어떨까요?
② '미래의 올바른 행동은 과거의 악행에 대한 최고의 사과이다.'라는 말이 있지요. 이제부터라도 학생들에게 관심과 사랑을 보여 주세요.
③ '불가근불가원'이라는 말이 있지요. 학생들과 너무 가깝지도 멀지도 않은 관계를 유지해야 서로 상처를 주는 일을 줄일 수 있답니다.
④ '자신의 감정에 솔직할수록 인간관계는 쉽게 풀린다.'라는 말이 있지요. 미안하다는 말을 하기가 망설여진다면 마음이 움직일 때까지 기다려 보세요.
⑤ '칼로 벤 상처는 쉽게 아물지만 말로 벤 상처는 쉽게 아물지 않는다.'라는 말이 있지요. 자신의 오해로 누군가 상처를 입었다면 용기 있게 사과하세요.

미안합니다 ③

독해쌤 속닥속닥

◆ (마)는 (라)에 제시된 일화를 통해 글쓴이가 자신을 성찰하고 얻은 깨달음이 잘 드러나 있어요. 경험을 통해 얻은 글쓴이의 깨달음은 이 글의 주제와 직결되는 부분입니다.

마 얼마나 아름다운 결말인가! 서로 얼굴 붉히고 마음 상하고 헤어졌을 수도 있는 일이었지만, 두 사람은 모두 기꺼이 "미안합니다." 하고 사과를 했기 때문에 결과는 해피 엔딩이었다.

아마도 나라면 아버지처럼 사과하는 대신 "금방 간다는데 왜 그러세요? 그렇게 융통성이 없으세요?" 하면서 얼굴을 찌푸렸을 것이고, 경비원도 사과하는 대신 "그래도 원칙은 원칙이지, 아무리 몸이 불편한 사람 기다린다고 차를 현관 앞에 세우다니." 생각하면서 뾰로통한 얼굴로 돌아섰을 것이다.

융통성: 그때그때의 사정과 형편을 보아 일을 처리하는 재주
뾰로통한: 못마땅하여 얼굴에 성난 빛이 나타나 있는

그러나 나보다 나이도 많고 인생 경험도 풍부한 두 사람은 해피 엔딩을 만드는 법을 잘 알고 있었다. 자신의 잘못을 기꺼이 인정하는 태도와 상대방의 처지를 이해하려는 마음 그리고 ⓐ'미안합니다'라는 말의 효력을 알고 있었던 것이다.

그래도 ㉠나는 차를 타고 나서 ㉡아버지에게 투덜댔다.

"아버지, 왜 그 사람한테 허리까지 굽히고 그래. 채신없이 보이잖아."

채신없이: 말이나 행동이 경솔하여 위엄이나 신망이 없이

그러자 아버지가 의아한 표정으로 말씀하셨다.

"채신? 원, 잘못한 거 사과하는데 채신은 무슨 채신이냐?"

중간 2 서로의 잘못을 인정하고 사과하는 아버지와 경비원을 본 '나'의 깨달음

◆ (바)에는 체면을 따지기보다 자신의 잘못을 고개 숙여 사과하는 아버지의 모습을 보며 글쓴이가 자신의 지난 행동을 반성하는 모습이 나타나 있어요.

끝

바 문득 영수 얼굴이 떠올랐다. 잘못한 것 사과하는데 선생 체면은 무슨 선생 체면? 수업 중에 내가 한 말 때문에 영수가 아직도 상심해 있을지도 모른다. 내일은 수업 끝나고 정식으로 사과해야지.

"얘, 영수야, 지난번엔 미안했어. 수업 중에 읽는 것 시키지 말라고 말해 주지 그랬니. 모르고 그런 거니 용서해 줄 거지?"

이번 일을 계기로 나도 '미안합니다'를 좀 더 자주 말할 수 있을 것 같다.

계기: 어떤 일이 일어나거나 변화하도록 만드는 결정적인 원인이나 기회

끝 영수에게 사과하지 않은 자신의 행동에 대한 '나'의 반성

• 정답과 해설 61쪽

확인 문제

[01~03] 다음 설명이 맞으면 ○, 틀리면 ×표 하시오.

01 '나'의 아버지는 자존심이 없이 아무에게나 굽신거리는 인물이다. (○, ×)

02 '나'는 아버지의 영향으로 영수에게 사과하지 못한 자신의 행동을 반성하고 있다. (○, ×)

03 이 작품은 과거의 경험과 현재의 경험을 통해 현대 사회의 각박한 세태를 비판하고 있다. (○, ×)

[04~06] 다음 빈칸에 들어갈 알맞은 말을 쓰시오.

04 주차 문제로 얽힌 사건이 해피 엔딩이 된 것은 아버지와 경비원이 '미안합니다' 하고 [ㅅ][ㄱ]를 했기 때문이다.

05 이 작품은 자아 [ㅅ][ㅊ]적 성격을 띠는데, 이는 '나'가 미안하다는 말을 해야 하는 상황에서 이를 회피했던 자신의 행동을 반성하는 모습을 보이고 있기 때문이다.

06 '나'는 아버지와 경비원 사이에서 벌어진 사건을 통해 자신의 잘못을 기꺼이 [ㅇ][ㅈ]하는 태도와 상대방의 [ㅊ][ㅈ]을 이해하려는 마음을 깨닫게 된다.

글쓴이

07 ㉠, ㉡에 대한 설명으로 가장 적절한 것은?

① ㉠은 체면을 중시하는 반면, ㉡은 실속을 중시하고 있다.
② ㉠은 오만한 태도를 보이는 반면, ㉡은 겸손한 태도를 보이고 있다.
③ ㉠은 상대의 잘못에 냉정한 반면, ㉡은 상대의 잘못을 덮어 주고 있다.
④ ㉠은 자신의 잘못을 합리화하는 반면, ㉡은 자신의 잘못을 인정하고 있다.
⑤ ㉠은 타인과 쉽게 불화를 일으키는 반면, ㉡은 타인과의 화합을 추구하고 있다.

표현

08 윗글에 대한 설명으로 적절하지 않은 것은?

① 대화를 활용하여 상황을 실감 나게 표현하고 있다.
② 영탄적 표현을 사용하여 글쓴이의 생각을 강조하고 있다.
③ 일상의 경험을 바탕으로 글쓴이가 자신의 삶을 성찰하고 있다.
④ 유사한 결말의 일화를 나란히 제시하여 주제를 전달하고 있다.
⑤ 솔직담백한 어조를 통해 글쓴이의 생각과 느낌을 드러내고 있다.

주제

09 ⓐ에 담긴 의미로 가장 적절한 것은?

① 자신이 원하는 바를 쉽게 얻을 수 있다.
② 자신이 가지고 있던 자존심을 굽히게 된다.
③ 어떤 잘못을 저지르더라도 용서받을 수 있다.
④ 갈등이나 문제 상황을 원만히 해결할 수 있다.
⑤ 아량을 베푸는 마음은 인간관계의 필수 조건이 된다.

수능형 글쓴이

10 〈보기〉를 바탕으로 윗글을 감상한 내용으로 적절하지 않은 것은?

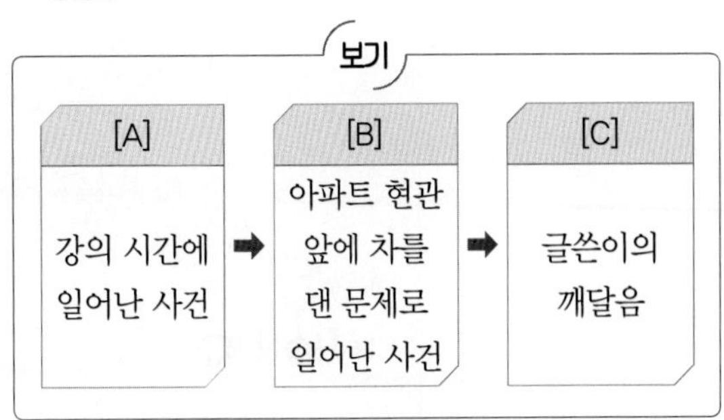

① [A]의 사건은 [B]의 사건이 일어나는 계기가 되고, 이를 통해 '나'는 [C]의 깨달음을 얻게 되는군.
② [A]에서의 '나'와 [B]와 관련된 인물들은 동일한 상황에서 상반된 태도를 보이는군.
③ [A]와 달리 [B] 이후에 '나'는 인간관계의 측면에서 긍정적인 변화를 보일 수 있겠군.
④ [A]에서는 깨닫지 못하다가 [B]를 통해 '나'는 사과의 위력에 대해 다시 생각하게 되었군.
⑤ [B]와 [C]의 복합적인 작용으로 '나'는 영수에게 '미안하다'라는 말을 하리라 다짐하고 있군.

작품 전체

처음	중간 1※	중간 2※	끝※
대부분의 우리나라 사람들처럼 '나' 역시 미안하다는 말을 하는 데 어려움을 느낌	'나'는 영수에게 사과할 상황에서 온갖 구실을 만들어 미안하다는 말을 하지 않음	❶ ㅇㅂㅈ와 경비원이 미안하다는 말로 갈등 상황을 원만히 해결하는 것을 보며 '미안합니다'라는 말의 위력을 깨달음	'나'는 아버지를 통해 얻은 깨달음을 바탕으로 영수에 대한 자신의 행동을 ❷ ㅂㅅ함

※: 교재 수록 부분

작품 압축

■ 등장인물의 특성

인물	특성
'나'	• 대학에서 영문학을 가르침 • 자존심이 세고 ❸ ㅁㅇ하다는 말을 하는 데 어려움을 느낌
아버지	체면을 따지지 않고 자신이 잘못한 일을 고개 숙여 ❹ ㅅㄱ하는 겸허한 성품을 지님
경비원	• 자신의 잘못을 깨달으면 즉시 사과하는 태도를 보임 • 사회적 약자를 ❺ ㅂㄹ하고 이해하는 마음씨를 지님

■ 등장인물의 상반된 태도

'나'		아버지, 경비원
말더듬이 증상이 있는 영수를 대신해 서훈이가 책을 읽은 것을 오해하여 영수에게 상처를 줌		현관 가까이에 차를 댄 문제로 경비원이 아버지를 심하게 힐책함
⇓		⇓
영수에게 미안함을 느끼면서도 여러 가지 핑계로 자신을 ❻ ㅎㄹㅎ하며 사과하지 않음		아버지는 경비원에게 계속 사과하고, 경비원 역시 거동이 불편한 '나'의 처지를 알고 아버지에게 사과함

글쓴이

표현 주제

■ 서술상 특징

특징

- 두 가지 ❼ ㅇㅎ를 대조하여 주제를 제시함
- 자신의 심리를 고백하는 어조로 솔직담백한 느낌을 줌
- 대화를 제시하여 작중 상황을 실감 나게 전달함
- 일상적 경험을 바탕으로 삶을 ❽ ㅅㅊ함

■ 글쓴이의 경험과 깨달음

경험	• 주차 문제로 아버지와 경비원 사이에 ❾ ㄱㄷ이 발생함 • 아버지와 경비원이 자신의 잘못을 인정하고 서로에게 사과하며 문제를 원만히 해결하는 모습을 봄
⇓	
깨달음	• 자신의 잘못을 인정하고 상대방의 처지를 이해하려는 마음이 필요함 • 갈등이나 문제 상황을 원만히 해결하게 하는 '미안합니다'라는 말의 ❿ ㅇㄹ을 깨달음

• 정답과 해설 62쪽

어휘력 테스트

1 **제시된 뜻과 예문을 참고하여 다음 초성에 해당하는 단어를 괄호 안에 써 보자.**

(1) ㅍ ㅈ ㅅ : 감정의 기복이 없이 평안하고 고요한 마음

예 바둑에서 최선의 마음가짐은 (   )을 유지하는 것이다.

(2) ㅇ ㅌ ㅅ : 그때그때의 사정과 형편을 보아 일을 처리하는 재주. 또는 일의 형편에 따라 적절하게 처리하는 재주

예 그는 (   )이 없이 원리 원칙만을 주장하는 고집 센 사람이다.

(3) ㅎ ㄹ ㅎ : 어떤 일을 한 뒤에, 자책감이나 죄책감에서 벗어나기 위하여 그것을 정당화함

예 배고픈 여우가 포도를 따 먹기 힘들어지자 신 포도일 것이라고 여기는 것을 (   )라고 한다.

2 **다음 단어를 활용하기에 적절한 문장을 찾아 바르게 연결해 보자.**

(1) 냉담하다 •		• ㉠ 부대장은 부대원의 무례한 행동을 ( )했다.
(2) 힐책하다 •		• ㉡ 엄마에게 꾸중을 들은 딸아이가 ( )해 있다.
(3) 뾰로통하다 •		• ㉢ 늘 허세를 부리는 그의 행동에 사람들은 ( ) 한 반응을 보였다.

독해쌤과 함께하는 감상 넓히기

배려의 의미를 되새길 수 있는 작품

이번에 감상한 「미안합니다」는 자신의 잘못을 인정할 줄 알고 사과하는 태도의 필요성을 전하고 있는 작품이에요. 이와 같은 행동은 상대방을 배려하는 마음이 바탕이 되어야 할 수 있는 일이지요. 현대사회에 꼭 필요한 배려의 의미를 되새길 수 있는 다른 작품들을 더 감상해 볼까요?

소음공해_오정희

층간 소음 문제 때문에 발생한 이웃 간의 갈등을 통해, 이웃에 대한 관심과 배려가 부족한 현대인의 모습을 비판하고 있는 작품입니다.

옥상의 민들레꽃_박완서

할머니의 자살 사건으로 자살 방지를 위한 주민 대책 회의를 열게 되는데, 그 안에서 현대인들의 부정적인 세태가 여실히 드러나게 됩니다. 인간적·정신적인 가치와 세대 간의 이해와 배려에 대해 생각해 볼 수 있는 작품입니다.

어부 _ 이옥

정치를 잘하지 못하면 국민들의 삶이 힘들어질 수 있어요. 이는 과거에도 마찬가지였답니다. 그렇기 때문에 강직한 신하들은 임금이 바람직한 정치를 할 수 있도록 목숨을 걸고 간언을 올리기도 했죠. 이 작품에도 이러한 내용이 담겨 있는데, 현실의 어떤 부분을 문제 삼고 있는지 살펴보며 감상해 볼까요?

독해쌤의 감상 질문

1. 글쓴이 • 글쓴이의 현실 인식은 무엇인가요?
   • 글쓴이의 관점은 무엇인가요?
2. 표현 이 작품의 표현상 특징은 무엇인가요?
3. 주제 • 이 작품의 주제 의식은 무엇인가요?
   • 이 작품에서 비판하고 있는 현실 상황은 무엇인가요?

처음

가 물이 하나의 국가라면, 용은 그 나라의 군주다. 물고기 가운데 큰 것으로 고래, 곤어, 바닷장어 같은 것은 군주를 안팎에서 모시는 여러 신하이다. 그 다음으로 메기, 잉어, 다랑어, 자가사리 같은 것은 서리나 아전의 무리다. 이 밖에 크기가 한 자 못 되는 것들은 물나라의 만백성이라 할 수 있다. 상하가 서로 차례가 있고 큰 놈이 작은 놈을 통솔하니, 그것이 어찌 사람과 다르겠는가?

(서리: 중앙 관아에 속하여 문서의 기록과 관리를 맡아보던 하급의 구실아치 / 아전: 중앙과 지방의 관아에 속한 구실아치 / 자: 길이의 단위. 한 자는 약 30.3cm)

처음 | 군주, 신하, 백성 등 인간 세계의 관계를 물속 세계에 빗대어 제시함

중간

나 그러므로 용은 물나라를 다스리면서, 날이 가물어 마르면 반드시 **비를 내려 주고**, 사람이 물고기를 다 잡아 버릴까 염려하여서는 **큰 물결을 겹쳐 일어나게 하여 덮어** 준다. 그러한 것이 물고기에 대해서 은혜를 끼침이 아닌 것은 아니다.

다 하지만 물고기에게 인자하게 베푸는 것은 한 마리 용뿐이요, 물고기를 학대하는 것은 수많은 큰 물고기들이다. **고래와 암코래**는 조류를 들이마셔서 **작은 물고기를 잡아먹는** 일을 자신의 시서(詩書)로 삼고, **교룡과 악어**는 물결을 헤치며 삼키고 씹어 먹어 **작은 물고기를 잡아먹는** 것을 거친 땅의 농사일로 삼으며, **문절망둑, 쏘가리, 두렁허리, 가물치의 족속**은 틈을 타서 발동을 해서 **작은 물고기를 자신의 은이요 옥으로 삼는**다. 강자는 약자를 삼키고, 지위가 높은 자는 아랫것을 약탈하니, **진실로 강한 자, 높은 자가 싫증 내지 않는다면 작은 물고기는 반드시 남아나지 않을 것**이다.

(시서: 시와 글씨를 아울러 이르는 말. 여기서는 취미를 뜻함)

라 슬프다! 작은 물고기가 없다면 용이 누구와 더불어 군주가 되며, 저 큰 물고기들이 어찌 으스댈 수 있겠는가? 그러므로 용의 도리란 작은 물고기들에게 구구한 은혜를 베풀어 주는 것보다, **차라리 먼저 그들을 해치는 족속들을 물리치는 것만 못하리라!**

중간 | 강자가 약자를 수탈하는 현실 상황과 백성을 해치는 관리들을 물리쳐야 하는 군주의 도를 제시함

끝

마 아아, 사람들은 물고기에게만 큰 물고기가 있는 줄 알고 사람에게도 큰 물고기가 있는 줄을 알지 못하니, ㉠물고기가 사람을 슬퍼하는 것이 어찌 사람이 물고기를 슬퍼하는 것보다 심하지 않다고 하랴?

끝 | 사람들이 불합리한 현실을 깨닫지 못하는 것에 대한 안타까움

확인 문제

[01~03] 다음 설명이 맞으면 ○, 틀리면 ×표 하시오.

01 이 작품은 물속 물고기의 세계에 빗대어 인간 세계의 문제점을 비판하고 있다. (○, ×)

02 이 작품에서 글쓴이는 현재의 상황에 대해 개탄하는 태도를 드러내고 있다. (○, ×)

03 이 작품의 글쓴이는 백성들의 삶을 피폐하게 만든 직접적인 원인 제공자는 군주라고 말하고 있다. (○, ×)

[04~06] 다음 빈칸에 들어갈 알맞은 말을 쓰시오.

04 이 작품에서 글쓴이는 [ㅋ] [ㅁ][ㄱ][ㄱ]에 대한 부정적 시각을 드러내고 있다.

05 이 작품에서 '물'은 [ㄱ][ㄱ], '용'은 [ㄱ][ㅈ], '물고기'는 신하와 [ㅂ][ㅅ]을 비유하고 있다.

06 이 작품에서 글쓴이는 작은 물고기로 비유된 [ㅂ][ㅅ]을 나라의 근본으로 인식하고 있다.

실력 문제

표현

07 윗글에 대한 설명으로 가장 적절한 것은?

① 외양에 대한 묘사를 통해 대상을 희화화하고 있다.
② 설의적 표현을 활용하여 전달하려는 의미를 강조하고 있다.
③ 추측의 표현을 통해 과거 사실에 대한 의구심을 드러내고 있다.
④ 고사를 활용하여 부조리한 대상에 대한 풍자의 의도를 드러내고 있다.
⑤ 영탄적 어조를 통해 대상의 부재 상황에 대한 안타까움을 드러내고 있다.

글쓴이 + 주제

08 글쓴이가 ㉠을 통해 말하고자 하는 바로 가장 적절한 것은?

① 물속 세계처럼 인간 세계도 상하 관계가 엄격하게 형성되어 있다.
② 사람들이 물고기에게만 '큰 물고기'가 있는 줄 알고 있는 것이 안타깝다.
③ 용이 '작은 물고기'들에게 은혜를 베푸는 것처럼 군주는 백성들을 보살펴야 한다.
④ 물고기나 인간이나 모두 강자는 약자를 삼키고, 지위가 높은 자는 낮은 자의 것을 약탈한다.
⑤ '큰 물고기'가 '작은 물고기'에 미치는 것보다 더 큰 해악을 관리들이 백성들에게 미치고 있다.

수능형 글쓴이 + 주제

09 윗글을 〈보기〉의 ⓐ~ⓔ와 관련 지어 이해한 내용으로 적절하지 않은 것은?

보기

신은 삼가 성상께 글을 올리옵니다. 성상의 바른 다스림에 백성들은 태평성대를 살아갈 수 있었사옵니다. ⓐ성상께서는 백성들이 편안하게 살 수 있도록 항상 성심을 다하고 계시옵니다. 하지만 성상의 뜻과는 달리 ⓑ조정의 대신들은 백성들을 가볍게 여기고 있사옵니다. 또한 지방관들은 백성을 사사로이 부리고 있으며, ⓒ그 밑에 있는 서리나 아전들은 백성들의 고혈을 짜 자신의 부를 축적하는 데만 눈이 멀어 있사옵니다. 이에 백성들은 죽어 사라질 위기에 처하였사옵니다. ⓓ백성이 있어야 성상께서도 군주가 되시옵고, 벼슬아치들도 살 수 있는 것이옵니다. 하오니 ⓔ무엇보다 시급한 것은 백성들을 해치는 못된 관리들을 물리치는 일이옵니다. 전하, 부디 통촉하여 주시옵소서.

① '비를 내려 주고'와 '큰 물결을 겹쳐 일어나게 하여 덮어' 주는 것에 빗대어 ⓐ의 의미를 드러내고 있군.
② '고래와 암코래', '교룡과 악어'가 '작은 물고기를 잡아먹는' 것에 빗대어 ⓑ의 행태를 제시하고 있군.
③ '문절망둑, 쏘가리, 두렁허리, 가물치의 족속'이 '작은 물고기를 자신의 은이요 옥으로 삼는' 것에 빗대어 ⓒ의 행태를 고발하고 있군.
④ '진실로 강한 자, 높은 자가 싫증 내지 않는다면 작은 물고기는 반드시 남아나지 않을 것'에 빗대어 ⓓ의 전망을 강조하고 있군.
⑤ '차라리 먼저 그들을 해치는 족속들을 물리치는 것만 못하리라'에 빗대어 ⓔ의 시급성을 강조하고 있군.

작품 전체

처음	중간	끝
군주, 신하, 백성 등 인간 세계의 관계를 물속 세계에 빗대어 제시함	강자가 약자를 수탈하는 상황과 백성을 해치는 관리들을 물리쳐야 하는 ❶ㄱㅈ의 도를 제시함	사람들이 불합리한 현실을 깨닫지 못하는 것에 대한 안타까움

처음 ⇒ 중간 ⇒ 끝

작품 압축

■ 글쓴이의 현실 인식

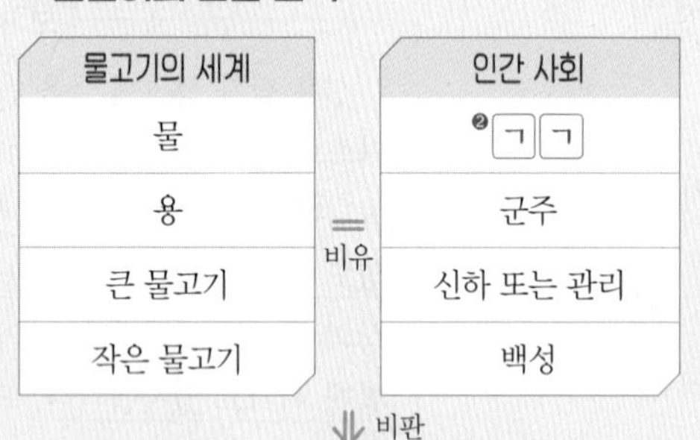

물고기의 세계		인간 사회
물		❷ㄱㄱ
용	= 비유	군주
큰 물고기		신하 또는 관리
작은 물고기		백성

⇓ 비판

강자가 약자를 괴롭히는 현실

글쓴이는 인간 사회와 그 구성원들을 물속 세계와 그 속에 사는 물고기들에 빗대어, 신하 또는 관리들이 백성을 괴롭히는 당대의 ❸ㅂㅈㅈ 현실에 대해 비판하고 있음

■ 글쓴이의 관점

글쓴이는 부정적인 현실에서 용(군주)이 행해야 할 역할은 작은 물고기(백성)에게 은혜를 베풀어 주는 것보다, 그들을 힘들게 하는 큰 물고기(관리)를 물리치는 것임을 강조하고 있다.

백성에게 ❹ㅇㅎ를 베풀어 줌 < 백성을 해치는 관리들을 물리침

글쓴이 — 표현 / 주제

■ 표현상의 특징

❺ㅇㅌㅂ	'슬프다!', '아아' 등과 같은 영탄적 표현을 통해 부정적 현실에 대한 글쓴이의 안타까움을 드러냄
설의법	'그것이 어찌 사람과 다르겠는가?', '심하지 않다고 하랴?' 등의 설의적 표현을 통해 글쓴이의 생각을 강조함
비유법	국가와 그 구성원을 물나라와 물속 물고기들에 빗대어 표현함

■ 이 작품의 주제 의식

물속 세계	인간 세계
큰 물고기들이 작은 물고기들을 ❻ㅎㄷ하고 잡아먹음	중간 관리자인 탐관오리가 백성을 괴롭히고 착취함

⇓

❼ㅌㄱㅇㄹ의 행태를 비판하고, 군주의 올바른 자세를 제시함

어휘력 테스트

1 다음 괄호 안에 들어갈 단어를 〈보기〉에서 골라 써 보자.

보기

약탈　　족속　　통솔

(1) 우리의 귀중한 문화재가 외부 세력에 의해 많이 (　　　　)됐다.

(2) 오랜만에 야외에 나와 들떠 있는 학생들이라 (　　　　)이 제대로 안 된다.

(3) 어느 시대이건 당대의 세족에 붙어서 약자를 괴롭히던 (　　　　)들은 존재하기 마련이다.

2 다음 단어를 활용하기에 적절한 문장을 찾아 바르게 연결해 보자.

(1) 군주 •　　• ㉠ 하늘에 기러기가 (　　　　)를 지어 날아간다.

(2) 무리 •　　• ㉡ (　　　　)는 덕을 행하여 백성들을 친자식처럼 사랑해야 한다.

(3) 염려 •　　• ㉢ 동생이 늦게까지 집에 돌아오지 않자 어머니는 별별 (　　　　)를 다 하셨다.

독해쌤과 함께하는 감상 넓히기

인간 세계를 다른 대상에 빗대어 비판한 작품

이번에 감상한 「어부」는 물속 세계에 인간의 세계를 빗대어 당대 사회 현실을 비판한 작품이에요. 이와 같이 다른 대상에 인간의 세계를 빗대어 부조리한 현실을 비판한 작품들이 많은데, 이러한 작품들을 더 감상해 볼까요?

고시8_정약용

지배 계층의 착취와 수탈로 고통받는 백성들을 '제비'에 빗대고, 이들을 괴롭히는 지배 계층을 '황새'와 '뱀'에 빗대어 지배 계층의 횡포로 인해 고통을 겪는 피지배 계층의 모습을 우의적인 수법으로 풍자한 작품입니다.

발가벗은 아이들이~_이정신

'발가벗은 아이들'이 '고추잠자리'를 잡는 모습을 통해 강자가 거짓으로 약자를 속여서 해치려는 험난한 세태를 풍자하고 있는 작품입니다. 여기서 강자인 '발가벗은 아이들'은 속이는 자, 모함을 일삼는 자를 가리키며, 약자인 '고추잠자리'는 속아 넘어가는 자, 모해를 당하는 자를 가리킵니다.

memo

중등 수능 독해

국어 문학 독해 2 발전

정답과 해설

책 속의 가접 별책 (특허 제 0557442호)

'정답과 해설'은 본책에서 쉽게 분리할 수 있도록 제작되었으므로
유통 과정에서 분리될 수 있으나 파본이 아닌 정상제품입니다.

우리는 남다른 상상과 혁신으로
교육 문화의 새로운 전형을 만들어
모든 이의 행복한 경험과 성장에 기여한다

중등 수능 독해

정답과 해설

1. 시

본문 014~015쪽

실전 01 접동새 _김소월

갈래 자유시, 서정시
성격 전통적, 민요적, 애상적, 향토적
주제 죽어서도 잊지 못하는 애절한 혈육의 정
특징 • 설화를 바탕으로 시상을 전개하여 '한'의 정서를 드러냄
• 의성어를 반복하여 음악적 효과를 얻고, 애상적 분위기를 형성함
• 7·5조, 3음보 민요조 율격을 계승하여 전통적이고 애상적인 느낌을 줌

확인 문제
01 ○ 02 × 03 ○ 04 × 05 설화 06 한
07 오오 불설워

실력 문제
08 ⑤ 09 ④ 10 ③

01 이 작품에서 죽은 누나는 '아홉이나 남아 되던 오랩동생'을 두었었다. 그런데 그 누나를 4연에서 '우리 누나'라고 부르고 있으므로, 이 작품의 화자는 아홉 오랩동생 중의 하나임을 알 수 있다.

02 이 작품에서 '접동새'는 죽은 누나의 환신, 또는 누나의 한을 상징한다.

03 이 작품은 '접동 / 접동 / 아우래비 접동', '진두강 / 가람 가에 / 살던 누나는' 등과 같이 3음보의 민요적 율격을 사용하여 운율감을 형성하고 있다.

04 이 작품에는 접동새가 우는 소리를 표현한 의성어 '접동'이 반복적으로 사용되고 있다.

05 이 작품은 계모에게 박대를 당해 억울하게 죽은 처녀가 접동새가 되어 밤마다 동생들을 찾아와 울었다는 '접동새 설화'를 바탕으로 하여 시상이 전개되고 있다.

06 이 작품에서 '아홉이나 남아 되던 오랩동생을 / 죽어서도 못 잊어 차마 못 잊어' 밤이 깊으면 접동새가 산을 옮겨 다니며 슬피 운다고 하였다. 이를 통해 반복되는 접동새의 울음소리는 동생들을 잊지 못하는 누나의 한을 상징함을 알 수 있다.

07 이 작품의 화자는 2~3연에서 접동새에 얽힌 이야기를 객관적으로 제시하다가, 4연에서 '오오 불설워'라는 시구를 통해 죽은 누나에 대한 화자의 그리움과 안타까움의 감정을 직접적으로 드러내고 있다.

알아두기 작품의 중심 정서

접동새 설화
• 의붓어미의 시샘으로 누나가 죽음 • 누나가 동생들을 잊지 못해 밤마다 접동새가 되어 찾아와서 욺
⇓
누나의 한

08 표현

이 작품의 '우리 누나'라는 시구로 보아 화자는, 죽어서 접동새가 된 누나의 동생들 중 한 명으로 볼 수 있다. 화자는 누나의 억울한 죽음과 한을 슬픔의 정서로 표현하며 누나에 대한 그리움을 드러내고 있다. 그런데 이 작품에는 시적 대상인 죽은 누나와 화자의 대화는 나타나 있지 않다.

오답 풀이 ❶ 이 작품은 의붓어미의 시샘으로 인한 누나의 죽음이라는 비극적인 상황을 애상적 어조를 통해 드러내고 있다.
❷ '진두강 가람 가', '진두강 앞마을' 등 구체적인 지명을 사용하여 향토적인 정서를 불러일으키고 있다.
❸ 이 작품에서는 2연의 '진두강 가람 가에 살던 누나는'이라는 시구가 3연에서도 똑같이 반복되고 있다. 2연에서 누나가 접동새가 되어 운다는 내용이 제시되고 3연에서 누나가 우는 이유가 나타나고 있는데, 공통적으로 사용된 이 시구가 두 연을 유기적으로 연결하는 기능을 하고 있음을 알 수 있다.
❹ 1연의 '접동 / 접동 / 아우래비 접동'은 접동새의 울음소리를 표현한 음성 상징어로, 청각적 이미지를 반복적으로 배치함으로써 음악적 효과를 얻고 있다.

09 시어(구)

㉠은 억울하게 죽은 누나의 환신이자 동생들을 잊지 못해 밤마다 찾아오는 누나의 한을 상징한다.

오답 풀이 ❶ '야삼경 남 다 자는 밤이 깊으면' 운다고 한 것으로 보아 누나가 죽어서도 계모의 눈을 피해 다니는 처지임을 알 수 있다. 따라서 누나가 복수심을 가졌다고 보기는 어렵다.
❷ 접동새는 죽은 누나의 환신이므로, 의붓어미의 시샘을 상징한다고 볼 수 없다.
❸ 동생들을 잊지 못해 밤마다 찾아와서 울고 있으므로, 누나가 갈 곳을 잃고 방황하고 있다고 보기는 어렵다.
❺ 접동새는 누나의 환신으로 동생들을 잊지 못하는 누나의 그리움과 한을 상징한다. 그런데 이 작품을 통해 누나가 의붓어미의 시샘에 죽었다는 것을 알 수는 있으나, 가난한 현실에 대해서는 알 수 없다.

배경지식 접동새의 상징성

접동새는 '귀촉도', '두견이', '자규' 등으로도 불린다. 접동새는 특히 울음소리가 구슬퍼서 시가 문학에서 한이나 슬픔의 정서를 상징하는 소재로 자주 활용된다.

10 화자·대상 + 시어(구)

이 작품에서 억울하게 죽은 누나가 접동새로 환생한 것은 억울한 죽음으로 인한 한과 아홉 동생들에 대한 그리움 때문이다. 따라서 누나의 환생을 희망의 정서와 연결 짓는 것은 적절하지 않다.

오답 풀이 ❶ '접동 / 접동 / 아우래비 접동'에서는 'aaba' 구조로 시행을 배열하여 접동새의 울음소리를 제시하여 리듬감을 살리고 있다.
❷ 3연까지의 '누나'가 4연에서 '우리 누나'로 변주되면서 민족이 지닌 슬픔의 정서, 한의 정서로 공감을 이끌어 내고 있다.
❹ '죽어서도 / 못 잊어 / 차마 못 잊어'는 3음보의 전통적 율격을 사용하여 이별한 동생들에 대한 누나의 그리움과 한을 강조하며 이별의 정한을 드러낸 시구이다.
❺ '이 산 저 산 옮아 가며 슬피 웁니다.'는 접동새가 된 누나는 죽어서도 계모의 눈을 피해 동생들을 보러 와야 하는 처지에 있는 설화의 내용을 담고 있는 시구로, 이는 나라를 잃고 일제의 눈치를 보며 떠돌아야 했던 일제 강점기 우리 민족의 처지와 연결 지을 수 있다.

배경지식 ⊕ **김소월의 시에 담긴 민족의 한**

김소월의 시가 많은 사람들에게 감동을 줄 수 있었던 이유 중에 하나는 일제 강점기에 우리 민족의 고통을 작품에 담아냈기 때문이다. 나라를 빼앗기고, 오랫동안 의지하고 살았던 삶의 터전마저 잃은 채 비참하게 방황했던 우리 민족에게 김소월의 시는 민족의 상실감과 한을 대신 풀어 내 주는 것이었다. 「접동새」 역시 이러한 우리 민족의 슬픔과 한을 고전 설화를 차용하여 표현한 것이라고 볼 수 있다.

+ 독해 체크 본문 016쪽

❶ 의붓어미 ❷ 동생 ❸ 접동새 ❹ 환신 ❺ 한
❻ 애상적 ❼ 설화 ❽ 민요

+ 어휘 체크 본문 017쪽

1 (1) 박대 (2) 시새움 (3) 야삼경
2 오랩동생 – 생시 – 시샘 – 샘물 – 물가 – 가람

본문 018~019쪽

실전 02 향수_정지용

갈래 자유시, 서정시
성격 향토적, 감각적, 묘사적, 회상적
주제 고향에 대한 그리움
특징
- 후렴구가 반복되는 병렬식 구조로 구성됨
- 향토적인 시어를 사용하여 정겨운 느낌을 줌
- 감각적 심상을 활용하여 고향의 모습을 선명하게 묘사함

확인 문제

01 × 02 ○ 03 × 04 ○ 05 하늘빛
06 청각, 시각 07 설의

실력 문제

08 ⑤ 09 ⑤ 10 ⑤ 11 ②

01 이 작품은 향토적인 시어를 사용하여 정겨운 고향의 모습을 구체적으로 그리고 있다. 따라서 추상적인 시어를 사용하여 주제를 압축적으로 전달했다고 보기 어렵다.

02 이 작품은 '~는 곳'이라는 형태의 시구와 후렴구를 반복하여 운율감을 형성하고 있다.

03 이 작품은 다양한 감각적 심상을 활용하고 있는데, 이를 통해 고향의 모습을 다채롭고 생생하게 묘사하고 있다. 그러나 감각적 표현은 시의 이미지를 구체화하는 역할을 할 뿐, 시에 형태적인 안정감을 주는 것은 아니다.

04 이 작품에서의 고향은 2연, 4연에 그려진 것처럼 가난하고 고달픈 곳이기도 하지만, 1연과 5연에 묘사된 것처럼 평화롭고 정겨운 곳이며 따뜻하고 단란한 가족이 있는 곳이다.

05 '파아란 하늘빛'은 화자가 추구하던 어린 시절의 꿈, 이상 등을 시각적으로 형상화한 것이다.

06 '금빛 게으른 울음'은 '울음'이라는 청각적 심상을 '금빛'이라는 시각적 심상으로 전이시켜 나타낸 공감각적 표현이다.

07 '그곳이 차마 꿈엔들 잊힐리야.'는 의문문 형식인 설의적 표현이 사용된 것이며, 이를 각 연에 반복하여 고향을 잊을 수 없다는 내용을 강조하고 있다.

08 표현

이 작품은 시각, 청각, 촉각, 공감각 등 다양한 감각적 이미지를 통해 고향의 모습을 선명하게 묘사하고 있다.

오답 풀이 ❶ 2연과 5연에서 밤이라는 시간적 배경이 드러나기는 하지만, 4연에서는 '햇살'을 통해 낮 시간이 배경임을 알 수 있다. 따라서 시간의 흐름에 따라 시상이 전개되는 것은 아니다.

❷ 이 작품은 고향의 풍경을 묘사하고 있을 뿐, 이와 대조되는 공간은 드러나지 않는다.

❸ 이 작품에서 '도란도란'이라는 의성어가 사용되었으나, 그 외에는 의성어가 사용되지 않았다.

❹ 첫 연과 마지막 연은 서로 다른 고향의 풍경을 그리고 있는 독립적인 내용이다. 따라서 첫 연의 내용을 마지막에 다시 반복하고 있다는 설명은 적절하지 않다.

알아두기 감각적인 표현과 그 효과

시각적, 청각적, 촉각적, 공감각적 심상 등 다양한 심상을 사용함

⇓

고향의 모습을 다채롭게 묘사하고 고향에 대한 그리움을 환기함

09 표현

㉠은 각 연마다 반복되는 후렴구로, 연과 연을 구분하고 반복을 통해 운율감을 형성하며 작품 전체에 통일감을 부여한다. 또한 고향에 대한 그리움이라는 주제를 강조하는 효과가 있다.

오답 풀이 ❶ '그곳이 차마 꿈엔들 잊힐리야.'는 고향에 대한 화자의 그리움을 직접적으로 표출한 것이므로, 시적 대상을 구체적으로 묘사한 것이라고 볼 수 없다.

❷ ㉠은 각 연의 마지막에 후렴구처럼 반복되어 연과 연을 구분하는 기능을 할 뿐, 연과 연의 관계를 밝혀 주는 것은 아니다.

❸ ㉠의 문장 전체가 후렴구로 반복되고 있을 뿐이지 특정 음운을 반복한 것은 아니다.

❹ 이 작품에는 고향의 여러 가지 풍경이 유기적인 관련성 없이 병렬적으로 제시되어 있으므로 단계적으로 의미가 심화된다고 볼 수 없으며, 후렴구가 각 단계의 의미를 심화하는 것도 아니다.

알아두기 후렴구의 기능

이 작품은 각 연의 마지막에서 '그곳이 차마 꿈엔들 잊힐리야.'라는 후렴구를 반복하고 있는데, 이는 설의적 표현을 통해 고향에 대한 그리움을 드러낸 것이다.

후렴구의 반복 ⇒
- 운율감을 형성함
- 주제나 정서를 강조함
- 형태적인 통일성과 안정감을 줌

10 시어(구)

<보기>는 이 작품에 사용된 향토적인 소재의 기능에 대해 설명하고 있다. '파아란 하늘빛'은 어느 장소에서나 볼 수 있는 소재이므로, 시골적인 느낌을 주는 향토적 소재라고 보기 어렵다.

오답 풀이 ❶, ❷, ❸, ❹ '실개천, 얼룩빼기 황소, 질화로, 짚베개'는 주로 시골에서 볼 수 있는 향토적 소재이다.

배경지식 향토적 소재

향토적 소재는 고향이나 시골의 정취가 담긴 것들을 말한다. 이처럼 시골을 떠올리게 하거나 시골적인 정감이 담긴 소재들이 작품에 사용되면 소박하고 정겨운 분위기가 느껴진다. 이 작품은 향토적 소재들을 활용하여 가난하여 고달픈 생활을 했지만 정겹고 단란했던 고향의 모습을 효과적으로 표현하고 있다.

11 주제

이 작품은 전체적으로 고향의 평화롭고 정겨운 모습을 그려 내고 있다. 2연은 겨울밤 고단하게 잠에 빠져드는 늙으신 아버지의 모습을 묘사하고 있는데, 이는 가난하지만 아늑하고 평화로운 고향의 정경을 그려 낸 것이다. 노년의 아버지가 느끼는 서글픔과는 관련이 없다.

오답 풀이 ❶ 1연은 넓은 벌을 배경으로 하여 평화롭고 한가한 고향 마을의 모습을 그려 내고 있으므로, 마을 전체의 모습이 보이도록 먼 거리에서 촬영하는 것이 적절하다.

❸ 3연에는 꿈을 찾아 자유롭게 뛰놀던 어린 시절 화자의 모습이 그려져 있으므로, 천진하고 순수한 분위기가 어울린다.

❹ 4연은 들판에서 일하고 있는 누이와 아내의 모습을 회상하는 내용인데 '아무렇지도 않고 예쁠 것도 없는'이라는 표현을 통해 소박하고 평범한 모습이었음을 알 수 있다.

❺ 5연은 깊은 밤 희미한 불빛이 새어 나오는 초라한 집에서 가족들이 모여 앉아 도란거리는 모습을 묘사하고 있으므로, 아늑하고 따뜻한 느낌이 어울린다.

배경지식 이 작품의 창작 배경과 이미지즘

이 작품은 정지용이 일본에 유학 갈 때 고향을 그리며 쓴 시이다. 정지용은 모더니즘의 대표적 시인으로, 특히 감각적 이미지를 구체화함으로써 이미지즘의 독창적 경지를 이룩했다는 평가를 받는다. 이 작품은 감각적이고 향토적인 시어를 사용하여 연마다 한 폭의 그림이 연상되도록 하여 인간의 공통된 정서인 향수를 마치 한 폭의 풍경화처럼 생생하게 그려 낸 그의 대표작이다.

+ 독해 체크 본문 020쪽

❶ 고향 ❷ 겨울밤 ❸ 그리움 ❹ 통일성 ❺ 실개천 ❻ 회상

+ 어휘 체크 본문 021쪽

1 (1) ㉡ (2) ㉢ (3) ㉠
2 (1) 전형적 (2) 역동적 (3) 향토적

본문 022~023쪽

수라(修羅)_백석

갈래 자유시, 서정시
성격 일상적, 경험적, 서사적, 상징적
주제 가족 공동체 해체의 비극 및 가족 공동체의 회복에 대한 소망
특징 • 시적 대상을 의인화하여 표현함
• 화자의 특정한 행동이 반복되며 시상이 전개됨
• 구조의 반복과 변용을 통해 정서의 점층적 심화 과정을 보여 줌

확인 문제
01 × 02 ○ 03 × 04 일상적 05 가족 공동체 06 차디찬 밤

실력 문제
07 ③ 08 ② 09 ② 10 ③

01 이 작품의 화자는 처음에는 무심한 태도로 새끼 거미를 문밖으로 버리지만, 시상이 전개됨에 따라 거미 가족의 상황에 대해 안타까워하며 연민의 감정을 느끼게 된다.

02 이 작품은 거미 가족이 처한 비극적 상황을 통해 가족이 뿔뿔이 흩어져 살아야 했던 1930년대 우리 민족의 현실을 우회적으로 드러내고 있다.

03 이 작품은 연이 바뀔수록 행의 수가 늘어나고 있는데, 이는 화자의 정서가 점층적으로 심화되는 것과 연관된다. 처음에는 시적 대상인 거미에 대해 무심했던 화자가 시상이 전개될수록 거미에 대해 연민과 안타까움을 느끼며 화자의 정서가 심화되고 있다. 그러나 행의 수가 늘어나는 구조를 통해 시적 대상인 거미의 상황이 악화되는 것을 보여 주는 것은 아니다.

04 이 작품은 방 안에 들어온 거미를 차례로 문밖으로 쓸어 버리는 일상적 경험을 바탕으로 시상을 전개하고 있다.

05 '수라'는 '하늘에서 쫓겨난 사람들의 세계', '눈 뜨고 볼 수 없을 만큼 끔찍하게 흩어져 있는 현장'이라는 뜻인데, 한 가족이 함께 지내지 못하는 비극적인 상황을 상징적으로 드러낸 것이다.

06 '차디찬 밤'은 시간적 배경에 촉각적 심상을 결합하여 거미 가족이 처한 비극적인 상황을 표현한 것이다.

07 표현

이 작품은 시상이 전개됨에 따라 거미를 쓸어 버리는 시적 상황과 이에 대한 화자의 정서가 점차 구체화되고 있다. 하지만 시적 대상인 거미가 나타나는 시간(밤)과 공간(방 안)은 일관되게 나타나므로, 시간과 공간이 점차 구체화되고 있다는 설명은 적절하지 않다.

오답 풀이 ❶ 이 작품은 거미를 의인화하여 거미가 처한 상황에 대한 화자의 연민과 안타까움을 드러내고 있다.
❷ 이 작품에는 '새끼 거미', '큰 거미', '무척 작은 새끼 거미'가 차례로 등장하고 이를 문밖으로 버리는 화자의 행위가 반복되고 있다.
❹ 이 작품은 거미 가족이 뿔뿔이 흩어지는 비극적인 상황을 '차디찬 밤'이라는 촉각적 심상으로 강조하고 있다.
❺ 이 작품은 '쓸어 버린다', '짜릿한다', '서러워한다', '아물거린다' 등 현재형 시제를 주로 사용하고 있는데, 이를 통해 화자가 처한 상황과 행동을 생생하게 보여 주고 있다.

알아두기 | 점층적 시상 전개

이 작품은 연이 바뀌면서 행의 수가 늘어나는 구조인데, 이에 따라 시적 대상에 대한 묘사도 더 세밀해진다. 또한 화자와 시적 대상의 심리적 거리가 가까워지면서 화자의 정서도 점층적으로 심화된다.

1연 → 2연 → 3연 행의 수 증가	⇒	• 거미에 대한 묘사가 더 구체화됨 • 화자의 정서가 점층적으로 심화됨 • 거미와 화자의 심리적 거리가 점차 가까워짐

08 시어(구)

화자가 '새끼 거미'를 문밖으로 쓸어 버림으로써 거미 가족이 흩어지게 되므로 ㉠은 가족 공동체가 해체되는 공간이다. 이와 달리 ㉡은 '무척 작은 새끼 거미'가 '엄마와 누나나 형'을 만날 수도 있는 공간이므로 가족과의 재회 가능성이 있는 공간이다.

오답 풀이 ❶ ㉡은 가족과 재회할 수 있는 가능성은 있지만 여전히 춥고 위험한 곳이므로 생명의 보존이 보장되는 공간이라고 보기 어렵다.
❸ ㉠은 '새끼 거미'가 가족과 헤어지게 되는 공간이므로 새로운 모험이 시작되는 공간이라고 보기 어려우며, ㉡도 가족이 만날 가능성이 있기는 하지만 여전히 추운 공간이므로 안락함을 누리는 공간이라고 볼 수는 없다.
❹ ㉠은 가족과 헤어지게 되는 공간이므로 생존을 위해 거쳐야 하는 곳이라고 보기 어려우며, ㉡도 생존할 수 있고 가족이 만날 수 있는 공간이지만 가족의 화합이 결정되어 있는 공간이라고 볼 수는 없다.
❺ ㉠은 화자로 인해 거미 가족이 헤어지게 되는 공간이므로 화자와의 갈등이 해소되는 공간이라고 보기 어렵다.

알아두기 | '문밖'의 의미

시적 공간은 작가가 주제를 형상화하기 위해 설정한 곳으로, 일상적 경험을 하는 공간과는 성격이 다르며 시인이 특별한 의미를 부여한 공간이다. 이 작품에서 '문밖'은 가족 공동체가 해체된 공간을 의미하는데 3연의 '문밖'은 1연의 '문밖'과 동일한 공간이지만 작가는 특별한 의미를 부여하여 1연의 '문밖'과는 다른 의미를 가진 공간으로 설정하고 있다.

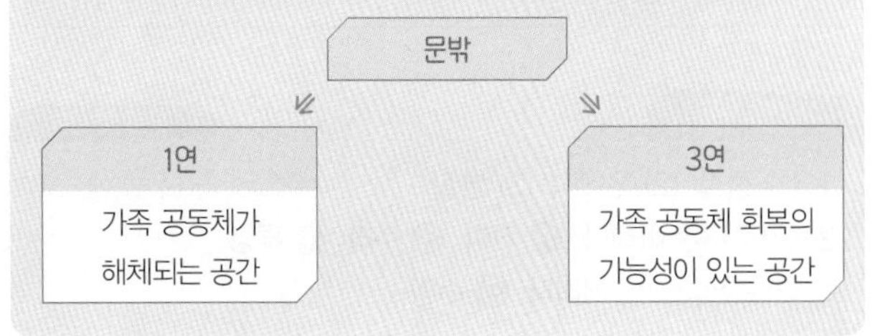

09 화자·대상

1연에서 아무 생각 없이 새끼 거미를 문밖으로 쓸어 버렸던(ⓐ) 화자가 2연에서 죄책감과 거미에 대한 연민을 느끼기 시작(ⓑ)하였으므로, 이때부터 화자의 정서가 변화되고 있음을 알 수 있다.

오답 풀이 ❸, ❹, ❺ 3연인 ⓒ, ⓓ, ⓔ에서는 거미에 대한 연민과 안타까움이 계속 유지되거나 심화되고 있다.

알아두기 **화자의 정서 변화**

연	대상	정서
1연	새끼 거미	별다른 생각이 없음
⇓		
2연	큰 거미	가슴이 짜릿하고 서러움을 느낌
⇓		
3연	무척 작은 새끼 거미	가족을 만나기를 바라며 슬퍼함

10 화자·대상

이 작품은 거미가 처한 상황을 통해 가족과 헤어져 살아가는 화자 자신의 상황과 나아가 1930년대 우리 민족의 현실을 드러내고 있다. 시적 대상인 거미를 통해 자신이 처한 상황을 투영하고 있으므로 대상과의 거리를 유지하고 있다고 볼 수 없으며, 시적 대상에 연민과 슬픔을 느끼고 있으므로 자신을 객관적으로 바라보고 있는 것도 아니다.

오답 풀이 ❶, ❷ 이 작품은 자연물인 '거미'를 시적 대상으로 하여 '거미'가 처한 상황을 통해 가족과 헤어져 살아가는 화자 자신의 이야기를 하고 있다.

❹ <보기>에서 작품 속 화자는 곧 시인이라고 할 수 있다고 했다. 화자는 처음에는 '거미'를 아무 생각 없이 문밖으로 쓸어 버리지만, 시상이 전개됨에 따라 '거미'에 대한 연민을 느끼게 된다.

❺ 이 작품은 거미 가족이 헤어지게 된 상황을 통해 시인이 살았던 1930년대 우리 민족의 비극적인 현실을 이야기하고 있다.

배경지식+ **작품에 투영된 시대상**

1930년대에 일본의 폭압적인 식민 정책과 경제 수탈로 인해 우리 민중의 삶은 더 피폐해졌다. 이 때문에 많은 사람들이 살기 위해 만주와 연해주 등으로 이주하였고, 어쩔 수 없이 가족이 뿔뿔이 흩어져 살아야 하는 아픔을 겪을 수밖에 없었다. 작가는 외부 환경에 의해 문밖으로 쫓겨나 가족이 뿔뿔이 흩어져야 했던 거미들의 상황을 보며, 일제 강점기라는 외적 현실 상황으로 인해 고향을 떠나 가족과 헤어져 살아야 했던 우리 민족의 상황을 떠올리고 있다.

+ 독해 체크 본문 024쪽

❶ 문밖 ❷ 큰 거미 ❸ 가족 ❹ 거미 ❺ 해체 ❻ 연민 ❼ 슬픔 ❽ 의인화 ❾ 점층

+ 어휘 체크 본문 025쪽

1 (1) 성찰 (2) 우회적 (3) 본질

2 〈가로〉 ❶ 아리다 ❷ 거미 ❸ 수라 ❹ 투영
〈세로〉 ❶ 아물거리다 ❸ 수영

본문 026~027쪽

실전 04 광야 _이육사

갈래 자유시, 서정시
성격 의지적, 저항적, 미래 지향적
주제 고통스러운 현실을 극복하려는 의지와 신념
특징
- 시간의 흐름에 따라 시상을 전개함
- 역동적·남성적인 어조로 강한 의지와 신념을 드러냄
- 각 연의 시행(3행)을 규칙적으로 배열하여 형태적 안정감을 얻음

확인 문제

01 ○ 02 × 03 × 04 닭 우는 소리 05 매화 향기 06 백마 타고 오는 초인

실력 문제

07 ② 08 ④ 09 ④ 10 ⑤

01 4연의 '내 여기 가난한 노래의 씨를 뿌려라.'에서 '내(나)'를 통해 이 작품의 화자가 직접적으로 드러나 있음을 알 수 있다.

02 이 작품은 '-랴/-라'의 종결 어미를 반복하여 운율감을 형성하고 있지만, 4음보 율격으로 리듬감을 드러내고 있지는 않다.

03 화자는 '지금 눈 내리고'라는 표현으로 현재는 부정적이고 암담한 현실임을 인식하고 있지만, '천고의 뒤에 / 백마 타고 오는 초인이 있어'를 보았을 때 미래에는 민족의 구원이 실현될 것이라는 긍정적인 믿음과 기대를 안고 있다. 따라서 화자가 부정적인 미래를 예견하고 있다는 내용은 적절하지 않다.

04 '닭 우는 소리'는 새벽을 알리는 것이므로, 생명의 기척 또는 인류 역사의 시작을 의미하는 시구로 볼 수 있다.

05 '매화 향기'는 전통적인 소재로 고고한 기상, 절개, 굳은 의지 등을 상징하는데, 이 작품에서도 시대의 억압에 굴하지 않는 기개, 조국 광복의 기운, 현실 극복의 의지 등을 의미한다.

06 '백마 타고 오는 초인'은 일제 강점하에 고통받고 있는 우리 민족을 구원해 줄 존재로, 해방된 조국을 이끌어 갈 민족의 지도자, 새로운 문화와 역사를 주도할 후손을 의미한다.

07 표현

이 작품은 상징적이고 함축적인 시어를 통해 투철한 역사의식을 형상화하고 있을 뿐, 토속적인 시어를 통해 향토적인 정서를 불러일으키고 있지는 않다.

오답 풀이 ❶ 각 연을 '-랴/-라'의 종결 어미를 사용하여 끝맺음으로써 운율을 형성하고 있다.

❸ '까마득한 날에 / 하늘이 처음 열리고'에서 천지개벽이라는 추상적인 대상을 시각적 이미지를 통해 구체화하여 표현하고 있다.

❹ 이 작품은 각 연을 3행씩 균등하게 배열하고 있고, 각 연의 1행에서 3행으로 갈수록 시행의 길이가 점점 길어지는 시행의 규칙적 배열 방

식을 통해 형태적 안정감을 주고 있다.

⑤ '바다를 연모해 휘달릴 때도'와 같이 산맥의 형성 과정을 활유법을 사용하여 역동적으로 표현하고 있다.

08 화자·대상

4연에서 화자는 암울한 현실에서 자신을 희생해서라도 후손을 위한 터전을 닦고자 하는 의지를 드러내고 있다. '가난한 노래의 씨'는 조국 광복을 위해 작은 힘이라도 보태고자 하는 화자의 생각을 담은 것으로, 민중들에 대한 연민과는 거리가 멀다.

오답 풀이 ① '지금 눈 내리고'에서 '눈'은 일제의 탄압으로 볼 수 있고, '지금' '내리고' 있다는 것은 일제 강점기의 암담한 현실을 의미하는 것이다.

②, ③ '내 여기 가난한 노래의 씨를 뿌려라.'에서는 명령형 어미를 통해 민족의 미래를 위해 자신을 희생하려는 속죄양 모티프가 드러난다.

⑤ 자신이 뿌린 씨를 통해 결실을 맺을 것이라는 선구자적 이미지를 통해 화자의 미래 지향적인 태도를 엿볼 수 있다.

09 시어(구)

이 작품에서 ㉣ '눈'은 맑고 깨끗한 생명의 순수성을 의미하는 것이 아니라, 일제의 탄압에 의한 시련과 고난을 의미한다.

오답 풀이 ① '하늘이 처음 열리고'는 우리 민족의 역사가 시작된 터전인 광야의 탄생을 의미한다.

② '광음'은 햇빛과 그늘, 즉 낮과 밤이라는 뜻으로, 시간이나 세월을 이르는 말이다. 따라서 '끊임없는 광음'은 '끝없이 이어지는 세월'이라는 의미임을 알 수 있다.

③ '강물'은 주로 인류의 역사, 문명을 의미하는데, 이 작품에서도 우리 민족의 유구한 역사의 흐름을 '큰 강물'로 표현하고 있다.

⑤ '광야'는 우리 민족의 삶이 이어져 온 공간적 배경이자, 역사의 현장이며 조국의 광복이 실현될 미래의 공간을 의미한다고 할 수 있다.

10 화자·대상 + 시어(구) + 표현

초인은 화자가 기다리는 존재로, 조국에 광복을 가져올 구원자를 의미한다. 따라서 화자가 초인과의 대결을 준비한다는 것은 적절하지 않다.

오답 풀이 ① 광야의 과거, 현재, 미래를 순차적으로 제시하여 시간의 흐름에 따라 전개하고 있다.

② '까마득한 날', '부지런한 계절이 피어선 지고'를 통해 태초에 광야가 열리고 오랜 세월이 흘렀음을 알 수 있다.

③ '차마 이곳을 범하던 못하였으리라'를 통해 화자가 과거 광야의 신성한 분위기를 떠올리고 있음을 알 수 있다.

④ 조국 광복의 기운을 의미하는 '매화 향기'라는 상징적 시어를 통해 미래에 대한 긍정적 가능성을 제기하고 있다.

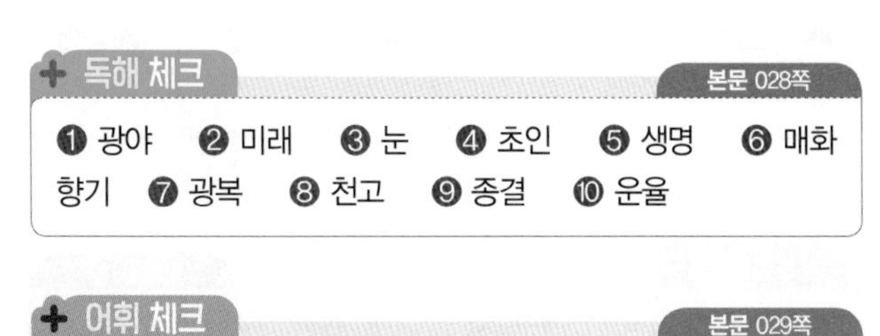

+ 독해 체크 본문 028쪽

❶ 광야 ❷ 미래 ❸ 눈 ❹ 초인 ❺ 생명 ❻ 매화 향기 ❼ 광복 ❽ 천고 ❾ 종결 ❿ 운율

+ 어휘 체크 본문 029쪽

• ㉠ – ㉡ – ㉤ – ㉣ – ㉢

본문 030~031쪽

실전 05 꽃 _김춘수

갈래 자유시, 서정시

성격 관념적, 주지적, 상징적

주제 존재의 본질 구현에 대한 소망

특징
- 간절한 어조를 통해 화자의 소망을 나타냄
- 존재의 의미를 점층적으로 심화하고 확대함
- 유사한 문장 구조를 반복적으로 사용하여 시상을 전개함

확인 문제

01 ○ 02 × 03 × 04 ○ 05 이름 06 꽃 07 우리

실력 문제

08 ② 09 ① 10 ④

01 '몸짓'은 '나'가 '그'의 이름을 불러 주기 전의 모습으로, 의미 없는 존재를 나타낸다. 그런데 '꽃'은 '나'가 '그'의 이름을 불러 줌으로써 '그'에게 의미가 부여되었음을 보여 주는 것으로, 의미 있는 존재를 의미한다. 따라서 '몸짓'이 의미 없는 존재를 뜻한다면, '꽃'은 의미 있는 존재로, '몸짓'과 '꽃'은 의미상 서로 대조된다.

02 이 작품에서 이름을 불러 주는 행위는 대상에 대한 인식을 뜻하는데, 1연에서 이름을 불러 주는 인식의 주체는 '나'이고 인식의 객체(대상)는 '그'이다.

03 '눈짓'은 서로에게 중요한 의미를 지닌 존재를 뜻하는데, '몸짓'은 의미 없는 존재를 뜻하므로 시적 의미가 동일하다고 볼 수 없다.

04 '그의 꽃이 되고 싶다', '무엇이 되고 싶다', '잊혀지지 않는 하나의 눈짓이 되고 싶다' 등에서 '~ 되고 싶다'를 반복적으로 사용하여 간절한 어조로 화자의 소망을 나타내고 있다.

05 이 작품에서 이름을 부르는 행위는 상대에게 의미를 부여하는 행위로, 이름을 불러 줌으로써 그 상대는 '나'에게 의미 있는 존재가 된다. 따라서 이름이 불리기 이전의 존재는 의미를 부여받지 못한, 즉 의미를 갖지 못한 존재가 된다.

06 이 작품은 '꽃'을 소재로 하여 사물과 그 이름 및 의미 사이의 관계를 바탕으로 사물의 존재론적 의미를 추구하고 있다. 존재의 본질을 인식하고 이름을 부를 때, '꽃'이라는 의미 있는 존재로 '나'와 관계를 맺게 된다는 것이다.

07 1~2연에서 '나'는 '그'의 이름을 불러 줌으로써 '그'를 의미 있는 존재로 받아들이고, 3연에서 '나'는 자신의 '빛깔과 향기에

알맞은' 이름을 누군가가 불러 주기를 바란다. 그리고 4연에서 '너는 나에게 나는 너에게'라며 '우리들은 모두' 서로에게 의미 있는 존재가 되고 싶어함을 밝히고 있다. 따라서 이 작품에서는 '나'와 '그'는 '우리'로서 서로에게 의미 있는 존재가 되기를 바라는 마음을 노래한다고 할 수 있다.

08 표현

1연에서는 '내가 그의 이름을 불러 주기 전에는', 2연에서는 '내가 그의 이름을 불러 주었을 때', 3연에서는 '내가 그의 이름을 불러 준 것처럼'으로 시구의 반복과 변주를 통해 시상을 전개하고 있다. 또 3연과 4연에서도 '그의 꽃이 되고 싶다', '무엇이 되고 싶다', '하나의 눈짓이 되고 싶다'와 같이 반복과 변주를 통해 시상을 전개하고 있다.

오답 풀이 ❶ 이 작품에서는 이름을 불러 주는 행위를 통해 존재의 의미를 부여하고자 하는 마음을 노래하고 있을 뿐, 시적 공간은 나타나지 않으므로 시적 공간의 대립적 설정 또한 나타나지 않는다.
❸ 역설적 표현은 모순된 표현을 통해 전달하고자 하는 의미를 강조하는 표현법을 가리킨다. 그런데 이 작품에서는 이름을 부르는 행위를 중심으로 시상을 전개하고 있을 뿐, 역설적 표현은 사용되지 않았다.
❹ 수미상관의 구성은 시의 처음과 끝을 같게 하거나 비슷하게 구성하는 방식이다. 그런데 이 작품의 1연과 4연은 서로 다른 내용으로 구성되어 있으므로 수미상관의 구성에 해당하지 않는다.
❺ 자연물인 '꽃'이 등장하지만, 이때 '꽃'은 자연물로서의 의미가 아닌 '의미 있는 존재'라는 상징적 의미로 사용되었다. 또한 자연물에 인격을 부여하는 표현 방식인 의인법도 사용되지 않았다.

배경지식 ⊕ 시에서의 반복과 변주

시에서는 동일하거나 비슷한 시어 또는 시구, 시행, 더 나아가 문장 구조 등을 반복하는데, 이러한 반복은 시의 운율감을 더해 주며, 시의 의미를 강조해 주는 효과가 있다. 한편, 시에서는 단순히 반복만 하는 것이 아니라 반복되는 내용에 변화를 주기도 하는데, 이를 변주라고 한다. 김춘수의 「꽃」에서 '~이 되고 싶다'라는 문장 구조를 반복하되, 그 앞의 내용을 '그의 꽃이', '무엇이', '잊혀지지 않는 하나의 눈짓이'로 변주하고 있다. 이 작품에서는 이러한 반복과 변주를 통해 운율감을 주면서 서로에게 의미 있는 존재가 되고 싶다는 의미를 강조하는 효과를 주고 있다.

09 시어(구)

이 작품에서 '나'는 누군가로부터 자신의 본질에 알맞은 의미를 부여받기를 소망하고 있다. 즉 '나'도 누군가에게 의미 있는 존재가 되어 그와 의미 있는 관계를 맺고 싶은 것이다. 이때 '빛깔과 향기'는 '나'를 나타낼 수 있는 본질적 특성을 의미한다.

오답 풀이 ❷ '나의 이 빛깔과 향기'라는 표현에서 알 수 있듯이, '빛깔과 향기'는 '나'가 이미 가지고 있는 특성으로, '그'로부터 얻고자 하는 특성에 해당하지 않는다.
❸ '빛깔과 향기'는 '나'가 이미 지니고 있는 것으로, '나'가 지니고 싶어 하는 특성이 아니다.
❹ '나'는 자신의 '빛깔과 향기'에 알맞은 이름을 불러 달라고 말하고 있다. 그러므로 '빛깔과 향기'는 '그'에게로 가기 위해 갖추어야 하는 특성이 아니다.
❺ '빛깔과 향기'는 '나'가 지닌 본질적 특성으로, '그'와 공통적으로 갖고 있는 특성이 아니다. '빛깔과 향기'는 '나'의 본질적 특성이기에 '빛깔과 향기'에 부합하는 '나'의 이름은 '그'의 이름과 다른 것이다.

알아두기 '빛깔과 향기'에 알맞은 이름 부르기

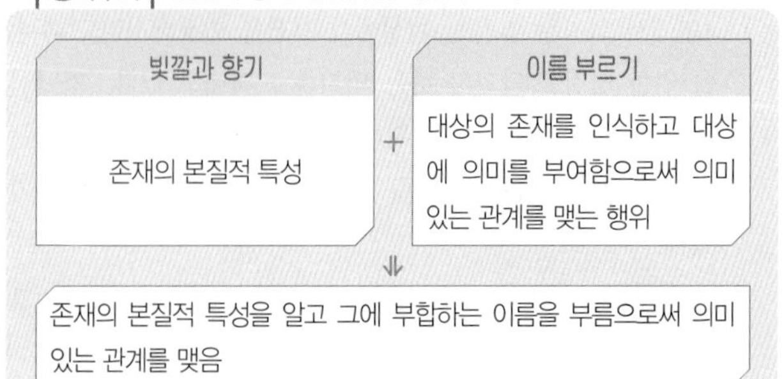

10 주제

이 작품에서 '그의 꽃이 되고 싶다'는 것은 '하나의 몸짓'에 지나지 않는 존재에서 '하나의 의미'가 되고 싶다는 것을 의미한다. 이는 주체와 대상 간의 관계에 변화가 있기를 바라는 마음을 나타낸 것이다. 따라서 '그의 꽃이 되고 싶다'를 주체와 대상 간의 관계가 변하지 않아야 진정한 관계 맺음이 가능함을 나타내는 시구로 이해하는 것은 적절하지 않다.

오답 풀이 ❶ '이름을 불러 주'는 것은 의미 없는 존재였던 '하나의 몸짓'을 의미 있는 존재인 '꽃'으로 바꿔 주는 것이다. 따라서 이름을 불러 주는 행위는 주체가 어떤 대상과 진정한 관계를 맺게 됨을 나타낸다고 할 수 있다.
❷ '하나의 몸짓에 지나지 않았다'는 것은 이름으로 불리기 전, 의미가 부여되지 않은 상태에 해당한다. 따라서 존재로서의 의미를 드러내지 못한 상태를 나타낸다.
❸ 이 작품에서 이름을 불러 주는 것은 의미를 부여하는 행위이고, 이름을 불러 준 이후에는 그 대상은 의미 있는 존재로 변화된다. 따라서 '나'가 이름을 불러 준 이후 '그'가 '나에게로 와서 / 꽃이 되었다'는 것은 '그'가 의미 있는 존재로서 '나'와 관계를 맺게 되었음을 의미한다.
❺ '우리들은 모두 / 무엇이 되고 싶다'는 '나'의 소망이 '우리들'의 소망으로 확대된 것으로, 우리는 모두 의미 있는 존재가 되고 싶다는 의미이다.

어휘 체크 본문 033쪽

1 (1) 몸짓 (2) 빛깔 (3) 눈짓
2 명명 – 명의 – 의미 – 미인 – 인식 – 식별

본문 034~035쪽

실전 06 농무_신경림

갈래 자유시, 서정시
성격 사실적, 비판적
주제 피폐해져 가는 농촌 현실에 대한 한과 분노
특징 • 공간의 이동에 따라 시상이 전개됨
• 역설적인 상황 설정을 통해 화자의 정서를 드러냄

확인 문제
01 ○ 02 × 03 ○ 04 × 05 농무
06 운동장 07 도수장

실력 문제
08 ② 09 ④ 10 ④ 11 ⑤

01 이 작품은 '운동장 → 소줏집 → 장거리 → 쇠전, 도수장'으로의 공간 이동에 따라 시상이 전개되고 있다.

02 이 작품에서는 '답답하고 고달프게 사는 것이 원통하다.'라며 화자의 정서를 직설적으로 표출하고 있다.

03 이 작품에서 화자는 '우리'로, 농무를 추는 농민이며 당시 농촌의 실상을 보여 주는 존재들이므로 농촌 공동체를 대변한다고 볼 수 있다.

04 이 작품의 화자는 농사를 지어서는 먹고살기가 힘든 농촌의 암울한 현실에 대해 울분을 토로하고 있을 뿐, 현실을 극복하고자 하는 의지를 드러내고 있지는 않다.

05 화자는 농민들이 떠나 공동체적 삶이 파괴되고, 농사를 지어도 비룟값도 안 나오는 현실에 울분을 토하면서 농무를 추고 있다. 따라서 농무는 울분을 표출하는 수단이 된다.

06 이 작품에서 '텅 빈 운동장'은 소외당하는 농촌의 현실을 상징하는 표현으로, 부정적 현실에서 느끼는 농민들의 쓸쓸함, 허무감, 소외감 등을 드러내는 공간이다.

07 이 작품에서 '도수장'은 농민들의 울분을 표출하는 수단인 농무가 절정에 달하는 공간으로, 농민들의 분노가 최고조에 이르렀음을 상징하는 공간이다.

08 표현

화자는 농무를 추는 과정에서 '산 구석에 처박혀 발버둥친들', '비룟값도 안 나오는 농사' 등과 같이 당시 피폐해진 농촌의 상황을 사실적으로 드러내고 있다.

오답 풀이 ① 이 작품에서 화자가 상대방에게 말을 건네는 부분은 찾을 수 없다.
③ 마지막 두 행에서 '~를 불거나', '~를 흔들거나'와 같이 비슷한 어구를 짝지어 표현의 효과를 나타내는 대구의 방식으로 시상을 마무리하고 있지만 동일한 문장을 반복하고 있지는 않다.
④ 이 작품에서 계절을 드러내는 시어는 찾을 수 없다.
⑤ 이 작품에서 명령형 어조를 사용한 부분은 찾을 수 없다.

09 시어(구)

'쇠전'은 농민들이 경제적 어려움으로 인해 농사에 필요한 소를 팔아야 하는 농촌의 피폐한 현실을 함축하는 공간이다. 이 작품에서 부정적 현실을 이겨 낼 수 있는 방법은 제시되어 있지 않다.

10 화자·대상

ⓐ~ⓒ에서 화자는 암울한 농촌 현실에 대해 부정적 태도를 보이고 있는 것이지, 농무에 대해 부정적 태도를 보이고 있는 것은 아니다.

오답 풀이 ① ⓐ에서 암울한 현실이 '답답하'고 '고달프'고 '원통하'게 느껴지는 화자의 감정을 직설적으로 제시하고 있다.
② ⓑ에서 '산 구석에 처박혀 발버둥친들 무엇하랴.'라며 노력을 해도 소용이 없는 현실에 대한 체념적인 태도를 보이고 있다.
③ '비룟값도 안 나오는 농사 따위야'에서 농사를 지어 팔아도 비룟값만큼도 얻지 못하는 농촌의 모순적인 현실의 모습을 직접적으로 보여 주고 있다.
⑤ ⓐ~ⓒ 모두 화자는 농촌에 사는 자신의 처지를 부정적으로 인식하고 있으며, 암울한 현실에 대해 회의적인 태도를 드러내고 있다.

11 화자·대상 + 표현

'고갯짓을 하고 어깨를 흔'드는 행동의 나열을 통해 신명 나는 농무를 추며 울분과 분노를 표출하는 화자의 모습을 그려 내고 있다. 그러나 이 작품에서 화자는 농무를 통해 울분과 분노를 표출하고 있을 뿐, 현실에 순응하겠다는 다짐을 드러내고 있지는 않다.

오답 풀이 ① '막이 내렸다'에서는 하강의 이미지를 통해 무대 공연이 끝났음을 나타내면서, 동시에 농촌 공동체가 막을 내린 현실, 즉 농촌이 무너져 가고 있는 현실을 암시적으로 나타내고 있다.
② '분이 얼룩진 얼굴'은 이중적 표현으로, 공연하며 흘린 땀으로 '분장이 지워져 얼룩진 얼굴'이라는 시적 상황을 나타내면서, 동시에 '울분으로 얼룩진 얼굴'이라는 화자의 정서를 나타내기도 한다.
③ 농무를 따라붙는 사람이 '조무래기들뿐'임을 보여 줌으로써 농촌의 청년들이 돈을 벌기 위해 도시로 떠나고 농촌에는 남아 있지 않은 상황을 간접적으로 드러낸다.
④ '신명이 난다'는 화자가 현실에서 느끼는 답답함·원통함과 대비되는 역설적 상황으로, 현실의 암울함을 부각하는 효과가 있다.

+ 독해 체크 본문 036쪽

① 원통함 ② 울분 ③ 역설적 ④ 모순적 ⑤ 막
⑥ 분장 ⑦ 농사 ⑧ 신명 ⑨ 도수장 ⑩ 농무

+ 어휘 체크 본문 037쪽

1 (1) 원통 (2) 신명 (3) 발버둥
2 〈가로〉 ① 조무래기 ④ 날라리
〈세로〉 ② 기름집 ③ 꽹과리

본문 038~039쪽

실전 07 첫사랑 _고재종

갈래 자유시, 서정시
성격 서정적, 낭만적
주제 아름다운 사랑의 결실을 위한 시련과 고난
특징
- '눈'을 의인화하여 사랑의 모습을 표현함
- 겨울에서 봄으로의 계절 변화에 시적 의미를 부여함

확인 문제

01 × 02 ○ 03 ○ 04 눈꽃 05 관찰자
06 싸그락 싸그락

실력 문제

07 ⑤ 08 ① 09 ②

01 이 작품은 눈이 내리는 겨울에서 꽃이 피는 봄까지, 시간의 흐름에 따라 시상을 전개하고 있다.

02 '난분분 난분분 춤추었겠지'에서 눈이 내리는 모습(눈꽃을 피우기 위한 노력)을 시각적 이미지로 제시하여 형상화하고 있다.

03 이 작품은 '싸그락 싸그락', '난분분 난분분', '미끄러지고 미끄러지길' 등과 같이 시어나 시구의 반복을 통해 운율을 형성하고 있다.

04 이 작품의 1~3연에서 눈이 눈꽃을 피우기 위해 헌신적인 노력을 하는 모습을 보여 주고 있다.

05 이 작품의 화자는 시에 등장하지 않는 숨겨진 화자로 시적 대상인 눈이 눈꽃을 피우는 과정을 관찰자의 입장에서 표현하고 있다.

06 이 작품의 2연에서 '싸그락 싸그락'은 음성 상징어로, 눈이 내리는 소리를 생동감 있게 표현한 시구이다.

07 표현

이 작품에서 사랑을 이루어 내려고 노력하는 주체는 '눈'이며, 눈이 사랑하는 대상은 '나뭇가지'이다. 주체와 객체가 전도된 표현은 찾아볼 수 없다.

오답 풀이 ① 2연에서 '싸그락 싸그락'은 눈 내리는 소리를 표현한 의성어로, 음성 상징어를 통해 눈이 오는 시적 상황을 묘사하고 있다.
② 4연에서 '세상에서 가장 아름다운 상처'는 꽃의 황홀한 모습을 '아름다운'으로, 눈이 꽃을 피우기까지의 시련과 고통의 과정을 '상처'로 표현한 시구이다. 표면적으로는 모순이 되는 역설적 표현이지만, 시련과 고난을 겪은 뒤 얻은 사랑의 결실을 강조하여 주제 의식을 효과적으로 나타낸 표현이라 할 수 있다.
③ '눈'을 의인화하여 시련을 이기고 도전하며 마음을 다 퍼부어 주는 존재로 표현하고 있다.
④ 1연에서 '눈은 얼마나 많은 도전을 멈추지 않았으랴'라는 설의적 표현을 사용하여 어려움 속에서도 사랑을 이루기 위해 한 많은 노력을 강조하고 있다.

08 시어(구)

눈이 시련을 이기고 수많은 도전 끝에 마침내 눈꽃을 피워 낸 것을 '황홀'이라고 표현하였다. 따라서 '황홀'은 눈꽃의 보조 관념이자, 눈꽃을 피워 낸 기쁨을 함축한 표현에 해당한다.

오답 풀이 ② 바람 한 자락 불면 휙 날아갈 사랑이긴 하지만 '황홀'은 눈이 눈꽃이라는 결실을 맺은 기쁜 순간을 표현한 것으로, 눈꽃이 필연적으로 사라지는 슬픔을 반어적으로 표현한 것은 아니다.
③ 눈 내리는 풍경보다는 눈꽃에 대한 정서를 표현한 것으로, 시적 분위기가 전환되고 있지도 않다.
④ 바람에 의해 눈꽃이 날리는 것은 어렵게 피워 낸 눈꽃, 즉 사랑이지만 금방 끝나는 속성을 표현한 것으로, 풍경에 대한 예찬을 드러낸 시어는 아니다.
⑤ 나뭇가지가 눈을 이겨 내고 꽃을 피운 것이 아니라, 눈이 시련 속에서도 나뭇가지에 눈꽃을 피워 낸 것이다.

알아두기 시어(구)의 의미

시어(구)	의미
싸그락 싸그락	눈이 내리는 소리
난분분 난분분	눈이 하늘에서 흩날리며 내리는 모습
황홀	• 눈의 헌신과 노력으로 피워 낸 눈꽃 • 첫사랑이 이루어진 기쁨
아름다운 상처	• 봄에 꽃이 핀 모습 • 첫사랑의 아픔을 겪은 후 이루어 낸 성숙된 사랑

09 주제

2연에서 '싸그락 싸그락 두드려 보았겠지', '난분분 난분분 춤추었겠지'는 눈이 사랑(눈꽃)을 이루기 위해 노력하는 모습을 감각적으로 표현한 것이다.

오답 풀이 ① 1연에서 '많은 도전'은 사랑을 이루기 위해 눈이 끊임없는 노력을 기울였음을 나타내는 것이다.
③ 2연에서 '미끄러지고 미끄러지길 수백 번'은 눈이 눈꽃을 피우기 위한 노력과 시련을 의미하는 것이다.
④ 4연에서 '한 번 덴 자리'는 눈꽃을 피웠던 자리이자, 눈꽃이 녹은 자리로, 첫사랑의 아픔(이별)을 의미하는 것이다.
⑤ 4연에서 '세상에서 가장 아름다운 상처'는 시련과 헌신 끝에 얻은 사랑의 아름다움, 사랑의 결실로 볼 수 있다.

독해 체크 본문 040쪽

❶ 눈꽃 ❷ 노력 ❸ 봄 ❹ 상처 ❺ 덴 자리 ❻ 황홀
❼ 의인법

어휘 체크 본문 041쪽

1 (1) 데어 (2) 피우면 (3) 퍼부었다
2 상처 – 처세 – 세상 – 상전 – 전황 – 황홀

본문 042~043쪽

청산별곡 _작자 미상

갈래 고려 가요
성격 현실 도피적, 애상적
주제 삶의 고통과 슬픔
특징
- 시구의 반복을 통해 운율을 형성하고 의미를 강조함
- 'ㄹ', 'ㅇ' 음을 반복하는 후렴구를 통해 경쾌한 리듬감을 형성함

확인 문제

01 ○　02 ×　03 ×　04 ×　05 돌
06 믈 아래　07 멀위, 다래

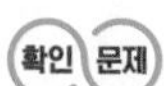

실력 문제

08 ②　09 ③　10 ①　11 ④

01 '자고 니러 우니노라', '마자셔 우니노라' 등의 시구에서 확인할 수 있듯이 이 작품에는 삶의 고뇌와 슬픔이 담겨 있다.

02 이 작품의 화자는 현실에서 삶의 고통과 비애를 느끼는 상황이므로 자연에서 유유자적한 삶을 만끽한다는 설명은 적절하지 않다.

03 이 작품은 화자가 특정한 청자를 상대로 자신의 정서를 전달하는 것이 아니라 독백체를 통해 정서를 드러내고 있다.

04 이 작품의 '청산'은 일상적 삶의 공간이 아니라 화자가 고달픈 현실에서 벗어나기 위해 찾아가려는 현실 도피의 공간을 의미한다.

05 5연의 시어 '돌'은 피할 수 없는 운명 또는 운명적 삶의 비애를 상징한다.

06 공간적 측면에서 1연의 '청산'과 6연의 '바다'는 화자가 살아가려고(찾아가려고) 하는 이상 세계 또는 현실 도피처로서의 의미를 지닌다면, '믈(물) 아래'는 화자가 살았던 세속의 공간에 해당한다.

07 6연의 '바다'에서 먹는 음식인 '나마자기 구조개'는 나문재, 굴, 조개와 같은 소박한 음식으로, 소박하게 살아가는 삶을 나타낸다. 이와 유사한 의미를 지닌 것은 '청산'에서 구할 수 있는 소재인 1연의 '멀위', '다래'이다.

08 화자·대상

이 작품은 시구의 해석에 따라 화자와 주제를 다양하게 해석할 수 있다. '가던 새'를 '갈던 사래(밭)'로, '잉무든 장글'을 '이끼 묻은 쟁기(농기구)'로 해석한다면 화자는 삶의 터전인 농토를 잃고 청산에 들어가 머루, 다래 등을 먹고 살아야 하는 유랑민(농민)으로 파악할 수 있다.

오답 풀이 ① 이 작품의 화자를 '사랑에 실패한 여인'으로 볼 경우, '잉무든 장글'은 '이끼 묻은 은장도'로 해석하는 것이 타당하다.
③ 이 작품의 화자를 '술로써 고뇌를 잊으려는 지식인'으로 볼 경우, '가던 새'는 '갈던 밭이랑'이 아닌 '날아가던 새(뜻을 같이 했던 벗)'로 해석하는 것이 타당하다.
④ 이 작품의 화자를 '국경의 주변 지역을 지키는 군인'으로 볼 경우, '잉무든 장글'은 '날이 무딘 병기'로 해석하는 것이 타당하다.
⑤ 이 작품의 화자는 다양하게 해석할 수 있지만, 공통적으로 현실에서 겪는 괴로움에서 벗어나기 위해 '청산'이나 '바다'와 같은 현실과 대조되는 공간에서 살아가는 것을 지향한다고 해석하고 있다. 따라서 자연물의 덕성을 본받으려는 사대부는 이 작품의 화자와는 아무런 관련이 없다.

알아두기 시구와 화자에 대한 다양한 견해

'가던 새'	• '날아가던 새'의 의미로 해석하는 견해 • '믈 아래'와 '장글란(연장을)'을 근거로 '갈던 사래(밭)'로 해석하는 견해
'잉무든 장글'	• '이끼 묻은 쟁기'로 해석하는 견해 → 화자는 삶의 터전을 잃은 유랑민으로 해석됨 • '이끼 묻은 은장도'로 해석하는 견해 → 화자는 사랑에 실패한 여인으로 해석됨 • '날이 무딘 병기'로 해석하는 견해 → 화자는 지식인 또는 변방에서 국경을 지키는 군인으로 해석됨

09 표현

㉠은 의미 없는 후렴구로, 이 작품에 나타나는 고독이나 슬픔의 정서와 상반되게 경쾌하고 명랑한 느낌을 주고 있다. 따라서 ㉠이 화자의 주된 정서를 집약적으로 나타낸다고 볼 수 없다.

오답 풀이 ① 노래의 리듬에 맞추기 위해 사용된 것으로 흥을 돋우어 준다.
② 경쾌하고 명랑한 느낌을 주어 시의 내용과는 어울리지 않지만, 삶의 괴로움을 잊으려는 당시 사람들의 낙천성을 드러낸다.
④ 'ㄹ, ㅇ'의 울림소리를 연속적으로 사용하여 경쾌한 음악적 효과를 얻고 있다.
⑤ 1연부터 8연까지 마지막 행에 후렴구가 규칙적으로 반복되면서 작품 전체에 안정감과 통일감을 부여한다.

10 시어(구) + 표현

2연에서는 삶의 고통과 슬픔을 눈물로 달래는 화자가 '새' 또한 그러한 감정을 가졌을 것이라고 표현하고 있다. 따라서 2연의 '새'는 화자가 동병상련을 느끼는 감정 이입의 대상으로 화자의 분신에 해당한다.

오답 풀이 ② ⓑ '바므란'은 고독과 절망의 시간을 의미하는 것으로 동병상련과는 관련이 없다.
③ ⓒ '에정지'는 외딴 부엌을 의미하는 것으로 화자의 감정 이입의 대상으로 볼 수 없다.

④ ⓓ '사슴이'는 사슴으로 분장한 광대를 의미하는 것으로 화자의 감정 이입의 대상이 아니다.

⑤ ⓔ '설진 강수'는 고뇌 해소의 수단을 뜻하는 것으로 화자가 감정을 이입하고 있는 대상과는 관련이 없다.

배경지식 ⊕ 감정 이입

시적 대상에 화자의 감정을 이입하여, 시적 대상과 화자가 서로 같은 감정이나 정서를 느끼고 있는 것처럼 표현하는 방법을 '감정 이입'이라고 한다. 화자의 감정이 이입된 대상은 보통 화자와 동일시된다. 이 작품에서 2연의 '새'는 화자와 동일시되고 있는 자연물로, 화자와 같은 '슬픔'의 정서를 느끼는 것처럼 표현되고 있다.

11 표현

이 작품은 5연과 6연의 위치를 바꿀 경우, 1연('청산')과 6연('바다'), 2연('우러라')과 5연('우니노라'), 3연('본다')과 7연('드로라'), 4연('엇디 호리라')과 8연('엇디 하리잇고')이 표현과 내용 면에서 서로 짝을 이루는 대칭적 구조가 된다.

오답 풀이 ❶ 이 작품은 5연과 6연의 순서를 바꿀 경우, 전반부인 1~4연은 '청산 노래', 후반부인 5~8연은 '바다 노래'로 나눌 수 있다.

❷ 2연의 '자고 니러 우니노라'와 5연의 '마자셔 우니노라'가 표현과 내용 면에서 서로 짝을 이룬다.

❸ 4연과 8연은 각각 '엇디 호리라', '엇디 하리잇고'와 같이 의문문으로 끝나면서 해당 연의 시상을 마무리하는 기능을 한다.

❺ 1연은 '청산', 6연은 '바다'로 공간이 다르지만, 두 공간 모두 삶의 고통에서 벗어나고 싶은 화자가 찾아가서 살려고 하는, 현실 도피의 공간으로 이해할 수 있다.

+ 독해 체크 본문 044쪽

❶ 동경 ❷ 미련 ❸ 술 ❹ 유랑민 ❺ 바다 ❻ 새 ❼ 밤 ❽ 돌 ❾ 경쾌

+ 어휘 체크 본문 045쪽

1 (1) 만끽 (2) 집약적 (3) 동병상련

2 〈가로〉 ❶ 유유자적 ❸ 덕성

〈세로〉 ❷ 유랑민 ❹ 낙천성

본문 046~047쪽

실전 09 (가) 님이 오마 하거늘~ (나) 동짓달 기나긴 밤을~

가 [님이 오마 하거늘~_작자 미상]

갈래 사설시조
성격 해학적, 과장적
주제 임을 기다리는 간절한 마음
특징 • 의성어와 의태어를 사용해 화자의 행동을 과장되게 표현함
• 자연물을 임으로 착각하는 화자의 모습을 해학적으로 표현함

나 [동짓달 기나긴 밤을~_황진이]

갈래 평시조
성격 서정적, 낭만적
주제 임을 기다리는 애절한 마음
특징 • 의태어를 사용하여 우리말의 묘미를 살림
• 추상적인 시간을 구체적인 사물로 형상화함

확인 문제

01 ○ 02 × 03 ○ 04 ○ 05 주추리 삼대
06 사설시조 07 동짓달 기나긴 밤, 정든 임 오신 날 밤

실력 문제

08 ② 09 ③ 10 ② 11 ③

01 (가), (나)의 화자는 모두 사랑하는 임과 헤어져 함께 있지 못하는 상황에 있다.

02 (가)에는 '곰븨님븨 님븨곰븨 천방지방 지방천방'과 같은 의태어와 '위렁충창'과 같은 의성어가, (나)에는 '서리서리, 굽이굽이'와 같은 의태어가 효과적으로 사용되었을 뿐 의성어는 사용하지 않았다.

03 (가)는 '주추리 삼대'를 임으로 착각한 화자가 조금이라도 임을 빨리 만나기 위해 허둥대는 행동을 과장되게 묘사하여 독자의 웃음을 유발하고 있다.

04 (나)의 화자는 동짓달의 긴 밤의 한가운데를 베어 내 임이 오시는 날 밤에 굽이굽이 폄으로써 임과 오랜 시간을 함께 보내고 싶은 간절한 마음을 표현하고 있다.

05 (가)의 시어 '주추리 삼대'는 삼의 줄기를 말하는 것으로, 화자가 오지 않는 임을 애타게 기다리는 상황에서 임으로 착각하는 대상이다. 중장의 '주추리 삼대 살뜰이도 날 속였고나'에서 보듯이 '주추리 삼대'는 화자의 착각을 유발하는 대상으로 볼 수 있다.

06 3장 6구 45자 내외를 기본형으로 하는 평시조인 (나)와 달리 (가)는 초장과 중장이 제한 없이 길어지고 종장도 어느 정도

길어져 장형화되면서 산문의 성질을 띠는 사설시조에 해당한다.

07 (나)의 '동짓달 기나긴 밤'은 임이 없이 화자 홀로 지내는 부정적인 시간을, '정든 임 오신 날 밤'은 임과 함께할 수 있는 긍정적인 시간을 뜻하는 시구로, 그 의미가 서로 대비된다고 할 수 있다.

08 화자·대상

(가), (나)의 화자는 모두 사랑하는 임과 헤어져 있는 상황에서 임과 다시 만나기를 소망하며 임에 대한 절실한 기다림과 그리움을 드러내고 있다.

오답 풀이 ❶ (가), (나) 모두 임의 부재 상황은 맞지만, 임에 대한 화자의 원망은 나타나 있지 않다.

❸ (가), (나)의 화자는 모두 임과 헤어져 외롭게 지내는 상황이지만 자신의 신세를 한탄하는 모습은 나타나 있지 않다.

❹ (가), (나)의 화자가 임과 헤어진 상황은 맞지만, 절망적 슬픔에 빠져 있지는 않다.

❺ (가), (나)에서 이별의 원인을 자신의 탓으로 돌리며 후회하는 화자의 모습은 나타나 있지 않다.

09 시어(구)

<보기>의 화자는 창밖에 어른거리는 그림자를 임으로 착각해 뛰어나갔다가 자신의 착각임을 깨닫고 멋쩍음을 드러내고 있다. 이와 같이 화자의 착각을 불러일으키면서 임에 대한 화자의 절실한 기다림과 그리움을 보여 주는 소재는 ㉢ '주추리 삼대'이다.

오답 풀이 ❶ ㉠ '저녁밥'은 시간적 배경을 나타내는 소재이다.

❷ ㉡ '님'은 화자가 애타게 그리워하며 기다리는 대상이다.

❹ ㉣ '동짓달 기나긴 밤'은 임이 없어 임과 함께하지 못하는 부정적 시간을 의미한다.

❺ ㉤ '정든 임 오신 날 밤'은 그리던 임과 함께하는 긍정적인 시간을 의미한다.

10 표현

화자가 임을 기다리다가 무언가 서 있는 것을 보고 임이라고 생각하여 우당탕 갔는데 주추리 삼대였다. 화자가 허둥대며 가는 모습이나, 자신의 착각임을 알고 겸연쩍어 하는 모습 등이 독자에게 웃음을 주는 요소로 해학성이 드러난다고 볼 수 있다.

오답 풀이 ❶ 화자는 밤이라서 자신이 착각해서 한 우스꽝스러운 행동이 남에게 보이지 않은 것을 다행이라고 생각하고 있다. 따라서 '밤'을 탓하고 있다고 볼 수 없다.

❸ 기다리던 임이 온다는 소식을 들은 화자는 이른 저녁을 먹고 임을 기다리기 시작하는 것으로, 해학성과는 관련이 없다. 또한 진솔함에서 해학성을 찾기는 어렵다.

❹ 화자는 임을 기다리는 간절함에 마당에서 기다리지 못하고 대문에 나가 기다리고 있다.

❺ 임이라고 생각하여 가는 모습을 과장되게 '진 데 마른 데 가리지 말고 위렁충창' 건너간다고 표현한 것은 위험해 보인다기보다는 웃음을 유발한다고 볼 수 있다.

알아두기 **(가)에 나타나는 표현의 해학성**

해학적 요소
- 의성어, 의태어를 활용하여 화자의 행동을 과장되게 묘사함
- 의인화 방법을 통해 주추리 삼대가 자신을 속인 것이라고 말하며 실망감보다 멋쩍음을 드러냄

⇓

웃음을 유발함

11 시어(구)

(나)에서 화자는 임이 오실 날을 기다리고 있으며 임에 대한 그리움만을 드러내고 있다. <보기>에서도 임의 집을 찾아가는 꿈을 수없이 꾼 화자의 모습이 드러나 있는데, 꿈에서 많이 찾아가서 '석로'가 닳을 만큼 화자를 그리워하는 모습이 잘 드러나 있다. '그를 슬퍼하노라'는 흔적이 남지 않아 화자 자신의 마음을 임이 모를 것이라는 아쉬움에서 나온 표현이므로 임을 원망하는 태도라고 볼 수 없다.

오답 풀이 ❶ (나)의 화자는 1년 중 밤이 가장 길다는 동짓날의 밤의 시간을 잘라서 임이 오는 날에 붙여서 임과 함께하는 시간을 늘리려고 한다. 따라서 (나)의 '한 허리를 베어 내'는 것에는 임과 함께하게 될 밤의 시간을 늘리고자 하는 화자의 소망이 담겨 있는 표현으로 볼 수 있다.

❷ <보기>의 '석로'는 화자가 꿈속에서 임을 보기 위해 임의 집으로 다니던 길이다. 이 길이 닳았다는 것은 그만큼 화자가 임을 보기 위해 많이 다녔다는 의미이므로, 임을 보고 싶어 하는 화자의 바람이 매우 큼을 드러낸 표현으로 볼 수 있다.

❹ (나)에서는 '밤'이라는 시간을 '베어 내'고 '서리서리 넣었다가' '굽이굽이' 펼 수 있는 구체적 사물로 표현하고 있다. 그런데 <보기>에서는 이와 같이 추상적 개념을 구체적 사물로 표현한 부분은 나타나지 않는다.

❺ (나)에서는 '정든 임이 오신 날 밤'이라는 상황을 가정하여 임을 그리워하며 기다리는 화자의 정서를 드러내고 있고, <보기>에서는 '꿈에 다니는 길이 자취가 남는다면'이라는 상황을 가정하여 임을 그리워하는 마음이 매우 큼을 나타내고 있다.

+ 독해 체크 본문 048쪽

❶ 착각 ❷ 춘풍 ❸ 그리움 ❹ 기다림 ❺ 부정
❻ 과장 ❼ 웃음 ❽ 밤 ❾ 서리서리

+ 어휘 체크 본문 049쪽

1 (1) ㉠ (2) ㉢ (3) ㉡
2 (1) 묘미 (2) 해학적 (3) 추상적

본문 050~051쪽

실전 10 속미인곡 _정철

갈래 양반 가사, 서정 가사, 정격 가사
성격 서정적, 충신연주지사
주제 임금을 그리워하는 정
특징 • 우리말의 묘미를 잘 살림
• 두 여인의 대화 형식을 통해 시상을 전개함

확인 문제
01 ○ 02 ○ 03 × 04 대화 05 꿈
06 안개, 물결

실력 문제
07 ③ 08 ③ 09 ③ 10 ④

01 이 작품은 4음보 연속체의 가사로 일정한 음보의 반복을 통해 리듬감을 형성하고 있다.

02 '님다히 소식을 어떻게든 알자 하니 / 오늘도 거의로다. 내일이나 사람 올까.', '님다히 소식이 더욱 아득하구나.' 등에서 화자가 임의 소식을 간절하게 기다리고 있음을 알 수 있다.

03 이 작품에는 화자가 자신의 지난 삶을 돌아보고 있는 내용이 제시되어 있지 않다.

04 이 작품은 갑녀와 을녀의 대화 형식으로 시상을 전개하고 있다. 지문에 제시된 부분에서는 1~27구가 을녀의 말로 임에 대한 걱정과 임을 향한 간절한 그리움을 드러내고 있고, 마지막 28구가 갑녀의 말로 을녀인 '각시님'을 위로하고 있다.

05 화자의 '정성이 지극하여' 꿈에서라도 임을 보게 되었는데, 이는 임에 대한 화자의 간절한 그리움이 꿈으로라도 성취되는 것을 나타내고 있다.

06 이 작품에서 임과 화자의 사랑을 방해하는 기능을 하는 소재는 '구름, 안개, 바람, 물결'이다.

07 화자·대상

'님다히 소식을 어떻게든 알자 하니 / 오늘도 거의로다.'를 볼 때, 물가에 가 뱃길을 보려 하는 것은 임의 소식을 전해 줄 사람을 기다리는 것이다. 이 작품의 화자는 임과 떨어져 있는 현실을 슬퍼하며 임과 함께하고 싶은 소망을 드러내고 있을 뿐, 현실을 벗어나 탈속적 공간을 지향하는 것은 아니다.

오답 풀이 ❶ 화자는 임의 소식을 전해 줄 사람을 간절히 기다리다가 높은 산에 올라가는데 이는 임과의 거리를 좁혀 보고자 하는 화자의 노력으로 볼 수 있다.
❷ '산천'이 어두워서 '천 리'를 볼 수 없다는 것은 화자가 느끼는 임과의 거리감을 의미하는 것으로 볼 수 있다.
❹ '오르며 내리며 헤매며 바장이니'는 임의 소식을 알고자 산과 강으로 이리저리 다녔던 화자의 노력들을 표현한 것이다.
❺ '방정맞은 닭소리'는 화자가 임을 만나고자 하는 소망을 꿈에서나마 이룰 수 있었는데 닭소리에 꿈을 깨어 아쉬움을 드러낸 표현이다.

08 표현

'내일이나 사람 올까.', '어디로 가잔 말가.', '안개는 무슨 일가.', '천 리를 바라보랴.', '빈 배만 걸렸는가.', '누굴 위해 밝았는가.' 등과 같이 문장을 의문형으로 끝맺는 설의적 표현을 사용하여 임을 그리워하는 화자의 정서를 강조하고 있다.

오답 풀이 ❶ 이 작품은 계절의 변화와는 관련되지 않는다.
❷ 과거와 미래를 대비한 표현은 제시되어 있지 않다.
❹ 대상을 의인화한 표현은 이 작품에서 찾을 수 없다.
❺ 이 작품에서 음성 상징어가 활용된 부분은 찾을 수 없다.

09 시어(구)

밝은 '반벽청등(ⓒ)'은 임의 부재에 따른 외로운 화자의 심정을 부각하는 소재로 볼 수 있다. 화자가 기억하고 있는 임의 모습을 지문에서 찾아본다면 '옥 같은 몸'이라고 할 수 있다.

오답 풀이 ❶ '안개'는 '구름'과 마찬가지로 화자의 시야를 가로막아 임을 볼 수 없게 하는 대상으로 화자에게 좌절감을 주고 있다.
❷ '빈 배'는 화자의 쓸쓸하고 외로운 마음을 간접적으로 보여 주는 객관적 상관물에 해당한다.
❹ '닭소리'에 화자가 꿈에서 깨어나므로, 화자가 임을 만나고 싶은 소망을 꿈을 통해 실현하는 것을 방해하는 대상이다.
❺ 을녀는 임을 멀리서 비추는 '낙월'이 되고자 하는데 갑녀는 오랫동안 내리며 가까이에서 임을 볼 수 있는 '궂은비'나 되라며 적극적인 애정관을 드러내고 있다.

10 시어(구) + 주제

'옥 같은 몸이 반이나마 늙으셨네.'는 꿈에서 본 임의 모습으로, 임이 많이 변해 버렸음을 드러내고 있다. 이것은 화자가 모시지 않았기 때문에 임금이 늙으셨다는 안타까움의 표현이지, 임금에 대한 화자의 원망을 표현한 것이 아니다.

오답 풀이 ❶ 〈보기〉를 참고하였을 때 '님'은 '임금'을 의미하고, '일월'은 해와 달로 '임금'을 상징한다. '옥 같은 얼굴'은 '임'을 뜻하므로 이들은 모두 임금을 지칭하는 표현으로 볼 수 있다.
❷ '산천'이 어둡다는 것은 당시의 부정적인 시대 상황을 의미하는 것으로 임금이 처한 상황에 대한 걱정이 드러난다.
❸ '바람'과 '물결'은 임과 화자 사이에 놓인 장애물을 뜻하는 소재로, 화자가 임금에게 가는 것을 어렵게 만드는 존재라고 볼 수 있다.
❺ 화자가 죽어서라도 '낙월'이 되어 임 계신 창 안을 비추겠다고 한 것은 임금을 향한 일편단심의 마음을 표현한 것으로 볼 수 있다.

+ 독해 체크 본문 052쪽

❶ 그리움 ❷ 구름 ❸ 꿈 ❹ 빈 배 ❺ 낙월 ❻ 적극적
❼ 임 ❽ 다짐

+ 어휘 체크 본문 053쪽

• ⓒ - ⓜ - ⓛ - ㉠ - ⓡ

2. 소설

본문 060~061쪽

실전 01 고향 ❶ _현진건

갈래 단편 소설, 액자 소설
성격 사실적, 현실 고발적, 비판적
주제 일제 강점기 민중들의 비참한 삶
특징 • 관찰자인 '나'의 이야기 속에 주인공 '그'의 이야기가 담겨 있는 액자식 구성임
• '그'를 통해 일제 강점기 우리 민족의 비참한 삶을 사실적으로 보여 줌
• 민요를 삽입하여 인물의 심리와 작품의 주제를 압축적으로 표현함

확인 문제
01 × 02 ○ 03 ○ 04 × 05 빈주먹
06 동양 척식 07 액자식

실력 문제
08 ① 09 ② 10 ⑤

01 '나'는 대구에서 서울로 가는 기차 안에서 '그'를 처음 만났다.

02 '그'는 실제 스물여섯이었지만 가난과 고생으로 실제 나이보다 더 늙어 보였다.

03 (가)에서 알 수 있듯이 '그'의 고향 사람들은 세상이 뒤바뀌기 전(일제 강점기 전)에는 역둔토를 파먹고 살았는데, 넉넉하지는 못해도 평화로운 농촌으로 남부럽지 않게 지낼 수 있었다.

04 (가)와 (나)는 내부 이야기로, 내부 이야기 밖에 있는 서술자인 '나'가 '그'와 대화를 하면서 들은 사연을 요약적으로 제시하고 있으며, '그'에 대한 '나'의 주관적인 생각을 드러내고 있다.

05 서간도로 이사를 간 '그'의 가족은 남의 밑천을 얻어 농사를 지었는데, 그러다 보니 가을이 되어도 남는 것이 없었다. 이를 가을이 되어 얻는 것은 '빈주먹뿐이었다'는 말을 통해 압축적으로 나타내고 있다.

06 '동양 척식 주식회사'는 1908년에 일본이 한국의 경제를 독점하고 착취하기 위하여 설립한 회사로, 이를 통해 이 작품이 일제 강점기를 배경으로 하고 있음을 알 수 있다.

07 이 작품은 '나'가 대구에서 서울로 가는 기차 안에서 '그'를 만나는 이야기 속에 '그'의 과거 이야기가 들어 있는 액자식 구성으로 전개된다.

08 인물·사건
(나)를 보면, '그'가 열일곱 살 되던 해 봄에 '그'의 집안은 살기 좋다는 바람에 서간도로 이사를 갔었다고 제시되어 있다.

오답 풀이 ❷ '그'의 가족이 서간도로 이사한 후 '그'의 아버지는 우연히 병을 얻어 돌아가셨지만, 어머니는 영양 부족과 심한 노동으로 돌아가셨다.
❸ '그'가 부모님을 제대로 모시지 못했다는 생각으로 괴로워했다는 내용은 드러나지 않는다.
❹ '그'가 과거 고향에서는 사삿집 땅을 부치는 것보다 떨어지는 것이 후한 역둔토를 경작하였기 때문에 남부럽지 않게 살았을 뿐, '그'가 자신의 땅을 소유하고 있었던 것은 아니다.
❺ 서간도에 황무지가 많았지만, 황무지를 개간하는 동안에는 당장의 끼니를 해결할 수 없기 때문에 '그'의 가족은 남의 밑천을 얻어서 농사를 지었다. 그러다 보니 가을이 되어도 남는 것이 없어 힘겹게 살았던 것이다. 현지인들의 핍박으로 쫓겨났다는 내용은 드러나지 않는다.

알아두기 **작품에 반영된 시대상**

이 작품에서 '그'는 일제의 강압적인 수탈로 인해 고향에서 삶의 터전을 잃고 서간도로 이주하게 된다. 하지만 그곳에서도 비참한 삶을 살다가 결국 부모를 모두 잃고 만다. 이러한 '그'의 모습은 주권을 잃은 조선의 현실과 우리 민족의 비참한 삶을 보여 주는 것으로, 일제 강점기에 우리 민족이 처한 현실을 사실적으로 반영하고 있다.

09 서술
(가)~(나)는 내부 이야기에 해당하는 부분으로, 전지적 서술자가 '그'의 과거 내력을 요약적으로 설명하고 있다.

오답 풀이 ❶ (가)~(나)는 주인공인 '그'의 과거 이야기를 이야기 밖의 서술자('나')가 요약적으로 전달하고 있으므로, 주인공이 자신의 과거 이야기를 직접 전달하고 있다는 설명은 적절하지 않다.
❸ (가)~(나)는 주인공인 '그'의 과거 이야기를 이야기 밖의 서술자('나')가 요약적으로 전달하면서 '그'에 대한 주관적인 생각을 드러내고 있으므로, 인물과 사건을 객관적으로 묘사하고 있다는 설명은 적절하지 않다.
❹ (가)~(나)는 내부 이야기에 해당하는 부분으로 전지적 서술자 시점으로 서술하고 있을 뿐, 시점을 전환한 부분은 드러나지 않는다.
❺ (가)~(나)는 이야기 밖의 서술자('나')가 '그'에게 들은 이야기를 요약적으로 제시하고 있는 부분이므로, 작품에 등장하는 인물이 주인공이 처한 상황을 직접 관찰하여 제시하는 것이라고 볼 수 없다.

알아두기 **액자식 구성**

이 작품은 이야기 속에 하나의 이야기가 들어 있는 액자식 구성을 취하고 있는데, '나'와 '그' 사이의 외부 이야기와 '그'가 들려주는 내부 이야기로 나눌 수 있다. 외부 이야기는 내부 이야기를 하기 위한 장치로서의 기능을 한다.

외부 이야기
서울로 가는 기차 안에서 '나'가 '그'를 만나 과거 이야기를 들음
(1인칭 관찰자 시점)

내부 이야기
'그'의 고향 이야기와 인생 역정
(전지적 서술자 시점)

10 주제

(가)에서 '죽겠다', '못 살겠다' 하는 소리가 마을 사람들의 입에 오르내리는 모습은 동양 척식 주식회사와 중간 소작인의 수탈로 인해 고통스러워하는 민중들의 모습을 구체적으로 보여 주는 것이다. 반일 감정을 품고 적극적으로 저항하려는 의지가 드러나는 모습이라 보기는 어렵다.

오답 풀이 ❶ '그'의 고향 마을 사람들은 역둔토를 경작하며 남부럽지 않게 살았는데, 이 땅이 모두 동양 척식 주식회사의 소유가 되면서 점점 먹고살기 힘들어진다. 이는 일제의 강압적인 수탈로 인한 일본의 폭력적 식민 지배를 보여 주는 것이라 할 수 있다.

❷ 동양 척식 주식회사와 중간 소작인의 수탈로 인해 고향을 떠나 정처없이 떠돌아다니는 사람만 늘고 동리가 점점 쇠진해 가는 모습은 일제 강점기하의 피폐해진 우리나라 농촌의 모습을 반영한 것이다.

❸ '그'의 가족은 살기 좋다는 소리를 듣고 서간도로 이주했지만 여전히 먹고살기도 힘들었고, 결국 부모님마저 돌아가시게 되는데, 이를 통해 일제 강점기하의 해외 동포들의 비극적인 삶의 모습을 짐작할 수 있다.

❹ '그'의 고향은 동양 척식 주식회사의 수탈로 인해 살기 힘들어진 사람들이 타처로 떠나고 점점 쇠진해 갔다. 삶의 터전인 고향이 쇠진해지고 사람들은 삶의 터전을 잃게 되었으므로, 이를 통해 식민 지배의 직접적 피해 계층이 조선 민중이었음을 알 수 있다.

배경지식 ⊕ 현진건 문학의 특징

이 소설의 작가인 현진건은 우리나라 근대 단편 소설의 기틀을 확립했으며, 사실주의 문학의 개척자이기도 하다. 특히 1920년대의 사회 현실과 그 속에서의 삶의 모습을 사실주의 기법으로 표현하면서, 일제 강점기 사회의 모순과 부조리를 그려 내는 데 초점을 두었다. 이러한 특징이 잘 드러나는 작품 중 하나가 「고향」으로, 일제 강점하의 조선 민중의 현실을 적나라하게 보여 주고 있어 일제에 의해 판매 금지를 당하기도 했다.

01 고향 ❷

본문 062~063쪽

확인 문제

01 × 02 × 03 ○ 04 ○ 05 술
06 무덤, 해골 07 농촌, 민족

실력 문제

08 ③ 09 ③ 10 ④

01 (다)로 보아 '그'가 서간도를 떠난 것은 부모 잃은 땅에 오래 머물기 싫었기 때문이고, 한곳에 머물러 살지 못하고 이리저리 떠돌게 된 것은 이따금 울화만 치받치기 때문이었다.

02 (다)로 보아 '그'는 화도 나고 고국산천이 그립기도 하여 고국으로 돌아왔다가 오래간만에 고향을 둘러보기 위해 고향에 간 것이다. 자신에게 닥친 문제를 해결하기 위해 고향을 찾은 것은 아니다.

03 이 작품은 '그'가 살아온 이야기를 통해 일제 강점기 우리 민족이 처한 비참한 현실을 사실적으로 보여 주고 있다.

04 (라), (마)의 '나'와 '그'의 대화를 보면, '나'는 '고향에 가시니 반가워하는 사람이 있습디까?'라며 질문을 하기도 하고, '그렇겠지요.', '그러면 아주 폐농이 되었단 말씀이오.' 등과 같이 '그'의 말에 적절히 반응하며 '그'가 다음 말을 이어 갈 수 있게 하는 역할을 하고 있다.

05 (다)에서 '나'는 어머니까지 돌아가셨다는 '그'의 이야기를 듣고 무엇이라고 위로해야 할지 몰라 머뭇거리다가 친구들이 사 준 정종병 마개를 빼서 '그'와 함께 술을 마신다. 따라서 '술'은 '나'가 '그'와 정서적 공감대를 형성하고 '그'를 위로하는 매개체라고 할 수 있다.

06 (라)를 보면 '그'는 폐허가 된 고향의 모습을 '무덤을 파서 해골을 헐어 젖혀 놓은 것' 같다고 묘사하였다.

07 폐허가 된 고향의 모습을 이야기하며 눈물을 흘리는 '그'의 모습에서 '나'는 '음산하고 비참한 조선의 얼굴'을 발견한다. 이는 '그'의 모습을 통해 일제 강점하 조선 민중의 비참한 삶의 모습을 본 것이라고 할 수 있다. 따라서 '그'는 조선 민중, 즉 우리 민족을 상징하는 인물임을 알 수 있고, 폐허가 된 고향은 일제의 수탈로 피폐해진 일제 강점기의 우리나라 농촌을 상징한다고 볼 수 있다.

08 인물·사건

(다)를 보면 '그'는 어머니마저 돌아가신 후 서간도를 떠나 신의주로, 안동현으로 품을 팔러 다녔다는 것을 알 수 있다. 이때 품을 팔았다는 것은 삯을 받고 일을 했다는 것으로, 장사를 하는 것과는 다르다. 따라서 '그'가 중국 여기저기를 떠돌며 산 것은 맞지만 장사를 한 것은 아니다.

오답 풀이 ❶ (다)와 (라)에서 '그'는 돌아가신 어머니와 폐허가 된 고향 이야기를 한 후, 눈물을 흘리며 술을 마시고 있다.

❷ (다)를 보면 부모님을 잃고 서간도를 떠난 '그'가 중국 여기저기를 떠돌다가 일본으로 건너가 구주 탄광과 대판 철공장에서도 일했음을 알 수 있다.

❹ (마)를 보면 '그'가 고향에 갔다가 이웃에 살던 여자를 만나 죽은 사람을 만난 것처럼 반가워했음을 알 수 있다.

❺ (라)에 '그'가 오랜만에 찾아간 고향에서 터만 남은 옛집을 보고 안타까워하는 모습이 드러난다.

알아두기 폐허가 된 고향의 상징성

(라)에는 폐허가 된 고향의 모습이 '그'의 목소리를 통해 구체적으로 묘사되어 있다. 이러한 고향의 모습은 '그'가 처한 비극적 상황을 보여 줄 뿐만 아니라, 일제에 수탈당한 우리나라 농촌의 현실을 압축적으로 보여 주는 것이라 할 수 있다.

폐허가 된 고향의 모습

↓

일제에 수탈당한 우리나라 농촌의 현실

09 인물·사건

'그'의 삶의 내력을 들으며 '나'는 '그'의 처지에 대해 연민을 느끼게 되고 나아가 '그'의 이야기에 공감하게 된다. ㉢은 타국에서 부모를 잃고 이리저리 떠돌다가 오랜만에 고향에 찾아간 '그'의 이야기를 듣고 난 후의 반응이므로, '나'의 안타까움이 반영된 것이라 볼 수 있다. 그러나 현실에 대한 분노나 무력감은 드러나지 않는다.

오답 풀이 ❶ ㉠에는 서간도에서 아버지가 병으로 돌아가신 후 영양 부족과 심한 노동으로 어머니마저 돌아가신 상황을 떠올리는 '그'의 슬픔이 드러난다.
❷ ㉡에서 '나'는 어머니마저 돌아가셨다는 '그'의 이야기를 듣고 무엇이라고 위로해야 할지 몰라 머뭇거리다가 친구들이 사 준 정종병 마개를 빼고 있다. 이는 '그'를 위로하고 싶은 마음을 행동으로 표현한 것이다.
❹ ㉣에서 '나'는 눈물을 흘리는 '그'의 모습을 보며 '음산하고 비참한 조선의 얼굴'을 발견하는데, 이는 '그'의 모습을 보며 일제 강점하 우리 민족의 비참한 모습을 떠올린 것이다.
❺ ㉤에서 '나'는 고향에 갔다가 고향 사람은 하나도 못 만났는지 묻고 있는데, 이 질문을 계기로 '그'의 이웃에 살던 여자의 이야기가 시작되고 있다.

알아두기 '조선의 얼굴'에 담긴 의미

(라)에서 '그'의 눈물 속에서 '조선의 얼굴'을 보았다는 것은 고향을 잃고 눈물을 흘리는 '그'의 모습에서 주권을 상실한 조선의 모습과 고향을 잃고 떠도는 조선 민중의 비참한 모습을 볼 수 있었다는 것을 의미한다.

고향을 잃고 눈물을 흘리는 '그'
⇓
음산하고 비참한 조선의 얼굴
⇓
일제 강점하 조선 민중의 비참한 삶

10 서술

이 작품의 외부 이야기는 서술자인 '나'가 '그'와의 대화를 서술하고 있는 1인칭 관찰자 시점이다. '그'를 바라보는 '나'의 감정이 드러나기는 하지만, 이야기의 주인공은 '그'이므로 1인칭 주인공 시점이라는 설명은 적절하지 않다.

오답 풀이 ❶ '그'가 들려주는 이야기는 내부 이야기로, 3인칭 전지적 시점에 따라 '그'가 살아온 내력을 요약적으로 제시하고 있다.
❷ '그'가 살아온 내력을 다룬 내부 이야기는 3인칭 전지적 시점으로 서술하고 있기 때문에 1인칭 서술자인 '나'가 등장하지 않는다.
❸ '그'의 모습을 '나'가 바라보는 장면은 기차 안에서 '나'가 '그'와 만나 대화를 나누는 부분이므로 외부 이야기에 해당한다.
❺ 폐허가 된 고향의 모습을 묘사하는 장면은 '나'와 '그'의 대화를 통해 제시되고 있으므로 외부 이야기에 해당한다.

배경지식 일제 강점기의 현실과 궁핍의 문학

이 시대의 작품들은 대부분 국권을 상실한 후, 우리 민족의 고통스러운 삶을 그리고 있다. 일제의 통치로 인해 비참했던 역사적 비극을 직접 경험하면서 우리 민족의 고통과 일제 강점기의 궁핍한 민족적 현실을 사실적으로 드러내고자 하였다.

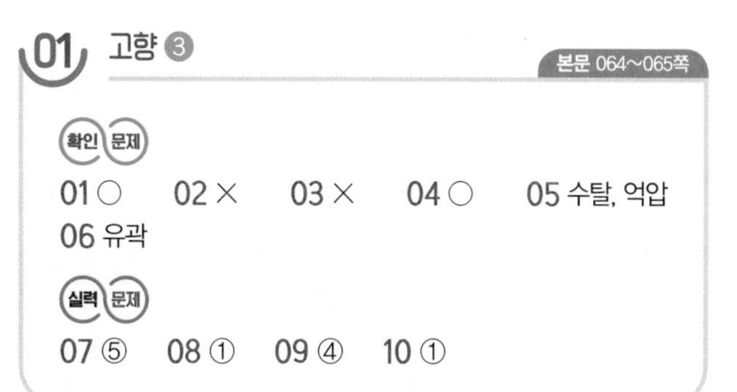

01 고향 ③

본문 064~065쪽

확인 문제

01 ○ 02 × 03 × 04 ○ 05 수탈, 억압 06 유곽

실력 문제

07 ⑤ 08 ① 09 ④ 10 ①

01 (바)를 통해 부모 사이에 '그 여자'와의 혼인 말이 있었고, '그'도 어린 마음에 매우 탐탁하게 생각했었다는 내용을 확인할 수 있다.

02 (바)를 보면 '그 여자'는 이십 원 몸값을 십 년을 두고 갚았지만 그래도 주인에게 빚이 육십 원이나 남았는데 몸에 몹쓸 병이 들고 늙고 나니 주인이 특별히 빚을 탕감해 준 것임을 알 수 있다. 또한 고향에 찾아오니 집도 부모도 없어 읍내로 돌아다니다가 어떤 일본 사람 집에서 아이를 보고 있다고 하였다. 따라서 '그 여자'가 빚을 갚고 부모님과 함께 살고 있다는 설명은 적절하지 않다.

03 이 작품의 마지막에 삽입된 노래(민요)는 일제 강점기의 사회상을 집약적으로 보여 주며, 일제로 인해 비극적 삶을 살아야 했던 우리 민족의 현실을 풍자하는 기능을 한다. 따라서 주제 의식을 압축적으로 보여 준다고 할 수는 있으나, 작품에 생동감을 준다고 보기는 어렵다.

04 이 작품은 외부 이야기 속에 내부 이야기를 삽입한 액자식 구성으로, '나'가 '그'에게 직접 들은 이야기를 전달하고 있는 방식을 통해 '그'의 이야기가 진짜 있었던 일인 듯한 신뢰감을 준다.

05 (사)에 제시된 노래(민요)에서 '신작로'는 새로 만든 길을 의미하는데, 이는 일제가 농민의 논과 밭을 수탈하여 건설한 것이다. 또한 민요의 내용을 통해 일제를 비판하는 지식인들은 '감옥소'로 끌려갔음을 알 수 있다. 따라서 민요의 '신작로'와 '감옥소'는 일제의 수탈과 억압을 집약적으로 보여 주는 것이라 할 수 있다.

06 (바)를 보면 '그 여자'의 아버지가 이십 원을 받고 '그 여자'를 대구 유곽에 팔았음을 알 수 있는데, 이는 극심한 가난으로 인해 딸을 팔 수밖에 없었던 일제 강점기의 비참한 민중의 현실을 반영한 것이다.

07 서술

(바), (사)에서는 요약적 제시와 '그'와 '나'의 대화를 통해 '그 여자'가 살아온 내력과 현재 상황을 서술하고 있다.

오답 풀이 ❶ 외부 이야기는 대구에서 서울로 가는 기차 안에서 진행되는 사건으로 '나'와 '그'의 대화를 통해 서술되고 있으며, 내부 이야기는 '그 여자'의 살아온 내력으로 전지적 서술자가 이야기를 요약적으로 전달하고 있다. 따라서 하나의 사건을 여러 서술자가 번갈아 전달한다고 볼 수 없다.

❷ (바), (사)에 배경 묘사는 나타나지 않으며, (사)는 작품의 마지막 부분으로 앞으로 일어날 사건을 암시하고 있다고 볼 수도 없다.

❸ 외부 이야기는 대구에서 서울로 가는 기차 안에서 일어나는 현재의 사건이고, 내부 이야기는 '그 여자'의 살아온 내력으로 과거의 사건이다. 따라서 동시에 진행되는 사건을 나란히 제시했다고 볼 수 없다.

❹ (바), (사)에서 여러 장면을 반복적으로 교차했다고 볼 수 없으며, 인물이 처한 긴박한 상황도 드러나지 않는다.

알아두기 | 소설의 서술 방식

요약적 제시	• 서술을 통해 인물의 상황을 압축하여 말하거나 시간의 흐름을 압축하여 서술하는 방법 • 사건의 전개 속도가 빠름
장면 제시	• 대화나 묘사 등을 통해 장면을 제시하는 방법 • 사건의 전개 속도가 느림

08 배경·소재

[A]의 노래(민요)를 통해 일제 강점기의 사회상을 집약적으로 보여 주고 있으며, 일제로 인해 우리 민족이 비극적인 삶을 살아야 했던 당시 현실을 풍자하고 있다.

오답 풀이 ❷ 일제 강점기의 비극적인 현실을 압축하여 보여 주고 있을 뿐 해학적으로 표현하고 있지는 않다.

❸ 일제 강점기의 부정적 현실은 드러나지만 이를 이겨 내려는 강한 의지는 드러나지 않는다.

❹ 일제 강점기의 현실을 압축하여 보여 주고 있을 뿐 비유를 통해 다양한 상상이 가능하도록 열어 둔 것은 아니다.

❺ '나'와 '그'가 취흥에 겨워 노래를 부르고 있기는 하지만 인물들이 흥겨움을 느끼는 상황이라고 보기는 어렵다.

알아두기 | 노래(민요) 삽입의 효과

이 작품의 마지막에서 '나'는 '그'와 함께 술에 취해 어린 시절에 부르던 노래를 부른다. 이 노래의 내용은 일제 강점기의 사회상을 집약적으로 보여 주는 것으로, 일제의 수탈과 억압으로 인해 비극적 삶을 살아야 했던 우리 민족의 현실을 풍자하는 효과가 있다.

신작로가 된 농토	일제의 토지 강탈, 농민에 대한 수탈
감옥소로 간 친구	일제의 지식인에 대한 억압과 핍박
공동묘지로 간 노인	일제에 나라를 빼앗긴 망국의 비운
유곽으로 간 계집	일제 강점기에 극심한 가난으로 인한 조선 여성의 고난과 비참한 운명

⇓

일제 강점하의 암울한 시대 상황에서 우리 민족이 겪는 수난과 고통을 압축적으로 보여 줌

09 인물·사건

(바)로 보아 '그'는 빈터만 남은 고향을 구경하고 돌아오는 길에 읍내에서 우연히 '그 여자'와 마주치게 되었다. 따라서 '그'가 '그 여자'를 만나기 위해 일부러 읍내에 들른 것은 아니다.

오답 풀이 ❶ ㉠을 통해 '그'와 '그 여자'가 이웃에 살았다는 것과 두 사람 사이에 혼인 말이 있었음이 드러난다.

❷ '그 여자'는 유곽으로 팔려 가 이십 원 몸값을 십 년이나 갚았지만 오히려 빚이 육십 원이나 남았고, 병이 들고 늙어서야 주인이 놓아주었다. 이를 통해 사회적인 약자를 가혹하게 수탈했던 당시의 현실을 확인할 수 있다.

❸ '그 여자' 역시 십 년 동안이나 그리던 고향에 찾아왔지만, 집과 부모도 없고 쓸쓸한 돌무더기만 남아 있음을 확인하였다.

❺ '그 여자'는 아버지에 의해 유곽으로 팔려 갔는데, 이는 극심한 가난으로 인해 딸을 팔 수밖에 없었던 민중의 비참한 삶이 반영된 것이라 할 수 있다.

10 주제

이 작품은 고향을 잃고 비참하게 살아온 '그'의 이야기를 통해 일제 강점하 우리 민족의 참담한 모습을 보여 주고 있다.

오답 풀이 ❷ '나'는 '그'의 이야기를 들으며 '그'의 처지에 공감하고 '그'에게 연민을 느끼게 된다. 따라서 민족 간에 발생한 갈등과 불화를 연구한다는 내용은 적절하지 않다.

❸ '그'의 이야기를 들으며 '나'가 '그'에게 술을 권하는 것은 '그'의 처지에 공감하고 '그'를 위로하기 위해서이다. 따라서 부정적 현실에 저항하는 지식인의 모습을 확인한다는 내용은 적절하지 않다.

❹ '그'와 '궐녀'는 일제 강점기에 비참한 삶을 산 우리 민족을 대변하는 인물이다. 따라서 전쟁으로 인해 우울하고 무기력하게 살아가는 인물이라는 설명은 적절하지 않다.

❺ 현실을 대하는 '나'와 '그'의 태도 차이는 드러나지 않으며, 역사적 혼란기를 극복하기 위한 바람직한 삶의 태도도 드러나지 않는다.

알아두기 | 작품 창작 당시 조선의 농촌 현실

- 일제의 식민지 지배로 농민들은 농토를 빼앗기고 소작인으로 전락함
- 일제의 수탈로 비참한 생활을 하다 고향(농촌)을 떠나 유랑하거나 해외로 이주하는 사람들이 늘어 감
- 일제의 농촌 수탈 정책으로 농촌은 황폐화되고, 극심한 가난으로 여성은 유곽으로 팔려 가 고통받음

⇓

일제의 수탈로 인한 당시 조선의 농촌 현실	• 토지를 수탈당한 조선의 농민들은 삶의 터전을 잃음 • 가혹한 농촌 수탈 정책으로 당시 민중의 생존권은 짓밟힘

+ 독해 체크 본문 066쪽

❶ 고향 ❷ 유랑 ❸ 술 ❹ 거부감 ❺ 공감 ❻ 풍자
❼ 관찰자 ❽ 액자식 ❾ 소작인 ❿ 얼굴

+ 어휘 체크 본문 067쪽

1 (1) 피폐 (2) 이완 (3) 황무지
2 (1) ㉢ (2) ㉡ (3) ㉠

본문 068~069쪽

실전 02

태평천하 ❶ _채만식

갈래 중편 소설, 풍자 소설, 가족사 소설
성격 풍자적, 해학적
주제 한 지주 집안의 붕괴 과정과 식민지 현실에 순응하는 타락한 삶에 대한 풍자
특징 • 서술자의 편집자적 논평이 나타남
• 판소리 사설의 문체와 경어체를 사용함
• 반어적 표현과 희화화를 통해 인물을 풍자함

확인 문제
01 × 02 ○ 03 × 04 소제목 05 배경 06 체중

실력 문제
07 ④ 08 ① 09 ②

01 윤 직원 영감은 심장 비대증으로 천식기가 좀 있지만 서른 살 먹은 장정을 능가할 정도로 정정한(몸이 굳세고 건강한) 인물이라고 하였다.

02 (다)에서 윤 직원 영감의 이목구비, 즉 눈, 코, 입은 '수부귀다남자의 상(오래 살고 부귀를 누리며 아들을 많이 낳을 복을 가진 관상)'이라고 하였다.

03 이 작품은 이야기 밖 서술자가 마치 전지전능한 신처럼 등장인물의 행동뿐만 아니라 심리까지 알고 있으며 이를 독자에게 전달하는 전지적 서술자 시점을 취하고 있다.

04 (가)의 '1 윤 직원 영감 귀택지도'에서 알 수 있듯이, 이 작품은 각 장마다 소제목을 제시하고 있다. 이 소제목을 통해 각 장에서 다룰 내용을 압축적으로 보여 주고 있다.

05 (가)~(다)는 소설의 발단 부분으로, (가)에서는 '추석을 지나 ~ 어느 날 석양', '계동'의 시공간적 배경을 제시하고, 윤 직원 영감이라는 인물이 등장하고 있다. (다)에서는 윤 직원 영감의 외양 등을 제시하여 중심인물을 소개하고 있다.

06 (나)의 '빗밋이 경사가 진 이십여 칸을 끌어올리기야 ~ 정말 혀가 나올 뻔했습니다.'에서 알 수 있듯이 인력거꾼은 몸무게가 100kg이 넘는 거구의 윤 직원 영감을 태우고 경사진 길을 오르느라 몹시 고생하고 있다.

07 인물·사건 + 서술

㉣의 뒤에 이어지는 내용, 즉 윤 직원 영감이 내릴 때 부축해 주지 않은 인력거꾼을 나무라는 내용을 통해 ㉣은 윤 직원 영감이 인력거꾼을 염려하고 있는 것이 아니라 배려 없이 책망하는 것임을 알 수 있다.

오답 풀이 ❶ '혀가 나오다'는 '혀가 빠지다'와 유사한 말로, 매우 힘들다는 의미이다. ㉠에서 '정말 혀가 나올 뻔'했다는 것은 체중이 많이 나가는 윤 직원 영감을 싣고 비탈길을 오르는 일이 매우 힘들었음을 나타내고 있는 것이다.
❷ 인력거꾼이 몸집은 작지만 직업적으로 단련된 몸이기 때문에 어렵사리 거구인 윤 직원 영감을 집 앞까지 내려놓을 수 있었다고 그 이유를 제시하고 있다.
❸ 인력거 좌판은 일반적인 몸집의 사람들이 앉을 수 있는 자리라는 점에서 좌판이 비좁다는 것은 윤 직원 영감의 몸집이 그만큼 크다는 것을 의미한다.
❺ ㉤은 윤 직원 영감이 정정한 품이 서른 살 먹은 젊은 나이의 장정을 능가할 정도라는 의미이다. 여기서 '능가하다'는 '능력이나 수준 따위가 비교 대상을 훨씬 넘어서다.'라는 말이므로, ㉤은 젊은 나이의 장정과의 비교를 통해 윤 직원 영감이 매우 정정함을 강조한 것이다.

08 인물·사건

<보기>에는 인력거꾼이 고생을 해서 윤 직원 영감을 집 앞까지 데려다주었으나 인력거 삯을 얼마 받지 못하는 상황이 나타나 있다. 이를 고려할 때 [A]는 앞으로 인력거꾼에게 불운한 일이 일어날 것임을 암시하는 기능을 한다고 볼 수 있다.

오답 풀이 ❷ <보기>에 제시된 새로운 사건이 일어난 것은 맞지만 [A]가 그것을 미리 알려 주는 기능을 한 것은 아니다.
❸ '인력거꾼'은 시대적 배경을 드러내는 말이기는 하지만 <보기>와의 관련성을 고려할 때, 적절한 내용이 아니다.
❹ [A]는 당일 아침의 일을 열거하였을 뿐 과거 회상의 매개체 역할을 하지 않으므로 적절한 내용으로 볼 수 없다.
❺ <보기>에서 인력거 삯을 주지 않으려는 윤 직원 영감과 인력거꾼 사이의 외적 갈등을 엿볼 수 있는데, 이 갈등의 원인은 윤 직원 영감의 인색함에서 비롯된 것으로 [A]와는 관련이 없다.

배경지식 ⊕ 암시와 복선

암시와 복선은 앞으로 일어날 사건에 대해 독자에게 넌지시 알려 주는 방식으로 사건에 필연성을 부여하는 장치이다. 즉, 앞에서 이어질 사건의 단서를 미리 서술함으로써 사건 전개의 우연성을 피하고 각각의 사건이 논리적 인과관계를 유지할 수 있게 한다.

09 서술

'아따 무어라더냐'는 작중 상황을 설명하는 과정에서 잠시 생각이 나지 않거나 일부러 뜸을 들여 독자의 관심을 이끌어 내기 위한 말로, 창자가 관객에게 작중 상황을 설명하는 과정에서 덧붙이는 말을 활용한 것이다. 주관적인 생각이나 평가를 드러낸 말은 아니다.

오답 풀이 ❶ '~입니다'는 창자가 관객에게 말을 건넬 때 경어체를 사용하는 것을 이 작품에서 활용한 것이다.
❸ '실상인즉 뻔히 섰던 것이 아니라, 가쁜 숨을 돌리면서 땀을 씻고 있었던 것이나'는 인력거꾼이 서 있었던 이유를 설명한 것으로, 판소리에서 창자가 관객에게 작중 상황을 설명하는 방식을 활용한 것이다.
❹ '나이……? 올해 일흔두 살입니다.'는 독자가 궁금해할 만한 내용을 서술자가 묻고 뜸을 들이다 답하는 형식을 취해 독자의 궁금증이나 관심을 유발하는 방식으로, 이는 판소리에서 창자가 일부러 뜸을 들이며 시간을 끌어 관객이 이어지는 내용에 관심을 갖도록 만드는 방식을 활용한 것이다.

❺ '그러나 시삐 여기진 마시오.'는 칠십이 넘은 윤 직원 영감의 나이를 대수롭지 않게 생각하지 말라는 뜻으로, 독자의 반응을 예측해 언급한 것이다. 이는 판소리처럼 서술자와 독자의 상호 소통을 전제로 한 표현이다.

02 태평천하 ❷

본문 070~071쪽

확인 문제

01 × 02 ○ 03 × 04 별명 05 군수, 경찰서장 06 판소리

실력 문제

07 ⑤ 08 ① 09 ③ 10 ③

01 (마)의 끝부분, 즉 종수를 훈계하는 윤 직원 영감의 말에서 확인할 수 있듯이 윤 직원 영감은 종학의 씀씀이가 헤퍼졌다고 생각하지만 언짢아하는 태도는 보이지 않고 여전히 종학을 신뢰하는 모습을 보이고 있다.

02 '네 아우 종학이만 못히여!'를 통해 종학이 종수의 동생임을 알 수 있다. 그리고 '종학이는~내년 내후년이머넌 대학교를 졸업허잖냐?', '그래서 지난달에두 오백 원 꼭 쓸 디가 있다구 핀지히였길래'를 통해 종학이 현재 집을 떠나 대학교에 다니고 있음을 짐작할 수 있다.

03 윤 직원 영감은 손자들에게 친일적인 성격을 가진 직업인 군수나 경찰서장이 되라고 할 정도로 일제 강점기를 긍정적으로 여기며 부조리한 현실 상황에 순응하는 인물이다.

04 '윤 두꺼비 시절', '말 대가리 윤용규'와 같이 등장인물들의 별명을 통해 그들을 희화화하여 웃음을 유발하면서 풍자의 효과를 거두고 있다.

05 (마)에서 종수를 훈계하는 윤 직원 영감의 말에서 확인할 수 있듯이 윤 직원 영감은 큰손자 종수는 군수가 되고, 작은손자 종학은 경찰서장이 되길 바라고 있다.

06 이 작품은 '-겠다요'와 같은 조롱하는 어투로 된 판소리 사설 형식의 문체를 활용하여 윤 직원 영감에 대한 서술자의 부정적 태도를 드러내고 있다.

07 인물·사건

(라)의 '시아버지 윤 직원 영감이 보기가 싫은 건넌방 고 씨만 빼놓고'를 통해 고 씨가 윤 직원 영감에게 감정이 좋지 않다는 것은 알 수 있으나, 그 이유는 (라)~(마)를 통해서는 확인할 수 없다.

오답 풀이 ❶ 중략 부분 줄거리와 (라)에서 윤 직원 영감은 소싯적 부친의 시체 옆에서 '우리만 빼놓고 어서 망해라!'라고 하였고, 현재는 '승리를 했겠다요.'라고 서술한 것에서 알 수 있는 내용이다.

❷ (마)에서 종수를 훈계하는 윤 직원 영감의 말을 통해 윤 직원 영감이 종수보다는 종학을 더 긍정적으로 여기며 신뢰하고 있음을 알 수 있다.

❸ (마)의 '너 경손 애비, 부디 정신채리라', '너치름 허랑허지두 않고' 등을 통해 알 수 있다.

❹ 중략 부분의 줄거리와 (라)의 '자기 부친 말 대가리 윤용규가 화적의 손에 무참히 맞아죽은'에서 알 수 있다.

08 서술

이 작품에서는 '윤 두꺼비', '말 대가리'와 같이 우스꽝스러운 등장인물의 별명 등을 통해 대상을 희화화해 풍자하고 있다. 또한 서술자가 '우리만 빼놓고 어서 망해라!'라고 한 윤 직원 영감의 부르짖음에 대해 '그것은 당시의 나한테 불리한 세상에 대한~웅장한 투쟁의 선언이었습니다.'라고 반어적으로 평가한 편집자적 논평을 통해 윤 직원 영감의 비도덕적이고 이기적인 면모를 조롱하고 있다.

오답 풀이 ㉰ 등장인물의 회상이 아닌 서술자가 윤 직원 영감의 과거를 서술하여 등장인물의 비극적인 가족사를 부각하고 있다.

㉱ 이 글은 전지적 서술자 시점을 취하고 있으며 어린아이를 서술자로 설정하고 있지 않으므로 적절한 내용이 아니다.

배경지식 ➕ 편집자적 논평

서술자가 이야기 속의 사건이나 인물에 대해 자신의 주관적 평가나 판단 등을 직접적으로 제시하는 것을 편집자적 논평이라고 한다. 편집자적 논평은 3인칭 전지적 시점에서 주로 사용되며, 고전 소설에서 흔히 사용되는 기법 중의 하나이다.

09 인물·사건

[A]에서 윤 직원 영감은 종수가 군수가 되고 종학이 경찰서장이 되면 너희들(손자들)이 호화롭고 편안한 삶을 살 수 있다고 말하지만, 실상은 손자들의 출세를 통해 가문의 재산을 지키고 이익과 번영을 꾀하려는 속내가 담겨 있다.

오답 풀이 ❶ [A]에서 윤 직원 영감이 종학보다 종수가 더 성공하길 바라고 있지는 않다. 두 손자 모두 가문의 재산을 지킬 수 있는 직업을 가지길 바라는 것이다.

❷ 윤 직원 영감은 종수의 직업인 군 서기가 남부끄러운 것이라며 비하하고 있다.

❹ [A]에서 군수, 경찰서장 되는 것이 다 손자들이 호강하는 것이라고 말하고 있다. 그러나 윤 직원 영감의 속마음은 자신의 가문과 재산을 지키기 위해 손자들이 군수, 경찰서장이 되라고 말하는 것이지, 손자들이 남부럽지 않게 살기를 바라는 마음에서 군수, 경찰서장이 되라고 하는 것은 아니다.

❺ [A]에 나타난 표면적 의미만을 보면 손자들의 직업이 자신과 상관없다지만 이것은 숨은 의도를 제대로 이해하지 못한 내용이므로, 적절하지 않다.

10 서술

㉠은 '우리만 빼놓고 어서 망해라.'라고 하며 세상을 저주하는 윤 직원의 말을 '웅장한 투쟁의 선언'이라고 반어적으로 표현한 서술자적 논평이다. 〈보기〉의 ⓒ는 어사또의 정체가 이

몽룡임을 모르는 춘향이 자신에게 수청을 들라고 요구하자 '정치를 잘하여 이름이 난 관리'라는 뜻의 '명관'이라며 반어적으로 표현하고 있다.

오답 풀이 ❶ '수절'과 '정절'은 같은 의미로 비슷한 발음의 말을 반복한 언어유희가 사용되었다.
❷ '살기를 바랄쏘냐'는 '살기를 바랄 수 없다'는 것을 의문문 형식을 통해 강조한 표현으로 설의법에 해당한다.
❹ '층암절벽 높은 바위'는 춘향의 절개를 비유하고, '바람'은 춘향에게 닥친 시련을 비유한 말로, 비유(은유)적 표현이 사용되었다.
❺ 거지의 모습이었던 이몽룡이 어사가 되어 앉아 있는 것을 확인하는 장면으로, 극적 반전이 나타난 부분이다.

배경지식 ⊕ 반어법

반어법은 나타내려는 뜻과 상반되게 표현함으로써 그 의미를 강조하는 표현 기법을 뜻한다. 〈보기〉에서 춘향은 자신에게 수청을 요구하는 어사또에게 '명관'이라고 반어적으로 표현함으로써 명관이 아니라는 자신의 생각과 반대로 나타내어 어사또의 요구를 비꼬는 효과를 보이고 있다.

02 태평천하 ❸

본문 072~073쪽

확인 문제
01 ○ 02 ○ 03 × 04 전보 05 고사

실력 문제
06 ⑤ 07 ⑤ 08 ⑤

01 (바)에서 윤 직원 영감은 갑작스럽게 방문한 윤 주사에게 '멋하러 오냐? 돈 달라러 오지?'라고 말하며 아들 창식의 방문을 못마땅하게 여기고 있다.

02 (바)에서 '지체를 바꾸어 윤 주사를~둘러 놓았으면 꼬옥 맞겠습니다.'는 편집자적 논평을 통해 윤 직원 영감의 경망스러운 행동을 풍자하고 있는 표현이다.

03 (사)의 '윤 직원 영감은 시방~물론 무서웠던 것입니다.'에서 확인할 수 있듯이 윤 직원 영감은 사회주의에 대해 두려움을 느끼고 있다. 그런데 집안을 망하게 했던 부랑당패는 화적패를 가리키는 것으로, 이들이 사회주의를 주장한 것은 아니다. 다만 윤 직원 영감의 입장에서 화적패나 사회주의를 주장하는 사람들이나 자신의 가문을 망하게 하는 원인이기 때문에 부정적인 대상이 되는 것이다.

04 이 작품에서 '전보'는 작품 전면에 등장하지 않고 인물들의 대화를 통해 등장하는 종학의 상황을 간접적으로 제시하는 역할을 한다.

05 이 작품의 서술자는 (사)에서 소제목에 제시되었던 '망진자는 호야니라'의 고사를 활용하여 윤 직원 영감의 집안을 망하게 하는 것은 그의 자손들임을 암시하고 있다.

06 인물·사건 + 어휘

(사)의 '그러나 그것은 결단코 자신이 믿고 사랑하고 하는 종학이의 신상을 여겨서가 아닙니다.'에서 알 수 있듯이 윤 직원 영감은 손자 종학의 신변에 대한 걱정보다는 다른 것, 즉 자신의 가문을 더 걱정하고 있다. '우왕좌왕'은 이리저리 왔다 갔다 하며 일이나 나아가는 방향을 종잡지 못하는 모양을 나타내는 말이다.

오답 풀이 ❶ '견원지간'은 '개와 원숭이의 사이라는 뜻으로, 사이가 매우 나쁜 두 관계를 비유적으로 이르는 말'이므로 윤 직원 영감과 아들 창식의 좋지 않은 관계를 나타내기에 적절하다.
❷ '망연자실'은 '멍하니 정신을 잃음'을 뜻하는 말로, 종학의 피검으로 충격에 빠진 윤 직원 영감의 모습을 나타내기에 적절하다.
❸ '청천벽력'은 '맑게 갠 하늘에서 치는 날벼락이라는 뜻으로, 뜻밖에 일어난 큰 변고나 사건을 비유적으로 이르는 말'이므로 종학이 사회주의에 참여해 피검된 사실을 알고 충격을 받은 윤 직원 영감의 상황을 나타내기에 적절하다.
❹ '배은망덕'은 '남에게 입은 은덕을 저버리고 배신하는 태도가 있음'을 뜻하는 말로, 평소 종학을 믿으며 전폭적인 지원을 했던 윤 직원 영감의 입장에서 배신감을 느낄 수 있으므로 그의 상황을 나타내기에 적절하다.

07 배경·소재

[A]에서는 진나라를 망하게 한 것이 진시황의 아들 '호해'였다는 고사를 활용해 윤 직원 영감의 집안을 망하게 하는 것은 종학임을 암시하고 있다. 즉, 윤씨 일가의 가부장인 윤 직원 영감은 '진시황'에, 사회주의에 참여해 붙잡힌 종학은 '호해'에 해당한다.

08 인물·사건 + 배경·소재

반영론적 관점은 시대 현실을 중심으로 감상하는 방법이다. ⑤에서는 당시 시대 현실을 바탕으로 작품의 내용을 감상하였으므로, 반영론적 관점에 해당한다.

오답 풀이 ❶, ❹ 작품과 독자와의 관계를 중시하여 작품을 감상하는 효용론적 관점의 예에 해당한다.
❷ 작품의 내적 요소에 대해 감상하는 관점인 구조론적 관점의 예에 해당한다.
❸ 작품을 창작한 작가의 삶과 세계관을 고려하여 작품을 감상하는 관점인 표현론적 관점의 예에 해당한다.

배경지식 ⊕ 문학 작품의 감상 방법

내재적 관점	구조론적 관점	내용, 형식, 표현 등 작품 자체의 요소에 대해 감상하는 관점
외재적 관점	표현론적 관점	작품을 창작한 작가의 일생과 세계관 등을 고려하여 작품을 감상하는 관점
	반영론적 관점	작품의 창작 배경이 되는 시대 현실을 고려하여 작품을 감상하는 관점
	효용론적 관점	작품이 독자에게 미치는 효용을 고려하여 작품을 감상하는 관점

02 태평천하 ④

본문 074~075쪽

확인 문제

01 × 02 ○ 03 태평천하 04 장수, 죽음

실력 문제

05 ⑤ 06 ② 07 ⑤

01 (아)의 '허긴 그놈이 작년~그런 기미가 좀 뵈긴 했어요!'의 부분을 통해 가족 중 창식은 종학의 사회주의 참여를 어느 정도 눈치채고 있었음을 알 수 있다.

02 윤 직원 영감이 편지를 써서 종학이 징역을 살게 하겠다고 저주의 말을 퍼붓는 것으로 보아, 윤 직원 영감은 종학이 경시청에 잡혀갔다는 사실보다 믿었던 손자가 사회주의에 참여했다는 사실에 더 분노하고 있다.

03 '……이 태평천하에! 이 태평천하에…….'에서 알 수 있듯이 윤 직원 영감은 일제 강점기를 '태평천하'로 여기는 왜곡된 역사의식을 지닌 인물이다.

04 '장수의 죽음을 만난 군졸들처럼'에서 '장수'는 '윤 직원 영감'을, '죽음'은 '윤 직원 영감의 몰락'을, '군졸들'은 '윤 직원 영감의 가족들'을 의미한다. 따라서 '장수의 죽음'은 '윤 직원 영감'과 그 가문의 몰락을 암시한다고 볼 수 있다.

05 인물·사건 + 배경·소재

사회주의 운동에 참여하다 잡혀간 종학에게 분노하며 절망하는 윤 직원 영감을 본 가족들은 어찌할 바를 모르며 불안해하고 있다.

오답 풀이 ❶ ㉠에서 윤 직원 영감은 큰손자인 종수는 군수가 되고 작은손자인 종학은 경찰서장이 되기를 바라고 있다.

❷ ㉡을 받은 이후 윤 직원 영감이 종학이 사회주의를 한 것에 분노하는 것으로 보아, ㉡은 종학이 일본에서 사회주의 운동을 하다가 구속됐음을 간접적으로 드러내는 역할을 함을 알 수 있다.

❸ ㉡으로 인해 사건이 전환되는데, 윤 직원 영감은 ㉡ 이전에는 종학을 집안을 일으킬 인물로 보며 긍정했지만, ㉡ 이후 종학을 집안을 망치는 인물로 평가하며 저주하고 있다.

❹ 전보를 통해 종학의 사회주의 운동 참여 사실을 알게 된 윤 직원 영감은 종학에게 분노하며 좌절하는 모습을 보이고 있다.

알아두기 **'전보'의 기능**

사실의 전달	종학이 사회주의 운동을 하다 검거되었음을 알림
서사의 전개	사건 전개에 극적인 반전을 유도함
인물의 제시	작품 전면에 등장하지 않는 종학이 일본에서 사회주의 운동을 했다는 사실을 간접적으로 드러냄
주제의 암시	윤 직원 영감 집안의 몰락을 암시함

06 주제

〈보기〉에서 알 수 있듯이, 이 작품에서는 일제 강점기를 태평천하로 여기는 윤 직원 영감의 왜곡된 역사의식을 풍자하면서 한 가문의 몰락 과정을 보여 주고 있다. 그러나 당시 부유했던 집안의 몰락을 그려 냈을 뿐 우리 민족이 겪었던 고난이나 고통의 현실에 대해서는 구체적으로 다루고 있지 않다. 따라서 당시 우리 민족이 겪었던 고통과 고난의 현실을 사실적으로 그려 냈다는 이해는 적절하지 않다.

오답 풀이 ❶ 이 작품에서는 일제 강점기라는 식민지 현실을 태평천하로 받아들이며 일제에 순응하며 자신의 이익을 취하며 살아가는 윤 직원 영감을 통해 식민지 현실에 순응하는 도덕적 타락상을 풍자하고 있다.

❸ 일제 강점기라는 식민지 현실에 무관심하며 오로지 가문의 부귀영화만을 생각하는 윤 직원 영감의 행태를 통해, 작가는 당시 우리 민족이 처한 역사적 현실에 무관심한 사람들에 대한 비판 의식을 드러내고 있다.

❹, ❺ 이 작품에서 작가는 윤 직원 영감의 이기적이고 비도덕적인 면모를 제시함으로써 독자로 하여금 당시 현실에서 가져야 할 바람직한 가치관이 무엇이고, 당시의 현실에 대응하기 위한 올바른 방법이 무엇인지 생각해 보게 한다.

07 인물·사건

이 작품에서 윤 직원 영감은 일제 강점기를 태평천하로 받아들이고 있고, 〈보기〉의 '나' 또한 일제 강점기가 백성들을 편하게 살 수 있게끔 만들어 주는 시기로 인식하고 있다. 이로 보아 두 사람 모두 당시의 사회를 질서가 바로잡힌 긍정의 시기로 받아들이고 있음을 알 수 있다.

오답 풀이 ❶ 윤 직원 영감이나 〈보기〉의 '나'는 모두 일제 강점기라는 시대 현실보다는 자신이 얻게 될 이익이나 행복에 더 관심을 두고 있다.

❷ 윤 직원 영감이나 〈보기〉의 '나' 모두 사람들의 인심 변화에 대해서는 생각하지 않고 있다.

❸ 윤 직원 영감이나 〈보기〉의 '나' 모두 자신의 이익에만 관심이 있을 뿐, 국가를 위해 자신이 무엇을 해야 할지에 대해서는 생각하지 않고 있다.

❹ 윤 직원 영감이나 〈보기〉의 '나'는 모두 사회주의를 부정적으로 바라보고 있으며, 나라에서 사회주의를 금하는 것을 찬성하고 있다.

+ 독해 체크 본문 076쪽

❶ 전보 ❷ 분노 ❸ 태평천하 ❹ 사회주의 ❺ 풍자
❻ 긍정적 ❼ 논평 ❽ 경어체 ❾ 반어 ❿ 타락

+ 어휘 체크 본문 077쪽

1 (1) 망연자실 (2) 청천벽력 (3) 면면상고
2 〈가로〉 ❶ 왜곡 ❹ 화적패
〈세로〉 ❷ 곡해 ❸ 희화화

실전 03 달방 ❶ _이태준

갈래 단편 소설
성격 서정적, 애상적
주제 각박한 세상에 적응하지 못한 '황수건'의 삶에 대한 연민
특징 • 세밀하고 감각적인 묘사를 통해 인물과 사건을 선명하게 제시함
• 주인공의 성격을 보여 주는 여러 가지 일화를 나열하는 구성을 취함
• '달밤'이라는 서정적인 배경을 통해 비극성을 심화시키지 않고 독자에게 여운을 남김

확인 문제
01 ○ 02 × 03 × 04 반편 05 신문
06 배달복, 방울

실력 문제
07 ③ 08 ③ 09 ③

01 황수건은 원배달이 되기를 원했지만, 원배달은 물론 보조 배달부의 일마저도 못하게 된다. '나'는 이러한 소식을 (나)에서 황수건 대신 온 신문 배달부를 통해 듣게 된다.

02 황수건이 원배달이 되지 못하고 보조 배달마저 떨어져 '나'의 집에 올 길이 없어졌다는 내용은 드러나지만, '나'를 피한다는 내용은 확인할 수 없다.

03 이 작품은 1인칭 관찰자 시점으로, 작품 속 서술자인 '나'가 주인공인 황수건의 말과 행동을 관찰한 것과 그에 대한 자신의 생각을 서술하고 있다.

04 '반편'은 지능이 보통 사람보다 모자라는 사람을 낮잡아 이르는 말로, 황수건 대신 온 신문 배달부가 황수건을 '반편'이라고 칭하는 것에서 황수건이 좀 모자라다고 무시하는 사람들의 평가가 반영되어 있음을 알 수 있다.

05 황수건은 신문 보조 배달부로서 우리 집에 신문을 배달하기 위해 찾아왔었다.

06 황수건은 '나'에게 원배달이 되어 배달복을 입고 방울을 막 떨렁거리면서 올 테니 보라고 하며 기대감에 들떠 있었다.

07 인물·사건

㉢은 방울 소리를 듣고 황수건이 왔을 것이라 생각한 '나'의 반가움이 드러난 것이다. 배달원이 다른 사람으로 바뀐 것을 안 것은 ㉢ 이후의 일이므로, 황수건 대신 온 배달원에 대한 괘씸한 마음이 드러난 것이라 볼 수 없다.

오답 풀이 ❶ 내일부터 원배달일 것이라는 소식을 전하고 신이 나서 돌아가는 황수건의 모습에서 기대감과 자랑스러움을 확인할 수 있다.
❷ 원배달이 되어 오겠다고 한 날 그가 오지 않았다는 것은 원배달이 되는 것에 문제가 생겼음을 짐작하게 하면서 그가 원배달이 될 것이라는 기대에 어긋나는 상황이 전개될 것임을 암시하는 것이다.
❹ 황수건을 '반편'이라고 지칭하는 것으로 보아 다른 사람들이 황수건에 대해 보통 사람보다 지능이 모자라다고 생각하고 있음을 알 수 있다.
❺ '나'는 황수건이 보조 배달부 자리마저 잃었다는 소식을 듣고 세상의 야박함을 원망하는데, 이는 순박한 황수건이 좌절할 수밖에 없는 현실에 대한 원망이라 볼 수 있다.

알아두기 **작품에 반영된 시대상**

이 작품이 창작된 1930년대는 일제 강점기로, 당시 우리 민족은 대부분 궁핍한 삶을 살았다. 조선은 실업자와 걸인의 수가 급속도로 늘어났고, 조선인의 삶과 일본인의 삶은 경제적 격차가 점점 더 심해졌다. 이러한 상황에서 황수건처럼 모자라고 어리숙한 사람은 주변으로부터 더 외면당하고 각박한 현실 속에서 밀려날 수밖에 없었다.

08 서술

이 작품은 1인칭 관찰자 시점으로, 이야기 안에 등장하는 인물인 '나'가 황수건의 말과 행동을 관찰하여 전달하고 있다.

오답 풀이 ❶ 이 작품은 이야기 안의 서술자인 '나'가 자신의 이야기가 아니라 황수건이라는 인물의 이야기를 서술하고 있다.
❷ 이 작품은 1인칭 관찰자 시점으로 서술자가 이야기 안에 있으며, 서술자의 심리나 정서는 드러나지만 다른 인물의 내면 심리는 드러나지 않는다.
❹ 이 작품은 황수건에 대한 '나'의 태도나 정서는 드러나지만, 주관적인 논평이나 인물들의 성격 변화는 드러나지 않는다.
❺ 이 작품의 서술자인 '나'는 황수건에 대해 호의적인 태도로 연민의 정서를 드러내고 있다. 따라서 서술자가 인물에 대해 거리를 두고 있다고 볼 수는 없다.

알아두기 **1인칭 관찰자 시점과 그 효과**

이야기 안에 등장하는 '나'가 주인공의 말과 행동을 관찰하여 전달함
⇓
• 독자가 인물의 상황에 몰입하는 것을 방지함
• 서술자인 '나'의 태도를 통해 주제 의식을 드러냄
• 최소한의 정보를 제공하여 독자의 관심과 호기심을 유발함

09 인물·사건

'나'는 황수건이 원배달은 물론 보조 배달부의 일까지 못하게 된 것에 대한 안타까움을 '친구가 큰 사업에나 실패하는 것을 보는 것처럼' 마음이 아팠다고 빗대어 표현하였을 뿐, 황수건이 실제로 사업에 실패한 것은 아니다.

오답 풀이 ❶ 황수건은 원배달이 될 기대에 부풀어 있는데, 이를 통해 황수건의 소박하고 순수한 성품이 드러난다.
❷ 황수건은 원배달이 될 기대에 부풀어 있었지만 똑똑하지 못하다고 보조 배달부 자리마저 잃게 된다. 그런데 〈보기〉에서 황수건은 '하는 일마다 실패하는 비극적인 삶을 산다.'라고 하였으므로, 황수건이 보조 배달부 자리를 잃은 것은 각박한 현실 속에서 하는 일마다 실패하는 삶의 일부를 보여 주는 것이라고 할 수 있다.

❹ 황수건이 보조 배달부 자리마저 잃었다는 소식을 듣고 '나'는 섭섭해하고 마음 아파하는데, 이는 황수건에 대한 '나'의 애정에서 비롯된 것이다.
❺ '나'는 황수건이 원배달이 될 기대에 부풀어 있는 모습을 보고 마음속으로 진실로 즐거워하며, 함께 기대한다. 이는 황수건에 대한 호의와 애정이 드러난 것으로 이를 통해 황수건에 대한 작가의 따뜻한 시선을 읽을 수 있다.

01 삼산학교에 새로 들어온 급사의 근력을 시험하기 위해 큰 돌멩이를 삼산학교 대문에 가져다 놓았다거나, 과학적 근거가 없이 자의적인 해석으로 우두를 넣지 말라는 말을 하는 등에 대해, '나'는 적절한 호응을 하며 황수건의 말에 맞장구를 쳐 주고 있다. 이를 통해 황수건에 대한 '나'의 호의적인 태도를 확인할 수 있다.

02 우두를 맞으면 근력이 줄어든다는 이야기는 황수건 자신이 생각해 낸 말이다.

03 (마)에서 황수건은 우두를 맞으면 근력이 없어진다는 것을 '나'에게 말해 주기 위해 찾아왔다.

04 황수건은 돈만 있다면 소사 노릇을 하지 않고 삼산학교 앞에 가서 버젓이 장사를 하고 싶다고 말한다.

05 황수건은 새 급사와 싸워야 할 것 같은데 그의 근력이 얼마나 센지 몰라 망설이고 있다가, 이를 시험해 보기 위해 큰 돌멩이 하나를 굴려다 삼산학교 대문에 가져다 놓은 것이다.

06 배경·소재

황수건은 삼산학교에서 급사로 일하다가 쫓겨난 후에 자기 대신 들어온 새 급사의 근력이 얼마나 센지 확인해 보기 위해 돌멩이를 삼산학교 대문 앞에 가져다 놓는다. 이는 문제의 근본적인 원인과 해결 방법을 제대로 파악하지 못하고 엉뚱한 생각을 하는 황수건의 어리석음을 부각한다.

오답 풀이 ❷ 황수건이 돌멩이를 가져다 놓은 것은 새로 온 급사의 근력을 확인해 보기 위한 것이지 그를 도우려는 것이 아니다. 또한 새로 온 급사가 황수건보다 약자인 것도 아니다.
❸ 삼산학교 대문에 돌멩이를 가져다 놓은 것은 새로 온 급사의 근력을 확인해 보기 위한 것이므로, 이를 상대를 이기기 위해 미리 준비하는 것이라고 보기는 어렵다. 그리고 이러한 행동은 황수건의 엉뚱함을 보여 주는 것이지 치밀함을 보여 주는 것이라고 볼 수 없다.
❹ 돌멩이를 삼산학교 대문에 가져다 놓고 새 급사의 근력을 확인해 보는 것은 삼산학교에 급사로 다시 들어가기 위한 근본적인 해결 방법이라고 볼 수 없다.
❺ 돌멩이를 삼산학교 대문에 가져다 놓은 것은 황수건으로, 새 급사가 자신의 힘을 과시하려고 가져다 놓은 것이 아니다. 또한 새 급사가 교만과 허세가 있는지는 이 작품에서는 확인할 수 없다.

07 서술

이 작품에서는 '나'와 황수건의 대화를 통해 황수건이 삼산학교의 급사로 다시 들어가려 한다는 것과 엉뚱하고 어리석지만 순수하고 따뜻한 황수건의 성격을 제시하고 있다.

오답 풀이 ❶ '나'가 황수건에게 질문을 하고 황수건이 이에 대답을 하고 있기는 하지만, 이를 통해 황수건의 성격이 드러날 뿐이지 사건의 숨겨진 의미가 밝혀지지는 않는다.
❷ '나'는 황수건의 엉뚱한 이야기를 들으면서도 그의 말에 동조하고 그에게 고마움을 표현하고 있다. 따라서 대화가 진행되며 인물 간의 대립이 심화된다고 볼 수 없다.
❹ 이 작품에서는 서술자인 '나'의 심리가 제시되지만, 논평을 통해 현재 사건의 원인이 된 과거의 사건을 밝히는 내용은 나타나지 않는다.
❺ 두 사람의 대화는 '나'의 집에서 이루어지고 있다. 따라서 병렬식 구성을 통해 서로 다른 공간에서 동시에 일어나는 사건을 보여 준다고 볼 수 없다.

08 인물·사건

삼산학교 학생들이 선생들보다 자신을 더 좋아한다는 말을 통해 황수건의 허풍스러운 성격이 드러난다. 따라서 황수건이 삼산학교 학생들의 말에 위로받고 사회적으로 소외받는 처지에서 벗어나고 있다는 것은 적절하지 않다.

오답 풀이 ❶ 우두를 넣지 말라고 알려 주러 와서 고맙다는 '나'의 말에 황수건은 좋아서 벙긋거리며 머리를 긁는다. 고맙다는 말을 듣고 기뻐하며 쑥쓰러워하는 모습으로 보아, 황수건의 순박하고 천진난만한 성격을 알 수 있다.
❷ 삼산학교 급사였다가 밀려난 것으로 보아, 냉정한 현실에 적응하지 못하고 실패하여 사회의 중심에서 밀려난 인물임을 알 수 있다.
❸ 우두를 넣으면 사람의 근력이 없어진다는 것은 황수건 자신의 생각일 뿐이다. 근거가 없는 자의적인 판단을 사실로 믿는 것으로 보아, 황수건이 배움이 부족한 사람이라는 것을 알 수 있다.
❺ 근거가 없는 자의적인 판단이기는 하지만 '나'에게 우두를 넣지 말라고 일러 주려고 일부러 찾아온 것을 보아, 따뜻한 마음을 가진 사람임을 알 수 있다.

01 (사)에서 '들으니~것이라 한다.'고 하여 서술자인 '나'가 들은 황수건에 대한 정보를 요약하여 제시하고 있다.

02 황수건이 부르는 일본 노래의 가사는 '술은 눈물인가, 한숨인가.'라는 뜻으로, 연속된 좌절과 실패로 인해 삶에 지친 황수건의 모습과 심리를 반영하는 것이다.

03 이 작품은 달밤이라는 서정적인 배경을 제시하며 이야기를 마무리하고 있다. 이는 지친 황수건의 삶이 슬프게 느껴지기는 하지만 비극성이 심화되는 것을 막아 주고 독자에게 여운을 주는 역할을 한다. 삶에 지치고 답답해하는 황수건의 모습으로 결말을 맺고 있으므로, 황수건의 현재 처지가 지속될 것임을 짐작할 수 있다. 따라서 밝은 달빛을 통해 인물의 미래가 변화될 것임을 암시한다는 것은 적절하지 않다.

04 '나'는 황수건에게 삼산학교 앞에서 참외 장사라도 해 보라고 '돈 삼 원'을 주었고, '돈은 남지 못하면 돌려 오지 않아도 좋다'고 하였다. 이는 황수건에 대한 '나'의 연민과 애정이 반영된 것이다.

05 황수건은 달빛 아래 처량한 노래를 부르며 담배를 퍽퍽 빨면서 지나가는데, 여기서 '담배'는 황수건의 답답한 마음을 간접적으로 드러내는 소재이다.

06 '나'는 달밤에 우연히 황수건을 보고 반가워하면서도, 황수건이 자신을 보면 무안해할 일을 생각해 일부러 나무 그늘에 몸을 감추고 황수건을 몰래 바라본다.

07 인물·사건

'나'는 황수건이 주고 간 대여섯 송이의 포도를 '그의 은근한 순정의 열매'라고 생각하며 오래 바라보고 아껴 먹는다. 즉, '나'에게 고마움을 표현하기 위해 황수건이 훔쳐 온 포도를 맛보며 그의 순박한 마음씨에 애정을 느끼는 것이다.

오답 풀이 ❶ '나'는 참외 장사라도 해 보라고 황수건에게 '돈 삼 원'을 주지만, 이내 장마가 들어 황수건은 밑천만 까먹게 된다.
❷ 황수건의 아내가 집을 나간 것은 동서가 못 견디게 굴었기 때문이다.
❸ 포도원 주인은 황수건의 뒤를 날쌔게 따라와 다짜고짜로 그의 멱살을 쥐고 끌고 나가고, 황수건은 새하얗게 질려 꼼짝 못하고 끌려 나간다.
❹ '나'는 포도원 주인이 황수건의 멱살을 잡고 끌고 나가는 것을 보고 쫓아 나가 매를 말리고 포돗값을 물어 준다.

08 배경·소재

'참외 세 개'(㉡)와 '포도'(㉢)는 모두 황수건이 '나'에게 고마움을 표시하기 위해 가져온 것들이다.

오답 풀이 ㉠ '돈 삼 원'은 황수건에 대한 '나'의 애정과 연민을 의미한다.
㉣ '노래'는 삶에 지친 황수건의 모습과 심리를 반영한다.
㉤ '담배'는 황수건의 답답한 마음을 간접적으로 드러내는 소재이다.

알아두기 황수건이 겪은 주요 사건들

- 삼산학교 급사 자리에서 쫓겨남
- 똑똑하지 못하다는 이유로 신문 원배달이 되지 못하고, 보조 배달부 자리에서도 쫓겨남
- '나'가 준 돈으로 참외 장사를 시작하나, 장마가 들어 밑천만 까먹음
- 동서가 못 살게 굴어 아내가 달아남
- '나'에게 고마움을 표현하기 위해 포도를 훔쳐 오는데, 포도원 주인에게 발각되어 곤욕을 치름

⇓

황수건의 연이은 실패

⇓

냉정한 현실에 적응하지 못하고, 사회에서 소외된 인물임을 부각함

09 배경·소재

(자)에서 '달밤'이라는 시간적 배경은 서정적인 분위기를 조성하여 황수건이 처한 비극적 상황을 이완해 주는 기능을 한다. 따라서 갈등을 심화시킨다는 설명은 적절하지 않다.

오답 풀이 ❶, ❸ (자)와 〈보기〉는 모두 '달빛'이 비치는 밤을 배경으로 하여 서정적인 분위기를 형성하고 있다.
❷ (자)에서는 '불빛 없는 성북동 길 위에는 달빛이 깁을 깐 듯하였다.', 〈보기〉에서는 '이지러는 졌으나 보름을 가제 지난 달은 부드러운 빛을 흐붓이 흘리고 있다.'라고 하여 달빛이 비치는 배경을 묘사하고 있다.
❹ (자)에는 삶에 지친 황수건의 슬픈 모습이 나타나는데, 달밤은 애상적인 분위기를 형성하여 이러한 황수건의 슬픈 처지를 부각하는 역할을 하고 있다. 그러나 〈보기〉에서는 인물들이 이동하는 공간에 서정성을 부여하고 있을 뿐, 인물의 슬픈 처지를 드러내지는 않고 있다.

알아두기 '달밤'의 기능

황수건의 좌절과 상처 부각	서정적이고 애상적인 분위기 조성	황수건에 대한 연민의 감정 투영

⇓

슬픔과 비애가 느껴지지만 결말이 비극적으로 끝나는 것을 막아 줌

+ 독해 체크 본문 084쪽

❶ 못난이 ❷ 참외 ❸ 포도 ❹ 욕심 ❺ 우두
❻ 호기심 ❼ 간접적 ❽ 비극성 ❾ 애정 ❿ 돌멩이
⓫ 노래

+ 어휘 체크 본문 085쪽

1 (1) 달포 (2) 깁 (3) 금실
2 〈가로〉 ❶ 당자 ❹ 자력 ❺ 직각
〈세로〉 ❷ 자의적 ❸ 근력 ❹ 자각

본문 086~087쪽

광장 ❶ _최인훈

갈래 장편 소설, 관념 소설, 분단 소설
성격 관념적, 철학적, 회고적
주제 분단 이데올로기의 갈등 속에서 바람직한 삶과 사회에 대한 추구
특징 • 상징적인 소재와 배경이 사용됨
• 남북한의 이념적 문제를 본격적으로 다룸
• 주인공이 회상하는 형식으로 내용이 전개됨

확인 문제

01 ○ 02 × 03 종기 04 지식인

실력 문제

05 ⑤ 06 ② 07 ③ 08 ①

01 (가)~(나)는 북한 측과 남한 측의 설득자들이 명준을 설득하고 있는 장면이다. (나)에서는 남한 측 설득자의 말에 명준이 '중립국'이라고 대답했을 때 남한 측 장교와 미군이 어떻게 행동할지 상상하는 장면이 제시되어 있다. 따라서 명준이 실제 겪은 일과 명준이 상상한 일을 병치하여 제시하고 있음을 알 수 있다.

02 명준은 북한 측과 남한 측의 어떠한 설득에도 계속 '중립국'이라는 말만 반복함으로써 양쪽의 설득을 모두 거절하고 있음을 알 수 있다.

03 (나)에서 남한 측 설득자는 '그렇다고 제 몸을 없애 버리겠습니까? 종기가 났다고 말이지요.'라고 하며 '조국'을 '제 몸'에, '남한 사회의 작은 모순'을 '종기'에 비유하여 당시 남한의 현실을 드러내고 있다.

04 (나)에서 남한 측 설득자는 과도기적인 남한 사회를 재건하기 위해 지식인으로서 해야 할 일이 많음을 언급하고 있다.

05 인물·사건
(가)에서 명준의 하찮은 잘못을 탓하기보다 조국과 인민에게 바친 충성을 더 높이 평가한다는 내용은 찾을 수 있지만, 일을 하지 않아도 존경받을 수 있다는 내용은 제시되어 있지 않다. 북한 측 설득자는 명준에게 참전 용사로서 누구보다 먼저 일터를 가지게 될 것이라고 하였다.

오답 풀이 ❶, ❸ 참전 용사는 연금 법령을 통해 제도적·경제적 지원을 받을 수 있음을 알려 주고, 인민의 영웅으로 존경받는 명예로움을 강조하고 있다.
❷ 중립국도 자본주의 나라이기 때문에 굶주림과 범죄가 우글댈 것이라고 말함으로써 자본주의 국가의 부정적 측면을 제시하고 있다.
❹ 계속해서 '중립국'이라는 말만 반복하는 명준이 혹시 북한으로 갔을 때 처벌받을 것을 염려하는 것이라 판단한 북한 측 설득자는 일체의 보복 행위는 없을 것을 약속한다며 명준을 안심시키고 있다.

06 인물·사건
북한 측 장교가 명준에게 앉으라고 말하였으나 명준이 움직이지 않은 이유는 길게 이야기하거나 설득당하지 않겠다는 의지를 표현한 행동으로 볼 수 있다. 또한 장교가 부드럽게 웃으며 말하고 있는 상황이므로 무거운 분위기라고 판단할 수는 없다.

오답 풀이 ❶ 북한 측 장교는 명준을 회유하기 위해 부드럽게 웃으며 긍정적 인상을 주고자 함을 알 수 있다.
❸ 윗몸을 테이블 위로 바싹 내미는 것은 적극적으로 설득하고자 하는 의지가 담긴 행동으로 볼 수 있다.
❹ 한 번 선택하면 돌이킬 수 없는 중요한 사안임을 일깨워 신중하게 결정할 것을 유도하고 있다.
❺ 적극적으로 명준을 설득하던 장교가 증오에 찬 눈초리로 명준을 노려보는 것에서 자신의 설득이 실패하자 명준에게 적대적인 태도로 돌변하고 있음을 알 수 있다.

07 인물·사건
(가)에서 명준은 북한 측 설득자의 어떤 말에도 '중립국'만을 말하며 자신의 결심이 단호함을 드러내고 있다.

오답 풀이 ❶ 상대를 설득하는 말하기를 하고 있는 것은 북한 측 설득자이며, 명준은 그들의 설득에도 '중립국'만을 말하며 결심이 확고함을 드러내고 있다.
❷ 명준은 북한과 남한의 삶을 모두 부정적으로 바라보며 여기서 벗어나고자 하므로, 현실에 순응한다는 이해는 적절하지 않다.
❹ 북한과 남한에 환멸을 느껴 중립국을 선택하는 것으로 세상일에 초월했다기보다는 현실 도피적인 성격이 더 강하다.
❺ '성찰'은 자기의 마음을 반성하고 살피는 것인데, 명준의 '중립국' 선택은 이와는 무관하다.

08 서술
(가)와 (나)에서는 북한 측과 남한 측의 설득자와 명준의 대화와 행동을 통해 장면을 제시하고 있다.

오답 풀이 ❷ 이야기 속의 서술자가 상황을 전달하는 것은 '나'가 등장하는 1인칭 시점이다. 그러나 이 작품은 서술자가 이야기 밖에 위치해 있는 3인칭 전지적 시점으로 서술되어 있다.
❸ '말한다', '한다', '올려다본다' 등 현재형 시제로 서술하고 있다.
❹ (가)와 (나)에서는 인물의 내면 심리에 대한 서술보다는 인물 간의 대화와 행동을 중심으로 서술하고 있다.
❺ (가)와 (나) 사이에 한번 장면의 전환이 나타나 있을 뿐, 잦은 장면 전환이 이루어진 부분은 찾을 수 없으며 이로 인해 사건의 긴장감이 고조되지도 않았다.

광장 ❷

본문 088~089쪽

확인 문제

01 ○ 02 × 03 ○ 04 × 05 마술사
06 물 07 난파꾼 08 바다

실력 문제

09 ① 10 ③ 11 ④

01 (다)의 후반부에 제시된 '은혜의 죽음을 당했을 때, 이명준 배에서는 마지막 돛대가 부러진 셈이다.'는 은혜의 죽음으로 명준의 삶의 희망이 꺾였음을 의미하는 것으로, 은혜가 명준에게 매우 중요한 존재임을 드러낸다.

02 명준은 이데올로기의 허상을 좇던 자신의 지난 삶에 대해 부정적으로 표현하고 있다.

03 (다)에 나타난 명준의 '웃음'은 남과 북의 선택을 강요하는 현실에 대한 저항에서 오는 후련함을 의미하는 동시에, 중립국을 선택한 자신의 행동에 대한 자조적인 웃음이라 이해할 수 있다.

04 명준은 남한과 북한의 현실에 대해 실망하고 자포자기의 심정으로 중립국을 선택하고 있다. 따라서 중립국은 남과 북의 문제점이 해소된 공간이 아니라 도피적인 공간일 뿐이다.

05 '마술사'는 마술로 사람들을 속이는 존재로, 문맥상 자본주의와 공산주의라는 이데올로기로 군중을 속인 남한과 북한의 권력자라고 볼 수 있다.

06 '한 잔의 물'은 개인이 경험하는 현실, 즉 사람에게 실제로 필요한 것, 사람을 살 수 있게 하는 가치 있는 것을 의미한다.

07 '난파꾼'은 명준 자신을 가리키는 것으로, 이데올로기라는 환상이 허황된 것임을 깨달은 존재를 의미한다.

08 '바다'는 남한과 북한이 주장하는 이상적인 이데올로기로, 거창하지만 쓸모없고 허황된 것을 의미한다.

09 인물·사건

'바다'는 남한과 북한이 주장하는 이상적 이데올로기를 의미하고, '한 잔의 물'은 개인이 경험하는 현실에 해당한다. 그러므로 ㉮의 '잘못'은 이상과 현실 사이의 괴리를 깨닫지 못하고 이상적인 이데올로기(바다)에 집착하여 현실(한 잔의 물)을 망각한 것을 가리킨다.

10 서술

(다)~(라)는 명준의 의식에 초점이 맞추어져 있다. 명준이 남한과 북한, 6·25 전쟁에서의 경험을 바탕으로 파악하고 판단한 현실에 대한 관념적 인식을 구체적으로 제시하고 있다.

오답 풀이 ❶ 명준의 내면 의식을 드러내고 있는 부분으로 꿈의 세계가 등장하고 있지는 않다.
❷ 서술자는 명준의 심리를 모두 알고 전달하는 전지적 서술자로, 관찰자의 입장에서 사건 이해에 필요한 단서를 제공하고 있지는 않다.
❹ (다)~(라)에서는 명준의 심리가 제시되었을 뿐, 특정한 사건이 제시되어 있지 않다.
❺ 명준은 허황된 이념을 좇았던 자신의 과거와 자신을 둘러싼 현실에 대해 부정적 인식을 드러내고 있다. 과거와 현재를 매개하는 경험을 통해 명준이 겪는 인식의 변화는 제시되어 있지 않다.

11 인물·사건 + 주제

㉣은 명준이 중립국행을 선택했음이 제시되어 있다. 명준은 이데올로기의 이상을 실현할 수 있다고 믿었으나, 자본주의와 공산주의라는 대립적인 이데올로기를 표방한 남한과 북한에서 이데올로기의 허황됨을 깨닫게 된다. 그래서 명준은 이데올로기의 허상과 대립에서 벗어나 자연 그대로의 일상적 삶을 살고자 중립국을 선택하게 된다. 따라서 명준의 중립국행이 이념 대립의 현실을 극복하기 위해 개인의 이익을 희생하는 지식인의 실천적 의지를 보여 주는 것이라는 이해는 적절하지 않다.

오답 풀이 ❶ ㉠은 명준이 중립국 선택을 마치고 명부에 이름을 적고 나선 후에 보인 반응이다. ㉠에서처럼 '마음껏 웃음을 터뜨'린 것에는 이념적 선택을 강요받았던 억압적 상황에 대한 저항에서 오는 명준의 후련한 심정이 담겨 있다.
❷ 마술사를 언급한 부분은 '허황하고', '철없는', '잘못', '환상', '마술' 등과 같은 어휘를 사용하여 매우 냉소적으로 표현하고 있다. 마술사라는 표현 자체가 실제 마술사를 가리키는 것이 아니라, 현실의 문제를 감추거나 왜곡하며 체제를 유지하는 무리를 가리키는 것이다. 따라서 이러한 상황과 체제에 대한 냉소적 태도를 보인다는 것은 적절하다.
❸ '참을 알고 돌아온 바다의 난파자들'은 헛된 이념을 좇는 현실의 모순에 대해 깨달은 사람들이다. 이러한 사람들을 감옥에 가두는 '그들'에 대해 명준은 비판적으로 인식하고 있다.
❺ ㉤은 무엇인가에 구애받지 않고 자유롭게 생활하는 삶의 모습을 나타낸다. 일상적 삶을 자유롭게 누릴 수 있는 모습을 보여 주는 것이다. 이는 명준이 중립국을 선택한 이유로 이념적 대립 구도에 갇힌 현실에 대한 대안적 성격을 지니고 있다.

04 광장 ③

본문 090~091쪽

확인 문제

01 ○ 02 ○ 03 × 04 유토피아 05 부채
06 사북 07 바랜 심장

실력 문제

08 ② 09 ② 10 ④

01 (마)에서 '스르르 눈을 감는다.'는 부채를 보던 명준이 과거 회상을 시작하는 행동에 해당한다. 따라서 명준이 상념에 빠짐을 나타내고 있다는 내용은 적절하다.

02 (바)에서 명준은 '모르는 나라, 아무도 자기를 알 리 없는 먼 나라로 가서, 전혀 새사람이 되기 위해 이 배를 탔다.'라고 생각하고 있으며, 명준은 그곳에서 '자기 성격까지도 마음대로 골라잡을 수도 있다'고 믿고 있다.

03 (바)의 마지막 문장인 '무덤 속에서 몸을 푼 한 여자의 용기를, 방금 태어난 아기를~그들의 사랑을.'을 통해 보았을 때, '두 마리 새들'은 은혜와 은혜가 임신하고 있었던 아이를 의미한다고 볼 수 있다. 현재의 명준과 과거 북한에서의 명준을 의미하는 소재로 볼 수 있는 근거는 없다.

04 (바)에서 '고기 썩는 냄새가 역한 배 안에서 ~ 유토피아의 꿈을 꾸고 있는 그 자신이 있다.'라는 부분은 명준이 북한으로 밀항하던 배 안의 모습을 회상하는 장면이다. 이를 통해 명준의 월북 이유가 '유토피아의 꿈' 때문임을 알 수 있다.

05 (마)에서 명준은 부채를 쭉 펴고 그 안에 그려져 있는 그림을 보다가 부채를 접었다 폈다 하다가 스르르 눈을 감으며 과거를 회상하기 시작한다. 이후 (바)에서 명준은 부채에 자신의 삶이 그려져 있다고 여기며 자신의 삶을 되돌아보고 있다.

06 (바)에서 '그는 지금, 부채의 사북 자리에 서 있다.'라는 부분은 명준의 과거 회상이 끝나고 현재 자신의 처지를 인식하는 부분으로 볼 수 있다. 과거의 삶이 명준을 현재 중립국행 배 위에 있게 하였지만, 현재의 순간도 더 이상 물러설 곳이 없는 극한적 상황임을 '사북 자리'를 통해 드러내고 있는 것이다.

07 (바)에서 유토피아의 꿈을 안고 월북한 명준이 '구겨진 바바리코트 속에 시래기처럼 바랜 심장을 하고' 있다고 하였다. 이는 북한 사회도 자신이 생각했던 모습과는 다른 사회임을 깨닫게 된 명준이 실망감과 절망감에 빠져 있던 상황을 나타낸다.

08 인물·사건 + 서술

㉠에서는 명준의 조심스러운 행동을 짧은 문장으로 서술하고 있다. 이를 통해 명준의 불안한 심리를 드러내면서 긴장된 분위기를 만들어 내고 있다.

오답 풀이 ❶ 명준이 선장의 뒤를 쫓고 있다는 내용은 찾을 수 없다.
❸ 명준이 복도를 거쳐 선장실로 올라가는 행동을 차례로 제시하고 있지만 상황이 긴박하지는 않다.
❹ 복도에서 선장실로의 공간 이동이 나타나 있기는 하지만, 명준이 선장을 만나기 위해 노력을 하고 있는 것은 아니다.
❺ 복도에 인기척이 없는 분위기가 제시되어 있기는 하지만 짧게 제시되었을 뿐, 연속적으로 제시한 것은 아니다.

09 서술

현재 명준은 바다 한가운데에서 배를 타고 중립국을 향해 가고 있는 중이다. 배 안에서 부채를 접었다 폈다 하던 명준은 과거의 일들을 회상하기 시작한다. 대학생이었던 명준의 삶, 그 이후 월북한 일과 북한에서의 삶, 전쟁에 참전하였다가 은혜와 재회하였던 일 등을 회상하면서 명준의 삶의 광장이 부채꼴의 넓은 데서 점점 안으로 오므라들고 있음을 제시하고 있다. 현재는 부채의 사북 자리에 서 있는 것과 같이 명준의 삶의 광장은 거의 존재하지 않는다. 이처럼 이 작품에서는 인물의 내면 의식을 제시하면서, 회상을 통해 과거와 현재를 연결하고 있다.

오답 풀이 ❶ 인물의 외양을 세밀하게 묘사한 부분을 찾아볼 수 없다.
❸ 이야기 내부의 서술자인 1인칭 서술자가 인물의 행위를 관찰하는 것이 아니라 자신의 심리를 서술하고 있다.
❹ 바다 위의 배가 현재 명준이 있는 공간이다. 회상을 통해 제시된 내용에서는 공간의 이동이 나타나고 있다고 볼 수 있으나, 서술자를 달리하고 있지 않으며 사건에 대한 다양한 관점도 서술하고 있지 않다.
❺ 과거의 일이 요약적으로 진술되어 있다고 볼 수 있다. 그러나 요약적 진술로 인물 간의 갈등 해소 과정을 제시하고 있지는 않다.

10 인물·사건

〈보기〉에서 '부채'의 각 부분은 주인공인 명준의 삶의 과정을 상징적으로 나타낸다고 하였다. 부채에서 호의 가장자리에 있는 가장 넓은 부분은 남한에서의 대학 시절을, 그 아랫부분은 월북해 은혜와 함께 생활하던 시절을, 또 그 아랫부분은 인민군 장교로 전쟁에 참전해 낙동강 전선에서 은혜를 극적으로 만났던 때를 의미한다. 그리고 부채의 가장 좁은 자리, 즉 사북 자리는 명준이 중립국행 배에 탄 상황을 의미한다. 사북 자리는 삶의 광장이 서 있기 힘들 정도로 좁아진 것을 의미하는 것으로, 명준이 느끼는 삶의 위기감이 고조되었음을 나타낸다. 따라서 이를 삶의 위기감이 해소되기 시작한 때로 이해하는 것은 적절하지 않다.

오답 풀이 ❶ 부채의 끝 넓은 테두리 쪽을 철학과 학생 이명준이 걸어간다는 것을 통해 ⓐ가 부채의 넓은 테두리 부분으로 표상되어 있음을 알 수 있다. 이때 명준은 대학 신문을 꺼내 들여다보고 그러한 자신을 자랑스럽게 여겼으며, 이때 명준은 정치를 경멸했다고 하였다.
❷ ⓑ는 '부채의 안쪽 좀 더 좁은 너비'로 표상되어 ⓐ 시절보다 삶의 광장이 좁아진 때임을 나타내고 있다. 이때 명준은 이상향에 대한 꿈을 지녔으며 은혜와의 만남을 하숙집에서 갖고는 했다.
❸ ⓒ는 ⓑ를 표상하는 부분보다 조금 더 부채의 안쪽 부채꼴로, 사북 자리의 바로 위쪽으로 표상되고 있다. 이때 명준은 은혜를 전장에서 만나 동굴에서 은혜와 시간을 보내고는 했다.
❺ ⓐ에서 ⓑ를 거쳐 ⓒ로 전개된 삶의 과정은 명준의 삶의 광장이 점차적으로 줄어들었음을 보여 주고 있다.

알아두기 **'부채'의 각 부분과 명준의 삶의 과정**

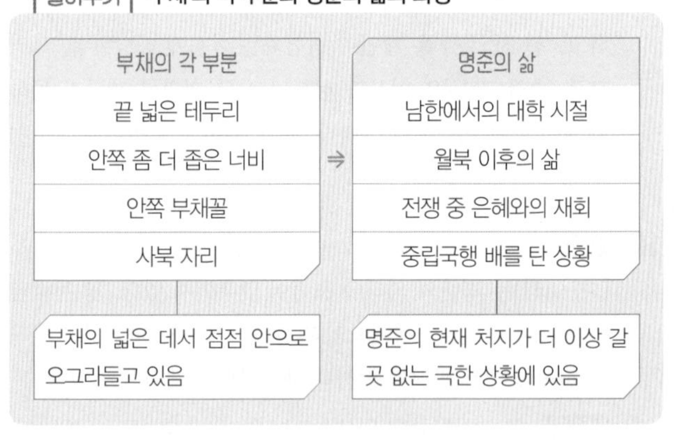

부채의 각 부분		명준의 삶
끝 넓은 테두리	⇒	남한에서의 대학 시절
안쪽 좀 더 좁은 너비		월북 이후의 삶
안쪽 부채꼴		전쟁 중 은혜와의 재회
사북 자리		중립국행 배를 탄 상황
부채의 넓은 데서 점점 안으로 오그라들고 있음		명준의 현재 처지가 더 이상 갈 곳 없는 극한 상황에 있음

04 광장 ④

본문 092~093쪽

확인 문제

01 ○ 02 × 03 명준 04 큰 새, 꼬마 새

실력 문제

05 ② 06 ⑤ 07 ② 08 ①

01 (사)에서 명준은 '큰 새와 꼬마 새'가 은혜와 태어나지 못한 은혜의 아이임을 인식하게 된다. 그런데 이어지는 내용을 통해 이전에는 명준이 이들을 알아보지 못하고 총으로 쏘려고 했음을 알 수 있다. 따라서 (사)에는 새들에 대한 명준의 인식의 전환이 나타난다.

02 (아)에서 명준이 바다로 투신했다는 내용이 직접적으로 제시되어 있지 않고, 선장에게 석방자 한 사람의 행방불명으로 보고하는 형식으로 간접적으로 제시되고 있다.

03 (사)의 마지막 문장인 '거울 속에 비친 남자는 활짝 웃고 있다.'에서 거울 속의 남자는 명준 자신으로, 활짝 웃는 이유는 은혜와 은혜의 아이가 마음껏 날고 있는 광장에 몸을 던질 것을 결심한 후 마음이 편안해졌기 때문이다.

04 (사)의 '무덤을 이기고 온, 못 잊을 고운 각시들이, 손짓해 부른다. 내 딸아.'라는 부분을 통해 명준은 바다에서 본 '큰 새와 꼬마 새'를 은혜와 자신의 딸로 인식하고 있음을 알 수 있다.

05 인물·사건

막바지까지 몰린 절망적인 상황에서 뒤로 돌아선 명준은 '푸른 광장'을 보게 된다. 따라서 ㉠은 예전에는 생각하지 못하던 무엇인가를 대안으로 생각하게 되었다는 것으로, 새로운 인식을 하게 되었음을 뜻한다.

오답 풀이 ❶ 명준이 중립국을 선택한 것이 옳은 선택이었는지 고민하는 부분은 나타나 있지 않다.
❸ 현실적인 상황이 더 이상 물러설 곳이 없는 극한적인 상황임은 맞지만, 명준이 위축된 마음 상태를 지니고 있지는 않다.
❹ 명준은 진정한 삶을 살 수 있는 공간이 부재함을 깨닫고 더 이상 현실을 극복하려는 의지를 보이지 않고 있다.
❺ 명준이 무엇을 선택하기 위해 심리적인 갈등을 하고 있지는 않다.

06 배경·소재

명준은 남북한 모두에서 회의를 느껴 제3국을 향해 가고 있으므로 잃어버린 것의 회복과는 거리가 멀다. 회복하기 위해서는 자신의 소유가 있었던 곳으로 돌아가야 하는데 그렇지 않기 때문이다. 명준은 이전까지의 삶을 정리하고 새로운 '푸른 광장'을 찾아 나서고 있는 것이다.

오답 풀이 ❶, ❷, ❸ '푸른 광장'은 명준이 이데올로기의 대립에서 벗어난 곳으로, 이념이 배제되고 사랑과 자유라는 개인적 삶과 사회적 삶이 공존하는 공간을 의미한다. 이러한 바람직한 공간인 광장을 명준은 남한과 북한에서 찾고자 했으나 실패하고 만다.
❹ '푸른 광장'은 은혜와 자신의 딸을 표상하는 새들이 자유롭게 날아다니는 광장으로, 명준이 투신함으로써 그들과 함께할 수 있는 공간임을 의미한다.

07 인물·사건

명준의 죽음은 이데올로기의 대립과 허상, 남북한의 현실에 대한 비판적 인식, 은혜와 이루지 못한 사랑의 성취 등을 의미한다. 사회적 무관심은 명준의 죽음과는 무관하다.

08 주제

〈보기〉의 내용으로 보아, 광장은 사회적 소통이 이루어지는 공간이고 밀실은 개인의 자유가 있는 공간임을 알 수 있다. 이를 바탕으로 할 때, 명준이 바라는 이상 사회, 즉 '활발한 사회적 소통이 이루어지면서 개인의 자유로운 삶'이 있는 사회는 광장과 밀실이 조화를 이룬 사회이다. 따라서 명준이 광장과 밀실 이외의 공간의 필요성을 제기하였다는 이해는 적절하지 않다.

오답 풀이 ❷ 〈보기〉의 '타락과 방종에 가까운 개인의 자유만 있는 밀실', '개인적 자유를 추구할 수 있는 밀실'을 참고할 때, '밀실'은 자유로운 개인적 삶이 있는 공간임을 짐작할 수 있다.
❸ 〈보기〉의 '사회적 소통이 이루어지는 광장', '모든 사회적 결정이 공동의 이념을 바탕으로 강요되는 광장'을 참고할 때, '광장'은 공동체의 이념을 바탕으로 사회적 소통과 결정이 이루어지는 공간임을 짐작할 수 있다.
❹ 〈보기〉의 '명준은 활발한 사회적 소통이 이루어지면서 개인이 자유로운 삶을 살아가는 이상 사회를 꿈꾸었'다는 내용을 통해 명준은 광장과 밀실 중 어느 한쪽으로 치우치지 않고 조화를 이루는 곳을 바람직한 삶의 공간으로 여겼음을 알 수 있다.
❺ 북한은 광장만 있고 밀실은 없는데, 여기서 광장도 '모든 사회적 결정이 공동의 이념을 바탕으로 강요되는 광장'으로 진정한 의미의 광장이라고 보기 어렵다. 또한 남한은 밀실만 있고 광장은 없는데, 여기서 밀실도 '타락과 방종에 가까운 개인의 자유만 있'으므로 진정한 의미의 밀실이라고 보기 어렵다. 따라서 명준은 북한과 남한 사회 모두 진정한 의미의 광장과 밀실이 존재하지 않는다고 인식하고 있음을 알 수 있다.

알아두기 **'광장'과 '밀실'의 의미**

+ 독해 체크 본문 094쪽

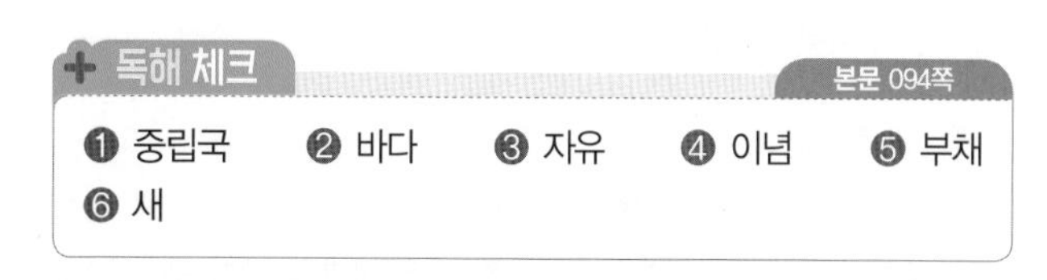

+ 어휘 체크 본문 095쪽

1 (1) 포로 (2) 경멸 (3) 참전 (4) 낌새
2 광장 – 장소 – 소재 – 재채기 – 기자 – 자조

본문 096~097쪽

실전 05 아홉 켤레의 구두로 남은 사내 ① _윤흥길

갈래 중편 소설, 세태 소설
성격 사실적, 현실 비판적
주제 도시화·산업화 과정에서 소외된 계층의 고달픈 삶
특징
- 상징적 소재를 통해 인물의 심리와 성격을 드러냄
- 어려운 현실을 살아가는 소시민의 삶에 대해 연민 어린 시각을 드러냄

확인 문제
01 × 02 × 03 ○ 04 수술비 05 내적

실력 문제
06 ① 07 ⑤ 08 ②

01 이 작품은 현실에서 있을 법한 일을 허구적 상상력을 바탕으로 꾸며 쓴 소설이다. 서술자가 '나'이긴 하지만 허구적인 인물이기 때문에 현실에서 직접 겪은 일을 바탕으로 썼다고 할 수 없다.

02 (가)의 '뜻밖에도 권 씨가 나를 찾아왔다'를 통해 두 사람이 사전에 만나기로 약속한 것은 아님을 알 수 있다.

03 앞부분 줄거리를 통해 권 씨가 철거민의 입주권을 샀지만 당국의 부당한 조치로 좌절을 겪고, 생존권 투쟁에 휘말려 전과자가 되었으며, 일자리를 구하지 못한 채 막일을 하며 궁핍하게 살아가고 있음을 알 수 있다. (가)로 보아 이런 권씨가 아내의 수술비를 마련하지 못해 '나'에게 돈을 빌리기 위해 찾아온 것이다.

04 (가)의 '수술을 해야 된답니다.~빨리 손을 쓰지 않으면 산모나 태아나 모두 위험하대요.'를 통해 권 씨가 '나'에게 돈을 빌리려는 이유가 출산 직전인 아내가 수술을 해야 하는 위급한 상황에 있기 때문임을 알 수 있다.

05 (나)에서 '나'는 '한동안 망설이지 않을 수 없었다.'라고 하면서 권 씨에게 '십만 원 가까이' 되는 돈을 빌려줄 경우에 예상되는 경제적 부담과 집안에서 경제권이 없는 상황이기 때문에 권 씨에게 돈을 빌려줄지 말지를 고민하는, 내적 갈등 상황이 나타나 있다.

06 인물·사건

'나'는 초등학교 교사이지만 셋방살이를 하다가 어렵게 집을 장만하였고, 아직 집을 살 때 진 빚을 절반도 갚지 못할 만큼 경제적으로 넉넉하지 못한 상황이다.

오답 풀이 ② 앞부분 줄거리 중, '경찰의 감시 대상이 된 권 씨는 일자리를 구하지 못한 채 막일을 하며 궁핍하게 산다.'를 통해 권 씨가 막일을 하며 어렵게 가족의 생계를 책임지고 있음을 알 수 있다.

③ (가)의 '뒤늦게나마 오 선생 말씀대로 했기 망정이지 끝까지 집에서 버텼다간 큰일 날 뻔했습니다.'를 통해 출산을 앞둔 아내를 병원에 데려가라는 '나'의 권유에 따라 권 씨가 아내를 병원에 데려갔음을 알 수 있다.

④ (나)에서 '나'는 '십만 원 가까이' 되는 돈을 빌려 달라는 권 씨의 부탁을 받고 갈등을 하며 심적 부담을 느끼고 있다.

⑤ (가)의 '수술을 해야 된답니다.~빨리 손을 쓰지 않으면 산모나 태아나 모두 위험하대요.'를 통해 출산 직전인 권 씨의 아내가 수술을 받지 않으면 생명이 위험한 상태임을 알 수 있다.

07 인물·사건

㉤은 '나'가 집안에서 경제권이 없기 때문에 아내의 양해도 없이 멋대로 권 씨에게 돈을 빌려줄 수 있는 상황이 아님을 드러내고 있다. '나'의 아내가 집안에서 경제권을 장악하고 있는 것은 맞지만, '나'가 그런 아내의 눈치를 보는 상황에 대해 불만을 품고 있는지는 나타나 있지 않다.

오답 풀이 ① ㉠은 '나'를 찾아와 아내의 수술비를 빌리는 상황에서도 구두를 반짝이게 유지하는 권 씨의 모습이 나타나 있는데, 이는 반짝이는 구두로 마지막 자존심을 지키려는 권 씨의 의지를 드러낸 것이라고 볼 수 있다.

② ㉡에는 권 씨가 아내의 수술비로 쓸 돈인 '십만 원 가까이' 되는 돈을 빌리러 '나'를 찾아왔음이 직접적으로 드러나 있다.

③ ㉢은 비록 아내의 위급한 수술비를 빌려 달라고 하는 구차한 상황이지만, 비굴하게 보이고 싶지 않은 권 씨의 심리를 드러내는 행동이라고 할 수 있다.

④ ㉣에서는 태아가 탯줄을 목에 감고 있어 빨리 수술을 하지 않으면 산모나 태아 모두 위험한 상황이지만, 수술비가 없어 권 씨의 아내가 수술을 받지 못하고 있는 절박한 상황이 드러나 있다.

08 주제

〈보기〉에서 제시한 '광주 대단지 사건'은 권 씨가 집 장만을 위해 철거민의 입주권을 샀다가 정부의 부당한 조치로 어려운 상황에 처하게 되고, 이에 대한 생존권 투쟁에 휘말려 전과자로 전락하게 되는 과정의 배경이 된다. 이 작품에서는 〈보기〉의 사건 이후 궁핍하고 힘겨운 삶을 사는 권 씨의 모습을 보여 줌으로써 도시화·산업화 과정에서 소외된 계층의 삶과 당시 현실의 문제를 지적하고 있다.

오답 풀이 ① 〈보기〉에서 이주민의 생업 대책이 마련되지 않은 도시화 정책으로 인해 실업 상태에 빠지고 투쟁 위원회의 생존권 투쟁에 참여하였다가 많은 주민이 구속되었다고 하였는데, 작품 속 권 씨 또한 이러한 삶을 산 인물이다. 정부의 대책 없는 도시화 정책으로 인해 일자리를 잃고 전과자로까지 전락한 사람들에게 초점을 맞추고 있으므로 피해자들 간의 연대가 필요하다는 내용은 적절하지 않다.

③ 〈보기〉에서 정부는 이주민의 생업 대책을 마련하지 않고 자급자족 도시를 키우겠다는 계획을 진행시켜 권 씨와 같은 상황에 처한 주민들이 생긴 것이다. 그러나 이 작품은 권 씨와 같이 도시화·산업화 과정에서 소외된 소시민의 고달픈 삶에 초점을 맞추고 있으므로 정부의 무계획적인 정책이 경제에 미치는 영향을 비판하려는 의도는 적절하지 않다.

④ 〈보기〉에서 정부의 부당한 조치로 손해를 입은 주민들이 투쟁 위원회를 꾸리는 것은 부조리한 현실에 맞서는 사람들의 의지적인 모습

이라고 볼 수 있으나, 이 작품에서는 권 씨와 같이 일자리를 구하지 못한 채 궁핍하게 살아가는 모습이 그려지고 있으므로 의지적인 삶의 모습을 알리기 위한 의도라고 볼 수 없다.

⑤ 권 씨는 투쟁 위원회의 생존권 투쟁에 휘말려 전과자가 되어 경찰의 감시 대상이 된 후에는 일자리를 구하지 못한 채 막일을 하며 궁핍한 생활을 벗어나지 못하고 있다. 권 씨가 처한 상황은 개인적인 노력으로 해결될 수 있는 것이 아니므로 개인의 노력에 따라 삶의 질이 달라질 수 있음을 알리려는 의도와는 관련이 없다.

알아두기 | 이 작품의 갈등 양상

내적 갈등	권 씨가 아내의 출산 문제로 돈을 빌리러 왔을 때, 그에게 돈을 빌려줄 것인지 말 것인지 '나'가 겪은 갈등
인물과 사회의 갈등	권 씨가 투쟁 위원회의 생존권 투쟁에 휘말려 전과자가 되고, 사회 빈민층으로 전락해 가는 과정에서 겪는 사회와의 갈등

05 아홉 켤레의 구두로 남은 사내 ②

본문 098~099쪽

확인 문제

01 × 02 × 03 × 04 강도 05 호의적

실력 문제

06 ① 07 ② 08 ③ 09 ④ 10 ⑤

01 '나'의 집에 침입한 강도는 '나'가 무척 모자라다고 생각할 만큼 강도 행각에 어설픈 모습을 보이고 있으므로 치밀한 계획을 세웠다고 보기 어렵다.

02 (라)의 '터지려는 웃음을 꾹 참은 채 강도의 애교스런 행각을 시종 주목하고 있던 나는~'에서 알 수 있듯이, '나'는 어설픈 행동을 보이는 강도에게 두려움을 느끼지 않으며 그를 도와주려 하고 있다.

03 '나'는 강도가 권 씨임을 알아차리고, 그가 상처 입지 않도록 우호적인 말과 도와주려는 행동을 하고 있다.

04 '나'가 아내의 수술비를 마련해 준 사실을 모르는 권 씨는 아내의 수술비를 마련하기 위해 '나'의 집에 침입해 강도 행각을 벌이고 있다.

05 착한 성품을 지닌 강도의 어설픈 행동을 본 '나'는 도리어 그를 도와주려 하는 등 강도에게 호의적인 태도를 드러내고 있다.

06 인물·사건

이 작품에서 '나'는 강도를 보자마자 그의 정체를 눈치챈 것이 아니라, 들고 있는 식칼이 덜덜 떨리는 모습이나 구두를 벗고 들어온 모습 등 강도의 어설픈 행동을 보면서 그가 권 씨임을 짐작하고 있다.

오답 풀이 ② (다)의 강도에게서 '술 냄새가 확 풍겼'고 강도가 '딴에 진탕 마신 술로 한껏 용기를 돋웠을 텐데도' '나'를 두려워하고 있다는 내용을 통해, 강도가 술의 힘을 빌려 용기를 내어 강도 짓을 하고 있음을 짐작할 수 있다.

③ (다)의 '멱을 겨눈 식칼이 덜덜덜 위아래로 춤을 추었다.'를 통해 강도가 자신의 행동에 겁을 먹고 있음을 짐작할 수 있다.

④ (라)에서 '나'는 강도에게 돈이 있는 위치를 알려 주는 등 그가 자신이 원하는 목적을 편안히 이루고 돌아가기를 바라고 있다.

⑤ '나'는 일어나라는 강도의 요구에 순순히 응하면서도 강도에게 자신의 말을 들어야만 손쉽게 원하는 목적을 달성할 수 있을 것이라고 도리어 충고하고 있다.

07 인물·사건

'나'의 멱을 겨누고 있는 식칼의 서슬은 '나'에게 위협이 되는 요인이므로 '나'의 집에 침입한 강도가 강도 짓에 서툰 무척 모자란 강도라고 판단하는 근거로는 적절하지 않다.

오답 풀이 ①, ③, ④, ⑤ 돈을 뺏기 위해 타인의 집에 침입한 일반적인 강도의 모습과는 전혀 다른 어설픈 행동들로, '나'가 자신의 집에 침입한 강도를 초보 강도라고 판단하는 근거가 된다.

08 서술

이 작품은 이야기 속 등장인물인 '나'가 서술자가 되어 주인공인 권 씨를 관찰하여 이야기를 전달하는 1인칭 관찰자 시점을 취하고 있다.

오답 풀이 ① '나'의 집을 공간적 배경으로 사건이 일어나고 있지만, 구체적인 배경 묘사가 나타나지 않으며, 배경 묘사로 인물의 심리를 암시하고 있지도 않다.

② (다)와 (라)까지 '나'의 집에 침입한 강도가 어설픈 행각을 벌이는 모습이 서술자의 시각에 따라 서술되고 있을 뿐, 잦은 장면 전환은 나타나 있지 않다.

④ (라)의 앞부분은 짧은 문장이 자주 사용되었으나, 이 작품은 '-었다'의 과거형 시제가 주로 사용되었다.

⑤ '나'와 강도의 소소한 신경전을 엿볼 수 있지만, 강도에 대한 '나'의 태도를 고려할 때, 중심인물 간의 첨예한 대립이 나타난다고 볼 수 없으며 극도의 긴장감 역시 느껴지지 않는다.

09 인물·사건 + 어휘

상식적으로 생각할 때 남의 집에 침입한 강도가 집주인을 윽박질러야 하는데, [A]에서는 집주인인 '나'가 도리어 강도에게 신경질을 부리며 충고를 하고 있다. 따라서 이와 같은 상황을 표현하기에는 '주인과 손의 위치가 서로 뒤바뀐다는 뜻으로, 사물의 경중·선후·완급 따위가 서로 뒤바뀜을 이르는 말'인 '주객전도'가 적절하다.

오답 풀이 ① 서로 속마음을 털어놓고 친하게 사귐을 뜻한다.

② 눈 위에 서리가 덮인다는 뜻으로, 난처한 일이나 불행한 일이 잇따라 일어남을 이르는 말이다.

③ 자기의 이익을 위하여 비열하게 다툼을 비유적으로 이르는 말이다.

⑤ 바람 앞의 등불이라는 뜻으로, 사물이 매우 위태로운 처지에 놓여 있음을 비유적으로 이르는 말이다.

10 인물·사건 + 서술

권 씨는 술의 기운을 빌려 강도 행각을 벌이고는 있지만 두려움에 떨고 있다. 그런데 이 작품에서 권 씨의 지나친 떨림으로 인해 '나'가 상처를 입게 되는 장면은 나타나지 않는다.

오답 풀이 ❶, ❷, ❸ 권 씨가 '나'의 집에 강도로 침입한 것임에도 신발을 벗고 들어오거나 아이의 칭얼거림에 놀라 엎드려 아이를 다독이거나 식칼을 이부자리에 떨어뜨리는 행동은 강도로서는 매우 어설프고 어리숙한 면모를 드러내는 것으로, 웃음을 유발하는 해학적인 행동에 해당한다.

❹ 강도가 될 수 없는 착한 천성을 지닌 권 씨가 아내의 수술비를 마련하기 위해 어쩔 수 없이 강도가 되어야 하는 상황을 통해 권 씨의 처지에 대한 연민을 유발한다.

05 아홉 켤레의 구두로 남은 사내 ❸

본문 100~101쪽

확인 문제

01 × 02 ○ 03 ○ 04 피치 못할 사정 05 자존심

실력 문제

06 ④ 07 ① 08 ⑤

01 '나'가 권 씨가 떨어뜨린 칼을 되돌려 주자 권 씨가 다시 '나'의 멱을 겨누었지만, '나'는 그가 고의로 사람을 찌를 만한 위인이 못되는 줄 간파하고 칼을 되돌려 준 것을 조금도 후회하지 않았다.

02 '나는 강도를 안심시켜 편안한 맘으로 돌아가게 만들 절호의 기회라고 판단했다.'에서 알 수 있듯이 '나'는 강도 행각을 벌이는 권 씨의 '피치 못할 사정'을 이해하면서 그가 목적을 달성하고 편안하게 돌아가길 바라고 있다.

03 '나'는 아내의 수술비를 마련하기 위해 강도 행각을 벌인 권 씨의 자존심을 지켜 주기 위해 강도에게 대문의 위치를 알려 주고 있다. 다시 말해 '나'는 자신의 집에 침입한 강도가 권 씨라는 사실을 모른 척하며 그의 강도 행각을 덮어 주고 싶어 한다.

04 권 씨는 자신의 부도덕한 행동(=강도 행각)의 이유를 '피치 못할 사정', 즉 아내의 수술비를 마련하기 위한 급박한 상황에서 어쩔 수 없는 선택이었다고 둘러대며 자신의 행동을 합리화하고 있다.

05 권 씨는 '나'가 자신의 정체를 눈치챘음을 깨닫고는 자존심에 큰 상처를 입는다. 그래서 자신의 마지막 자존심을 지키기 위해 자신을 무시하지 말라는 의미로 '나'가 묻지도 않은 학력을 밝히고 있다.

06 인물·사건

이 작품에서 강도의 정체가 권 씨임을 확신한 '나'는 그에게 호의적인 태도를 보이며 그의 자존심을 지켜 주려고 배려하는 모습을 보이고 있다. 권 씨는 '나'의 배려에 자존심에 상처를 입기는 하지만, '나'가 의도한 것은 아니다.

오답 풀이 ❶ '가령 식구 중에 누군가가 몹시 아프다든가'에서 짐작할 수 있듯이 '나'는 강도의 정체가 권 씨라고 확신하며 그의 사정을 알고 있는 것처럼 말하고 있다.

❷ '개수작 마! 그 따위 이웃은 없다는 걸 난 똑똑히 봤어!'를 통해 권 씨는 '나'가 아내의 수술비를 대신 내준 사실을 모르고 있음을 알 수 있다.

❸ '그 순간 강도의 눈이 의심의 빛으로 가득 찼다. 분개한 나머지 이가 딱딱 마주칠 정도로 떨면서 그는 대청마루를 향해 나갔다.'에서 권 씨는 자신의 사정을 알고 있는 것처럼 말하는 '나'를 보고 자신의 정체가 들통났다는 사실을 깨닫고는 당황하고 있다.

❺ '도둑맞을 물건 하나 제대로 없는 주제에 이죽거리긴!'에서 알 수 있듯이, 권 씨는 '나'가 자신을 무시한다고 생각하며 이에 대한 대응으로 '나'의 살림살이를 지적하고 있다.

07 인물·사건 + 서술

이 작품에서 '나'는 아내의 수술비 마련을 위해 어쩔 수 없이 강도 행각을 벌이는 권 씨를 안타깝게 여기며 그에게 호의적인 태도를 보이므로, 권 씨의 행동을 조롱하거나 비꼬고 있지는 않다.

오답 풀이 ❷ 권 씨는 피치 못할 사정(아내의 수술비 마련) 때문에 어쩔 수 없이 강도 짓을 하는 것이라고 말하며 자신의 행동을 정당화하고 있다.

❸ '나'에게 아내의 수술비를 빌리기 위해 찾아갔다가 거절당한 일로 마음에 상처를 입은 권 씨는 '난 이제 아무도 안 믿어!'라고 말하며 사람에 대해 불신하는 모습을 보이고 있다.

❹ '나'는 아내의 수술비를 마련하기 위해 강도 행각을 벌인 권 씨의 자존심을 지켜 주기 위해 강도에게 대문의 위치를 알려 주고 있다. 이는 강도가 권 씨라는 것을 모른 척하려는 '나'의 배려이지만 권 씨의 자존심을 자극하게 된다.

❺ '나'가 자신의 정체를 눈치챘음을 깨닫고는 자존심에 큰 상처를 입은 권 씨는 상처 입은 자존심을 회복하려는 의도로 '나'가 묻지도 않은 학력을 밝히고 있다.

08 인물·사건 + 배경·소재 + 서술

권 씨는 '나'가 자신의 정체를 눈치챘다는 것에 자존심이 상하여 분개하고 있다. '나'가 '당신도 모르는 사이에 당신을 아끼는 어떤 이웃이 당신의 어려움을 덜어 주었을지?'라고 한 말은 권 씨를 안심시키기 위해 '나'가 수술비를 대신 내준 사실을 우회적으로 밝히려 한 것인데, 권 씨가 그 의도를 알아차리지 못한 채 사람에 대한 불신과 현실에 대한 깊은 좌절감만 드러내고 있다.

오답 풀이 ❶ 이 작품은 1인칭 관찰자 시점의 소설로, 서술자인 '나'의 시선에서 관찰한 권 씨(주인공)의 이야기를 전달하고 있다.

❷ (마)에는 '방 → 대청마루 → 현관 → 마당 → 대문'으로의 공간 이동에 따른 사건 전개 과정이 나타난다.

❸ (마)의 '보안등 하나 없는 칠흑의 어둠'이라는 표현을 통해 한밤중이라는 시간적 배경에서 공간적 배경인 '우리 집', 즉 '나'의 집에서 일어난 사건을 다루고 있음을 알 수 있다.
❹ 권 씨는 아내의 수술비를 마련하기 위해 '나'의 집에 강도로 침입했다가 '나'에게 정체가 탄로 나자 급히 '나'의 집을 나가게 된다.

05 아홉 켤레의 구두로 남은 사내 ❹

본문 102~103쪽

확인 문제

01 × 02 × 03 ○ 04 대우 05 구두

실력 문제

06 ④ 07 ① 08 ④ 09 ④

01 '나'는 의도와 달리 서툰 배려로 권 씨의 자존심을 상하게 했던 자신의 방법이 졸렬했음을 확인하며 자책하고 있다.

02 (사)를 보면 권 씨가 문간방으로 들어가려고 했던 이유가 마지막이란 것을 염두에 두고 자식들을 보기 위한 것이라는 생각은 '나'의 추측으로, '나'가 문간방으로 들어가려는 자신을 막은 것에 화가 나서 권 씨가 가출한 것은 아니다. 권 씨는 '나'에게 정체를 들키게 되면서 자존심이 상해 가출한 것으로 볼 수 있다.

03 (아)의 '이사 올 때 본 그대로 세간이라곤 깔고 덮는 데 쓰이는 것과 쌀을 익혀서 담는 몇 점 도구들이 전부였다.'를 통해 권 씨의 세간살이는 이사 온 후에도 변화가 없었음을 알 수 있다.

04 (사)로 보아 '나'가 강도가 권 씨인 것을 알면서도 모른 척하고 강도로 대우한 이유는 권 씨가 술이 깬 후 자신을 떳떳하게 보고, 또 아무 일 없었다는 듯이 병원으로 가서 아내와 태어난 아이를 만날 수 있기를 바랐기 때문이다.

05 이 작품에서 권 씨가 구두를 광이 나게 닦는 이유는 가난으로 상처 입은 지식인으로서의 자존심을 지키는 유일한 수단이기 때문이다. 따라서 '구두'는 도시 빈민으로 전락한 주인공 권 씨의 마지막 남은 자존심을 상징한다고 볼 수 있다.

알아두기 | '구두'의 의미

열 켤레의 구두	⇒	아홉 켤레의 구두
도시 빈민으로 전락한 상황에서 자신은 지식인이라는 권 씨의 마지막 남은 자존심을 상징함		권 씨의 가출을 상징하며, 마지막 자존심마저 잃게 된 권 씨의 처지를 드러냄

06 인물·사건

권 씨는 아내의 수술비를 마련하기 위해 강도 행각을 벌였지만, '나'가 자신의 정체를 눈치챘다는 사실을 깨닫고는 분개하며 집을 나가 돌아오지 않고 있다. 이를 통해 '나'에게 강도 행각이 들통난 권 씨가 자존심에 큰 상처를 입었다는 것을 알 수 있다.

오답 풀이 ❶ '나'가 행방불명된 권 씨가 쉽게 돌아오지 않으리라 생각하고는 그의 행방불명을 경찰에 신고한 것이므로 권 씨가 연행되었다는 것은 적절하지 않다.
❷ '나'는 아내에게조차 권 씨의 강도 행각에 대해 말하지 않았으므로 적절하지 않다.
❸ 권 씨가 일자리를 찾아 떠났다는 내용은 제시되어 있지 않다.
❺ 권 씨가 아내에게 미안했다면 강도 행각이 아니라 더 적극적으로 돈을 마련하려 했을 것인데, 그러한 내용은 제시되어 있지 않다.

07 인물·사건

'나'는 자신의 서툰 배려로 권 씨가 자존심에 상처를 입었기 때문에 그가 귀가하지 않는다고 생각하며 자신의 행동을 후회하고 있다.

오답 풀이 ❷ 권 씨가 '나'를 떳떳하게 대할 수 있게 '나'는 그를 끝까지 강도로 대우하였다.
❸ '나'가 아내의 수술비를 빌려 달라는 권 씨의 부탁을 거절하고 자신의 소시민적 이기심을 후회하는 내용은 결말 부분이 아니라 권 씨가 강도로 변장해 '나'의 집을 침입하기 전인 '위기' 부분의 내용이다. ㉠에서는 '나'의 의도와 달리 어설픈 배려로 권 씨의 자존심에 상처를 준 것을 자책하고 있다.
❹ '나'는 권 씨가 행방불명된 이후, 그가 강도로 침입한 날 현관에서 그의 구두를 확인해 보지 않은 것을 뒤늦게 후회하고 있다.
❺ '나'는 강도의 서툰 행동을 보고 그가 권 씨임을 확신하고 그에게 연민을 느끼며 그를 도와주려 했다.

08 배경·소재

㉡은 경제적으로 무능하고 암울한 삶을 살아가던 권 씨의 상처 입은 자존심을 상징한다고 할 수 있다. 권 씨의 문간방에 세간은 몇 점밖에 없고, 권 씨의 구두만 정갈하고 가지런히 놓여 있는 것으로 보아, 권 씨가 가족들에게 애정과 관심을 갖기보다는 권 씨의 마지막 자존심을 상징하는 구두에 더 애정을 쏟았음을 짐작할 수 있다.

오답 풀이 ❶ 서술자는 구두의 손질 정도에 따라 권 씨의 운명을 예측할 수 있다고 하였다.
❷, ❸ 반짝반짝 닦아 놓은 구두는 경제적으로 무능한 권 씨에게 마지막 자존심이지만, 그의 가난한 삶과는 대비된다.
❺ 권 씨는 '구두코가 유리알처럼 반짝반짝 닦여져 있을 때 자존심은 그 이상으로 광발이 올려져 있었을 것'이며, 이와 같이 권 씨는 현실에서 겪는 좌절을 반짝거리는 구두를 통해 심리적으로나마 보상받고 있었음을 짐작할 수 있다.

09 인물·사건 + 배경·소재 + 서술 + 주제

이 작품은 외부 이야기와 내부 이야기로 이루어진 액자식 구성을 취하고 있지 않으므로 ④는 엮어 읽기를 위해 세운 계획으로 적절하지 않다.

오답 풀이 ❶ 이 작품은 권 씨가 행방불명된 이후 그의 행적에 관한 이야기를 생략한 채 이야기를 끝맺는 열린 결말 처리로 독자의 궁금증을 유발하고 여운을 주고 있다.
❷ 이 작품은 '구두'라는 상징적인 소재를 활용해 마지막 남은 자존심을 지키려는 인물의 내면 심리를 표현하고 있다.
❸ 이 작품에서는 관찰자의 입장에 있는 서술자인 '나'가 주인공인 권 씨의 삶을 연민의 시선에서 바라보며 서술하고 있다.
❺ 이 작품의 주인공인 권 씨는 산업화·도시화의 과정에서 소외된 도시 빈민 계층을 대변하는 인물로, 그의 삶의 이력을 통해 '산업화 과정에서 소외된 계층의 고달픈 삶'이라는 주제 의식을 형상화하면서 1970년대 우리 사회의 모순을 드러내고 있다.

알아두기 **이 작품의 시점**

권 씨		'나'
• 중심인물 • 서술의 대상	관찰 ⇐	• 부수적 인물 • 서술의 주체

⇓

1인칭 관찰자 시점

+ 독해 체크 본문 104쪽

❶ 수술비 ❷ 강도 ❸ 행방불명 ❹ 주인공 ❺ 자존심
❻ 서술자 ❼ 연민 ❽ 구두 ❾ 소외

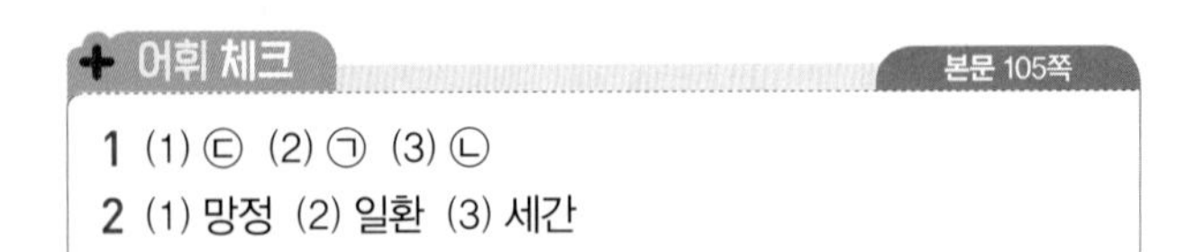
+ 어휘 체크 본문 105쪽

1 (1) ㉢ (2) ㉠ (3) ㉡
2 (1) 망정 (2) 일환 (3) 세간

본문 106~107쪽

실전 06 도요새에 관한 명상 ❶ _김원일

갈래 현대 소설, 환경 소설
성격 사실적, 현실 비판적
주제 산업화로 인해 생긴 환경 문제에 대한 비판과 순수한 인간성 회복의 의지
특징 • 제1장(병식), 제2장(병국), 제3장(아버지)은 1인칭 주인공 시점으로, 제4장은 전지적 서술자 시점으로 서술함
• 산업화가 진행되던 1970년대를 배경으로 하여 환경 문제와 분단 문제를 동시에 다룸
• 상징적 소재를 활용하여 인물의 심리와 주제를 드러냄

확인 문제

01 ○ 02 ○ 03 자유 04 자연, 기계

실력 문제

05 ② 06 ④ 07 ④ 08 ①

01 (가)는 '나'가 자신의 경험과 생각을 서술하는 1인칭 주인공 시점이 사용되었고, 서술자 '나'는 병국이다. (나) 또한 서술자인 병국이 도요새의 입장에서 자신의 내면 의식을 반영하여 서술하고 있다.

02 (나)는 도요새의 입장에서 인간을 비판하고 있으므로, '우리'는 도요새를 가리키며 이는 서술자인 병국의 내면 의식이 반영된 것이다.

03 (나)의 도요새의 입장에서 서술된 부분인 '우리의 여행은 자유를 찾기 위한 고통의 길고 긴 도정이다.'에는 병국의 내면 의식이 반영되어 있으므로, 서술자인 병국이 도요새의 긴 여정을 자유를 찾기 위한 고통의 도정으로 보았음을 알 수 있다.

04 (나)는 도요새의 입장에서 제시된 것으로, 마지막 부분에서 인간이 '사악하고 간사하고 탐욕하고 음란하고 권력욕에 차 있어, 자연의 환경을 파괴'하고 '기계와 조직의 노예가 되고 있'다고 비판하고 있다.

05 서술

(가), (나)는 1인칭 주인공 시점으로, 서술자인 '나'(병국)는 개펄에서 새 떼를 만난 경험과 인간이 자연환경을 파괴하는 것이 문제라는 생각을 드러내고 있다.

오답 풀이 ❶ 1인칭 관찰자 시점에 대한 설명이다.
❸ 서술자인 병국은 현실의 문제를 파악하고 이러한 문제를 만들어 낸 인간의 모습을 비판하고 있으므로, 어리석은 인물을 서술자로 설정했다고 보기 어렵다.
❹ 3인칭 관찰자 시점에 대한 설명이다.
❺ 전지적 서술자 시점에 대한 설명이다.

배경지식 ⊕ **1인칭 주인공 시점의 특징**

1인칭 주인공 시점은 주인공 '나'의 입장에서 사건을 관찰하고 서술하기 때문에 주인공의 심리가 잘 드러나며, 독자가 등장인물인 주인공에게 친근감을 느낄 수 있다. 그런데 1인칭 주인공 시점은 '나'가 바라보는 사건을 독자에게 직접 전달할 수 있다는 장점이 있지만, 주인공의 주관적인 생각이 그대로 전달되기 때문에 객관성이 떨어진다는 한계가 있다.

06 주제

(나)는 도요새가 사람처럼 말을 하는 형식의 우화적인 방법을 사용하여, 자연의 환경을 파괴하고 스스로를 파멸시키며 기계와 조직의 노예가 되는 인간 세상을 비판하고 있다.

오답 풀이 ❶ 도요새들 간의 대화는 나타나지 않는다.
❷ '바다와 하늘이 맞물려 있는 무공 천지에 길을 열어' 봄가을 두 차례의 대이동을 한다는 내용은 제시되어 있지만 이동하는 공간을 구체적으로 묘사한 부분은 없으며, 자연 파괴의 심각성을 부각한 부분도 드러나지 않는다.
❸ 인간이 자연환경을 파괴한다고는 하였지만, 도요새가 희생당하는 모습은 나타나지 않는다.
❺ 도요새의 이동 경로가 단계적으로 드러나지도 않으며, 인간과 공존하는 도요새의 모습도 나타나지 않는다.

배경지식 ⊕ **우화적**

'우화적'이란 말하려는 바를 동물이나 식물 등의 세계에 빗대어 표현하는 방법을 가리킨다. 인간이 아닌 동물이나 식물이 중심이 되어 이야기가 전개되며, 이를 통해 풍자와 교훈의 뜻을 나타낸다.

07 인물·사건

㉣에서 '전혀 자유스럽지 못한 내 사고의 굳게 닫힌 문을 도요새가 그 날카로운 부리로 쪼'았다고 표현하고 있다. 이는 실의에 빠져 있던 '나'의 사고가 도요새로 인해 깨어나게 됨을 의미하는 것이다.

오답 풀이 ❶ '나'가 고향으로 돌아와 희망 없이 사는 모습을 '생존의 늪을 허우적거릴 때'라고 비유적으로 표현하고 있다.
❷ '나'의 머릿속이 새에 대한 생각으로 가득 차 있음을 '수백 마리로 떼를 이루어 의식의 공간을 무한대로 휘저었다.'라는 역동적인 표현으로 나타내고 있다.
❸ 도요새와의 만남을 간절하게 기다리는 '나'의 염원을 임에 대한 구도자적 갈망을 노래한 만해의 시('만해의 님')를 통해 나타내고 있다.
❺ '나'가 생각하는 인생의 의미를 도요새의 관점에 빗대어 도요새가 말을 하는 형식을 통해 간접적으로 드러내고 있다.

08 배경·소재

도요새는 닫혀 있던 '나'의 의식을 일깨우고, 자연환경을 파괴하는 인간 세상에 대한 깨달음을 주는 존재이다.

오답 풀이 ❷ '나'의 태도에서 자신감은 드러나지 않는다.
❸ 도요새에 의해 '나'의 의식이 살아나고 '나'가 도요새를 간절하게 기다리고 있으므로, 도요새를 인물에게 종속된 존재라고 보기는 어렵다.
❹ '나'가 환경 문제에 관심을 갖는 것은 인물과 환경의 갈등이므로 외적 갈등에 해당한다.
❺ '나'는 도요새가 오기를 간절하게 기다리고 있으므로, 도요새를 극복해야 할 대상으로 보는 것은 적절하지 않다.

알아두기 **'도요새'의 상징적 의미**

06 도요새에 관한 명상 ❷

본문 108~109쪽

확인 문제

01 × 02 ○ 03 공장, 폐수 04 석교천 05 자연수

실력 문제

06 ④ 07 ⑤ 08 ⑤

01 (다)~(마)는 1인칭 서술자인 '나'가 자신의 경험과 생각을 중심으로 서술하고 있으므로, 1인칭 주인공 시점이다.

02 (마)에는 공업 단지가 들어서기 이전의 맑고 깨끗했던 과거 석교천의 모습이 묘사되어 있다.

03 (다)에 공장 지대에서 흘러내린 폐수로 인해 동진강의 수질이 크게 오염되고 말았다는 내용이 제시되어 있다.

04 (다)의 마지막 부분에 석교천이 동장강의 지류로 수질 오염도가 아주 높다는 내용이 드러나며, (라)에 수질 오염으로 죽어 버린 석교천 물이 악마의 혼이 되어 동진강으로 흘러 들어간다는 내용이 제시되어 있다.

05 (라)에서 '나'는 '기필코 석교천은 물론 동진강까지 예전의 자연수 상태로 만들' 것이라고 말하고 있다.

06 서술

(다)~(마)는 '나'가 석교천 아래 냇물을 시험관에 담고 그 주변을 돌아보며 떠올리는 생각을 중심으로 내용을 전개하고 있다.

오답 풀이 ❶ '나'가 석교천 주변을 돌아보며 동진강의 오염에 대해 생각하고 있는 내용이 제시되어 있다. 비슷한 내용을 가진 여러 가지 이야기는 제시되어 있지 않다.
❷ 석교천 주변의 공간에서 일어나는 사건만을 보여 주고 있을 뿐, 서로 다른 공간에서 동시에 일어나는 사건은 나타나지 않는다.
❸ 현재의 오염된 석교천의 모습과 과거의 깨끗했던 석교천의 모습을 대비적으로 제시하고 있기는 하지만, 현재의 이야기와 과거의 이야기를 반복적으로 교차하고 있지는 않다.

❺ 과거 깨끗했던 석교천의 모습이 묘사되어 있기는 하지만, 이를 통해 앞으로 일어날 사건을 암시한 것은 아니다.

07 인물·사건

(라)의 '지구의 절반을 한 해에 두 번씩이나 건너다니는 그 작은 도요새의 고통보다는 그 일이 내게 결코 어렵게 생각되지 않았다.'에서 '그 일'은 환경 오염을 해결하는 일이다. 즉 '나'는 자유를 향한 도요새의 고통스러운 여정보다 환경 오염을 해결하는 것이 덜 힘들다고 생각하는 것이다.

오답 풀이 ❶ (다)의 '나는 여름 내내 도요새의 이런 재잘거림을 꿈을 통해, 또는 환청으로 들어 왔다.'를 통해 '나'는 여름 내내 도요새를 생각하며 도요새가 돌아오기를 기다렸음을 알 수 있다.
❷ (라)의 '석교천 물은 이미 죽어 버렸다.'를 통해 석교천 물의 오염이 심각함을 알 수 있으며, '이 폐유가 결국 동진강으로 흘러 들어가지 않는가.'를 통해 폐유로 인해 오염이 심각한 석교천이 동진강 오염의 원인이 된다고 생각하고 있음을 알 수 있다.
❸ (라)의 "두고 봐라. 내가 기필코 석교천은 물론 동진강까지 예전의 자연수 상태로 만들고 말 테니."라는 말에서 석교천과 동진강의 현재 상태를 60년대 시절의 자연수 상태로 되돌려 놓겠다는 '나'의 확고한 의지가 드러난다.
❹ (라)의 '또 석교천 주민 중 십 년이나 이십 년 뒤 육가크롬화로 앓지 않는다고 누가 감히 장담할 수 있을 것인가.'에서 현재의 오염 상태가 지속되면 시간이 흐른 뒤에 공해병을 앓는 사람이 생길 수도 있다고 예상함을 알 수 있다.

알아두기 | 병국의 처지와 태도 및 성격

- 서울의 대학에 다니던 수재이지만 학생 운동을 하다가 퇴학을 당하고 고향으로 내려 옴
- 환경 오염에 관심을 가지고 그 원인을 밝히기 위해 최선을 다함
- 도요새를 자유의 상징으로 생각하며 지키려 함

⇓

현실보다 이상을 추구하며 행동적이고 적극적인 인물

08 주제

(마)의 맑은 냇가에서 빨래를 하던 '아낙네와 처녀들'의 모습은 수질이 오염되기 이전, 즉 맑고 깨끗했던 과거 석교천의 평화로운 풍경이다. 즉 이는 경제 개발과 산업 근대화로 인해 우리의 삶이 황폐화되기 이전의 모습이다.

오답 풀이 ❶ (다)를 통해 가을이 되어도 도요새가 돌아오지 않는 이유가 동진강의 오염 때문이라는 것을 알 수 있으며, 이는 환경 문제에 대한 문제의식을 드러내는 것이다.
❷ (라)의 '석교천 물은 이미 죽어 버렸다.'는 것은 폐유로 인한 오염이 심각함을 비유적으로 표현한 것이다. <보기>와 관련지어 볼 때, 이는 산업화로 인해 황폐화된 환경을 보여 주는 것이라 할 수 있다.
❸ (마)를 보면 정부가 동남만 일대를 대단위 중화학 공업 단지로 고시했다는 내용이 드러나 있다. 이를 <보기>의 설명과 관련지어 볼 때, 동남만 일대는 경제 개발을 위해 만들어진 신흥 공업 단지임을 알 수 있다.
❹ <보기>를 참고할 때, (마)의 '군청 소재지조차 못 되었던 동진읍이 일약 시로 승격'된 것은 경제 개발과 산업 근대화로 인해 외형적으로 눈부신 발전을 이룬 모습이라고 할 수 있다.

06 도요새에 관한 명상 ❸

본문 110~111쪽

확인 문제
01 × 02 × 03 독살 04 술집 05 도요새

실력 문제
06 ⑤ 07 ② 08 ⑤

01 (바), (사)는 이야기 외부의 서술자가 도요새를 둘러싼 병국과 병식의 갈등을 두 사람의 말과 행동을 통해 전달하고 있다. 따라서 특정 인물의 심리를 중심으로 이야기를 전달하고 있다고 볼 수 없다.

02 (사)의 마지막 부분에 제시된 병식의 말을 보면, '족제비란 친구를 따라 심심풀이로 같이 다녔'던 것이라고 변명하고 있다. 따라서 새 밀렵과 관련된 일에 가담한 자신의 행동이 형을 위한 것이었다고 변명하고 있다는 설명은 적절하지 않다.

03 병국은 병식이 새들을 독살하는 일과 관련되어 있다고 생각하여 그 일을 시킨 사람을 대라고 다그치고 있다.

04 병국과 병식은 도요새에 대한 서로 다른 가치관으로 인해 술집에서 몸싸움까지 벌이며 갈등하고 있다.

05 병국은 도요새를 보호해야 할 대상이라고 생각하지만, 병식은 돈을 벌기 위한 수단이라고 생각한다. 이러한 생각의 차이로 인해 두 사람은 갈등하고 있다.

06 서술

(바), (사)는 이야기 외부의 서술자가 병국과 병식의 말과 행동을 통해 도요새를 둘러싼 두 사람의 서로 다른 가치관을 보여 주고 있다.

오답 풀이 ❶ 주모가 등장하기는 하지만 이로 인해 긴장감이 고조되는 것이 아니라, 병국과 병식의 감정이 격해지면서 긴장감이 고조되고 있다.
❷ 병국과 병식의 말과 행동을 통해 두 사람의 갈등을 드러내고 있을 뿐, 인물에 대한 서술자의 주관적인 평가는 드러나지 않는다.
❸ 인물의 대화와 행동을 중심으로 사건을 전달하고 있을 뿐, 서술자의 생각이 직접적으로 드러나지는 않는다.
❹ 작품 전체로 볼 때 (바), (사)에서 시점의 전환이 나타나지만, (바), (사)에서는 이야기 밖의 서술자가 일관되게 이야기를 전달하고 있다.

07 인물·사건

㉡은 병식이 형과의 다툼을 피하려고 일부러 화제를 돌리려 하는 것이므로, 형의 동정심을 이끌어 내기 위한 것으로 볼 수 없다.

오답 풀이 ❶ 병식은 새를 독살한 것이 별일이 아니라고 생각하며 잘못한 것이 없다는 뻔뻔한 태도를 보이고 있다.
❸ 병식은 '인간이 새로운 새를 창조해 낼 순 없'기 때문에 새를 보호

해야 한다는 병국의 생각을 '개떡 같은 이론'이라고 말하며 무시하고 있다. 즉 병국의 생각이 현실과 동떨어진 허황된 생각이라고 여기기 때문에 '참새구이도 없애'고, '닭도 진화를 도와 하늘로 해방시키'라고 하면서 비아냥거리고 있는 것이다.

❹ ㉣ 뒤에 이어지는 내용을 보면 병국의 감정이 격해져서 동생의 멱살을 틀어쥐는 것을 확인할 수 있다.

❺ 병국은 격하게 다투었어도 동생 병식에게 집에 꼭 들어오라고 말하는 것으로 보아, 형으로서 동생을 걱정하고 있음을 알 수 있다.

알아두기 병식의 성격

도요새를 밀렵해서 박제사에게 팔면서 양심의 가책조차 느끼지 않음	이기적 타산적 현실적
사회 문제나 환경 문제에 무관심하고 자신의 즐거움만을 생각함	

08 인물·사건

병국은 도요새를 밀렵하는 사람들을 돕는 병식을 형으로서 호되게 질책하고 있다. 그런데 이는 병식이 도요새를 독살하는 일에 가담하는 것을 질책하는 것이지, 나쁜 사람들에게 이용당하게 될까 봐 염려하는 것은 아니다.

오답 풀이 ❶, ❷, ❸ 병국과 병식이 갈등하는 이유는 도요새에 대한 생각의 차이 때문이다. 병국은 도요새를 보호해야 하는 대상이라고 생각하지만 병식은 돈벌이의 수단이라고 생각하는데, 이를 통해 두 사람의 갈등이 자연 보호라는 사회 문제와 연관되어 있음을 알 수 있다.

❹ (사)에서 병식은 병국이 학생 운동을 하다 감옥에 갔던 일을 언급하며 냉소적인 태도로 비아냥거리고 있다.

알아두기 '도요새'에 대한 가치관의 차이

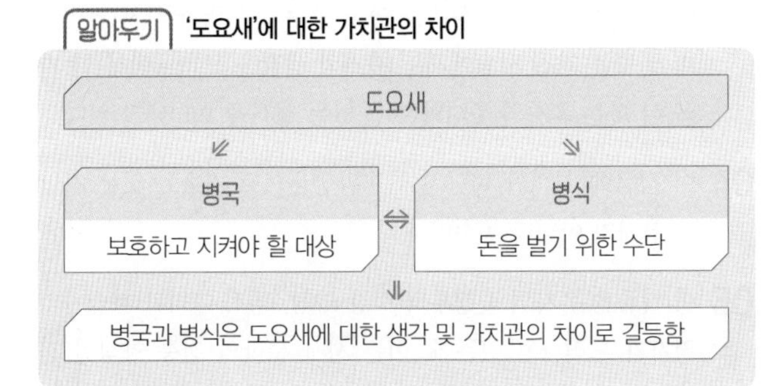

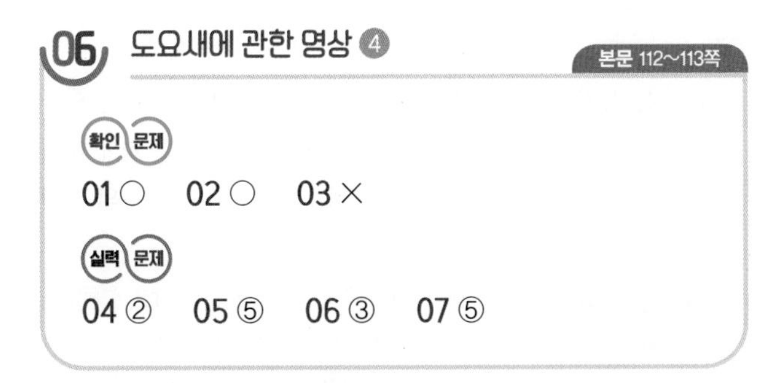

01
(아), (자)는 이야기 외부의 서술자가 인물(병국)의 심리를 모두 파악하여 전달하는, 전지적 서술자 시점으로 서술되었다.

02
(아)의 마지막 부분에 제시된 '자유로운 삶의 터를 찾아 고통의 길고 긴 도정 중에 나는 그렇게 낙오되는 도요새가 아닐까'라는 말을 통해 병국이 낙오되는 도요새와 자신의 처지를 동일시하고 있음을 알 수 있다.

03
병국은 버스에 올라타 눈을 감고 잠을 자듯 늘어져 도요새의 무리가 등장하는 꿈을 꾸고 있다. 꿈에서 도요새 무리는 자유를 찾아 날다가 암흑천지의 밤에 등대의 벽에 부딪히기도 하고, 낮에는 매나 사냥꾼에게 쫓기고 오염된 폐수와 그 속에 살고 있는 먹이로 인해 피해를 보기도 한다. 따라서 병국의 꿈에는 자유로운 삶의 터전을 찾아 떠나는 여정 속에서 도요새가 겪는 피해의 모습도 나타난다고 할 수 있다.

04 서술

(아)에는 버스에 탄 병국이 꾼 꿈이 제시되어 있다. 이때 병국이 꿈이라는 환상적 상황에서 바라본 도요새의 모습을 통해 병국의 내면 심리가 드러난다.

오답 풀이 ❶ (아)에서는 이야기 외부의 서술자가 병국의 행동과 심리를 전달하고 있다. (아)의 마지막 부분에 병국이 1인칭 서술자가 되어 이야기하는 부분이 드러나기는 하지만, 이 부분 역시 병국의 내면 심리를 서술하고 있는 부분이므로 등장인물이 사건을 객관적으로 전달하고 있다고 볼 수 없다.

❸ 등장인물과 자연물이 대화하는 내용은 드러나지 않는다.

❹ (아)의 서술자는 이야기 외부의 서술자와 병국으로 볼 수 있으므로 자연물이 서술자라는 설명은 적절하지 않다.

❺ 이야기 외부의 서술자가 병국의 행동과 생각을 전달하고 있을 뿐, 이에 대해 평가하는 내용은 드러나지 않는다.

배경지식 ⊕ 문학 작품 속 '꿈'의 여러 가지 기능

문학 작품에서 '꿈'은 다양한 기능을 한다. 꿈을 통해 현실에서는 불가능했던 소망을 이루기도 하고, 현실의 문제 상황을 해결하기도 한다. 반면 현실의 상황이 꿈속에서도 그대로 반영되거나, 꿈에서 깨어난 후에 현실은 그 이전과 변화가 없다는 것을 깨달아 현실을 냉정하게 인식하게 되기도 한다.

05 배경·소재

이 작품에서 도요새는 이상과 자유를 향해 날아가는 존재로, 병국은 이를 매개로 현실의 좌절을 극복하고 자유로움을 찾아 날고 싶은 소망을 드러낸다. 이러한 점에서 이 작품은 〈보기〉와 같은 주제 의식을 드러낸다고 할 수 있는데, ㉠에서 병국은 도요새가 나오는 꿈을 꾸면서 낙오된 새에 동일시된 자신을 돌아보게 된다. 따라서 '버스'는 병국이 꿈을 통해 자신의 현재 처지를 되돌아보는 공간이라고 할 수 있다.

06 서술

〈보기〉는 이야기 외부의 서술자가 병국('그')의 심리를 서술해 주는 전지적 서술자 시점이고, ㉮는 병국('나')이 자신의 내면을 직접 드러내는 1인칭 시점에서 서술되고 있다. 따라서 ㉮로 고치면 인물의 심리가 더 직접적으로 드러나게 된다.

오답 풀이 ❶ ㉮에서 서술자가 병국으로 바뀌고 있을 뿐, 병국의 내적 갈등이 더 심화되는 것은 아니다.

❷ ㉮에서 서술자가 병국으로 바뀌면서 새로운 사건이 일어나거나 이를 암시하는 내용은 없다.

❹ ㉮에서는 병국으로 서술자만 바뀔 뿐, 더 긴박한 분위기가 조성되지는 않는다.

❺ 〈보기〉와 ㉮ 모두 비유적인 표현이 사용되었으며, ㉮에서 병국의 심리가 보다 더 직접적으로 드러난다.

알아두기 **1인칭 시점과 3인칭 시점**

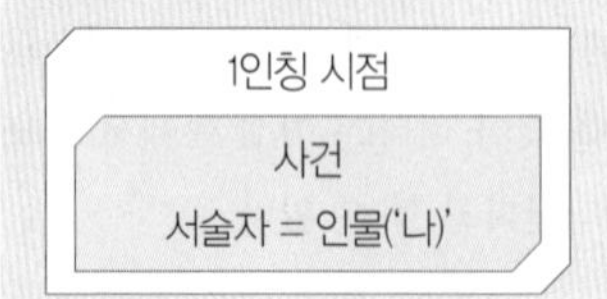

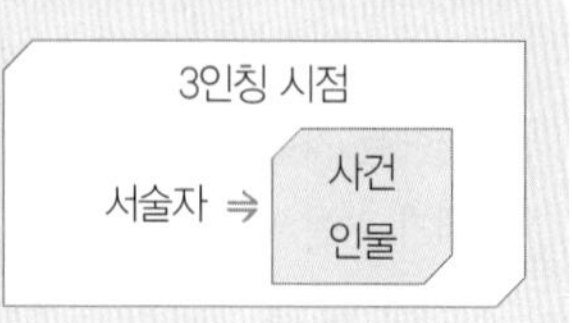

07 배경·소재

ⓔ '자유로운 삶의 터'는 병국이 지향하는 공간이므로, 환경 오염이 없고 정치적으로도 사상과 비판의 자유가 허용되는 공간을 상징한다. 따라서 경제적으로 성장하여 풍요롭게 살아가는 산업화 사회를 상징하는 것으로 보기는 어렵다.

오답 풀이 ❶ ⓐ '낙오된 새'는 병국이 자신과 동일시하는 대상이다. 따라서 학생 운동을 하다가 대학에서 쫓겨난 병국을 의미하는 것으로 볼 수 있다.

❷ ⓑ '몇십 마리의 새'는 등대 벽에 머리를 박고 떨어졌다고 하였다. 따라서 급속한 산업화 속에서 피해를 입은 사람들을 의미하는 것으로 볼 수 있다.

❸ ⓒ '매 한 마리'는 '도요새'를 포획하는 존재로서 폭력적인 힘을 상징하므로, 사상과 비판의 자유를 허용하지 않는 정치적 힘을 의미하는 것으로 볼 수 있다.

❹ ⓓ '오염된 폐수'는 공장 지대에서 흘러나오는 것이므로 중화학 공업 위주의 산업으로 인해 생긴 환경 오염을 의미한다고 볼 수 있다.

알아두기 **작품 전체에 반영된 현실**

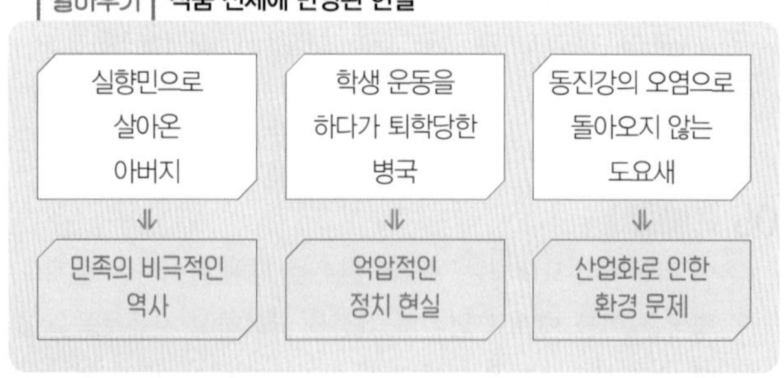

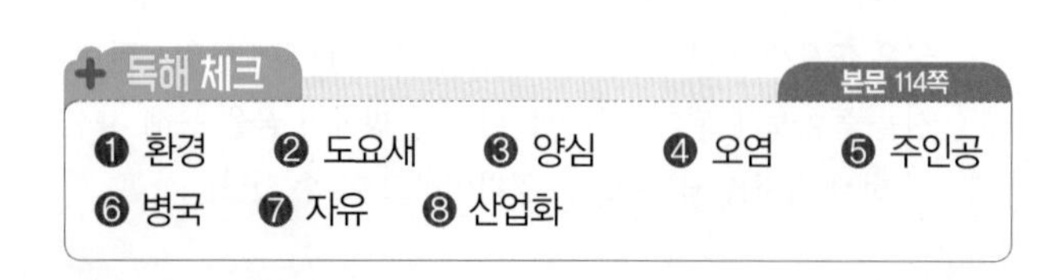

+ 독해 체크 본문 114쪽

❶ 환경 ❷ 도요새 ❸ 양심 ❹ 오염 ❺ 주인공
❻ 병국 ❼ 자유 ❽ 산업화

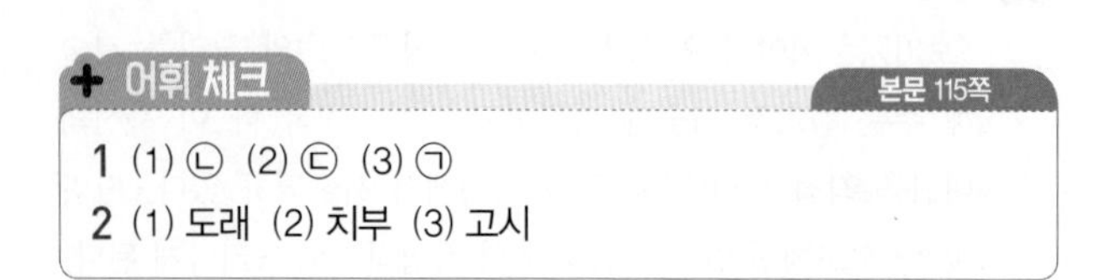

+ 어휘 체크 본문 115쪽

1 (1) ㉡ (2) ㉢ (3) ㉠
2 (1) 도래 (2) 치부 (3) 고시

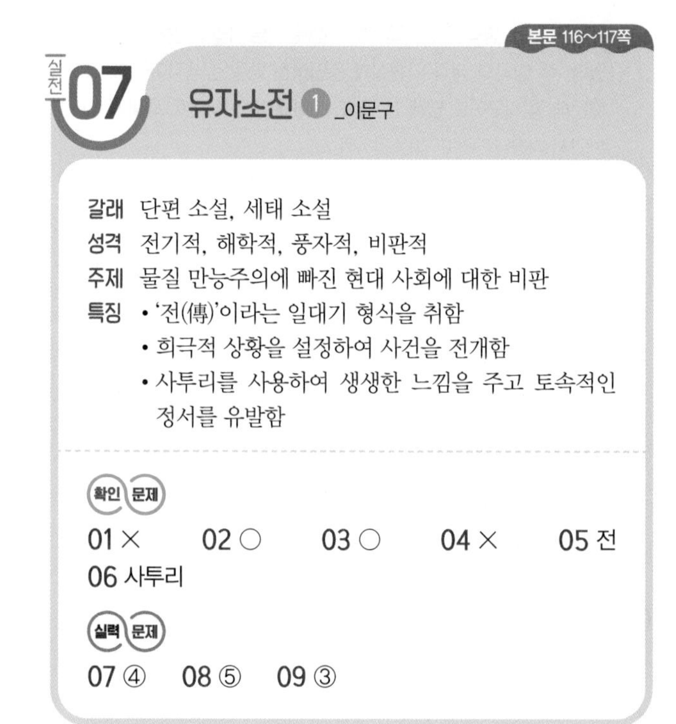

본문 116~117쪽

실전 07 유자소전 ❶ _이문구

갈래 단편 소설, 세태 소설
성격 전기적, 해학적, 풍자적, 비판적
주제 물질 만능주의에 빠진 현대 사회에 대한 비판
특징
- '전(傳)'이라는 일대기 형식을 취함
- 희극적 상황을 설정하여 사건을 전개함
- 사투리를 사용하여 생생한 느낌을 주고 토속적인 정서를 유발함

확인 문제

01 × 02 ○ 03 ○ 04 × 05 전
06 사투리

실력 문제

07 ④ 08 ⑤ 09 ③

01 이 작품은 서술자인 '나'가 주인공인 유자(유재필)을 관찰하여 서술하는 1인칭 관찰자 시점을 사용하고 있는데, 유자와 관련된 여러 일화(유자와 총수의 이야기 등)를 삽화 형식으로 제시할 때에는 전지적 서술자 시점을 혼용하여 사용하고 있다.

02 (나)에 성품이 곧고 줏대와 주견이 뚜렷한 유재필의 인물됨이 서술되어 있다.

03 이 작품은 비단잉어 사건을 통해 총수의 허영과 사치를 비꼬며 권력을 가진 사람에게도 자기의 생각을 드러내면서 할 말을 다 하는 유자의 줏대와 주견 있는 성격을 드러내고 있다.

04 이 작품에서 비싼 비단잉어를 관상용으로 키우고 있는 사람은 유자가 아니라 총수이다.

05 이 작품은 유자의 출생부터 성장 과정, 행적 그리고 서술자의 평가가 드러나고 있는데, 이는 서사 문학의 전통 양식인 전(傳)의 형식을 차용한 것이다.

06 이 작품은 지역 사투리를 사용하여 토속적인 정감과 사실성을 부여하고 비속어를 사용하여 풍자의 대상을 더욱 우스꽝스럽게 보이도록 하고 있다.

07 인물·사건

'나'는 유자의 친구이자, 이 작품의 서술자 역할을 하는 인물이다. (라)에서 '그 회사 직원들의 봉급 수준을 모르기에 나의 월급으로 계산을 해 보니'라고 하였으므로 '나'는 총수의 직원은 아님을 알 수 있다.

오답 풀이 ❶ '총수'는 '어떤 집단의 우두머리'를 뜻하는 말로, (라)를 통해 회사를 운영하는 사회 고위층의 인물임을 추측할 수 있다.

❷ (나)에서 유자가 '심성이 밝고', '생각이 깊고 침착하'다고 직접적으로 제시하고 있다.

❸ (나)의 '그의 생애는 풀밭에서 뚜렷하고 쑥밭에서 우뚝하였다.'는

곧은 성품과 뚜렷한 주견을 지닌 유자의 삶을 드러낸 것으로, 이 작품의 서술자인 '나'는 유자에 대해 예찬적인 태도로 서술하고 있다.
⑤ (가)에서 유자는 '어려서부터 타고난 총기와 숫기로 또래에서 별쭝맞고 무리에서 두드러진 바가 있'다고 서술하고 있다.

08 서술

'벧어낸밴또(베토벤)라나 뭬라나를~차에코풀구싶어(차이콥스키)라나 뭬라나'에서 언어유희를 사용하고, '딴따라', '꼬랑지'라는 비속어 등을 사용하여 해학성을 유발하면서 총수의 허영과 사치를 비판하고 있다.

오답 풀이 ① (라)에서 내적 독백이 나타나 있는 부분은 찾을 수 없다.
② (라)에서 외양의 묘사를 통해 인물을 희화화하고 있는 부분은 찾을 수 없고, 유자가 언어유희를 사용하여 총수의 허영과 사치를 풍자한 부분이 제시되어 있다.
③ (라)는 유자가 비단잉어 사건을 '나'에게 전해 주고 있는 부분으로, 현재와 과거를 교차 서술하고 있는 것은 아니다.
④ (라)에는 '나'와 유자의 대화가 제시되고 있을 뿐, 간접 인용을 활용한 부분은 찾을 수 없다.

09 주제

〈보기〉에서 과거에는 '전(傳)'이 위인들의 일대기를 다루어 역사적인 기록으로서의 가치에 중점을 두었다면, 오늘날에는 인물의 생애와 성품에 대한 일대기적 기록과 평가를 세상 사람들에게 널리 알려 교훈이나 깨달음을 주려는 의도가 담겨 있다고 하였다.

오답 풀이 ① 〈보기〉에서 인물의 일대기적 기록과 평가가 제시된다고 하였다. (가)의 '그냥 보면 그저 그렇고~예사 허릅숭이는 아니었다.'에서 작가를 대변하는 서술자가 작품에 개입하여 유자에 대한 평가를 덧붙이고 있다.
②, ⑤ 〈보기〉에서 전(傳)은 인물의 독특한 행적을 기록하였다는 것으로 볼 때, 이 작품은 총수의 비단잉어와 관련된 일화를 제시하여 줏대와 주견이 뚜렷한 유자의 예사롭지 않은 성품을 구체적으로 드러내고 있다.
④ 오늘날 전(傳)의 형식을 사용하는 것은 인물의 생애와 성품에 대한 일대기적 기록과 평가를 세상 사람들에게 널리 알려 교훈이나 깨달음을 주고자 하는 의도가 담겨 있다고 하였으므로, 작가는 유자의 삶을 통해 독자에게 어떤 교훈이나 깨달음을 주고자 한 것임을 알 수 있다.

알아두기 | 전(傳)의 형식

우리나라 전통적인 문학의 한 갈래인 '전(傳)'은 어떤 사람의 독특한 행적을 중심으로 그의 일대기를 기록하고, 여기에 교훈적인 내용이나 비판을 덧붙인 글이다. 「유자소전」은 이러한 전통적인 '전(傳)'의 형식을 현대적으로 변용하여 계승하고 있다.

전통적인 '전(傳)'의 형식	⇒	「유자소전」의 형식
인물의 출생, 가계 등을 서술함		유자의 출생, 생애, 성품을 서술함
⇓		⇓
인물의 삶과 인물됨을 보여 주는 행적을 삽화 형식으로 나열함		유자의 성품을 드러낼 수 있는 일화를 나열함
⇓		⇓
인물의 삶과 인물됨에 대해 평가함		유자의 사망 후 유자에 대한 주변인과 서술자의 평가를 제시함

07 유자소전 ②

본문 118~119쪽

확인 문제
01 ○ 02 × 03 × 04 혐의자 05 비단잉어

실력 문제
06 ② 07 ① 08 ⑤ 09 ④

01 (바)에서 죽은 비단잉어로 매운탕을 끓여 먹은 것에 매우 화가 난 총수가 '아는 문자는 다 동원하여 호통을 쳤으면 하나 혈압을 생각하여 참는 눈치'라고 한 부분과 '우악스럽고 무식하기 짝이 없는 아랫것들하고 따따부따해 봤자 공연히 위신이나 흠이 가고 득 될 것이 없다'고 한 부분을 통해서 알 수 있다.

02 (마)에서 '그는 시멘트의 독성을 충분히 우려내지 않고 고기를 넣은 것이 탈이었으려니'를 통해 유자는 비단잉어가 죽은 진짜 이유가 시멘트의 독성 때문이라고 생각하고 있다.

03 (바)에서는 총수와 유자의 대화가 제시되는데, 이때 비단잉어로 매운탕을 끓여 먹은 일은 '나'와 유자의 대화 이전의 상황이므로 과거에 일어난 일이라고 할 수 있다. 이 과거의 일을 작품 밖의 서술자가 전지적 시점으로 서술하고 있는데, 등장인물(유자와 총수)의 대화를 통해서 제시하기도 하고, 서술자가 등장인물의 행동과 심리를 제시하기도 한다.

04 (마)에서 유자는 총수가 자신을 비단잉어를 죽인 혐의자나 되는 것처럼 화풀이를 하려 드는 것에 비위가 상하여 의뭉을 떨었다.

05 총수가 비단잉어는 소중하게 여기면서 유자나 직원들에게는 매우 화를 내며 독종이라고 하는 것에서 사람보다 물고기를 더 우선시하는 총수의 위선과 비인간적인 면모가 드러난다.

06 서술

이 작품에서 빠른 장면 전환이 이루어진 부분은 찾을 수 없으며, 다급하고 긴박한 분위기도 느낄 수 없다.

오답 풀이 ① 유자와 총수의 대화를 중심으로 비단잉어와 관련된 사건을 전개하고 있다.
③ 지역 사투리를 사용하여 희극적 상황을 부각하여 표현하고 있으며 이야기에 현장감과 사실성을 높이고 있다.
④, ⑤ 사람보다 값비싼 비단잉어에 더 가치를 두는 위선적인 총수와 강자의 눈치를 보지 않고 할 말은 다 함으로써 자신의 신념과 소신을 표현하는 인물인 유자를 대조적으로 제시하여 '물질 만능주의에 빠진 현대인에 대한 비판'이라는 주제 의식을 효과적으로 드러내고 있다.

07 인물·사건

'한 마리가 황소 너댓 마리 값이나 나'가는 비단잉어를 관상용으로 키우는 총수의 모습에서 부와 사치를 과시하는 허영에 찬 인물임을 알 수 있다.

오답 풀이 ❷ 총수가 비단잉어의 죽음을 안타까워하는 모습은 작은 생명체도 아끼고 소중히 다루는 인물이기 때문이 아니라 비단잉어의 몸값이 매우 비쌌기 때문이다. 작은 생명체도 아끼는 마음을 가졌다면 유자를 비롯한 직원들에게 몰인정한 태도를 보일 수는 없을 것이다.
❸, ❺ 총수는 비단잉어로 매운탕을 끓여 먹은 유자를 관용을 베풀어 용서한 것이 아니라, '우악스럽고 무식하기 짝이 없는 아랫것들하고 따따부따해 봤자 공연히 위신이나 흠이 가고 득 될 것이 없다고 판단'했기 때문에 참고 있는 것으로 볼 수 있다.
❹ 총수는 사회 고위층에 해당하는 인물이지만, 그에 맞는 기품을 지닌 인물이라고 보기는 어렵다.

알아두기 **총수의 행동에 드러난 인물됨**

총수의 행동

- 값비싼 비단잉어를 사고 연못을 만들며 비단잉어에 공들임
- 비단잉어의 죽음을 안타까워하며 유자에게 화풀이를 함
- 죽은 비단잉어로 매운탕을 끓여 먹은 직원들을 독종이라며 화를 냄

↓

- 자신의 부를 과시하는 허영심과 사치심이 강한 인물임
- 사람보다 비단잉어를 중시하며 사람을 소홀히 대하는 위선적이고 비인간적인 인물임

08 인물·사건 + 서술

(마)의 '그는 시멘트의 독성을 충분히 우려내지 않고 고기를 넣은 것이 탈이었으려니 하면서도 부러 배참으로 의뭉을 떨었다.'에서 비단잉어가 죽은 진짜 이유를 유자는 짐작하고 있음을 알 수 있다.

09 인물·사건

화가 난 총수에게 유자는 변명을 하지 않고, 의뭉스러운 태도로 일관하고 있다. ㉣도 유자의 의뭉스러운 태도가 드러난 말로, 이를 통해 유자의 줏대 있는 성격을 보여 주고 있다.

오답 풀이 ❶ 유자는 의뭉을 떨며 비단잉어를 애지중지하는 총수의 태도를 비꼬고 있다.
❷ 유자가 자신을 비꼬고 있음을 알아차린 총수는 유자에게 화를 내며 말하고 있다.
❸ 비단잉어로 매운탕을 끓여 먹었다는 유자의 말에 매우 화가 난 총수가 안절부절못하고 있는 모습이다.
❺ 비단잉어의 죽음을 안타까워하며, 고이 묻어 주지 않고 매운탕으로 끓여 술안주로 먹은 유자를 독종으로 취급하는 총수의 말을 통해 사람보다 비단잉어를 더 중시하는, 위선적이고 비인간적인 총수의 면모가 드러난다.

07 유자소전 ❸

본문 120~121쪽

확인 문제

01 ○ 02 × 03 × 04 파리똥 05 제주도

실력 문제

06 ② 07 ③ 08 ③

01 (아)에서 총수는 각근하고 신실한 불교 신자라고 하였으며, 자택에도 불당을 두는 모습 등에서 총수가 독실한 불교 신자임을 알 수 있다.

02 (자)를 보면 유자가 불단에 올릴 정화수에 손을 대었기 때문에 총수가 화가 난 것이 아니라, 유자가 불상에 묻은 파리똥을 침으로 지우려는 모습을 보았기 때문에 화가 난 것이다.

03 총수는 유자의 잘못을 눈감아 주지 않고 '너 오늘부터 내 집에서 당장 나가.'라며 호통을 치고 있다.

04 (자)에서 유자가 마른행주에 침을 뱉어서 불상에 묻은 파리똥을 지우려던 순간, '소리 없이 나타나서 청소하는 것을 지켜보고 있었던' 총수에게 들켜서 유자는 쫓겨나게 된다.

05 정화수를 제주도까지 가서 공수해 오는 일은 시간과 돈이 많이 드는 일로, 이를 통해 정화수를 올리는 사람의 정성을 물질로 대신하고자 하는 총수의 허영과 사치를 엿볼 수 있다.

06 인물·사건

제주도에서 정화수로 쓸 약수를 공수해 오는 것은 총수의 허영과 사치를 드러내는 행동으로, 정성스럽게 정화수를 올리는 모습으로 볼 수 없다. 또한 정화수를 아침마다 갈아 올리는 일도 유자가 하는 것이지 총수가 직접 하는 일은 아니다.

오답 풀이 ❶ 불당을 청결하게 관리하는 것에만 신경을 쓰는 총수의 모습은 본질보다 형식을 중시하는 총수의 성격을 보여 주는 것이라 할 수 있다.
❸ 총수 부인이 정화수를 자신의 식구들만 나누어 마시려고 하는 것에서 제 식구의 안녕만을 도모하는 이기적인 행태를 엿볼 수 있다.
❹ 유자에게 불같이 화를 내는 총수의 행동은 자비로운 불교 신자와는 거리가 먼 모습으로 이기적이고 위선적인 총수의 면모를 드러낸다.
❺ 유자가 총수의 '회사'가 아닌 총수의 '집'에서 쫓겨난 것을 '대자대비하신 부처님의 굽어살피심'이라고 한 것은 유자가 원하는 대로 총수의 승용차 운전석을 떠나게 된 상황을 나타내면서, 동시에 '대자대비하신 부처님'과 대조되는 총수의 속 좁고 인색한 성격을 부각한 표현이다.

07 인물·사건

ⓐ 뒤의 문장을 보면 유자는 총수가 보잘것없는 위선자로 비치기 시작하자, 총수를 모셔 온 날들이 치욕스럽고 자신의 신세가 구차스럽게 느껴진다고 하고 있다.

08 인물·사건 + 서술

'금강역사의 눈'은 험악한 모습을 한 총수의 모습으로, 총수는 '금강역사'의 눈을 하고 화를 내며 유자를 몰인정하게 내쫓고 있다. 이러한 총수의 모습은 '대자대비하신 부처님'의 모습과 대조를 이루는데, 이러한 대조를 통해 총수의 이기적이고 위선적인 면모를 효과적으로 풍자하고 있다.

오답 풀이 ❶ 불상의 손등에 묻은 파리똥은 웃음을 유발하는 요소로, 불상의 권위를 떨어뜨리는 역할을 하지만, 불상이나 총수 또는 유자 등의 어떤 대상에도 연민의 정서를 불러일으키지는 않는다.
❷ 총수가 소리 없이 나타난 것은 참배할 시간이 되었기 때문으로, 유자를 믿지 못해 감시하고 있던 것은 아니다.

❹ 유자가 '마른행주에 침을 뱉어서' 불상에 묻은 '파리똥을 지우려고' 한 것은 총수의 참배 시간이 얼마 남지 않은 상황에서 불단의 정화수를 쓸 수 없는 상황이었기 때문이다.

❺ '내 회사'가 아닌 '내 집'에서 나가라고 한 것은 유자의 입장에서 볼 때, 총수의 집에서 쫓겨난 것일 뿐이며 여전히 회사에서 일을 할 수 있는 상황은 계속된다. 즉 총수의 명령은 유자가 원하는 대로 총수를 모시는 운전기사를 그만두고 다른 자리로 옮겨 가는 계기가 된다. 여기서 총수의 명령은 자비가 없는 인색한 총수의 면모를 풍자하는 것으로, 회사와 집을 혼동하는 총수의 모순적 태도를 비판하는 것은 아니다.

배경지식 ⊕ **풍자와 해학**

풍자와 해학은 우스꽝스러운 상황이나 인물의 희화화 등을 통해 웃음을 유발하는 방법인데 풍자가 비판이나 조롱의 성격이 강하다면, 해학은 웃음을 목적으로 한다. 그래서 풍자가 현실이나 인물의 부정적인 면을 비웃으며 폭로·비판하는 것에 중점을 둔다면, 해학은 대상에 대해 악의 없는 웃음을 유발하거나 호감·연민을 느끼게 하는 것에 중점을 둔다.

07 유자소전 ❹

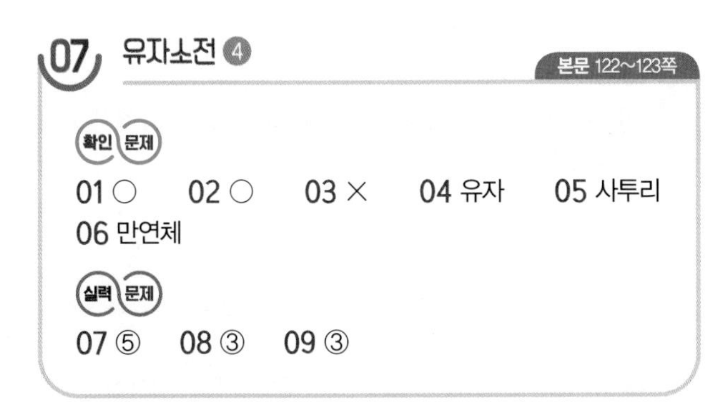
본문 122~123쪽

확인 문제

01 ○ 02 ○ 03 × 04 유자 05 사투리 06 만연체

실력 문제

07 ⑤ 08 ③ 09 ③

01 (차)의 '인건비를 줄이느라고 임시로 쓰던 스페어 운전수들'을 통해 알 수 있다.

02 중략 부분 줄거리에서 알 수 있듯이, 유자는 운수 회사의 노선 상무로 좌천되어 그곳에서 사고 처리를 하는 일을 맡게 된다. 그리고 (차)~(타)의 내용으로 볼 때, 유자가 맡은 업무는 회사의 동료 운전수들의 교통사고를 처리하는 일임을 알 수 있다.

03 (카)에서 유자는 사정이 딱한 스페어 운전수들에게 자신의 용돈을 털어 쌀이나 밀가루, 연탄 등을 들여놓아 주고 그 집을 나오면, 무엇인가를 빠뜨리고 오는 것처럼 개운치가 않았다고 하였다.

04 이 작품에서 유자는 자신의 용돈을 털어 사정이 딱한 사람들을 도와주는 모습에서 인정이 많고 사람의 도리를 실천하는 인물임을 알 수 있다.

05 이 작품의 인물들이 하는 말에 지역 사투리가 빈번하게 쓰이고 있는데 이를 통해 토속적인 정감을 불러일으키며 이야기에 사실성, 현장감을 높이는 효과를 준다.

06 (차)에서는 호흡이 긴 만연체의 문장을 사용하여 유자가 교통사고 처리를 위해 스페어 운전수의 집을 찾아간 상황과 거기서 느끼는 괴로운 심정을 구체적으로 서술하고 있다.

07 인물·사건

(차)에서 유자는 사건 처리에 필요한 서류를 갖추기 위해 신상 기록 대장에 있는 주소를 찾아가 본다고 하였다.

오답 풀이 ❶ (차)에서 유자는 동료 운전수라 하여 팔이 들이굽는다는 식의 적당주의를 취한 적은 거의 없었다고 하였다.

❷ (차)에서 스페어 운전수들이 사는 꼴이 말이 아닐 때는, 그 운전자의 자질 여부를 떠나서 현실적인 딱한 사정에 괴로워하지 않을 수가 없었다고 하였다.

❸ (타)에서 노파는 쌀이나 연탄을 들여 줄 때 회사에서 으레 돌봐 주는 것이거니 하였다가 반찬거리까지 챙겨 주는 유자의 자상함에 눈시울을 적신다고 한 데서 유자의 진정한 인간미에 감동하였음을 알 수 있다.

❹ (카)에서 스페어 운전수의 사고에는 업무 추진비 명색도 차례가 가지 않아 유자가 자신의 용돈을 털게 된다고 하였다.

08 어휘

㉢의 '팔다'는 '돈을 주고 곡식을 사다.'의 의미이다. 일반적으로 '팔다'는 '값을 받고 물건이나 권리 따위를 남에게 넘기거나 노력 따위를 제공하다.'라는 뜻이지만, 쌀, 보리, 콩 등의 곡식류의 경우 '팔다'가 반대의 의미로 쓰인다.

09 주제

(차)~(타)에서 유자는 사고 처리와 관련된 업무에 대해서 동료 운전수라 하여 봐 주는 식의 적당주의를 취한 적 없이 책임감 있고 정직하게 일을 처리하지만, 스페어 운전수의 집이 가난하면 자신의 용돈을 털어서 진정으로 도와줄 줄 아는 모습이 그려져 있다.

오답 풀이 ❶ 이 작품에서 넉살 좋고 입담 좋은 유자의 언행을 통해 골계미를 느낄 수는 있지만, <보기>를 바탕으로 감상한 내용은 아니다.

❷ 이 작품은 산업화 과정에서 하층민이 겪는 소외와 갈등을 다루고 있지 않다.

❹ 이 작품에서 총수가 허영과 사치에 젖은 물질 만능주의의 모습을 보여 주고 있지만, 가산을 탕진한 것은 아니며 (차)~(타)에 제시된 내용도 아니다.

❺ 가난하고 힘겨운 삶을 살아가는 사람(소시민)들의 생활상은 제시되어 있지만, 유자가 이들을 돕는 인간미 넘치는 모습이 제시되어 있기 때문에 이웃에 무관심한 현대인들의 모습을 비판한다고 볼 수 없다.

+ 독해 체크 본문 124쪽

❶ 유자 ❷ 비단잉어 ❸ 인간미 ❹ 위선적 ❺ 총수 ❻ 비판 ❼ 사투리 ❽ 일대기

+ 어휘 체크 본문 125쪽

1 (1) 줏대 (2) 위신 (3) 독종

2 총기 – 기사 – 사단 – 단위 – 위선자 – 자택

실전 08 운영전 ❶ _작자 미상

갈래 고전 소설, 애정 소설, 액자 소설
성격 비극적, 비판적
주제 신분을 초월한 비극적인 사랑, 억압된 삶에 대한 저항
특징
- 궁녀들의 억압된 삶에 대한 비판적인 시각이 드러남
- 고전 소설의 보편적인 주제인 권선징악에서 벗어나 자유연애 사상을 보여 줌
- 액자식 구성으로 외부 이야기는 전지적 서술자 시점, 내부 이야기는 1인칭 주인공 시점으로 서술됨

확인 문제
01 ○ 02 × 03 × 04 운영 05 편지

실력 문제
06 ④ 07 ⑤ 08 ③ 09 ②

01 안평 대군이 술자리에 모인 손님들에게 김 진사가 지은 시를 내보이는데, 모인 사람들이 김 진사를 한번 만나 보고 싶어 하자 안평 대군이 진사를 수성궁으로 초청한다.

02 이 작품에서 내부 이야기인 운영과 김 진사의 사랑은 '수성궁'을 배경으로 전개된다. 그런데 유영이 등장하는 외부 이야기는 '수성궁 옛터'를 배경으로 하고 있다. 따라서 운영과 김 진사의 사랑이 펼쳐진 시기와 유영이 수성궁 옛터를 찾은 시기는 서로 다르므로, 동일한 시기의 두 사건이 전개되고 있다는 설명은 적절하지 않다.

03 유영이 수성궁 옛터에서 술에 취해 잠이 들고, 깨어나 김 진사와 운영의 사랑 이야기를 듣게 된다. 따라서 운영과 김 진사가 사랑에 빠지는 것은 과거에 일어난 사건이다.

04 (가)와 (나)는 내부 이야기로, 서술자인 운영이 유영에게 '-ㅂ니다', '-습니다', '-군요' 등 상대에게 이야기를 들려주는 말투를 사용하여 자신의 이야기를 전달하고 있다.

05 운영과 김 진사는 벽을 사이에 두고 만나는데, 운영은 벽에 구멍을 뚫어 김 진사에게 자신의 마음을 담은 편지를 전한다.

06 인물·사건

대군은 이전과 달리 수척해진 김 진사의 모습을 보고, 위로하며 궁원의 고사를 인용하여 그 이유를 묻고 있다. 따라서 언짢은 마음을 드러내고 있다는 설명은 적절하지 않다.

오답 풀이 ❶ (가)에서 궁에 온 김 진사를 보고 '예전의 기상이라곤 전혀 찾아볼 수가 없었습니다.'라고 한 것으로 보아, 운영은 이전에도 김 진사를 만난 적이 있음을 알 수 있다.
❷ (가)에서 대군이 술자리에 모인 손님들에게 김 진사가 지은 시 두 편을 내보였더니 모인 사람들이 칭찬하기를 마지않았다는 내용을 통해 김 진사가 뛰어난 글솜씨를 지니고 있음을 알 수 있다.
❸ (가)에서 김 진사는 자신이 병이 들어 식음을 전폐하고 있다고 대군에게 말하였다. (나)에서 김 진사가 운영의 편지를 읽고 '그리워하는 정이 지난날보다 곱절이 되어 버틸 수 없을 지경'이었다는 내용을 보아, 김 진사의 병은 운영에 대한 그리움 때문임을 알 수 있다.
❺ (나)의 '제가 벽에 구멍을 뚫고 엿보니 진사 역시 제 뜻을 알고 모퉁이를 향해 앉아 있더군요.'라는 내용을 통해, 운영은 자신과 김 진사의 마음이 통했다고 생각했음을 알 수 있다.

07 인물·사건 + 서술

(가)와 (나)는 내부 이야기로, 1인칭 서술자인 운영의 경험과 생각을 중심으로 서술되어 있다. ⓜ은 운영의 편지를 보고 난 김 진사의 심리를 서술한 것으로, 이는 운영이 직접 겪은 일이 아니라 김 진사에게 들은 것이다.

배경지식 ⊕ 1인칭 주인공 시점의 제약

1인칭 주인공 시점은 이야기 내부에 등장하는 인물이 자신이 경험하고 느낀 것을 서술한다. 그래서 자신이 직접 경험하지 않은 사건은 전달할 수 없으므로, 이런 제약을 극복하기 위해 다른 사람의 말을 인용하거나 전해 들은 이야기를 요약해 제시하는 방법 등을 사용한다.

08 서술

(가)와 (나)는 ⓑ에 해당하는 이야기로 운영과 김 진사가 겪은 과거의 일이다. ⓐ는 죽은 운영과 김 진사가 유영 앞에 나타나 자신들의 이야기를 하는 장면이므로, 시간상 현재인 ⓐ의 일이 과거인 ⓑ의 사건에 영향을 미칠 수는 없다.

오답 풀이 ❶ (가)와 (나)는 운영과 김 진사의 사랑 이야기로 ⓑ에 해당한다.
❷ 이 작품은 선비 유영이 술에 취해 잠들었다가 깨어나서 운영과 김 진사를 만나(외부 이야기), 그들의 비극적인 사랑 이야기(내부 이야기)를 다 듣고 다시 잠들었다가 깨어나는(외부 이야기) 액자식 구성을 취하고 있다.
❹ ⓑ의 김 진사와 운영의 이야기를 듣는 청자는 ⓐ의 유영으로, 유영은 술을 마시고 잠들었다가 깨어나 운영과 김 진사를 만나 그들의 이야기를 듣는다.
❺ ⓐ의 공간적 배경은 안평 대군의 궁궐인 수성궁 옛터이고 ⓑ는 과거의 수성궁을 배경으로 하고 있다.

알아두기 이 작품의 구조

이 작품은 유영이 수성궁 옛터에 가서 술을 마시고 잠이 들었다가 깨어나 운영과 김 진사를 만나고, 그들의 이야기를 들은 후에 다시 잠들었다가 깨어나는 구조로 전개된다. 이때 유영이 수성궁에 가서 운영과 김 진사를 만나 대화를 나누는 것은 외부 이야기이고, 그들에게 듣게 되는 사랑 이야기는 내부 이야기에 해당한다.

외부 이야기
유영이 수성궁 옛터에서 잠들었다가 깨어남 죽은 운영과 김 진사를 만남
내부 이야기
운영과 김 진사의 비극적 사랑 이야기

09 배경·소재

〈보기〉의 설명에는 궁녀들의 억압된 삶에 대한 내용이 제시되어 있다. 궁녀인 운영 역시 자신의 신분 때문에 김 진사에 대한 사랑을 자유롭게 드러내지 못하고 있다. 따라서 '수성궁'은 궁녀로서의 사회적 제약이 나타나는 억압적인 공간을 상징한다.

오답 풀이 ❶ 수성궁은 궁녀들이 억압된 삶을 사는 공간이므로 제한된 삶에서 벗어난 이상적 공간이라고 볼 수 없다.
❸ 이 작품에서는 궁녀라는 제한된 신분으로 인해 몰래 사랑을 전하는 궁녀의 이야기가 전개된다. 따라서 수성궁은 중세적 질서라는 시대의 모순에 대해 인물이 갈등하는 공간이라고 볼 수도 있다. 그러나 수성궁은 실제적인 공간이므로, 인물의 내면 공간을 의미하지는 않는다.
❹ 수성궁은 궁녀라는 신분으로 인해 억압된 삶을 살아야만 하는 불합리한 현실이 드러나는 공간이다. 수성궁이 불합리한 현실 속에서 신분 상승을 꾀할 수 있는 계기가 된다고 볼 수는 없다.
❺ 수성궁이 궁녀로서의 비극적인 삶을 보여 주는 것은 맞지만, 모든 개인이 가진 능력을 전혀 펼칠 수 없는 공간인 것은 아니다. 김 진사가 시를 짓는 능력이 뛰어나 초청을 받는 것으로 보아 개인의 능력이 발휘되거나 인정받을 수 있는 공간임을 짐작할 수 있다. 또한 이 작품에서 궁녀들은 시를 짓는 솜씨가 뛰어난 인물들로, 자신의 문학적 능력을 발휘하기도 한다. 다만 궁녀들이 대군의 소유물과 같은 존재들이어서 억압된 삶을 살 수밖에 없다는 제약이 따를 뿐이다.

알아두기 **'수성궁'의 상징적 의미**

수성궁은 절대 권력을 지닌 안평 대군이 거처하는 공간으로, 이곳의 궁녀들은 안평 대군의 명령에 절대적으로 복종해야 한다. 이 때문에 운영과 김 진사의 사랑도 이루어질 수 없는데, 결국 수성궁은 궁녀인 운영을 억압하는 사회적인 제약을 상징한다고 볼 수 있다.

08 운영전 ❷

본문 128~129쪽

확인 문제

01 ○ 02 × 03 자란 04 편지

실력 문제

05 ② 06 ③ 07 ①

01 (다)~(마)에서 1인칭 서술자인 운영이 자신의 이야기를 전달하고 있는데, 인물들과의 대화와 자신의 심리를 제시하며 사건을 구체적으로 서술하고 있다. 그런데 운영이 김 진사의 편지에 대한 답장을 무녀에게 부탁하려고 하지만 무녀가 끝내 오지 않는 상황에 대해서는 요약적으로 제시하고 있다. 이로 보아, 운영은 대화 장면을 통한 구체적 제시와 요약적 제시를 적절히 사용하여 이야기를 전달하고 있음을 알 수 있다.

02 옥녀는 처음 서궁에 도착했을 때 아름다운 경치를 보며 만족감을 느끼고 그 마음 그대로를 표현하고 있다. 따라서 자신의 속마음과 반대로 이야기하였다는 것은 적절하지 않다.

03 김 진사에게 편지를 전할 방법을 찾지 못하는 운영에게 자란은 중추에 궁 밖으로 나갈 수 있으므로 그때 무녀를 찾아가라고 대안을 제시하고 있다.

04 운영은 자란의 말을 듣고 가을이 오기를 간절히 기다리는데, 이는 가을이 되면 궁 밖으로 나갈 기회가 생기고 이때 무녀를 찾아가 김 진사에게 편지를 전해 달라고 부탁할 수 있을 것으로 여겼기 때문이다.

05 인물·사건

'비취가 어디서 그 말을 엿듣고는 짐짓 모른 체하면서 저에게 말했습니다.'라는 구절을 통해, 비취는 이미 운영의 상황과 처지를 모두 눈치채고 있으면서 운영을 걱정하는 척하며 은근히 떠보고 있음을 알 수 있다.

오답 풀이 ❶ 비취의 말은 조롱하는 의도로 이해할 수 있으나, 운영의 말은 퉁명스럽다고 보기 어렵다.
❸ 비취의 말이 겉으로는 운영의 건강을 걱정하고 있기 때문에 호기심 어린 질문이라고 보기 어렵다.
❹ 비취의 말은 운영을 걱정하는 말처럼 보이지만, 사실은 운영의 처지를 다 알고 있으면서 운영이 진사와 사랑하고 있음을 말해 주기를 바라며 던진 말이다.
❺ 비취가 진실을 말할 것을 추궁하고 있지는 않으며, 운영도 사실대로 말하고 있지 않다.

배경지식⊕ **서궁의 궁녀 '자란, 은섬, 옥녀, 비취'**

운영과 함께 서궁으로 간 궁녀들은 운영과 김 진사가 사랑하는 사이임을 알게 된 후, 두 사람이 만날 수 있도록 여러 가지 방법으로 돕는다. 그뿐만 아니라 안평 대군이 사실을 알고 처벌을 하려 할 때에도 운영의 입장에서 변호를 해 주거나, 함께 책임을 지고 죽겠다고 기꺼이 나서는 등 운영의 입장에 공감하고 운명을 함께하고자 한다.

06 어휘

서궁으로 옮긴 운영이 아무리 경치가 좋아도 갇혀 지내는 삶에 대한 답답함과 쓸쓸함을 토로하자, 다른 궁녀들도 이에 공감하며 탄식하고 슬퍼하고 있다. 따라서 ⓐ를 나타내기에 가장 적절한 한자 성어는 같은 병을 앓는 사람끼리 서로 가엾게 여긴다는 뜻으로, 어려운 처지에 있는 사람끼리 서로 가엾게 여김을 이르는 말인 '동병상련'이 적절하다.

오답 풀이 ❶ '각골난망(刻骨難忘)'은 남에게 입은 은혜가 뼈에 새길 만큼 커서 잊히지 아니함을 뜻하는 말이다.
❷ '노심초사(勞心焦思)'는 몹시 마음을 쓰며 애를 태움을 뜻하는 말이다.
❹ '절치부심(切齒腐心)'은 몹시 분하여 이를 갈며 속을 썩임을 뜻하는 말이다.
❺ '좌불안석(坐不安席)'은 앉아도 자리가 편안하지 않다는 뜻으로, 마음이 불안하거나 걱정스러워서 한군데에 가만히 앉아 있지 못하고 안절부절못하는 모양을 이르는 말이다.

07 주제

〈보기〉를 통해 '장신궁'은 반첩여가 쓸쓸하게 늙어 간 곳임을 알 수 있다. 따라서 ㉠은 서궁이 아름다운 곳이라도 자신들은 갇혀 있는 처지이기 때문에 결국 쓸쓸하게 늙어 갈 수밖에 없다는 탄식을 드러낸 말로 볼 수 있다.

오답 풀이 ❷ 서궁의 경치가 아름다워 독서당으로 적당하다는 옥녀의 말에, 운영은 자신들은 도를 닦는 사람도 아닌데 갇혀 있으므로 서궁은 쓸쓸한 '장신궁'과 같다고 말하고 있다. 이는 자신들의 처지에 대해 한탄하는 의도이지, 서궁이 독서를 하는 곳도 도를 닦는 곳도 아니라고 말하려는 것은 아니다.
❸ 운영은 서궁이 독서당이 되려면 도를 닦아야 한다고 말하려는 것이 아니라 궁중에 갇힌 자신들의 처지를 한탄하는 것이다.
❹ 운영은 깊은 궁중에 갇혀 있는 자신들의 처지를 탄식하고 있다. 따라서 궁이 진정한 이상향이라고 생각하지 않는다.
❺ 운영은 깊은 궁중에 갇혀 있는 자신들의 처지를 '장신궁'에 빗대어 탄식하고 있을 뿐, 대군의 사랑을 받아야 한다는 생각을 드러내고 있는 것은 아니다.

알아두기 '궁'에 대한 운영의 생각

장신궁		서궁
반첩여가 성제의 관심에서 밀려나 쓸쓸히 늙어 간 곳	=	외부와 단절되어 사랑의 마음조차 억압당한 채 살아가는 곳

01 특이 재물을 강도에게 다 빼앗겼다고 하자 김 진사는 부모님이 알까 두려워 특을 따뜻한 말로 위로하여 보냈다. 이를 통해 볼 때, 김 진사의 부모는 김 진사와 운영의 관계를 모르고 있음을 알 수 있다.

02 김 진사는 특의 집에서 금비녀 한 쌍과 거울을 발견하고 이를 장물로 삼아 관가에 고발하려 했으나, 자신과 운영 사이의 일이 누설될까 두려워 고발하지 못했다.

03 특은 운영이 맡긴 재물을 가로채기 위해 옷을 찢고 스스로를 때린 다음 김 진사에게 가서 강도에게 습격을 당했다고 거짓 말하였다.

04 특은 자신의 죄를 알고 달아나면 길한지를 물어보기 위해 맹인을 찾아가는데, 이곳에 가서 한 거짓말이 궁중으로 들어가 대군에게 알려져 운영은 결국 자결을 한다.

05 인물·사건
김 진사가 기절한 특에게 약을 먹여 주는 것은 특이 죽으면 재물을 묻은 곳을 알 수 없게 될까 봐 걱정됐기 때문이다.

오답 풀이 ❶ 특은 김 진사에게 거짓말을 하고 운영의 재물을 가로채기 위해 일부러 강도당한 척을 한다. 이때 강도를 당했다는 것을 보여 주기 위해 자신의 옷을 찢고 코를 스스로 때려 피를 온몸에 흠뻑 발랐다.
❸ 김 진사는 뒤늦게야 특이 한 일을 알고 노비 십여 명을 거느리고 가서 불시에 특의 집을 포위하고 수색을 한다.
❹ 맹인의 옆에 있던 맹인의 이웃은 특의 거짓말을 듣는데, 이때 들었던 거짓말들이 전파되어 궁중으로 들어가 대군에게 알려지게 된다.
❺ 특은 자신의 죄를 알고 자신을 죽이려는 주인을 피해 달아나는 것이 길하겠냐고 물어보기 위해 맹인을 찾아갔다. 즉 특은 자신의 죄에 대한 처벌을 피하기 위해 도망가는 방법이 적절한지를 묻기 위해 간 것으로 볼 수 있다.

06 인물·사건
[A]와 [B]는 모두 실제 일어나지 않은 사건을 특이 꾸며낸 말이다. 따라서 직접 경험한 일을 실제보다 과장한 내용이라는 설명은 적절하지 않다.

오답 풀이 ❷ [B]에서 특은 '우리 주인은 본래 염치가 없어서'라고 김 진사를 깎아내리는 말을 하고 있지만, [A]에는 그런 내용이 없다.
❸ [A]에서 특은 '이 보물이 아니었다면 제가 어찌 이런 위험에 처했겠습니까?'라며 김 진사를 원망하고 있지만, [B]에서는 상대방인 맹인을 원망하는 내용이 드러나지 않는다.
❹ [A]와 [B]에서 특이 한 거짓말로 인해 운영과 김 진사는 재물을 잃게 되고, 결국 대군에게까지 이 말들이 들어가 결국 운영이 자결을 하게 된다. 따라서 [A]와 [B]를 통해 특이 운영과 김 진사의 사랑에 부정적 영향을 주는 인물임을 알 수 있다.
❺ [A]는 특이 운영의 재물에 대한 욕망을 채우기 위해 한 거짓말이고, [B]는 자신의 죄가 얼마나 큰 것인지 알고 자신이 처한 위기에서 벗어나기 위해 한 거짓말이다.

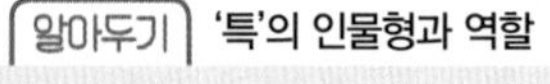

알아두기 '특'의 인물형과 역할

운영의 재물을 가로채기 위한 탐욕 때문에 김 진사를 배신함
⇓
안평 대군에게 궁궐의 담을 넘은 도둑 이야기가 알려짐
⇓
역할: 김 진사와 운영이 비극적인 결말을 맞이하게 됨

07 주제
운영의 죽음은 이성에 대한 순수한 사랑마저 감추어야 하는 현실의 부조리에 대한 저항, 외부와 단절된 채 살아가야 하는 궁녀의 억압된 삶에 대한 저항의 의미를 갖는다.

오답 풀이 ❶ 운영은 김 진사와 진실한 사랑을 하지만 이를 억압하고 있는 현실 때문에 자결한 것이므로, 운영의 죽음이 영원한 사랑에 대한 욕망을 의미한다고 보기 어렵다.
❸ 운영은 김 진사와의 금지된 사랑을 대군에게 들킬 위기에 처하게 되자 사실을 털어놓고 자결한다. 따라서 운영의 죽음이 이루지 못한 사랑에 대한 미련을 의미한다고 보기 어렵다.
❹ 억압적 현실로 인해 김 진사와의 사랑을 이룰 수 없기 때문에 자결하는 것이므로, 운영의 죽음이 사랑하는 사람을 기다리는 마음이라고 보기는 어렵다.

❺ 운영의 죽음은 인간의 근본적인 욕망마저 제한하는 현실의 부조리에 저항하는 행동으로 볼 수는 있지만, 죽음을 부조리를 해결하기 위한 적극적인 노력이라고 볼 수는 없다.

알아두기 **'운영'의 죽음이 갖는 의미**

인간의 본능적인 감정마저 감추어야 하는 유교 사회의 부조리와 궁녀의 억압된 삶에 대한 저항

⇓

인간의 본성과 진정한 자아 추구

08 운영전 ❹

본문 132~133쪽

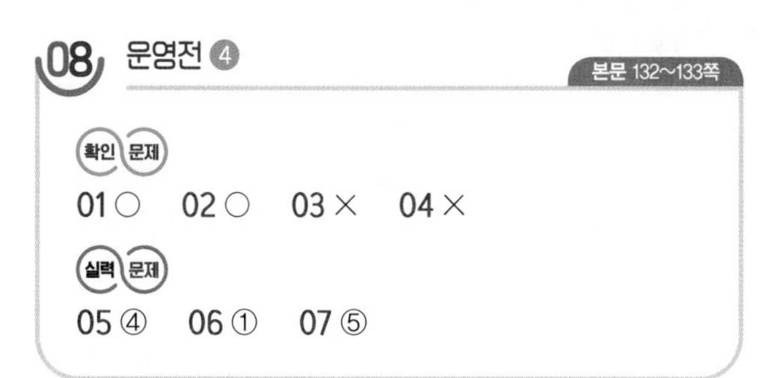

확인 문제

01 ○ 02 ○ 03 × 04 ×

실력 문제

05 ④ 06 ① 07 ⑤

01 (카)에서는 잠에서 깨어난 후 유영의 행적을 요약적으로 제시하며 작품을 마무리하고 있다.

02 일반적으로 고전 소설은 행복한 결말로 마무리되는데, 이 작품은 내부 이야기인 운영과 김 진사의 사랑도 비극적으로 끝날 뿐만 아니라, 외부 이야기의 유영 역시 허망하게 종적을 감춤으로써 비극성을 강화하고 있다.

03 김 진사와 운영은 인간으로 다시 태어나는 것을 거부하고 천상 세계로 돌아가는 중에 옛날 놀던 곳을 찾아온 것이라고 하였다. 따라서 추억을 떠올리기 위해 자주 수성궁을 방문했다는 내용은 적절하지 않다.

04 김 진사는 유영에게 자신들의 이야기를 기록한 책을 주며 영원히 전해 달라고 부탁하였다.

05 서술

'산새 소리'는 유영이 잠에서 깨어 현실로 돌아오게 하는 역할을 하는 소재로, ㉡의 사실성을 높이는 역할을 하는 것과는 연관이 없다.

오답 풀이 ❶ ㉠에 해당하는 (카)에서는 이야기 밖에 있는 전지적 서술자가 유영의 행적과 심리를 요약적으로 전달하고 있다.
❷ ㉡은 유영이 김 진사와 운영을 만나는 내용으로 (아)~(차)에 해당하는데, 이는 주로 대화를 통해 전개되고 있다.
❸ (아)에서 운영이 이야기를 마치고 김 진사에게 다음 이야기를 이어갈 것을 말하고 있다. 따라서 ㉢의 이야기는 운영과 김 진사가 번갈아 가며 이야기를 하고 있음을 알 수 있다.
❺ (아)에서 김 진사가 두 사람의 이야기를 기록하고 있음을 알 수 있고, (차)에서 기록한 원고를 유영에게 주고 있다.

알아두기 **외화와 내화의 시점**

외화(전지적 서술자 시점)
전지적 서술자가 유영과 운영, 김 진사의 행동과 심리를 제시함
내화(1인칭 주인공 시점)
운영과 김 진사가 각각의 시점에서 이야기함

06 인물·사건

[A]와 [B]는 모두 변함없는 자연과 유한한 인간사를 대조하여 폐허로 변해 버린 수성궁에서 느끼는 무상감을 표현하고 있다.

오답 풀이 ❷ [B]의 '천년만년 우리 사랑 꿈마다 찾아오네.'를 통해 과거의 사랑을 떠올리는 내용은 드러나지만, [A]와 [B] 모두 이루지 못한 사랑의 슬픔은 드러나지 않는다.
❸ [A]와 [B]에 봄의 아름다운 풍경이 묘사되어 있기는 하지만, 이는 유한한 인간사로 인한 무상감을 강조한 것이다.
❹, ❺ [A]와 [B] 모두 드러나지 않는 내용이다.

배경지식 ⊕ **삽입 시의 역할**

소설에 시를 삽입하면 인물들의 정서를 효과적으로 제시할 수 있을 뿐만 아니라, 낭만적인 분위기를 조성할 수 있다. 또한 서술 방식을 바꾸어 줌으로써 산문의 단조로움을 피할 수 있다.

07 인물·사건 + 배경·소재

염라대왕이 죄 없음을 불쌍히 여겨 김 진사와 운영을 다시 인간에 태어나게 하려 했지만 두 사람이 거부했는데, 이는 인간의 낙보다 천상의 낙이 더 낫다고 생각했기 때문이다. 김 진사와 운영이 천상 세계에서 지은 죄로 인한 징벌은 이미 다 끝난 후이다.

오답 풀이 ❶ 김 진사와 운영이 인간 세계로 쫓겨난 것은 옥황상제의 명으로 반도를 많이 따 왔는데 그것을 운영과 함께 먹었기 때문이다. 따라서 반도를 먹는 것은 '금기의 위반 모티프'라고 할 수 있다.
❷ <보기>를 보면 주인공이 천상 세계에서 지은 죄의 벌로 지상 세계에서 여러 고난을 겪는다고 했다. 따라서 김 진사와 운영이 인간의 괴로움을 겪는 것은 천상 세계에서의 죄로 인해 벌을 받는 것이다.
❸ 김 진사와 운영이 죽어서 삼청궁으로 올라간 것은 다시 천상 세계로 돌아간 것으로, 이는 지상 세계에서의 징벌이 끝났기 때문이다.
❹ 김 진사와 운영이 천상 세계에서 반도를 먹은 죄로 인해 지상 세계에 인간으로 태어난 것은 '적강 모티프'가 나타난 것이다.

+ 독해 체크 본문 134쪽

❶ 편지 ❷ 특 ❸ 책 ❹ 궁녀 ❺ 글솜씨 ❻ 액자식
❼ 일인칭 주인공 ❽ 비극 ❾ 저항

+ 어휘 체크 본문 135쪽

1 (1) ㉢ (2) ㉠ (3) ㉡
2 (1) 소행 (2) 누설 (3) 외람

본문 136~137쪽

실전 09 허생전 ① _박지원

갈래 고전 소설, 한문 소설, 풍자 소설
성격 풍자적, 비판적, 현실 개혁적
주제 무능한 양반 계층에 대한 비판과 현실 개혁 촉구
특징 • 당시의 사회적·문화적 상황이 잘 드러남
• 일반적인 고전 소설과 달리 미완의 결말 구조로 끝맺음
• 냉소적으로 현실을 풍자하며 작가의 실학사상과 가치관이 반영됨

01 × 02 ○ 03 과거 04 도둑질

실력 문제

05 ② 06 ③ 07 ③ 08 ③

01 (다)에서 허생이 본래 십 년 동안 책을 읽으려고 계획하였으나 이제 칠 년이 지났다고 하였으므로, 십 년 동안 글공부에 전념하였다는 설명은 적절하지 않다.

02 발단 부분에서는 먹고사는 일에는 신경을 쓰지 않고 글공부만 하는 허생과 생계를 책임져 온 아내 사이의 외적 갈등이 두드러지게 나타나 있다.

03 (나)에서 허생의 아내는 허생에게 과거도 보지 않으면서 책을 읽어 무엇에 쓰려고 하냐고 말한다. 따라서 허생의 아내가 생각하는 학문의 목적은 과거에 합격하여 출세의 방편으로 삼는 것임을 알 수 있다.

04 (나)에서 공장 노릇도 못 한다고 하고 장사치 노릇도 할 수 없다고 하는 허생에게 아내는 도둑질이라도 못 하냐고 말을 한다. 이 말은 남편을 믿고 오랜 세월을 참아온 허생의 아내가 허생이 끝내 실생활의 문제에 대해 무관심한 태도를 보이는 것에 화가 폭발하여 내뱉은 말이라 할 수 있다.

05 서술

영웅 소설은 인물의 비범한 출생에서 고난과 역경을 헤치고 행복한 결말에 이르게 되는 일대기적 구성을 취하지만, 이 작품은 허생의 활약상만을 담고 있어 영웅 소설의 형식을 갖췄다고 볼 수 없다.

오답 풀이 ①, ③ 이 작품은 매점매석이 가능했던 조선 후기의 허약한 경제 구조와 명분만을 중요시하며 허례허식에 빠져 있던 무능한 양반 계층으로 인해 도탄에 빠진 서민들의 생활상 등 당대의 사회적·문화적 상황을 반영하고 있다.
④ 이 작품은 이용후생(利用厚生)에 입각하여 상공업 발전을 중시하는 실학적 관점에서 현실 문제를 비판하고 있다.
⑤ 이 작품은 전지적 서술자 시점으로 서술되었다.

06 어휘

허생의 아내는 생활력 없는 무능한 양반을 비판적으로 바라보고 있다. 따라서 훌륭하고 점잖은 사람도 먹지 않고는 살 수 없다는 실리를 중시하는 속담인 '수염이 석 자라도 먹어야 양반이다'가 (나)에서 허생의 아내가 말할 수 있는 속담으로 가장 적절하다.

오답 풀이 ① '평양 감사도 저 싫으면 그만이다'는 아무리 좋은 일이라도 당사자의 마음이 내키지 않으면 억지로 시킬 수 없음을 비유적으로 이르는 말이다.
② '서당 개 삼 년이면 풍월을 읊는다'는 서당에서 삼 년 동안 살면서 매일 글 읽는 소리를 듣다 보면 개조차도 글 읽는 소리를 내게 된다는 뜻으로, 어떤 분야에 대하여 지식과 경험이 전혀 없는 사람이라도 그 부문에 오래 있으면 얼마간의 지식과 경험을 갖게 된다는 것을 비유적으로 이르는 말이다.
④ '양반은 얼어 죽어도 겻불은 안 쬔다'는 아무리 궁하거나 다급한 경우라도 체면을 깎는 짓은 하지 아니한다는 말이다.
⑤ '내 배 부르면 종의 밥 짓지 말라 한다'는 자기만 만족하면 남의 곤란함을 모르고 돌보아 주지 아니함을 비유적으로 이르는 말이다.

07 인물·사건

허생의 아내는 경제적으로 무능한 남편에게 생계유지를 위한 실천적 노력을 요구하는 인물이다. 이와 같은 요구를 돈을 최고의 가치로 여기는 물질 만능주의 사고로 보는 것은 적절하지 않다.

오답 풀이 ① 허생의 아내는 글만 읽고 경제적으로는 무능한 허생을 신랄하게 비판하고 있다. 이는 공리공론만 일삼고 실용성이 없는 학문에 매달리는 당시 양반들의 무능한 모습을 강하게 비판하고자 했던 작가의 의도를 대변하고 있는 것이다.
②, ④ 허생은 집이 가난하여 근근이 먹고사는 상황인데도 생계를 돌보지 않고 책만 읽으며 학문적 성취만을 중시하고 있다. 이러한 모습에서 당시 양반의 경제적인 무능함을 엿볼 수 있다.
⑤ (나)에 나타난 대화를 통해 학문만을 중시하는 허생과 실제적인 현실 문제를 중시하는 아내의 갈등을 살펴볼 수 있다.

08 인물·사건

㉠은 물질적 가치를 중시하는 태도를 드러내고 있고, ㉡ 역시 물질적으로 가난한 현실을 서러워하고 있을 뿐이다. 둘 다 정신적 가치와 물질적 가치 사이에서 갈등하는 모습은 나타나지 않는다.

오답 풀이 ① 허생의 아내와 〈보기〉의 흥부의 아내는 모두 가난 때문에 고통을 받고 있다.
② (나)에서 허생의 아내는 밤낮으로 책만 읽는 허생을 원망하고 있다. 하지만 〈보기〉에서 흥부의 아내는 가난 때문에 고생하는 남편에 대해 연민을 드러내고 있다.
④ (나)에서 허생의 아내는 허생에게 장사라도 하라고 말하며, 가난한 현실을 극복하기 위한 대책을 요구하고 있다. 〈보기〉에서 흥부의 아내는 차라리 죽는 게 낫겠다고 말하며 가난한 현실에 대해 좌절하는 모습을 보이고 있다.
⑤ 허생의 아내는 일하지 않고 책만 읽는 허생을 탓하고 있고, 〈보기〉의 흥부의 아내는 가난한 상황을 탓하고 있다.

09 허생전 ②

본문 138~139쪽

확인 문제

01 × 02 ○ 03 ○ 04 빈 섬 05 화근

실력 문제

06 ④ 07 ③ 08 ④ 09 ③

01 이 작품에서 허생은 재물에 대해 이중적인 인식을 드러내고 있다. 빈민 구제와 이용후생을 위해서는 재물을 긍정적 가치라고 여기지만, 재물이 어찌 도를 살찌우겠냐고 말하는 것에서 재물에 대한 부정적인 인식이 드러난다.

02 이 작품이 창작되었던 조선 사회는 임진왜란과 병자호란으로 백성들의 경제적 생활 기반이 붕괴된 상황이었다. 게다가 관리들의 수탈이 극심하여 최소한의 생계마저 꾸릴 수 없었던 백성들은 도적이 되는 경우가 많았다. 허생이 이 도적들을 모두 데려가 국가 안이 안정되는 상황은 치안을 책임지지 못하는 나라의 무능함을 보여 주는 것이다.

03 (라)에서는 허생이 도적들을 데리고 빈 섬으로 가서 생활하는 모습이 요약적으로 진술되어 있다. 이를 통해 사건을 빠르게 진행하고 있다.

04 허생은 빈 섬에 도적들을 데리고 가서 자신이 생각하는 이상 사회 건설을 시도한다.

05 (마)에서 허생은 섬을 떠나면서 글을 아는 자들을 모조리 함께 배에 태우며 "이 섬에서 화근을 없애야지."라고 말한다. 여기서 이론이나 논의만을 일삼는 당시의 지식인 계층을 화근이라고 표현하며 비판하고 있음을 알 수 있다.

06 인물·사건

허생은 빈 섬을 이상 사회를 건설하기 위한 시험의 공간으로 삼았다. 허생은 나라의 도적들을 모두 섬에 데려가 치안 문제를 해결하고, 농업으로 자급자족하며 해외 무역을 통해 부를 축적하는 등의 시험을 실행한다. 그러나 남녀평등과 관련된 시험은 하지 않는다.

알아두기 **조그만 시험**

치안 문제 해결	도적들을 데리고 빈 섬으로 들어감
농업을 통한 자급자족	빈 섬에서 농사를 지어 자급자족함
해외 무역 시도	남은 곡식을 일본의 장기도에 팖

⇓

빈 섬에서 이상 사회 건설을 시도함

07 인물·사건 + 배경·소재

허생은 빈 섬에서 백성들을 위해 따로 문자를 만들려고 했지만, 실제로 문자를 만들지는 않았다.

오답 풀이 ❶ 허생은 추수가 끝나자 삼 년 동안 먹을 것을 쌓아 놓고, 나머지는 전부 배에 싣고 장기도로 가져가 팔았다. 따라서 장기도라는 곳이 현재 어느 지역을 가리키는지 궁금해할 수 있다.
❷ 이 작품에서 박지원은 '글을 아는 사람'을 화근이라고 하며 관념적인 지식인을 비판하고 있으므로, 이 작품을 읽은 학생이 관념적인 지식인을 비판하는 작가의 또 다른 작품에 관심을 가질 수 있다.
❹ (라)에서 허생은 해외 무역을 통해 은 백만 냥을 벌 수 있었다고 하였다. 따라서 은 백만 냥이 오늘날 가치로 환산했을 때 얼마쯤 되는지 궁금해할 수 있다.
❺ 허생은 자신의 조그만 시험을 실행해 보기 위해 빈 섬에서 추수한 물건을 가지고 해외 무역을 한다. 따라서 당시 사회는 무역을 기반으로 한 경제 활동이 활발히 이루어졌는지 궁금해할 수 있다.

08 어휘

㉠은 현실적 생계 문제를 먼저 해결한 후에 새로운 문화와 제도를 만들려 했다는 의미이다. ④는 먹고사는 문제가 해결되어야 예절이나 도덕을 알고 이를 지킬 수 있다는 의미로, ㉠과 상통한다.

오답 풀이 ❶ '고생 끝에 낙이 온다'는 어려운 일이나 고된 일을 겪은 뒤에는 반드시 즐겁고 좋은 일이 생긴다는 말이다.
❷ '바늘 가는 데 실 간다'는 바늘이 가는 데 실이 항상 뒤따른다는 뜻으로, 사람 간의 긴밀한 관계를 비유적으로 이르는 말이다.
❸ '단단한 땅에 물이 괸다'는 헤프게 쓰지 않고 아끼는 사람이 재산을 모으게 됨을 비유적으로 이르는 말이다.
❺ '가난 구제는 나라도 못한다'는 가난한 사람을 도와주기란 끝이 없는 일이어서 개인은 물론 나라의 힘으로도 구제하지 못한다는 말이다.

09 인물·사건

허생은 스스로 상업의 중요성을 역설했음에도 불구하고, 자신이 장사꾼 취급을 받는 것은 못마땅해하고 있다. 따라서 ⓐ와 ⓑ는 허생이 갖고 있는 봉건적 계급 의식의 한계를 보여 주는 부분이라고 할 수 있다.

오답 풀이 ❶ ⓐ와 ⓑ에서 허생이 선비의 도와 상인의 도를 혼동하고 있지는 않다.
❷ 허생이 실제로 이익을 추구하여 백성들을 구제하는 상업을 중요하게 여기기 때문에 ⓐ와 ⓑ를 통해 부(富)의 축적보다 유교적 입신양명을 더 중요하게 여긴다고 비판하는 것은 적절하지 않다.
❹ 허생이 ⓐ와 ⓑ를 통해 재물을 무시하는 모습을 보이기 때문에 더 많은 재물을 벌지 못한 것에 대해 아쉬워한다고 볼 수 없다.
❺ ⓐ와 ⓑ에서 허생은 변씨와 달리 자신이 나라를 위하는 장사꾼이라는 우월 의식이 드러나지 않는다.

09 허생전 ③

본문 140~141쪽

확인 문제

01 ○ 02 × 03 ○ 04 인재 등용 05 명나라
06 허생, 이완 대장

실력 문제

07 ② 08 ⑤ 09 ③ 10 ③

01 (아)에서 허생은 자신을 찾아온 이완 대장을 문밖에 세워 둔다. 이를 통해 이완 대장에 대해 반감을 드러낸다고 볼 수 있다.

02 이 작품은 한글이 아닌 한문으로 창작된 박지원의 소설이므로 평민 문학의 대표작으로 볼 수 없다.

03 이 작품은 명분과 예법만을 중시하고 실천적 의지와 능력이 없는 당대 지배층에 대해 비판적 태도를 드러내고 있으며 그와 관련한 개혁 사상을 담고 있다.

04 (자)에서 허생은 이완 대장에게 '와룡선생, 삼고초려' 등을 언급하며 올바른 인재 등용을 위한 적극적인 노력이 필요하다고 제안하고 있다.

05 (차)에서 허생은 이완 대장에게 명나라 후손들에 대한 예우와 관련하여 혼인과 거처 마련을 제안하고 있다.

06 (자)와 (차)에서는 허생과 이완 대장의 대화가 나타나는데, 허생은 실리를, 이완 대장은 명분을 중시한다는 점에서 갈등하고 있음을 알 수 있다.

07 인물·사건

이완 대장은 무능하고 무기력한 관료층, 나아가 개혁에 대한 진정한 의지가 없는 사대부 계층을 대변한다.

오답 풀이 ❶ 허생은 두 번째 제안에서 명나라 후손들을 예우하기 위해 임금의 친족들과 혼인을 시키고 세도가들의 재물을 빼앗아 이들에게 나누어 주라고 말하고 있다. 하지만 이완 대장은 이런 허생의 제안을 실행하기 어렵다고 말한다. 이완 대장의 모습을 통해 명나라를 가까이하고 청나라를 멀리하고자 하는 친명 정책의 허구성을 비판한다고 볼 수 있다.
❸ 허생의 제안에 대해 계속 실행하기 어렵다고 말하는 이완 대장의 모습을 통해 당시 무능하고 명분만을 추구하던 집권층을 비판한다고 볼 수 있다.
❹ 허생과 이완 대장의 대화를 통해 무능한 양반 계층에 대한 비판 의식을 강조하고 있다.
❺ 이완 대장은 실제로 존재했던 역사적 인물로, 실존 인물을 등장시켜 작품의 사실성을 부여하고 있다.

배경지식 ⊕ 이완 대장과 북벌론

이완(李浣, 1602~1674)은 조선 시대의 무관이다. 효종과 현종 때 훈련도감의 대장을 지냈는데, 효종이 북벌 정책을 펼 때 적극적으로 추진했다고 알려져 있다. 북벌론은 병자호란(1636~1637) 때 인조가 남한산성에서 청나라에 굴욕적인 항복을 했던 치욕을 갚기 위해 청나라에 복수하자는 주장이다. 그런데 조선이 병자호란의 후유증을 극복하고 안정이 되어 가고 청나라가 번성하게 되면서, 북벌론과는 반대로 청나라의 문물을 받아들이자는 북학론이 대두되기 시작하였다. 「허생전」에서 이완이 북벌론을 대표하는 인물이라면, 허생은 이와 반대로 북학론을 대표하는 인물로 볼 수 있다.

08 인물·사건

이완 대장은 명분을 중시하고 보수적이며, 무기력하고 현실 개혁의 의지가 부족한 사대부 집권층을 대표하는 인물이기 때문에 허생의 급진적인 제안을 지지하거나 수용하기 어려웠던 것이다.

오답 풀이 ❶ 허생의 태도가 이완 대장에게 냉랭하기는 하지만 이완 대장을 질책하면서 제안하고 있지는 않다.
❷ 허생이 자신의 사사로운 이익과 욕심을 챙기고 있는 모습은 나타나 있지 않다.
❸ 이완 대장은 허생의 제안이 시대의 흐름과 동떨어진 방식이라고 생각하고 있지는 않다.
❹ 이완 대장은 허생의 제안이 문제의 원인을 잘못 판단하고 있다고 생각하고 있지는 않다.

09 주제

(차)에서 명나라의 유민들을 돌보지 않는 지배층의 태도를 비판하고 있다. 그러나 명나라 장군과 벼슬아치들이 조선에 베푼 명나라의 옛 은혜를 빌미로 우리나라로 많이 탈출했다는 내용으로 보아, 조정에서 명나라를 배척하고자 하였다는 내용은 적절하지 않다.

오답 풀이 ❶ (자)에서 적극적인 인재 등용을 위해서 임금에게 삼고초려를 하게 할 수 있냐는 질문에 이완 대장이 어렵다고 말하고 있는 데서 권위와 체면을 중시하는 사대부들의 현실을 보여 주고 있다.
❷ (자)와 (차)에서 허생의 제안을 모두 거절하는 이완 대장의 태도로 볼 때 지배층은 실질적인 개혁 의지가 없었음을 알 수 있다.
❹ (자)에서 올바른 인재 등용에 대해 제안하고 있는 것으로 보아 당시 인재 등용이 올바르게 이루어지지 않았음을 알 수 있다.
❺ (차)에서 명나라가 망한 후 그 자손들이 조선으로 탈출하여 이리저리 떠돌아다니며 살고 있다는 것에서 알 수 있다.

10 주제

허생은 이완 대장에게 제시한 제안을 통해 인재 등용의 불합리성을 지적하고 실리 대신 대의명분만을 추구하며 체면과 위신만을 중시하는 사대부들의 태도를 비판하고 있다. 그러나 회의에서 자신의 주장이 수용되지 않자 곤란해하는 사람은 이에 해당하지 않는다.

오답 풀이 ❶, ❷ 허생은 명분만을 앞세우고, 자신의 재산을 국가의 문제를 해결하는 데 사용하기를 거부하고 개인적 부의 축적에만 관심을 둔 당시 집권층을 비판하고 있다. 따라서 실리보다는 국제적 명분을 중시하는 외교관이나, 공동체 의식 없이 개인적인 부의 축적에만 관심 있는 권력자는 허생이 비판할 만한 인물이다.
❹ 허생은 적극적이고 올바르게 인재를 등용할 것을 제안하고 있기 때문에 뛰어난 능력을 지녔지만 학벌이 좋지 않다는 이유로 지원자를 탈락시킨 기업가를 비판할 만하다.
❺ 허생은 실리를 위해 구체적으로 실천을 하지 않는 당시 집권층을 비판하고 있으므로, 사회적 문제에 대한 실천적 대안을 알면서도 위신 때문에 나서지 않는 행정가를 비판할 만하다.

09 허생전 ❹

본문 142~143쪽

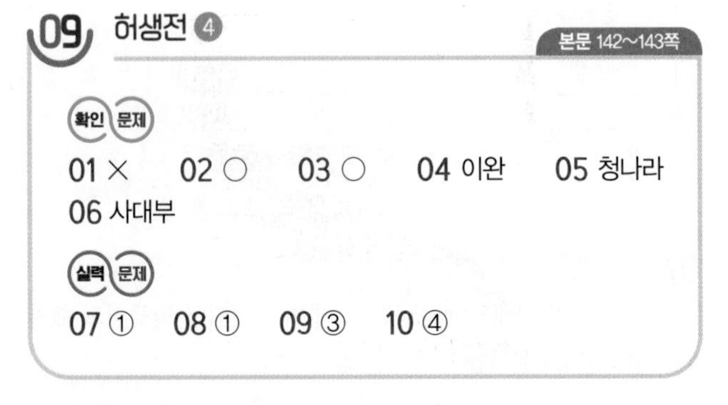

확인 문제

01 × 02 ○ 03 ○ 04 이완 05 청나라 06 사대부

실력 문제

07 ① 08 ① 09 ③ 10 ④

01 이 작품은 일반적인 고전 소설의 특징인 착한 일을 권장하고 악한 일을 징계하는 결말 구조를 따르지 않고 미완의 결말로 마무리하고 있다.

02 이 작품에서 허생은 발단 부분에서는 현실적으로 무능한 양반 계층을 대표하는 인물로 비판의 대상이었지만, 이야기가 전개될수록 비범한 능력을 지닌 의인으로 등장해 작가의 사상을 대변하는 인물로 설정이 바뀌었다.

03 (타)에서는 번어기, 무령왕 등 목표를 이루기 위해 살신성인한 인물들의 사례를 제시하여 사대부들의 허례를 비판하고 있다.

04 이완은 당시 북벌론을 주장했던, 형식과 예법에만 얽매인 무능하고 보수적인 집권 세력을 대표하는 인물이다.

05 (카)에서 허생은 청나라와 인적 교류 및 자유 무역 등을 통해서 실력을 기른 뒤 청나라에 당한 치욕을 씻을 수 있을 것이라고 하였다.

06 (타)에서 벼슬이 없는 허생은 벼슬이 높은 이완 대장을 크게 꾸짖고 있다. 허생이 현실 대응책으로 세 가지를 제시하였는데 세 가지 모두 받아들이기 어렵다고 말한 이완 대장은 명분만 앞세우고 실천 의지는 없는 무능한 사대부를 대변하는 인물이다. 따라서 신분 질서가 엄격했던 당시 사회에서 벼슬이 없는 허생이 벼슬이 높은 이완 대장을 꾸짖는 설정은 당시 사대부 집권층에 대한 노골적이고 신랄한 비판 및 허생의 비범함을 부각하고자 한 의도로 볼 수 있다.

07 주제

(카)에서 허생은 세 가지 제안 중 마지막 제안으로 청나라를 치기 위해 청나라와 교류할 것을 제시하고 있다. 이는 북벌론의 허구성(㉠)과 사대부들의 허례허식(㉢)을 비판하기 위한 것이다. (타)에서는 지배층인 사대부들이 가진 허례허식과 이완 대장과 같은 정치에 몸담은 지배 계층의 무능함(㉡)을 비판하고 있다. 도적들이 판치는 나라의 허술한 치안 문제(㉣)와 매점매석이 가능할 정도로 취약한 경제 구조(㉤)는 이 작품의 앞부분에서 다루고 있는 내용이지만, (카)와 (타)에서는 찾아볼 수 없다.

08 서술

이 작품은 일반적인 고전 소설의 결말 처리와는 다르게 완성되지 않은 결말 구조를 취하고 있는데, 이는 작가의 최종 판단을 유보하여 여운을 주고 독자의 상상력을 자극한다. 또한 허생의 주장이 당시로서는 급진적이어서 수용 불가능한 것이었음을 암시한다.

오답 풀이 ❷ 완성되지 않은 결말 구조로 사건 해결에 따른 여운을 남기고 있어 독자의 상상력을 자극한다.
❸ 당시 사대부를 신랄하게 비판한 허생이 이미 떠나고 없었다고 이야기를 마무리하는 것은 허생의 제안이 현실적으로 받아들여질 수 없음을 암시한다.
❹ 일반적인 고전 소설은 착한 일을 권장하고 악한 일을 징계하는 권선징악의 구조로 이야기가 마무리되는데, 이 작품은 일반적인 고전 소설과는 다른 결말 처리로 독자의 흥미를 끌고 있다.
❺ 설화적 분위기를 조성하여 허생의 행적을 신비하게 마무리하고 있다. 이를 통해 주인공 허생이 범상치 않은 인물임을 부각시키는 효과가 있다.

알아두기 미완의 결말

결말 구조

- 집은 텅 비어 있고 허생은 이미 떠나고 없었다.
→ 설화적 분위기를 조성하며 완결되지 않은 채 마무리됨

⇓

- 여운을 주며 허생이 범상치 않은 인물임을 나타냄
- 허생의 제안이 매우 급진적이어서 당시 사회에서는 허용될 수 없는 것이었음을 암시적으로 드러냄

09 배경·소재

ⓑ, ⓒ는 허생이 긍정적으로 생각하는 대상으로, 목적을 위해서 허례에 얽매이지 않았던 인물들이다. 반면, ⓐ, ⓓ, ⓔ는 허생이 비판하는 대상으로 집권층이 유지하고자 하는 것, 즉 허울뿐인 명분과 허례를 의미하는 부정적 대상이다.

10 주제

허생은 형식적인 예법을 버리고 명분보다는 실리를 추구해야 함을 강조하고 있다. 따라서 전통적 예법을 지켜야 한다는 내용은 적절하지 않다.

오답 풀이 ❶, ❷ 대의를 이루기 위해서는 형식에 얽매이지 말고 청나라의 복식과 문물을 적극적으로 수용하는 등 실용적인 태도를 가져야 함을 주장하고 있다.
❸, ❺ 청나라와의 인적 교류 및 무역도 자유롭게 하도록 하여 청나라의 실상을 파악하고 실력을 기른 후에라야 천하를 도모하고 청나라에 당한 병자호란의 치욕을 씻을 수 있다고 하였다.

+ 독해 체크 본문 144쪽

❶ 허생 ❷ 사대부 ❸ 장사치 ❹ 집권층 ❺ 빈 섬
❻ 설화적

+ 어휘 체크 본문 145쪽

1 (1) 호걸 (2) 화근 (3) 종실
2 (1) ㉡ (2) ㉢ (3) ㉠

본문 146~147쪽

실전 10 홍계월전 ❶ _작자 미상

갈래 영웅 소설, 군담 소설
성격 영웅적, 일대기적
주제 여성인 홍계월의 영웅적 활약상
특징 • 영웅(주인공)의 일대기적 구성 방식을 취함
• 사회 활동을 위해 여성의 신분을 감추는 남장 화소가 사용됨

확인 문제

01 ○ 02 × 03 태몽 04 외모

실력 문제

05 ④ 06 ⑤ 07 ④ 08 ③

01 (나)에서 계월은 본래 천상계에서 옥황상제를 모시는 선녀였으나 죄를 짓고 인간계에 태어난 인물임이 제시되어 있다.

02 (가)에서 홍무는 나이 사십에도 자식이 없는 것이 자신의 팔자 때문이라고 부인에게 말하고 있다.

03 (나)에서 선녀가 나오는 양씨 부인의 태몽을 통해 주인공 계월의 탄생을 암시한다.

04 (나)의 '얼굴이 도화(桃花) 같고 향내 진동하니 진실로 월궁항아(月宮姮娥)더라'는 계월의 외모를 묘사한 것으로, 인물이 평범하지 않은 비범한 특성을 지니고 있음을 나타내고 있다.

05 서술

(가)의 앞부분에서 홍무에 대해 요약적으로 서술하고 있는데, 이를 통해 홍무의 내력에 대한 정보를 알 수 있다.

오답 풀이 ❶ 서술자가 개입하여 과거 사건을 압축적으로 제시한 내용을 찾아볼 수 없다.
❷ 천상계와 지상계의 공간 설정을 확인할 수 있으나, 이를 통해 인물 간의 갈등을 부각하고 있지는 않다.
❸ 초월적 존재인 선녀가 내려와 부인에게 말을 하고 있지만, 이를 통해 인물의 고뇌가 드러나고 있지는 않다.
❺ 시간의 흐름을 역전시키지 않고, 시간의 흐름에 따라 이야기를 전개하고 있다.

06 인물·사건

홍무는 계월이 태어나자 자식을 얻은 것을 매우 기뻐하였으나 계월이 남자가 아님을 한탄하였다.

오답 풀이 ❶ 홍무는 자신을 시기하는 신하들의 모함으로 벼슬을 빼앗겼다.
❷ 곽 도사는 계월이 공후작록을 올릴 것이라고 말하고 있다.
❸ 양씨 부인이 첩을 들여 자식을 낳으라고 홍무에게 말하자 홍무는 다 자신의 팔자이니 부인에게 죄가 없다고 말하며 부인을 위로하고 있다.
❹ 양씨 부인이 계월을 낳자 선녀가 내려와 아기를 씻기고, 이 아기를 잘 길러 후복을 받으라고 말하고 있다. 이는 홍무와 양씨 부인이 훗날 계월에 의해 복을 누릴 수 있음을 나타낸다.

07 배경·소재

[A]에서 양씨 부인은 삼천 가지 불효 중에서 자식이 없는 것이 가장 큰 불효라고 하였는데, 이를 통해 자식을 낳지 못하는 것이 당시에 큰 불효였음을 알 수 있다(ㄴ). 또한 양씨 부인은 남편에게 자식을 보기 위해 첩을 얻을 것을 권하고 있는데, 이를 통해 당시에는 일부다처(一夫多妻) 제도가 존재했음을 알 수 있다(ㄷ).

08 인물·사건 + 서술

계월이 부인의 꿈에서 '세존이 부인 댁으로 가라 지시하옵기로 왔나이다.'라고 하는 것은 자신이 죄를 짓고 어디로 가야 할 바를 몰랐는데, 세존(부처)이 지시해 양씨 부인에게 왔다는 것을 말하는 것일 뿐, 주인공이 천상계에서 본래 신분이 높았음을 나타내는 것은 아니다.

오답 풀이 ❶ 영웅 소설에서는 일반적으로 부모가 명문 집안의 사람임을 나타내 주인공이 고귀한 혈통임을 드러낸다.
❷ 양씨 부인은 선녀가 나타나는 꿈을 꾸고 계월을 낳게 되는데, 양씨 부인의 꿈속 선녀는 계월을 의미한다. 따라서 이는 주인공의 비정상적인 출생을 나타낸다.
❹ 곽 도사의 예언에 따르면, 계월은 다섯 살이 되는 해에 부모와 이별하게 된다. 이는 유년기에 주인공이 겪게 되는 시련을 나타낸다.
❺ 계월이 글을 한 번 보면 다 기억한다는 것은 계월의 비범한 능력을 보여 주는 것이다.

10 홍계월전 ❷

본문 148~149쪽

01 ○ 02 × 03 충의 04 군담

05 ② 06 ④ 07 ③ 08 ④

01 계월은 여공에게 구출된 후 여공의 집에서 평국이란 이름으로 보국과 함께 공부해 과거에 급제한다.

02 계월이 양씨 부인에게 자신이 딸임을 밝히고, 이 말을 들은 양씨 부인과 시랑(홍무)이 서로 붙들고 통곡 기절할 때 계월의 군사들은 이 광경을 보고 어쩐 일인지 알지 못하고 서로 돌아보며 눈물을 흘렸다고 하였다.

03 계월은 시랑(홍무)이 천자의 은혜를 배반했다고 보고, 잡아내어 목을 베라고 명하였다. 이는 계월이 유교적 충의 사상을 중시했음을 보여 준다.

04 이 작품은 비범한 인물이 전쟁에 나가 나라를 구하는 활약상을 다룬 군담 소설에 해당한다.

05 인물·사건 + 서술

(마)에서 계월은 부모와 우연히 다시 만나게 되는데, 이러한 사건의 우연성은 고전 소설의 특징 중 하나이다.

06 인물·사건

양씨 부인은 계월이 남편인 시랑을 잡아내어 베라고 명령하자, '계월아. 너와 함께 강물에 빠져 그때 죽었다면 이런 욕을 면할 것을'이라고 말하고 있다. 이를 통해 양씨 부인은 계월이 물에 빠져 죽었다고 생각했음을 알 수 있다.

오답 풀이 ❶ 계월 군대의 제장이 벽파도를 둘러싸니 서달은 어찌할 도리가 없어 자결하고자 하였다.
❷ (바)에서 보국은 평국(계월)이 부모를 잃은 줄로 알고 있었다고 하였다.
❸ 시랑(홍무)은 계월에게 자신이 장사랑 난에 잡혀 유배 온 죄인이라고 말하고 있다.
❺ 계월은 군졸로부터 시랑에 대해 적병과 동심합력했다고 보고를 받고, 이에 근거해 시랑 일행이 적의 무리에 내응되었다가 잡혔다고 생각했다. 이 때문에 계월은 시랑을 잡아내어 베라고 명령한 것이다.

07 인물·사건

㉢ '보국'을 뺀 나머지 ㉠, ㉡, ㉣, ㉤은 모두 주인공 '계월'을 지칭한다.

08 인물·사건

부모와 헤어진 계월은 여공의 도움을 받아 자신의 능력을 기르게 된다. 따라서 여공은 주인공인 계월을 돕는 조력자 역할을 한다고 볼 수 있다.

오답 풀이 ❶, ❺ 서달과 장사랑은 계월에게 시련을 주는 존재들이다.
❷ 군졸은 계월의 부하일 뿐, 〈보기〉의 조력자와는 거리가 멀다.
❸ 천자의 명으로 계월이 전쟁에 나가게 되므로 〈보기〉에서 설명하는 조력자와는 거리가 멀다.

10 홍계월전 ③

본문 150~151쪽

확인 문제

01 × 02 × 03 ○ 04 천자 05 장계

실력 문제

06 ⑤ 07 ⑤ 08 ④

01 (사)에서 어의는 천자의 명에 따라 평국의 맥을 짚어 병을 진단하였는데 평국의 병이 위중하지 않다고 하였다.

02 천자는 평국의 맥이 남자의 맥이 아니라는 어의의 보고를 듣고 '평국이 여자라면 어찌 전장에 나가 적병 십만 군을 사멸하고 왔으리오?'라고 말하고 있다. 따라서 천자가 어의의 보고를 듣고 평국이 여자라고 확신했다고 볼 수 없다.

03 신하들이 평국을 반란군을 진압하는 원수로 출정시키자고 천자께 제안하며, 작록을 거두지 않았다고 말하고 있다. 이는 평국이 여자임이 밝혀졌음에도 벼슬을 유지했음을 의미한다.

04 계월은 여자의 신분이 드러나면서 천자의 주선으로 보국과 혼인을 올리고 규중에 거처하게 된다.

05 오왕과 초왕이 전쟁을 일으키자 남관장이 천자에게 장계를 올린다. 따라서 천자는 장계를 통해 두 나라가 반란을 일으켰다는 사실을 알게 된다.

06 배경·소재

남복은 남자들이 입는 옷을 의미하는데, 이는 단순한 옷을 의미하는 것이 아니라 평국이 여자인 자신의 신분을 감추고(ㄷ), 사회 활동을 가능하게 해 주는 역할을 한다(ㄹ).

오답 풀이 ㄱ. 평국은 천상계의 인물이지만, 남복이 이를 나타내 주는 역할을 하는 것은 아니다.
ㄴ. 평국은 비범한 능력은 지닌 인물이지만, 남복이 그녀의 비범성을 나타내 주는 역할을 하는 것은 아니다.

07 인물·사건

천자는 반란군 진압을 평국(계월)에게 맡기기 위해 그녀를 부른다. 이때 평국이 놀랐던 것은 천자가 자신을 부를 것이라고 예상하지 못했기 때문이다. 따라서 ㉤을 평국이 천자가 자신을 등용할 것임을 미리 알고 준비하고 있었다고 이해하는 것은 적절하지 않다.

오답 풀이 ❶ ㉠은 아픈 평국에게 어의를 보내면서 상태가 위태로우면 본인이 직접 가 보겠다고 말하는 것으로 이를 통해 천자가 평국을 매우 아낀다는 것을 알 수 있다.
❷ 어의가 천자에게 평국의 맥을 보니 남자의 맥이 아니라고 말하는 것을 통해 ㉡은 어의가 평국에게서 여성의 맥을 느꼈음을 알 수 있다.
❸ ㉢은 평국이 여자임이 들통났을 것이라고 확신하고 자신의 신분이 밝혀지면 어쩔 수 없이 여자로 살아가야 한다고 생각한 부분이다.
❹ ㉣에서 평국이 눈물을 흘린 것은 자신이 여성임이 밝혀짐에 따라 예전과는 다르게 규중에서 세월을 보내야 하는 것이 서러웠기 때문이다.

08 주제

평국이 남장을 하고 전장에서 큰 공을 세운 것은 남성보다 뛰어난 능력이 있다 하더라도 여성의 신분으로는 사회 활동을 하기 힘든 한계를 드러낸 것이다. 따라서 남장은 남성 중심 사회에서 여성이 사회에 진출할 수 있는 도구는 되지만, 여성의 지위를 근본적으로 변화시키지는 못한다는 한계를 보여 준다.

오답 풀이 ❶ 우승상 명연태가 평국으로 하여금 도적을 막게 해야 한다고 말하자, 천자는 '지금은 규중처자라 어찌 불러 전장에 보내리오.'라고 말한다. 이는 당시 여성의 사회 활동에 대해 사회적 제약이 있었던 것을 고려하여 말한 것임을 짐작할 수 있다.
❷ 신하들은 평국이 여성임을 알고 있음에도 나라를 위기에서 구할 인물로 평국을 적극적으로 추천하고 있다. 이는 평국이 여성임에도 사회적으로 능력을 인정받았음을 보여 준다.

❸ 평국은 자신이 여성임이 밝혀질 상황에 처하자 여복을 입고 규중에서 생활하겠다고 생각한다. 이는 유교 중심 사회에서 여성의 사회 진출의 한계를 보여 주는 것으로 볼 수 있다.
❺ 평국은 여성임에도 오왕과 초왕이 일으킨 반란을 진압하는 중책을 맡게 된다. 이는 평국이 자신의 능력으로 난관을 극복할 수 있는 기회를 갖게 되었음을 나타낸다.

알아두기 **「홍계월전」에 나타난 남장의 의미**

남장의 의미	• 여성이 남성보다 뛰어난 능력이 있다 하더라도 여성의 신분으로 사회 활동을 하기 힘들다는 것을 보여 줌 • 남장은 남성 중심 사회에 여성이 사회에 진출하기 위한 도구이지만, 일시적 해결책으로 기능을 할 뿐 근본적으로 여성의 지위를 변화시키지 못함

10 홍계월전 ❹

본문 152~153쪽

확인 문제

01 ○ 02 × 03 맹길 04 평국

실력 문제

05 ⑤ 06 ④ 07 ⑤

01 평국은 전장에 나가 반란을 진압하고 천자가 위험해지자 그를 구하러 황성으로 가서 천자를 구한다. 이는 영웅의 일대기 구조에서 '위기의 극복'에 해당한다고 볼 수 있다.

02 천자는 평국에게 진 보국을 위로하면서 평국이 '평정 후 돌아가면 예로써 중군을 섬길 것'이라고 말한다. 이는 부인인 평국이 남편인 보국을 섬길 것이라는 의미로, 당시 가부장적인 남성 중심 사회의 모습이 반영된 표현이다.

03 보국은 백총마를 탄 평국을 보고 적장 맹길이 평국인 척해서 자신을 유인하는 것이라고 의심했다.

04 보국은 평국이 자신의 창검을 빼앗고 목을 잡자 우는 소리를 하며 평국을 찾고 있다. 이에 대해 평국이 '네 어찌 평국에게 달려오며 평국은 무슨 일로 부르느뇨?'라고 말하자 보국은 부끄러움을 느끼고 눈물을 거두었다.

05 서술

서술자가 인물의 과거 행동에 대해 논평한 부분은 제시된 지문에서 찾아볼 수 없다.

오답 풀이 ❶ 시간의 흐름에 따라 이야기가 전개되고 있다.
❷ 평국이 곽 도사에게 배운 술법을 베푸니 눈 깜짝할 사이에 태풍이 일어나며 검은 구름 안개가 자욱해지고 있다. 이는 비현실적 요소를 활용하여 사건을 전개하고 있음을 보여 준다.
❸ 평국과 보국의 대결을 통해 긴장된 분위기를 조성하고 있다.
❹ 서술자가 '보국이 어떻게 할 줄 몰라 겁을 먹고 당황하더니', '슬픔은 간데없고 도리어 부끄러워' 등과 같이 인물의 심리를 직접적으로 서술하고 있다.

06 배경·소재

㉣은 평국이 적군으로 위장하기 위해 입은 것으로, 보국이 평국을 알아볼 수 있게 해 주는 것이 아니다.

오답 풀이 ❶ ㉠은 보국이 오, 초 두 왕의 반란군을 진압했다는 소식을 담고 있는데, 이 소식을 접한 천자는 기뻐하고 있다.
❷ 평국은 준총마를 탔는데, 천자와 함께 보국의 진으로 향할 때 ㉡을 탔다. 이에 보국은 평국이 평소에 타던 말이 아니기 때문에, 이를 근거로 평국을 적군으로 의심하게 된다.
❸ 깃발과 칼 빛은 원수의 칼과 깃발이라고 한 것으로 보아, ㉢에는 평국의 군대임을 나타내는 기호가 표시되어 있음을 알 수 있다.
❺ 평국이 ㉤을 베풀어 태풍을 일어나게 하고 검은 구름 안개가 자욱하게 만들자 보국은 어떻게 할 줄을 몰라 겁을 먹고 당황하고 있다.

07 인물·사건

천자는 보국을 위로하면서 보국이 평국과 대결을 벌이게 된 이유를 말하고 있다.

오답 풀이 ❶ 천자와 평국은 보국이 오, 초 두 왕의 항복을 받았다는 소식을 듣고, 보국을 보기 위해 보국의 진으로 이동한 것이다. 따라서 ⓐ에서 천자와 평국은 보국의 소식을 알고 있다.
❷ 보국은 자신에게 다가오는 평국을 알아보지 못하고 적장 맹길이라고 생각했으므로, 보국만 평국을 다른 사람으로 오해하고 있다.
❸ 보국이 평국을 적장으로 오인하자 천자가 평국에게 적장인 체하고 중군을 속여 오늘 재주를 시험해 보자며 제안한다. 따라서 평국이 자신의 능력을 과시하기 위해 천자에게 보국과의 대결을 먼저 제안했다는 것은 적절하지 않다.
❹ 평국과 보국의 대결에서 창검을 빼앗긴 것은 보국이다.

알아두기 **여성 영웅 소설로서의 의의**

계월	• 여성의 몸으로 입신양명하고 남성인 보국보다 큰 활약을 함 • 나라가 위기에 처하자 전군을 호령하는 원수로 출정함 • 천자의 인정을 받고 영웅이 됨

⇓

계월은 조선 시대 여성들을 억압했던 규범이나 제도에 저항하는 인물

⇓

• 여성이 보조적인 위치에서 벗어나 남자보다 우월한 능력을 가진 영웅으로 등장함
• 조선 사회의 남존여비 사상에 반발하던 사회 분위기가 반영됨

+ 독해 체크 본문 154쪽

❶ 부모 ❷ 보국 ❸ 여자 ❹ 영웅 ❺ 원수
❻ 남성 ❼ 선녀 ❽ 계월 ❾ 남존여비

+ 어휘 체크 본문 155쪽

1 〈가로〉 ❷ 조야 ❸ 폐하
〈세로〉 ❶ 만조백관 ❹ 하직
2 (1) 결박 (2) 거동 (3) 하교

3. 극/수필

본문 160~161쪽

실전 01 소 ① _유치진

갈래 희곡, 장막극, 사실주의 극
성격 사실적, 현실 고발적
주제 일제 강점하 가난에 시달리는 농촌의 비참한 모습
특징 • 사실주의 경향의 장막극임
• 희극적인 요소를 통해 비극성을 강조함
• 비속어와 방언을 사용하여 극적 사실감을 높임

확인 문제
01 ○ 02 × 03 만주 04 소 05 농사

실력 문제
06 ③ 07 ④ 08 ② 09 ①

01 개똥이는 만주에 가서 큰돈을 버는 것이 목적인데, 그 밑천을 마련하기 위해 소를 팔고 싶어 한다.

02 이 작품은 일제 강점기 농촌의 현실을 사실적으로 그린 희곡으로, 연극의 대본이다.

03 개똥이는 아버지 국서에게 소를 팔고 그 돈으로 만주에 가면 돈을 많이 벌어 올 수 있다고 하는 것에서 허황된 생각에 빠져 있음을 확인할 수 있다.

04 국서는 소를 팔자고 조르는 개똥이의 말에, 소의 내력을 이야기하며 말도 안 되는 소리라고 개똥이의 말을 묵살하고 있다.

05 국서는 농사로 바쁜 시기에 두 아들이 일을 돕지는 않고 빈둥거리고 논다며 화를 내고 있다.

06 형상화 방식
'죽일 놈들', '대가리' 등의 비속어를 사용하여 국서의 투박스러운 성격과 못마땅한 감정을 효과적으로 드러내고 있다.

오답 풀이 ❶ 국서와 개똥이가 대립하고 있기는 하지만, 이는 소에 대한 생각의 차이 때문이다. 선인과 악인의 대립이라고 볼 수 없다.
❷ 사건이 극적으로 전환된 부분도 없고, 인물 사이의 갈등이 해소된 것도 아니다.
❹ 소에 대한 입장 차이로 국서와 개똥이가 갈등하고 있는 장면으로 상황에 어울리지 않는 말과 행동은 드러나지 않는다.
❺ 국서와 개똥이의 갈등만 제시되어 있을 뿐, 유사한 장면이 반복되지는 않는다.

07 형상화 방식
㉣의 뒤에 이어지는 국서의 대사를 보아 소는 국서에게 긍지와 애정의 대상임을 알 수 있다. 그리고 개똥이가 소를 팔아 자신이 만주로 갈 노자를 마련해 달라는 이야기를 듣고 국서가 반문하며 화를 내는 상황이므로, 국서가 호탕하게 웃는 것은 어울리지 않는다. ㉣에는 어이없어하거나 말도 안 된다는 듯이 놀라는 태도가 어울린다.

오답 풀이 ❶ 바쁜 날에 농사일을 돕지 않는 아들을 보며 화를 내고 있는 상황이므로 못마땅한 표정으로 말하는 것이 어울린다.
❷ 자신은 농사에 관심도 없는데 아버지가 농사일을 돕지 않는다고 화를 내며 형을 찾는 상황이므로, 퉁명스러운 태도로 답변하는 것이 어울린다.
❸ 아버지가 소중하게 생각하는 소를 팔아 자신이 만주로 갈 노자를 마련해 달라는 부탁을 하는 상황이므로, 눈치를 보며 조심스럽게 말을 꺼내는 것이 어울린다.
❺ 아버지가 자신의 부탁을 묵살해 버리고 다른 말을 하고 있는 상황에서 개똥이가 무엇인가 더 말하고 싶어 하는 상황이므로, 다급하게 아버지를 부르는 것이 어울린다.

08 인물·사건
[A]에서 국서는 개똥이에게 인신공격을 하면서 개똥이의 제안을 원천적으로 차단하고 있다. 즉, 개똥이의 말을 어리석은 것으로 몰아붙임으로써 더 이상 논의할 수 없도록 차단하고 있다.

오답 풀이 ❶ 아들의 관심을 다른 곳으로 돌리는 모습은 나타나 있지 않다.
❸ 아들의 잘못된 생각과 행동에 대해 이야기할 뿐, 국서 자신의 처지에 대해 말하고 있지 않다.
❹ 아들이 대답하기 힘든 질문을 하고 있지 않다.
❺ 아들이 하고 싶어 하는 말을 먼저 이야기하고 있지는 않다.

알아두기 「소」에 나타난 사실주의 경향

• 지주와 소작인 사이의 계층적 갈등을 통해 식민지 현실의 부조리를 드러냄
• 농촌의 가난한 모습과 농민의 비참한 생활을 구체적으로 드러냄
• 등장인물이 비속어와 방언을 사용함
• 시대적 배경을 알려 주는 어휘를 사용함

⇓

극에 현실감을 부여함

09 주제
(가)~(나)는 소를 팔아 만주로 가려는 아들 개똥이와 소에 대한 자부심과 애정으로 소를 절대 팔 수 없다는 국서와의 갈등을 보여 주고 있다. 따라서 국서와 개똥이가 갈등하는 표면적인 이유는 소에 대한 입장 차이 때문이다.

오답 풀이 ❷ 개똥이가 만주로 떠나려고 하는 것은 큰돈을 벌기 위해서이다. 이런 개똥이의 모습을 〈보기〉의 내용과 관련지어 본다면, 가난에 시달리는 농촌에서 벗어나기 위한 것임을 알 수 있다.
❸ 〈보기〉를 통해 국서와 개똥이의 갈등에 영향을 준 근본적인 원인은 우리 농촌을 더 궁핍하게 만드는 일제의 수탈 정책임을 알 수 있다.

❹ 국서는 개똥이의 의견을 말도 안 되는 소리라며 묵살하고, 시키는 대로 고분고분히 하라고 호통치고 있다. 이를 통해 권위적인 구세대의 모습이 드러난다.
❺ 개똥이라는 이름과 투박한 국서의 대사와 행동은 이 작품의 희극적 요소라고 할 수 있다.

01 소 ❷

본문 162~163쪽

확인 문제

01 ○ 02 × 03 × 04 농지령 05 소작인

실력 문제

06 ④ 07 ② 08 ②

01 (다)에서는 밀린 도지를 한꺼번에 받으려는 마름과 그것이 불가능하다고 말하는 소작인 가족인 국서네의 갈등이 드러난다.

02 마름은 소작인 국서의 사정은 고려해 주지 않는 냉정한 인물이며, 소를 빼앗아 가는 방식으로 도지를 받아내려는 비열하고 교활한 인물이다. 그러나 상황 파악을 하지 못하는 어리석음은 드러나지 않는다.

03 국서와 처는 자신들의 어려운 사정을 말하며 봐주기를 애원하고 있으나, 말똥이는 불합리한 현실을 밝히며 마름에게 대들고 있다.

04 '농지령'은 일제 강점기에 공포된 농지법으로, 우리 민족에 대한 일제의 수탈 정책 중 하나이다.

05 "뼈가 빠지게 농사지어 놓은 것 막 다 가져갔죠."라는 말똥이의 대사에서 열심히 농사를 짓고도 지주의 수탈로 남는 게 없는 소작인의 현실이 드러난다.

06 인물·사건

말똥이의 대사를 통해 뼈 빠지게 농사를 지었지만 마름이 다 가져가 버려서 풍년이어도 집에 양식이 하나도 남아 있지 않다는 것을 알 수 있다. 따라서 국서네 집에 양식이 없는 것이 농사에 소홀했기 때문이라는 내용은 적절하지 않다.

오답 풀이 ❶ 마름이 국서에게 밀린 도지를 갚으라고 재촉하는 것으로 보아, 국서가 땅을 빌려서 농사를 짓고 있다는 것을 알 수 있다. 그리고 도지 대신 소를 끌고 가겠다고 위협하는 마름의 대사를 통해 국서가 소를 가지고 있다는 것을 알 수 있다.
❷ 마름은 명년에 농지령이 새로 실시되면 밀린 도지를 받는 일에 문제가 생길까 봐 한꺼번에 밀린 도지를 다 받아 내려는 것이다.
❸ 마름은 도지 대신 기둥이라도 빼어 가고 솥이라도 떼어 가고 소마저 몰고 가겠다고 위협하고 있다. 이를 통해 마름이 도지를 빌미로 무엇이든 빼앗아 가려 한다는 것을 알 수 있다.
❺ 마름은 '나는 그저 논임자가 하라는 대로 허는 사람이야.'라고 말하며, 논임자의 지시에 따라 국서에게 밀린 도지를 갚으라고 압박하는 것임을 드러내고 있다.

알아두기 **작품에 반영된 시대상**

이 작품은 소를 둘러싼 여러 가지 갈등을 중심으로 일제 강점기 농촌의 비참한 현실을 형상화하고 있다. 국서에게 소는 소중하지만, 묵은 도지를 해결하고 장남 말똥이가 결혼할 처녀인 귀찬이가 빚 대신 일본인에게 팔려가는 것을 막으려면 소를 팔 수밖에 없는 상황이다. 밤낮없이 땀 흘려 농사지어도 빚에 치여 허덕일 수밖에 없고, 담보가 없어 돈을 빌리지 못하거나 빌린다 하여도 비싼 이자에 시달릴 수밖에 없는 구조적인 모순 속에서 소작하는 농민들은 가난을 벗어날 방법이 없는 것이다.

07 인물·사건

마름은 밀린 도지를 갚지 않으면 최후 결단을 짓겠다고 말하면서 국서네 가족에게 불안감을 조성하고 있다.

오답 풀이 ❶ '지금 와서 그런 소릴 해두 소용없다니깐!'이라는 말을 통해 국서의 사정을 봐주지 않는 마름의 냉정한 태도가 드러난다.
❸ 논임자가 시키는 대로 하는 것이라며 마름이라는 지위를 내세우고 있지만, 이를 통해 위기를 모면하는 것은 아니다. 오히려 상대방을 몰아붙이고 협박하고 있다.
❹ 농지령의 실시를 내세워 밀린 도지를 한꺼번에 다 받으려 하지만, 이를 논리적인 대응이라고 보기는 어렵다. 오히려 새로 시행되는 법령으로 인해 자신의 상황이 불리해질까 봐 소작인을 몰아붙이고 있다.
❺ 논임자가 시키는 대로 하는 것이라고 다른 사람의 힘을 빌리고 있기는 하지만, 이를 통해 부당한 현실에 맞서 싸우고 있지는 않다.

08 인물·사건 + 형상화 방식

국서는 마름에게 대드는 아들 말똥이 때문에 혹시라도 마름의 노여움을 살까 봐 황급하게 말똥이를 헛간으로 끌어내고 있다. 이를 계층 간의 갈등이 드러나는 행동이라고 볼 수 없다.

오답 풀이 ❶ 당시에 농촌에서 쉽게 접할 수 있는 '소', '헛간' 등의 소재를 연극적 장치로 사용하면 무대에 현실감을 부여할 수 있다.
❸ 국서와 그의 처가 마름에게 쩔쩔매고 애걸하는 모습을 구체적으로 보여 줌으로써 당시의 마름과 소작농 사이의 지배 관계를 보여 주고 있다.
❹ 말똥이를 지팡이로 때리는 마름의 행동과 비속어의 사용을 통해 마름과 말똥이 사이의 갈등을 실감 나게 보여 주고 있다.
❺ '농지령', '작인', '도지' 등은 일제 강점기라는 시대적 배경을 드러내는 말로, 이를 통해 당시 농촌 사회의 구체적인 실상이 드러난다.

01 소 ❸

본문 164~165쪽

확인 문제

01 ○ 02 × 03 ○ 04 재판 05 도지, 논

실력 문제

06 ③ 07 ④ 08 ② 09 ④

01 국진은 재판을 하려면 소 값 이상의 비용이 들고 재판에서 이긴다고 하더라도 논임자에게 미움을 사게 되어 논을 부칠 수

없게 될 것이라며 논임자와 타협하는 것이 좋다고 국서를 설득하고 있다.

02 국서가 가진 소의 조상이 일등상을 받았지만 논임자가 이 이유로 소를 가져간 것은 아니다. 논임자는 밀린 도지를 받지 못했으므로 그 대신 소를 가져간 것이다.

03 이 작품은 도지 대신 가장 소중하게 여기는 소를 빼앗기는 국서를 통해 지주의 수탈로 인해 가난하게 살아가는 일제 강점기 농민들의 비참한 삶을 보여 주고 있다.

04 국진은 읍내 대서소에 가서 재판 절차를 알아본 후에 국서에게 재판을 포기할 수밖에 없는 이유를 설명해 주고 있다.

05 국진은 논임자와의 타협을 통해 소를 포기하는 대신 도지를 탕감하고 논도 다시 부치게 되었다고 국서에게 말한다.

06 주제

국서는 논임자에게 도지 대신 소를 빼앗기고 재판을 통해 이를 되찾으려고 하지만 재판 비용이 많이 들고 논임자에게 미움을 살 수 있어서 결국 재판을 포기하게 된다. 이를 통해 소작인들은 억울한 일을 당해도 법적으로 해결하기 쉽지 않았음을 알 수 있다.

오답 풀이 ❶ 논임자가 밀린 도지 대신 국서의 소를 끌고 간 상황이므로, 소를 매매하려면 땅 주인의 허락을 받아야 했다는 내용은 맞지 않다.
❷ 국서의 대사를 통해 동네 주민들이 증인으로 재판에 나서 준다는 것은 확인할 수 있지만, 소작인들이 조직을 만든 것이라고 보기는 어렵다.
❹ 논임자가 묵은 도지를 받기 위해 집행을 하면 국서네는 집과 집터를 모두 잃고 화전이나 파먹는 신세가 된다는 내용을 보아 화전을 경작한다는 것은 소작권을 잃고 생활이 더 어려워지는 것임을 알 수 있다. 따라서 화전을 마음대로 경작할 수 있게 되면서 농민들의 생활이 나아졌다는 설명은 적절하지 않다.
❺ 땅 주인과 소작인 사이의 갈등을 중재해 주는 관청에 대한 내용은 드러나지 않는다. 대서소는 갈등을 중재해 주는 곳이 아니라, 서류를 대신 작성해 주는 일을 하는 곳이다.

알아두기 국서가 소송을 포기하는 이유와 타협 결과

소송을 하면 일어날 수 있는 문제

- 재판에서 이긴다고 하여도 논임자가 묵은 도지를 두고 집행을 하면 집과 집터를 모두 잃게 됨
- 소송하는 비용이 소 값보다 많이 듦
- 재판을 하면 지주의 미움을 받아 소작권을 잃게 되어 생계가 막힘

⇓

타협 결과	밀린 도지를 소로 탕감하고 소작권을 유지하기로 함

07 인물·사건

국진은 소에 대해 강한 집착을 보이는 형 국서에게 재판을 했을 경우 발생할 수 있는 문제 상황에 대해 차근차근 설명하며 현실적인 해결 방안을 제시하는 인물이다.

오답 풀이 ❶ 융통성이 없는 국진의 모습은 나타나지 않는다.
❷ 소에 대해 강한 집착을 보이는 사람은 형 국서이다.
❸ 국진은 재판을 했을 때 발생할 수 있는 문제점에 대해 여러 방면으로 생각해 보고, 형 국서에게 재판을 하지 않는 것이 좋다고 말을 한다. 자신의 입장만을 주장하는 권위적인 인물과 거리가 멀다.
❺ 국진은 형 국서의 문제를 적극적으로 해결하기 위해 노력한다.

08 형상화 방식

㉡에서 국진은 재판을 포기할 수밖에 없는 이유에 대해 국서에게 설명하고 있다. 즉 재판에서 이겨 소를 다시 찾아도 논임자가 묵은 도지에 대해 집행을 하면 집과 땅을 모두 잃게 된다는 것을 국서에게 설명해 주는 상황이므로, 심각한 표정으로 차근차근 설명하는 것이 적절하다.

오답 풀이 ❶ 재판을 하면 소를 찾을 수 있다는 이야기에 대한 반응이므로, 반가워하며 기대감을 가지고 다음 이야기를 궁금해하는 모습이 적절하다.
❸ 재판을 하면 소는 다시 찾을 수 있지만 집과 집터를 잃는 것은 물론이고 재판 비용도 많이 든다는 이야기에 대한 반응이므로, 예상치 못한 상황에 어처구니없어하는 모습이 어울린다.
❹ 자긍심과 애정의 대상인 소를 그냥 빼앗길 수 없다는 분함이 드러나야 하므로, 목소리를 높여 말하는 것이 적절하다.
❺ 도지의 대가로 소를 잃게 되었다는 말을 듣고 보인 반응이므로, 원통해하며 절망하는 모습이 어울린다.

09 인물·사건 + 어휘

ⓐ에서 국진은 국서에게 재판을 한 번 거는 비용이 소 값보다 많을 것 같다고 하였으므로, 국서에게 재판은 기본(소 값)이 되는 것보다 덧붙이는 것(재판 비용)이 더 많이 드는 배보다 배꼽이 더 큰, 절망적이고 안타까운 상황이다.

오답 풀이 ❶ '마른하늘에 날벼락'은 뜻하지 아니한 상황에서 뜻밖에 입는 재난을 이르는 말이다. 국서가 소를 빼앗긴 상황을 마른하늘에 날벼락 같은 상황이라고 볼 수 있지만, ⓐ의 상황에는 맞지 않는 속담이다.
❷ '코가 꿰인다'는 것은 '약점이 잡힌다'는 의미이다.
❸ '가난이 소 아들'이라는 것은 소처럼 죽도록 일해도 가난에서 벗어날 수 없음을 이르는 말이다.
❺ '갑갑한 놈이 송사한다'는 것은 제일 급하고 일이 필요한 사람이 그 일을 서둘러 하게 되어 있다는 말이다.

+ 독해 체크 본문 166쪽

❶ 소 ❷ 마름 ❸ 국서 ❹ 귀찬이 ❺ 개똥이
❻ 방언 ❼ 일제 강점기 ❽ 소작인 ❾ 도지 ❿ 농촌

+ 어휘 체크 본문 167쪽

1 (1) ㉢ (2) ㉠ (3) ㉡
2 (1) 삯꾼 (2) 시비곡절 (3) 탕감

실전 02 봉산 탈춤 ① _작자 미상

갈래 민속극, 가면극
성격 풍자적, 해학적
주제 양반 계층에 대한 비판
특징 • 언어유희, 희화화를 통해 양반을 풍자함
• 일정한 재담 구조가 반복되면서 이야기가 진행됨
• 무대와 객석, 배우와 관객의 구분이 엄격하지 않음

확인 문제
01 ○ 02 ○ 03 × 04 쉬이, 춤 05 조롱, 호통
06 벙거지, 채찍 07 노새 원님

실력 문제
08 ③ 09 ① 10 ②

01 이 작품은 황해도 봉산 지방에서 전승되어 온 민속극으로, 탈을 쓰고 연행하는 가면극에 해당한다.

02 말뚝이는 양반을 모시는 하층민으로 당시 서민 계층을 대표하는 인물이다. 말뚝이는 이 작품에서 무능한 양반을 끊임없이 조롱하고 풍자하는 역할을 한다.

03 '놈'이라는 비속어를 통해 양반들을 격하한 표현으로, 양반에 대한 말뚝이의 반감을 간접적으로 드러내는 표현이다. 그러나 겉으로는 양반에 복종하고 있으므로 말뚝이가 거만하다고 볼 수는 없다.

04 (나)에 드러난 재담 구조를 살펴보면, 재담의 시작을 알리는 '쉬이'로 시작해서 재담의 끝을 알리는 '춤'으로 마무리되고 있다.

05 이 작품은 여러 재담이 '양반의 위엄 → 말뚝이의 조롱 → 양반의 호통 → 말뚝이의 변명 → 양반의 안심 → 화해 춤'의 구조로 반복된다.

06 '벙거지를 쓰고 채찍을 들'고 있는 말뚝이의 모습은 마부의 모습으로, 말뚝이의 신분이 마부임을 나타낸다.

07 (다)에서 '노 생원님'을 '노새 원님'으로 표현한 것은 발음의 유사성을 활용한 언어유희로, 이를 통해 말뚝이는 양반을 조롱하고 있다.

08 인물·사건

이 작품에 등장하는 샌님, 서방님, 도련님은 위선과 허세에 가득 찬 당시의 양반 계층을 대표하는 인물들로 풍자의 대상에 해당한다.

오답 풀이 ❶ 양반 삼 형제는 당시 서민 계층을 대표하는 말뚝이와 대비되는 인물로, 무능하고 어리석은 당시의 양반 계층을 대표한다.
❷ (나)에서 양반 삼 형제는 말뚝이의 변명을 곧이곧대로 믿고, '이 생원이라네.'라며 말뚝이의 조롱을 깨닫지 못하는 무지한 모습을 보인다.
❹ 샌님과 서방님은 언청이이고, 도련님은 입이 삐뚤어진 인물로 모두 신체 결함이 있으며, 이들은 모두 어색하게 춤을 추거나 방정맞게 구는 등 우스꽝스러운 행동을 하고 있다.
❺ 흰 창옷에 관을 쓰고 부채와 장죽을 가지고 있는 샌님, 서방님과 달리 도련님은 남색 쾌자에 복건을 쓰고 부채만 가지고 있으며, 형들의 얼굴을 부채로 때리며 방정맞게 구는 예의 없는 행동을 한다.

배경지식 ⊕ '탈'의 기능

「봉산 탈춤」과 같은 가면극에서 '탈'은 각 인물의 특징을 과장하거나 우스꽝스럽게 표현하여 등장인물의 성격이나 전형성을 시각적으로 드러냄으로써 관객의 이해를 돕는 역할을 한다. 또한 연기자의 익명성을 보장하여 당대 지배 계층인 양반에 대한 비판과 풍자가 좀 더 수월하게 이루어질 수 있도록 한다.

09 형상화 방식

이 작품은 전통 가면극인 「봉산 탈춤」의 대본으로, 인과 관계에 의해 사건이나 재담이 구성되지 않고, 각 과장이 독립적으로 이루어진 옴니버스식 구성을 취하고 있다.

오답 풀이 ❷ 특별한 무대나 장치를 필요로 하지 않고 공연하는 곳이 곧 무대가 된다.
❸ 일반적으로 관객이 수동적으로 감상만 하는 현대극과 달리 전통극인 「봉산 탈춤」은 관객이 극에 능동적으로 참여할 수 있다.
❹ 극 중 시·공간의 제약을 받는 현대극과 달리 전통극인 「봉산 탈춤」은 시·공간을 자유롭게 선택, 변화시킬 수 있다.
❺ 「봉산 탈춤」은 공연 예술이기 때문에 관객의 흥미를 끌 수 있는 몸짓, 표정, 춤, 재담과 해학적인 표현이 활용된다.

알아두기 「봉산 탈춤」의 갈래적 특성

	「봉산 탈춤」(전통극)	현대극
구성	각 과장이 독립적으로 이루어진 옴니버스식 구성임	단일한 주제로 일관성 있게 구성됨
무대	무대와 객석의 구분이 없으며, 특정한 무대나 장치를 필요로 하지 않음	무대와 객석을 엄격히 구분하며, 특정한 무대 공간을 필요로 함
관객	능동적으로 참여함	수동적으로 감상함
시·공간	극 중 시·공간을 자유롭게 선택하거나 변화시킬 수 있음	극 중 시·공간에 제약을 받음

10 형상화 방식 + 주제

ⓐ에서는 '개잘량'의 '양' 자와 '개다리 소반'의 '반' 자를 쓰는 '양반'이라며 발음의 유사성을 활용한 언어유희를 사용하여 양반을 조롱하고 있다. ⓘ의 '우리 집 샌님인지, 댄님인지, 졸님인지'에서도 발음의 유사성을 이용한 언어유희를 통해 양반을 조롱하고 있다.

오답 풀이 ❶ 양반의 위엄을 내세우는 말로 언어유희는 나타나 있지 않다.

❸ '몹시 아쉬워 무언가를 찾는 모양'을 빗댄 속담인 '비 오는 날 나막신 찾는다'를 활용하고 있으나 언어유희는 나타나 있지 않다.
❹ '자기 결함은 생각지 아니하고 애꿎은 사람이나 조건만 탓하는 경우'를 비유적으로 이르는 '장님이 개천 나무란다'라는 속담을 활용하고 있으나 언어유희는 나타나 있지 않다.
❺ 고시조의 한 대목을 인용하고 있으나 언어유희는 나타나 있지 않다.

01 양반이 새처를 정하라고 한 명령에 따라 말뚝이가 새처를 찾는데, 채찍으로 원을 그린 후 새처라고 말한다. 이는 무대 장치가 따로 없는 민속극의 특징이 드러난 것으로, 말뚝이가 그린 원이 새처가 된다.

02 (라)에 나타난 양반의 거처는 보석과 꽃무늬 등으로 화려하게 장식된 것으로 묘사되어 있는데, 이를 통해 당대 양반들의 사치와 부도덕성을 폭로하기 위한 의도가 담겨 있다.

03 (마)와 (바)에서 양반들은 자신들의 유식함을 과시하기 위해서 글자 놀이를 한다. 그러나 양반들의 시조 읊기는 말뚝이의 민요와 같은 수준의 것이고, 운자 놀이는 일반인들이 즐기는 수수께끼 놀이와 같은 것이다. 이 작품에서는 이를 통해 학식과 교양을 제대로 갖추지 못한 양반들의 무식한 면모를 풍자하고 있다.

04 형상화 방식

[A]는 말뚝이의 변명에 안심한 양반들이 굿거리장단으로 춤을 추며 재담이 마무리되는 부분으로, 양반들의 춤은 극을 신명 나게 만들고 갈등의 해소를 알리는 역할을 한다. 새로운 재담의 시작을 알리는 역할을 하는 것은 '쉬이'이다.

오답 풀이 ❶ 이 작품의 반복되는 재담 구조를 고려할 때, [A]에는 말뚝이의 변명에 대한 양반들의 안심이 나타나야 하므로 적절한 판단이다.
❸ 이 작품은 말뚝이의 변명을 듣고 안심한 양반들이 굿거리장단에 맞춰 춤을 추는 것으로 재담이 마무리되는 구조가 반복되므로 적절한 판단이다.
❹ 하나의 재담이 마무리되면서 등장인물이 추는 춤은 흥을 돋우며 극을 신명 나게 만드는 역할을 하므로 적절한 판단이다.
❺ 말뚝이의 변명을 듣고 안심한 양반들이 말뚝이와 함께 추는 춤은 인물 간 갈등이 일시적으로 해소되었음을 드러내므로 적절한 판단이다.

알아두기 **'쉬이'와 '춤'의 기능**

쉬이	춤
• 재담의 시작을 알려 관객의 주의를 집중시킴 • 새로운 사건의 시작을 알림 • 음악과 춤을 멈추게 함	• 재담의 끝을 알리고 재담을 구분함 • 인물 간 갈등을 일시적으로 해소함 • 흥을 돋우며 극을 신명 나게 함

05 인물·사건

㉮에서 말뚝이는 양반의 거처를 '참나무 울장', '깃', '하늘로 낸 문'을 통해 마구간의 형상으로 표현하여 양반을 가축으로 비하하고 있다. 그리고 양반의 호통에 말뚝이는 ㉯와 같이 화려하게 장식된 양반의 거처를 묘사함으로써 양반의 사치와 부도덕성을 우회적으로 비판한다.

알아두기 **제6과장 '양반춤'의 재담 구조**

양반의 위엄	양반과 하인 말뚝이의 정상적인 신분 관계를 나타냄
말뚝이의 조롱	말뚝이의 도전으로 양반의 위엄이 급격히 떨어짐
양반의 호통	양반이 제재를 가해 '말뚝이의 조롱'을 부정하고 양반의 위엄을 세우려 함
말뚝이의 변명	말뚝이는 표면적으로는 '말뚝이의 조롱'을 부정하고, '양반의 호통(양반의 위엄)'을 긍정하는 척함
양반의 안심	양반은 '말뚝이의 변명'만 알고 '말뚝이의 조롱'이 부정되고, '양반의 호통(양반의 위엄)'이 긍정되었다고 기분 좋게 생각(착각)함 → 객관적으로 '양반의 호통(양반의 위엄)'과 '말뚝이의 변명'이 부정되고 '말뚝이의 조롱'이 긍정됨

06 인물·사건 + 형상화 방식 + 주제

가면극이 양반에 대한 풍자를 통해 하층민의 울분을 풀 수 있게 하기는 하였다. 그러나 이는 양반을 조롱하고 이에 대해 변명하는 말뚝이의 모습을 통해 이루어진 것으로, 말뚝이가 양반에게 호통을 치는 행동은 하지 않았다. 호통은 양반을 조롱하는 말뚝이에게 양반들이 한 행동이다.

오답 풀이 ❶ 일상어나 비속어는 주로 서민의 언어이고, 한자어는 주로 양반의 언어였다는 점을 고려할 때, 이러한 언어들이 사용된 것은 관객인 양반과 서민을 모두 고려한 것이다. 따라서 일상어나 비속어, 한자어 등이 함께 사용된 것은 여러 계층의 관객을 고려한 것이다.
❷ 양반들의 화려한 새처는 양반들의 사치와 부도덕성을 비판하고, 양반들의 글자 놀이는 양반들의 허세와 무식함을 풍자하고 있다.
❹ (라)에서는 말뚝이에 의해 양반들이 풍자되고 있지만, (마)와 (바)에서는 양반들이 글자 놀이를 하면서 자신들의 무식함을 드러냄으로써 양반들 스스로에 의해 풍자가 이루어진다.
❺ 양반과 하인의 질서가 확실했던 당시 사회에서 하인인 말뚝이가 양반을 조롱하는 일은 있을 수 없는 일이었다. 그러나 가면극에서만은 이것이 가능하였으며, 이러한 말뚝이의 조롱과 풍자를 통해 하층민들은 대리만족을 느끼며 양반에게 가졌던 울분을 풀 수 있었다.

02 봉산 탈춤 ❸

본문 172~173쪽

확인 문제

01 × 02 × 03 ○ 04 × 05 취발이
06 전령 07 엉덩이

실력 문제

08 ⑤ 09 ① 10 ⑤ 11 ③

01 엉터리 파자 놀이를 하면서 서로를 칭찬하는 양반들의 모습을 통해 양반의 무지와 허세가 드러난다.

02 피자 놀이는 한자에 대한 지식이 있어야 할 수 있는데, 생원과 서방이 하는 피자 놀이는 유치한 수수께끼 수준으로, 양반의 학식과 수준이 낮음을 스스로 폭로하고 있다.

03 이 작품에서 취발이는 힘이 세고 날랜 인물로 그려지고 있지만, 양반보다 신분이 낮기 때문에 양반의 명을 받은 말뚝이에게 끌려 간다.

04 '나랏돈 노랑돈 칠 푼 잘라먹은 놈'의 표현을 통해 취발이가 부정한 방법으로 재물을 축적한 인물임을 짐작할 수 있지만, 이 작품에서 풍자나 조롱의 대상이 되고 있지는 않다.

05 소설이나 극에서 새로운 인물의 등장은 일반적으로 새로운 사건의 전개를 예고하는 기능을 한다. 이 작품 역시 취발이의 등장으로 새로운 사건이 전개되고 있다.

06 취발이를 잡아들이라는 생원의 명령에 말뚝이가 요구한 것은 '전령'으로, 이것을 본 취발이가 순순히 양반 앞에 끌려오는 것을 볼 때 '전령'은 당대 양반의 권위나 권력을 상징하는 것임을 알 수 있다.

07 말뚝이가 취발이의 엉덩이를 양반 코앞에 내밀게 하는 행동은 양반의 권위를 무시하고 조롱하려는 의도로 이해할 수 있다.

08 인물·사건

이 작품에 등장하는 취발이는 조선 후기에 경제력을 바탕으로 급속하게 성장한 신흥 상인 계층을 대표하는 인물로 사회적 지위가 낮다고 보기 어렵다.

오답 풀이 ❶ '그놈이 심(힘)이 무량대각이요, 날램이 비호 같은데'를 통해 취발이가 힘이 세고 날렵함을 알 수 있다.
❷ '나랏돈 노랑돈 칠 푼 잘라먹은 놈'를 통해 국고를 횡령하였고, 이에 대한 죄목으로 양반이 잡아들이려고 하므로, 취발이가 국고 횡령의 죄를 지었음을 알 수 있다.
❸ 양반이 취발이를 잡아다가 뇌물을 받아 내려고 하고 있으므로, 양반들의 비리의 대상이 된다고 할 수 있다.
❹ 양반이 작성한 전령을 보고 순순히 말뚝이를 따라 양반의 앞에 끌려오는 모습을 통해 알 수 있다.

09 인물·사건 + 주제

이 작품에서는 양반 삼 형제의 시조 읊기, 운자 놀이, 파자 놀이 등의 글자 놀이를 통해 양반들의 무식함과 허세를 풍자하고 있다.

오답 풀이 ❷ 글자 놀이 재담에 곁치레만 중시하는 양반들의 모습은 나타나 있지 않으며, 양반들이 즐기는 풍류 그 자체가 풍자의 대상은 아니다.
❸ 양반들의 시조 읊기나 파자 놀이가 현실과 동떨어진 생활로 볼 수는 없다.
❹ 글자 놀이 재담을 통해 양반들의 무식함이 드러나므로 양반들의 현학적인 말투와 태도는 관련이 없다.
❺ 글자 놀이를 하는 양반들의 모습에서 자기 과시와 허세가 드러나나 양반의 위신과 체면을 내세우는 모습은 나타나 있지 않다.

10 배경·소재

(아), (자)를 통해 백성들이 살기가 어려워 민심이 흉흉했는지는 알 수 없다.

오답 풀이 ❶ (자)의 '시대가 금전이면 그만인데'라는 말뚝이의 말을 통해 드러나고 있다.
❷ (자)의 '돈이나 몇백 냥 내라고 하야 우리끼리 노나 쓰도록 하면'이라는 말뚝이의 말을 통해 드러나고 있다.
❸ (아)에서 취발이를 함부로 대하는 양반(생원)의 모습을 통해 드러나고 있다.
❹ (아)에서 취발이의 등장을 통해서 짐작할 수 있다.

11 인물·사건 + 형상화 방식 + 주제

(사)와 같은 글자 놀이 재담에는 말뚝이의 조롱 없이도 풍자가 이루어진다.

오답 풀이 ❶ 이 작품에서 양반은 풍자와 조롱의 대상이므로, 양반탈은 대상의 부정적인 면모가 잘 드러나면서 웃음을 유발할 수 있게 제작해야 한다는 구상 내용은 적절하다.
❷ 이 작품과 같은 전통극은 특별한 무대나 장치를 필요로 하지 않지만, 관객과 가깝고 소통해야 하므로 구상 내용은 적절하다.
❹ 재담이 끝나고 등장인물들이 함께 추는 춤은 갈등이 해소된 화해의 춤이므로, 악공이 흥겨움을 더할 수 있게 연주를 해야 한다는 구상 내용은 적절하다.
❺ 이 작품은 등장인물들이 일제히 어울려서 흥겹게 춤을 추면서 재담을 마무리하는 구조가 반복되므로 구상 내용은 적절하다.

+ 독해 체크 본문 174쪽

❶ 말뚝이 ❷ 비판 ❸ 풍자 ❹ 양반 ❺ 상인
❻ 황금 ❼ 조롱 ❽ 변명 ❾ 무식

+ 어휘 체크 본문 175쪽

1 (1) 만연 (2) 흉흉 (3) 호사
2 현학 – 학식 – 식상 – 상통 – 통쾌 – 쾌자

본문 176~177쪽

실전 03 은전 한 닢 _피천득

갈래 경수필, 서사적 수필
성격 회상적, 체험적, 극적
주제 • 소망을 이루려는 노력과 그 성취의 기쁨
• 인간의 맹목적인 소유욕과 집착에 대한 연민
특징 • 대화체를 사용해 현장감을 살림
• 여운을 주는 결말로 독자의 상상력을 자극함

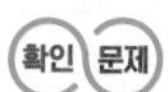

01 ○ 02 × 03 ○ 04 진짜 05 다양[대양] 한 푼

실력 문제

06 ① 07 ② 08 ④

01 (가)의 '예전 상해에서 본 일이다.'에서 알 수 있듯이, 이 작품은 글쓴이가 중국 상해에서 실제 목격한 일을 사실대로 쓴 수필이다.

02 이 작품에서 '나'와 늙은 거지가 충돌하거나 대립하는 부분은 나타나 있지 않다.

03 (다)에서 '나는 한 푼 한 푼 얻은 돈에서 몇 닢씩 모았습니다. ~이 돈을 얻느라고 여섯 달이 더 걸렸습니다.'라는 늙은 거지의 말을 통해 은전 한 닢을 얻기까지의 과정을 알 수 있다.

04 (가)의 '마치 선고를 기다리는 죄인과 같이 전장 사람의 입을 쳐다본다.'에서 짐작할 수 있듯이, 늙은 거지는 전장에서 은전의 진위 여부를 확인하면서 은전이 진짜가 아닐까 봐 불안해하는 모습을 보이고 있다.

05 늙은 거지가 은전 한 닢을 갖게 된 내력과 이유를 고려할 때, '다양[대양] 한 푼'은 '삶의 목표'나 '인간의 집착과 소유욕'을 의미한다고 볼 수 있다.

06 표현

이 작품은 글쓴이가 본 늙은 거지의 행동과 늙은 거지와의 대화를 구체적으로 서술하여 현실감 있게 표현하고 있다. 그런데 주된 인물은 늙은 거지이며 늙은 거지와 대조적인 성격의 인물이나 대상은 나타나지 않으며, 인물의 대비도 나타나지 않는다.

오답 풀이 ② 늙은 거지와 전장 주인과의 대화, 늙은 거지와 '나'의 대화로 내용을 전개하여 생생한 현장감을 주고 있다.
③ 짧고 간결한 문체로 내용을 전개하고 있다.
④, ⑤ 글쓴이가 경험한 일을 제시하고 있을 뿐, 경험에 대한 글쓴이의 해석이나 감상은 드러나지 않는다.

07 주제 + 어휘

이 작품의 '늙은 거지'는 은전 한 닢을 갖고 싶다는 소망을 품은 후 오랜 기다림과 고생 끝에 그것을 성취하고 몹시 기뻐한다. 이러한 거지의 모습은 '쓴 것이 다하면 단 것이 온다는 뜻으로, 고생 끝에 즐거움이 옴을 이르는 말'인 '고진감래'로 표현하기에 적절하다.

오답 풀이 ① '노심초사'는 '몹시 마음을 쓰며 애를 태움'을 뜻하는 말이다. '늙은 거지'는 훔치지 않고 구걸을 통해 얻은 돈을 조금씩 모아서 은전 한 닢을 얻은 것이므로 인물에 대한 적절한 평가가 아니다.
③ '소탐대실'은 '작은 것을 탐하다가 큰 것을 잃음'을 뜻하는 말로, 각전 여섯 닢과 대양 한 푼은 가치가 다르지 않으므로 소탐대실로 볼 수 없다.
④ '백년하청'은 '중국의 황허강(黃河江)이 늘 흐려 맑을 때가 없다는 뜻으로, 아무리 오랜 시일이 지나도 어떤 일이 이루어지기 어려움을 이르는 말'이므로 사자성어를 적절히 활용했다고 볼 수 없다.
⑤ '안분지족'은 '편안한 마음으로 제 분수를 지키며 만족할 줄을 앎'을 뜻하는 말로, 은전 한 닢을 얻고 감격의 눈물을 흘리는 늙은 거지의 모습을 고려할 때, 그가 만족할 줄 모른다고 볼 수는 없다.

08 주제

목적을 이루기 위한 수단에 해당하는 돈의 속성과 은전을 얻은 후에도 '은전이 가짜일까, 은전을 빼앗기거나 잃어버릴까' 불안해하는 거지의 모습 등을 고려한다면 '인간의 맹목적인 집착에 대한 경계'를 이 작품의 주제로 볼 수 있다.

오답 풀이 ① 이 작품은 일반적인 수필과 달리 글쓴이의 소감이나 논평을 제시하지 않고 객관적인 태도로 늙은 거지와 관련된 경험담만을 제시하여 독자 스스로 작품의 주제를 파악하도록 이끌고 있다.
②, ③ 이 작품은 은전 한 닢을 얻기 위한 거지의 행동을 어떻게 바라보느냐에 따라 작품의 주제를 달리 해석할 수 있다. 즉 각고의 노력 끝에 은전 한 닢을 얻고 감격의 눈물을 흘리는 늙은 거지의 행동을 긍정적으로 평가할 경우에는 '소망을 이루려는 노력과 성취의 기쁨'을 작품의 주제로 볼 수 있다. 그러나 그토록 소망하던 은전 한 닢을 얻은 후, 노심초사하는 거지의 모습을 고려한다면 '인간의 그릇된 소유욕이나 맹목적인 집착에 대한 경계'를 작품의 주제로 볼 수 있다.
⑤ 뚜렷한 목적 없이 무언가를 얻기 위한 수단에 불과한 돈에 집착하는 거지의 모습은 독자로 하여금 인간의 그릇된 소유욕이 얼마나 어리석은 것인지를 깨닫게 한다.

알아두기 이 작품의 양면적 주제

은전 한 닢을 얻기 위한 거지의 행동	긍정적 평가	소망을 이루려는 노력과 성취의 기쁨
	부정적 평가	소유욕이나 무의미한 집착에 대한 경계

+ 독해 체크 본문178쪽

❶ 상해 ❷ 은전 한 닢 ❸ 만족감 ❹ 객관적 ❺ 소망 ❻ 집착 ❼ 회상 ❽ 대화 ❾ 여운 ❿ 성취 ⓫ 소유욕

+ 어휘 체크 본문 179쪽

1 (1) 노심초사 (2) 소탐대실 (3) 백년하청
2 서두 – 두각 – 각전 – 전장 – 장황 – 황망히

본문 180~181쪽

실전 04

미안합니다 ① _장영희

갈래 경수필
성격 성찰적, 체험적
주제 • '미안합니다'라는 말의 위력
• 잘못을 인정하고 사과하는 태도의 중요성
특징 • 두 가지 일화를 대조하여 주제를 제시함
• 일상적 경험에서 삶의 성찰을 이끌어 냄

확인 문제
01 × 02 × 03 × 04 ○ 05 반항, 모욕
06 진상

실력 문제
07 ④ 08 ① 09 ② 10 ③

01 이 글은 글쓴이의 개인적 경험을 바탕으로 쓴 경수필이다.

02 서훈이가 영수 대신 책을 읽은 이유는 영수가 부탁한 것이 아니라, 말더듬이 증세가 있는 영수를 도와주려 했기 때문이다.

03 '나'는 사건의 진상을 서훈이에게 들은 것이 아니라 다른 학생에게 듣게 된 후 영수의 상황과 처지에 충분히 공감하는 모습을 보이며 미안해하였다.

04 영수는 심각한 말더듬이 증세가 있었는데, 이러한 증세는 긴장을 하면 더욱 심해지게 된다. 그래서 영수는 책을 읽지도 못한다는 자신의 상황을 '나'에게 설명하기가 더 어려워 아무 말도 못하고 있었다.

05 '나'는 자신이 호명한 영수를 대신하여 서훈이가 책을 읽는 것을 보고, 이를 자신에 대한 반항이나 모욕으로 생각하였다.

06 사건의 진상을 알게 된 '나'는 자신의 오해로 인해 상처를 받았을 영수에게 미안함을 느끼며 자신의 행동을 부끄러워하고 있다.

07 글쓴이
(가)의 '모든 학생들의 이름을 기억하고 있고'에서 알 수 있듯이, 글쓴이가 학생들에 대한 관심이 부족하다고 볼 수는 없다. 그리고 (가)에서 글쓴이가 화를 내는 이유는 영수와 서훈이가 자신을 속인다고 생각했기 때문이지 권위 의식이 강하기 때문은 아니다.

오답 풀이 ❶ '19세기 미국 소설 강의 시간에'를 통해 '나'가 대학에서 영문학을 가르치는 일을 하고 있음을 짐작할 수 있다.
❷ 앞부분 줄거리의 내용을 통해 여러 가지 이유로 '나'가 남에게 미안하다는 말을 하는 데에 어려움을 느껴 왔음을 확인할 수 있다.
❸ 자신이 호명한 영수를 대신하여 서훈이가 책을 읽는 것을 보고, '나'가 선생으로서의 위엄과 자존심을 건드렸다고 생각하는 것에서, '나'가 선생으로서의 위엄과 자존심을 중요하게 생각하고 있음을 알 수 있다.
❺ '어렸을 때 나도 한때 말더듬이 비슷한 증세가 있었기 때문에'를 통해 짐작할 수 있다.

08 표현
'지난주, 19세기 미국 소설 강의 시간에'에서 알 수 있듯이 이 작품은 글쓴이가 직접 겪은 일을 일화로 제시하여 독자의 흥미를 끌고 있는 글이다.

오답 풀이 ❷ 이 작품에서 글쓴이는 자신의 주관적인 생각과 느낌을 솔직하게 서술하고 있다.
❸ 통념은 일반적으로 널리 통하는 개념을 말하는데 이 작품에서 현상에 대한 일반인들의 통념이 제시된 부분은 찾을 수 없다.
❹ 글쓴이가 겪은 일을 제시하고 있을 뿐이지, 하나의 현상에 대한 다양한 견해를 드러내고 있지는 않다.
❺ 실제 있었던 일화 하나를 제시하고 있으며, 개별적인 사실을 열거하고 있지는 않다.

09 어휘
㉠에 들어갈 관용 표현은 이어지는 서술어 '고요하다(조용하고 잠잠하다)'와 의미가 서로 통해야 하므로, '매우 조용한 상태를 비유적으로 이르는 말'을 뜻하는 '쥐 죽은 듯'이 가장 적절하다.

오답 풀이 ❶ '쥐 잡듯'은 꼼짝 못 하게 하여 놓고 잡는 모양을 비유적으로 이르는 말이다.
❸ '쥐도 새도 모르게'는 감쪽같이 행동하거나 처리하여 아무도 그 경위나 행방을 모르게 한다는 말이다.
❹ '쥐 본 고양이 같이'는 무엇이나 보기만 하면 결딴을 내고야 마는 사람을 이르는 말이다.
❺ '쥐 초 먹은 것 같이'는 얼굴을 잔뜩 찌푸리는 꼴을 비유적으로 이르는 말이다.

10 글쓴이 + 표현
'나'는 영수와 서훈이가 자신에게 반항하거나 자신을 얕본다고 생각해 화가 났지만, 서훈이가 책을 다 읽을 때까지 기다렸다가 두 학생을 나무랐다.

오답 풀이 ❶ '그 사정을 잘 아는 서훈이가 당황하는 친구를 도와주려고 대신 읽었다는 것이다.'에서 알 수 있듯이, 서훈이가 영수 대신 책을 읽은 것은 말더듬이 증세가 있는 영수를 도와주기 위한 행동이다.
❷ '처음에는 단지 의아해했지만 가만히 생각하니 은근히 부아가 치밀었다.', '그것은 나에 대한 반항이거나~모욕이라는 생각까지 들었다.'에서 짐작할 수 있듯이 '나'는 서훈이가 대신 책을 읽는 것을 이상하게 여기다가 서훈이와 영수가 자신을 무시한다고 생각해 화가 나 두 사람을 질책했다.
❹ '나는 정말이지 쥐구멍에라도 숨고 싶은 심정이었다.'에서 알 수 있듯이 사건의 진상을 알게 된 '나'는 부끄러움을 느끼고 있다.
❺ '어렸을 때 나도~기분을 잘 알 수 있었다.'에서 짐작할 수 있듯이 '나'는 영수의 상황과 처지, 영수가 느꼈을 감정 등에 공감하는 모습을 보이고 있다.

04 미안합니다 ❷

본문 182~183쪽

확인 문제

01 ○ 02 × 03 × 04 대비 05 목발

실력 문제

06 ⑤ 07 ① 08 ① 09 ⑤

01 (다)에서 '나'는 자신의 오해로 인해 상처를 입은 영수에게 미안함을 느끼며 어떻게 사과해야 할지 고민하고 있다.

02 (라)의 '하지만 오늘 나는 '미안합니다'라는 말, 아니 그 말의 위력에 대해서 다시 생각해 봐야만 했다.'에서 짐작할 수 있듯이, '나'는 아버지와의 일이 있기 전까지 '미안합니다'라는 말의 위력에 대해 깨닫지 못하고 있었다.

03 이 작품은 아버지와 경비원의 모습을 통해 잘못을 인정하고 상대방의 처지를 이해하는 마음의 필요성을 강조하고 있는 것이지, 장애인에 대한 배려의 필요성을 강조하고 있는 것은 아니다.

04 이 작품은 '미안합니다'라는 말을 해야 하는 상황에서 온갖 구실을 만들어 회피하는 '나'와 달리 자신의 잘못을 인정하고 사과하는 아버지의 대비되는 모습을 통해 교훈적인 주제를 전달하고 있다.

05 '목발'은 다리가 불편한 글쓴이의 처지를 드러내면서 현관 가까이에 차를 댈 수밖에 없었던 아버지의 상황을 경비원이 이해하게 되는 계기가 된다.

06 글쓴이

아버지가 현관 가까이에 차를 댄 이유는 딸이 중요한 약속 시간에 늦었기 때문이 아니라, 몸이 불편한 딸이 좀 더 편하게 차에 타길 바랐기 때문이다.

오답 풀이 ❶ (라)의 '이분이라면 몸이 불편하시니까 여기 대셔야지요.'라는 말을 통해 경비원이 사회적 약자를 배려할 줄 아는 마음씨를 지닌 인물임을 짐작할 수 있다.
❷ (다)의 '미안하다고 해야겠다. 나는 속으로 생각했다. 하지만 어떻게?'와 같이 '나'는 자신의 오해로 인해 상처를 입은 영수에게 미안함을 느끼며 어떻게 사과해야 할지 고민하고 있다.
❸ (라)의 '왜 하필이면 현관 앞에 차를 대냐고요.'라고 아버지를 질책하는 경비원의 모습을 통해 짐작할 수 있다.
❹ (라)의 '경비원에게 머리를 조아리는 아버지의 모습을 보자 너무 자존심 상하고 화가 나서'를 통해 알 수 있다.

07 글쓴이

ⓐ, ⓑ, ⓔ는 글쓴이가 영수에게 사과할 필요가 없다고 생각하는 근거가 된다.

오답 풀이 ⓒ, ⓓ는 사건의 진상을 알게 된 글쓴이가 영수에게 미안함을 느끼고 사과할 방법을 고민하면서 떠올린 내용에 해당하므로 글쓴이가 미안하다는 말을 회피하기 위해 만든 구실에 해당하지 않는다.

08 주제

(라)에서 아버지와 경비원은 글쓴이인 '나'와 달리 자신의 잘못을 인정하고 서로에게 사과하는 모습을 보이고 있다.

오답 풀이 ❷, ❸, ❹, ❺ 아버지와 경비원은 미안하다는 말을 회피하기 위해 온갖 구실을 만들어 자신의 행동을 합리화하는 '나'에게 깨달음을 주는 인물로, 이들의 공통된 면모와는 거리가 멀다.

알아두기 **등장인물의 특성**

'나'	• 대학에서 영문학을 가르침 → 교수 • 자존심이 세고 '미안하다'는 말을 하는 데 어려움을 느낌 • 목발 → 몸이 불편함
아버지	체면을 따지지 않고 자신이 잘못한 일을 고개 숙여 사과하는 겸허한 성품을 지님
경비원	• 자신의 잘못을 깨달으면 즉시 사과하는 태도를 보임 • 사회적 약자를 이해하고 배려하는 마음씨를 지님

09 글쓴이

'나'는 자신의 오해로 인해 상처를 입은 영수에게 미안한 마음을 느끼면서도 미안하다는 말을 하지 않아도 될 온갖 구실을 만들어 사과하지 않는 모습을 보이고 있다. 따라서 ⑤의 조언이 가장 적절하다.

오답 풀이 ❶ '나'의 오해로 인해 서훈이와 영수가 상처를 입은 상황이므로, 적절한 조언이 아니다.
❷ '나'는 자신의 강의를 수강하는 학생들의 이름을 모두 기억할 만큼 학생들에게 관심을 기울이는 사람이므로, 적절한 조언이 아니다.
❸ '나'가 영수나 서훈이와 가깝게 지내다가 상처를 주고받은 상황이 아니라 '나'의 오해로 인해 일어난 일이므로, 적절한 조언이 아니다.
❹ (다)에서 '나'는 '미안하다'는 말을 회피하기 위해 온갖 구실을 만들어 자신의 행동을 합리화하고 있는 상황이므로, 적절한 조언으로 보기 어렵다.

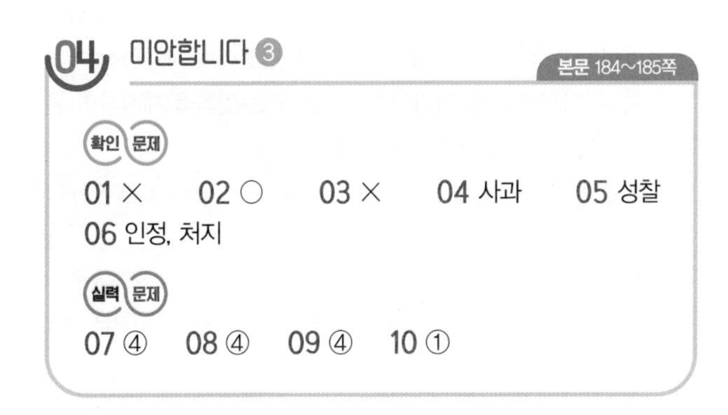

04 미안합니다 ❸

본문 184~185쪽

확인 문제

01 × 02 ○ 03 × 04 사과 05 성찰 06 인정, 처지

실력 문제

07 ④ 08 ④ 09 ④ 10 ①

01 아버지는 체면을 따지지 않고 자신의 잘못을 머리 숙여 사과할 줄 아는 겸허한 성품을 지닌 인물이다. 이러한 행동을 아무에게나 굽신거리는 인물로 평가하는 것은 적절하지 않다.

02 (마)~(바)에서 확인할 수 있듯이 '나'는 아버지의 모습을 통해 영수에게 사과하지 못한 자신의 행동을 반성하고 있다.

03 이 작품은 대비되는 일화를 통해 '미안합니다'라는 말이 지닌 위력에 대한 깨달음을 전달하고 있다.

04 아버지와 경비원은 자신의 잘못을 인정하고 서로 사과함으로써 갈등 상황을 원만히 해결하였다.

05 이 작품에는 체면을 따지지 않고 자신의 잘못을 머리 숙여 사과하는 아버지의 모습을 본 '나'가 자신의 행동을 반성하는 모습이 나타나 있는데, 이를 통해 이 작품이 자아 성찰적 성격을 띤 글임을 알 수 있다.

06 이 작품에서 '나'는 아버지와 경비원 사이에서 벌어진 사건을 통해 자신의 잘못을 기꺼이 인정하는 태도와 상대방의 처지를 이해하려는 마음의 필요성, 그리고 '미안합니다'라는 말이 지닌 효력에 대해 깨닫고 있다.

07 글쓴이

'나'는 영수에게 '미안하다'는 말을 해야 하는 상황에서 온갖 구실을 대며 자신의 행동을 합리화하는 모습을 보였지만, 아버지는 자신의 잘못을 인정하고 고개 숙여 사과하는 모습을 보이고 있다.

오답 풀이 ❶ 앞부분인 (다)에서 '나'는 '선생 체면에 학생에게 그렇게까지 사과할 필요가 있겠는가'라고 생각한 부분이 제시되어 있다. 그러나 아버지가 실속을 중시하고 있다고 볼 근거는 이 작품에서 찾을 수 없다.
❷ '나'가 타인에게 거만하거나 오만한 태도를 보이는 모습은 찾을 수 없다. 아버지는 경비원에게 자신을 낮추어 거듭 사과하고 있으므로 겸손한 태도를 보이고 있다고 할 수 있다.
❸ '나'가 앞부분인 (가)에서 서훈이와 영수에게 질책한 행동을 냉정하다고 판단할 수는 있지만, 아버지가 상대의 잘못을 덮어 주고 있다는 내용은 적절하지 않다.
❺ '나'가 타인과 쉽게 불화를 일으킨다거나 아버지가 타인과의 화합을 추구한다는 내용은 제시되어 있지 않다.

08 표현

이 작품에서는 영수에 관해 오해한 일에 대해 사과 없이 넘어가려는 '나'의 일화와 서로의 잘못을 인정하며 사과하는 아버지, 경비원에 대한 일화, 이 두 대비되는 일화를 제시하여 글쓴이의 깨달음을 전달하고 있다.

오답 풀이 ❶ 등장인물 간 주고받는 대화를 통해 상황을 보다 실감 나고 생생하게 전달하고 있다.
❷ (마)에서 '얼마나 아름다운 결말인가!'와 같은 영탄적 표현을 통해 '미안합니다'라는 말로 문제 상황을 원만히 해결할 수 있었다는 글쓴이의 생각을 강조하고 있다.
❸ 글쓴이가 직접 겪은 두 가지 일화를 제시하며 자신의 삶을 성찰하고 있다.
❺ 이 작품은 글쓴이가 겪은 일에 대한 생각과 느낌을 솔직담백하게 표현하고 있다.

알아두기 **이 작품의 서술상 특징**

- 일상적 경험에서 삶의 성찰을 이끌어 냄
- 대화를 사용해 작중 상황을 실감 나게 표현함
- 대비되는 두 가지 일화를 제시하여 깨달음을 전달함
- 자신의 심리를 고백하는 어조로 솔직담백한 느낌을 줌

09 주제

이 작품에서 글쓴이는 서로 미안하다고 사과하며 갈등 상황을 원만히 해결한 아버지와 경비원의 모습을 보며 '미안합니다'라는 말이 지닌 효력에 대해 깨닫고 있다.

오답 풀이 ❶ '미안합니다'라는 말을 통해 자신이 원하는 바를 얻을 수도 있겠으나, 이 작품에서는 사과의 말이 문제 해결에 도움이 된다는 측면을 강조하고 있다.
❷ 자존심의 측면이 아닌 자신의 잘못에 대한 인정과 상대방의 처지에 대한 이해 측면에서 사과의 말이 가진 효력을 살펴보고 있다.
❸ 사과의 말을 하면 어떤 잘못도 용서받을 수 있음을 언급하지는 않았다.
❺ 아량을 베푸는 것이 아니라, 잘못을 인정하고 상대의 처지를 이해하며 사과하는 것의 위력을 강조하고 있다.

10 글쓴이

[A]는 지난주에 일어난 사건이고, [B]는 그 이후(오늘) 일어난 사건으로, 서로 연관성이 없이 일어난 별개의 사건이다. '나'가 [A]에서 사과하지 않은 일에 대해 [B]의 사건을 본 후 [C]의 깨달음을 얻어 자기반성을 하게 된다.

오답 풀이 ❷ [A]에서 '나'는 '미안하다'는 말을 해야 하는 상황에서 이를 회피하지만, [B]에서 아버지와 경비원은 서로 사과하는 모습을 보이므로 적절한 감상이다.
❸ (바)의 '이번 일을 계기로 나도 '미안합니다'를 좀 더 자주 말할 수 있을 것 같다.'를 통해 인간관계의 측면에서 '나'의 긍정적인 변화를 예측할 수 있으므로 적절한 감상이다.
❹ [B]의 일화를 통해 '나'는 '미안합니다'라는 말이 지닌 위력에 대해 새삼 깨닫게 되었으므로 적절한 감상이다.
❺ 자신의 잘못을 고개 숙여 사과하는 아버지의 모습을 본 '나'는 '미안합니다'라는 말이 지닌 위력을 깨닫고 영수에게 사과하지 않은 자신의 행동을 반성하며 '미안하다'라는 말을 하리라 다짐하고 있으므로 적절한 감상이다.

어휘 체크 본문 187쪽

1 (1) 평정심 (2) 융통성 (3) 합리화
2 (1) ㉢ (2) ㉠ (3) ㉡

본문 188~189쪽

실전 05 어부_이옥

갈래 고전 수필
성격 비판적, 교훈적, 풍자적, 우의적
주제 올바른 군주의 도
특징
- 인간 세계를 물속 세계에 빗대어 표현함
- 유추의 방식을 통해 백성을 수탈하는 관리(탐관오리)들을 비판하고 군주의 역할을 제시함
- 설의적 표현을 사용하여 민본주의에 대한 글쓴이의 생각을 강조함

확인 문제
01 ○ 02 ○ 03 × 04 큰 물고기 05 국가, 군주, 백성 06 백성

실력 문제
07 ② 08 ⑤ 09 ④

01 이 작품은 물속 물고기들의 관계에 빗대어 인간 사회의 관계를 나타내고 있는데, 이를 통해 국가 관리(탐관오리)들이 백성들을 수탈하고 괴롭히는 문제에 대한 비판적 인식을 드러내고 있다.

02 (마)에서 '물고기가 사람을 슬퍼하는 것이 어찌 사람이 물고기를 슬퍼하는 것보다 심하지 않다고 하랴?'라며 탐관오리가 존재하는 현실에 대한 글쓴이의 개탄이 드러나 있다.

03 이 작품에서 군주를 의미하고 있는 것은 '용'인데, '용'은 물고기들에게 은혜를 베풀어 주는 존재로 제시되어 있다. (다)에서 '하지만 물고기에게 인자하게 베푸는 것은 한 마리 용뿐이요, 물고기를 학대하는 것은 수많은 큰 물고기들이다.'를 통해 백성들의 삶을 피폐하게 만드는 직접적인 원인 제공자는 군주가 아닌 '큰 물고기'에 해당하는 관리(탐관오리)들임을 확인할 수 있다.

04 (다)에서 '물고기를 학대하는 것은 수많은 큰 물고기들'이라고 하였고, 이후 이어지는 문장에서는 큰 물고기들이 작은 물고기들을 괴롭히는 내용이 구체적으로 제시되어 있다.

05 (가)에서 '물이 하나의 국가라면, 용은 그 나라의 군주다.~이 밖에 크기가 한 자 못 되는 것들은 물나라의 만백성이라 할 수 있다.'라는 부분에서 인간 세계를 물속 세계에 빗대어 나타냄을 알 수 있다.

06 (라)에서 글쓴이는 '작은 물고기가 없다면 용이 누구와 더불어 군주가 되며, 저 큰 물고기들이 어찌 으스댈 수 있겠는가?'라고 하며 작은 물고기인 백성이 없으면 나라도 존재할 수 없다는 인식을 드러내고 있다. 이를 통해 글쓴이가 백성을 나라의 근본으로 여기고 있음을 알 수 있다.

07 표현

'상하가 서로 차례가 있고~그것이 어찌 사람과 다르겠는가?', '작은 물고기가 없다면~어찌 으스댈 수 있겠는가?', '물고기가 사람을~사람이 물고기를 슬퍼하는 것보다 심하지 않다고 하랴?' 등에서 설의적 표현을 활용하여 국가의 근본이 되는 백성들이 탐관오리로 인해 고통받고 있는 현실에 대한 비판적 의미를 드러내고 있다.

오답 풀이 ① 물고기들의 상하 관계와 약육강식의 관계가 나타나 있지만, 물고기나 다른 대상에 대한 외양 묘사나 대상의 희화화는 나타나지 않는다.
③ '진실로 강한 자, 높은 자가~작은 물고기는 반드시 남아나지 않을 것이다.'에서 '~을 것이다'라는 추측의 표현이 사용되었지만, 과거 사실에 대한 의구심이 아니라 앞으로 일어날 상황에 대한 추측을 나타내고 있다.
④ 이 작품의 부조리한 대상은 작은 물고기를 괴롭히는 큰 물고기, 즉 백성을 괴롭히는 관리(탐관오리)들이다. 이렇게 백성을 괴롭히는 관리들을 '큰 물고기'에 빗대는 방식을 통해 비판적 의도를 드러내고 있을 뿐, 고사를 활용한 부분은 나타나지 않는다.
⑤ '슬프다!', '차라리 먼저 족속들을 물리치는 것만 못하리라!', '아아' 등에 영탄적 어조가 나타나지만, 이는 큰 물고기가 작은 물고기를 잡아먹는 상황에 빗대어 탐관오리들이 백성들을 괴롭히는 현실에 대한 안타까움을 드러낸 것이다. 대상이 부재한 상황에 대한 안타까움과는 관련이 없다.

배경지식 ⊕ 글쓴이 이옥의 현실에 대한 태도

이옥은 성균관 유생으로 있던 때에 정조 임금이 출제한 문장 시험에 소품체(小品體)를 구사하여 임금으로부터 불경스럽고 괴이한 문체를 고치라는 하명을 받았으나, 그의 뜻을 굽히지 않았다. 그는 자신의 문체를 완전히 고친 뒤에야 과거에 응시할 것을 허용한다는 징벌을 받아 관직 진출이 막혀 버렸지만, 신념을 지키며 문학 창작에 몰두했다. 군주로부터 견책을 당할 만큼 개성적인 문체와 내용을 고집했기 때문에 그의 글들은 살아온 시대를 바라보는 색다른 시각을 보여 준다. 그의 글들에서는 죽는 날까지 현실에 굽히지 않고 자신의 신념대로 글을 쓰는 것을 포기하지 않은 진정성이 드러난다.

08 글쓴이 + 주제

㉠은 사람이 물고기를 슬퍼하는 것보다 물고기가 사람을 슬퍼하는 것이 심하다(크다)는 의미이다. 물고기의 세계는 강자가 약자를 잡아먹기 마련인데, 이러한 특징이 인간 세계에도 있으며 그 정도가 물고기 세계보다 인간 세계가 더 심함을 드러내는 표현이다.

오답 풀이 ① 물속 세계에 있는 상하 관계가 인간 세계에도 있음이 제시되어 있기는 하지만, 글쓴이가 비판하고 있는 것은 그 상하 관계 속에서 강자가 약자를 삼키는, 탐관오리의 행태이다.
② ㉠은 물속 세계에 '큰 물고기'가 있듯이 인간 세계에도 '큰 물고기'가 있는데, 물속 세계보다 인간 세계가 더 심각함을 강조한 말이다. 단순히 사람들이 물고기에게만 '큰 물고기'가 있는 줄 아는 것에 대한 안타까움을 드러낸 것이 아니라, 인간 세계에서 관리(탐관오리)들의 수탈로 인해 백성들의 괴로움이 더 심각함을 드러낸 것이다.

❸ 이 작품에서 글쓴이는 용의 도리란 작은 물고기들에게 구구한 은혜를 베풀어 주는 것보다, 차라리 먼저 '그들을 해치는 족속들을 물리치는 것'이라고 말하고 있다. 그런데 ㉠은 이에 대한 내용을 다룬 것이 아니라, 강자가 약자를 약탈하는 현실에 대한 개탄을 드러낸 것이다.
❹ ㉠은 강자가 약자를 괴롭히고 약탈하는 것이 물고기 세계보다 인간 세계에서 더 심함을 의미한다. 물고기 세계와 인간 세계를 동일하다고 이해하는 것은 적절하지 않다.

09 글쓴이 + 주제

이 작품에서 ⓓ는 '작은 물고기가 없다면 용이 누구와 더불어 군주가 되며, 저 큰 물고기들이 어찌 으스댈 수 있겠는가?'를 통해 제시되고 있다. '진실로 강한 자, 높은 자가 싫증 내지 않는다면 작은 물고기는 반드시 남아나지 않을 것'은 <보기>의 '백성들은 죽어 사라질 위기에 처하였'다는 내용과 대응되므로, 이를 ⓓ와 대응시키는 것은 적절하지 않다.

오답 풀이 ❶ 이 작품에서 성상을 의미하는 것은 '용'이며, 성상이 백성들에게 베풀어 주는 은혜를 빗댄 것은 '비를 내려 주고'와 '큰 물결을 겹쳐 일어나게 하여 덮어' 주는 것이다.
❷ '고래와 암코래'가 작은 물고기를 잡아먹는 일을 자신의 시서로 삼고, '교룡과 악어'가 작은 물고기를 잡아먹는 것을 농사일로 삼는 것은 조정의 대신들이 백성들을 하찮고 가볍게 여기는 행태와 관련된다.
❸ 서리나 아전을 의미하는 '문절망둑, 쏘가리, 두렁허리, 가물치의 족속'은 틈을 타서 작은 물고기를 자신의 은이요 옥으로 삼는데, 이는 서리나 아전 등이 백성을 자신의 이익을 축적하는 방편으로 여기는 행태를 고발한 것이다.
❺ 이 작품에서 '무엇보다 시급한 것'이 백성들을 해치는 못된 관리들을 물리치는 일이라고 말하고 있다. 이를 '용의 도리란 작은 물고기들에게 구구한 은혜를 베풀어 주는 것보다, 차라리 먼저 그들을 해치는 족속들을 물리치는 것만 못하리라!'를 통해 제시하고 있다.

알아두기 **불합리한 현실에 대한 해결 방안**

"작은 물고기가 없다면 용이 누구와 더불어 군주가 되며, 저 큰 물고기들이 어찌 으스댈 수 있겠는가?" — 백성이 없다면 군주와 신하, 관리들이 존재할 수 없음 → 백성 없이는 국가가 존립하기 어려움

⇓

군주의 도리란 작은 물고기들에게 구구한 은혜를 베풀어 주는 것보다, 먼저 그들을 해치는 족속들을 물리치는 것임

⇓

군주가 백성을 괴롭히는 신하와 관리들을 벌함으로써 백성들을 괴롭히지 않도록 하는 것이 시급함

+ 독해 체크 본문 190쪽

❶ 군주 ❷ 국가 ❸ 부정적 ❹ 은혜 ❺ 영탄법
❻ 학대 ❼ 탐관오리

+ 어휘 체크 본문 191쪽

1 (1) 약탈 (2) 통솔 (3) 족속
2 (1) ㉡ (2) ㉠ (3) ㉢

실전과 기출문제를 통해 어휘와 독해 원리를 익히며 단계별로 단련하는 수능 학습!

대표전화 1544-0554
주소 서울특별시 구로구 디지털로33길 48 대륭포스트타워 7차 20층